# THE LIBRARY

## OF

## WALTER T. NAU

Zum Umschlagbild
(Aufnahme: Verfasser)

Der Schein trügt. Diese U-Bootfahrt ist keine ,Bäderreise'. Sie ist alles andere als paradiesisch friedlich. Sie, die zwar im Mittelmeer aufgenommen wurde, ist viel mehr *symptomatisch* für die im Kriege so gefährlichen Küstengewässer Niederländisch-Indiens ... Deutsche U-Boote befuhren die Malakka-Straße zwischen Sumatra und der Halbinsel Malaya, das Gebiet der Tausend Glücklichen Inseln, die Sundastraße zwischen Sumatra und Java oder jenen schmalen Seeweg, der den Indischen Ozean mit der Java-See zwischen Bali und Lombok verbindet. Hier lauerten die Alliierten auf die stählernen Haie des BdU. Was auf dem Bild nach erholsamer Ruhe aussieht, ist in Wirklichkeit akuter Alarmzustand unter palmenbestandenen Küsten in Asiens Inselparadies. Wer nicht unbedingt im Bereich der gesucht flachen Küstengewässer für das Fahren des Bootes gebraucht wurde, hatte den Befehl, ,sich an Oberdeck aufzuschießen'. Wenn sich irgendwo doch ein feindlicher Hai in einer etwas tieferen Rinne auf die Lauer gelegt hatte, weil der Gegner wußte, wann eines der deutschen Monsun-U-Boote dieses Küstengebiet passieren würde (und er wußte es über seine gut eingespielten Agenten beiderlei Geschlechts oft nur zu gut), dann wenigstens sollten im Katastrophenfalle die Opfer unter der Besatzung des betroffenen Bootes so gering wie nur möglich sein.

Monsun-U-Boote!

Nach den Monsun-Winden benannt!

Nach tropischen Winden, vollgesogen mit der Feuchtigkeit des Meeres, gesättigt mit fiebernder Glut, die sich wie das Gift der Malaria im Blut verteilt. Gespenstische Winde, die das Denken lähmen, Gefahren verharmlosen; ungewohnt und unbekannt in ihrer Wirkung auf Körper, Geist und Seele für die meisten der Grauen Wölfe ...

Warum aber vermochte der tropisch erfahrene Bündnispartner Japan die latente Bedrohung durch des Gegners U-Boote nicht durch seine U-Boot-Abwehr auszuschalten, warum nicht mindestens zu mindern? Ja, warum nicht ...

# JOCHEN BRENNECKE

# *Haie im Paradies*

## DER DEUTSCHE U-BOOT-KRIEG
## IN ASIENS GEWÄSSERN 1943—45

Dramatische Originalberichte
Überlebender
und bisher unveröffentlichte
Geheim-Dokumente
2. überarbeitete und verbesserte Auflage

KOEHLERS VERLAGSGESELLSCHAFT · HERFORD

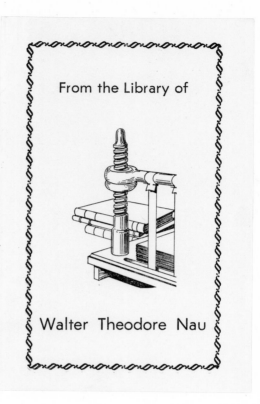
© 1967 Copyright by Koehlers Verlagsgesellschaft, Herford
Alle Rechte, insbesondere das der Übersetzung, vorbehalten.

Druck: Hans Kock, Bielefeld
Bucheinband: H. Obendiek, Brackwede
Schutzumschlag: Jochen Brennecke
Printed in Germany

# INHALTSVERZEICHNIS

# VORWORT

Es muß einmal gesagt werden, daß ein Autor bei der Darstellung Geschichte gewordener Ereignisse und Personen in novellistischer Form zunächst den historischen ‚background‘, wenn dieses treffliche Wort aus dem englischen Sprachschatz hier einmal verwendet werden darf — mit gebotener Sorgfalt studiert. Diesen ‚background‘ zu erarbeiten, ist, soweit es die Ereignisse des II. Weltkrieges und die Zeit davor betrifft, nicht immer leicht. Oft genug sind für ein Geschehen mehrere Augenzeugen und Dokumente notwendig, um ein historisch echtes Bild gestalten zu können. Ohne den grundsätzlichen Wahrheitsgehalt etwa eines KTB's in Zweifel ziehen zu wollen, darf doch festgestellt werden, daß bereits die Niederschrift in einem KTB oft schon subjektiv zu werten ist, ganz abgesehen davon, daß KTB-Eintragungen nicht selten eine geraume Zeit nach dem eigentlichen Geschehen erfolgten. Die wirklich zeitnahen Unterlagen dürften die Kladden sein. In sie erfolgten die Notizen w ä h r e n d der Aktion. Diese aber sind nicht zu beschaffen, wohl aber Erfahrungs- und Erinnerungsberichte derer, die dabei gewesen sind. Deren Aussagen in Verbindung mit den Fakten der KTB's und anderer Dokumente runden geschichtliches Material erst ab, und erst jetzt kann ein gewissenhafter Autor, der einen breiten Leserkreis statt ausschließlich Fachpublikum ansprechen will, mit der eigentlichen Gestaltung beginnen, erst nun kann er das für s e i n e Konzeption Wesentliche vom Unwesentlichen trennen, um die Höhepunkte herauszuarbeiten.

Kurzum: dort, wo die Niederschrift rein kriegsgeschichtlicher Fakten aufhört, beginnt für den ernsthaften Erzähler erst die Arbeit.

Der nur am Fachlichen und Geschichtlichen interessierte Historiker wird sich, daran ist kein Zweifel, über eine novellistische Konzeption nicht befriedigt wissen, auf der anderen Seite fühlt sich ein breiter Leserkreis durch eine trockene, substanzierte Materie rein fachlicher Forschung nicht angesprochen. Dieser Kreis will nacherleben, er will im wesentlichen miterleben, wie es war und wie es geschah.

In diesem Buch nun brauchen betont historisch interessierte Leser n u r die Abschnitte in der K u r s i v s c h r i f t zu lesen, um sich über den deutschen U-Boot-Krieg in Asiens Gewässern in den Jahren 1943 bis 1945 wie auch über die Entwicklung der deutsch-japanischen Zusammenarbeit bis zu dieser Epoche des U-Bootkrieges zu informieren.

Wer mehr die erzählende, erlebnishafte Form vorzieht, findet diese in der n o r m a l e n  S c h r i f t dargestellt. Damit ist beiden Interessenkreisen gedient, womit ich die Hoffnung verbinde, daß das eine auch den anderen nutzt, daß auch der Freund novellistischer Darstellungen an den rein fachlichen und historischen Passagen Geschmack findet. Ein kleiner Teil der novellistischen Darstellungen erschien als Vorabdruck in der Millionen-Illustrierten QUICK. Die Berichtserie wurde unter dem Titel HEIMAT DEINE STERNE veröffentlicht. Diese Passagen wurden für die Buchdiktion ergänzt und erweitert. Der Verfasser verdankt QUICK die Möglichkeit einer gründlichen Recherchierung, vor allem die vielen Tonbandaufnahmen Dabeigewesener.

Ich darf daher in erster Linie allen danken, die in diesem Buch mit direkten oder sonstigen Aussagen namentlich in Erscheinung treten, insbesondere den damaligen Stützpunktleitern, U-Boot-Kommandanten, den Offizieren, Unteroffizieren und Mannschaften der Stützpunkte, von Monsun-U-Booten und den V.-Schiffen, sowie dem Chef des Marine-Sonderdienstes beim Marineattaché in Tokio; ferner der ‚Arbeitsgemeinschaft für Marinegeschichte und Maritime Publizistik' in Düsseldorf. Dank gilt auch allen aktiven und inaktiven Experten der U-Bootwaffe, Mitgliedern vom ‚Arbeitskreis für Wehrforschung', Stuttgart; Dr. J. Rohwer, Leiter der Bibliothek für Zeitgeschichte, Weltkriegsbücherei, Stuttgart; Dr. H.-A. Jacobsen, Direktor vom ‚Forschungsinstitut der Deutschen Gesellschaft für Auswärtige Politik', Bonn; weiter F. L. Dechow, Bad Godesberg; K. A. Thomsen, Dülken; Dr. med. Hans Werner, Düsseldorf; Dr. med. Wilhelm Kau, Düsseldorf; Dr. Th. Michaux, Speyer; Kapitän Ernst Laufenberg, Bodo Herzog, Oberhausen, Dr. jur. H. Wagener, und vor allem meinem U-Bootkameraden, dem heutigen Pastor Paul Rotfahl, Gladbeck, meinem pommerschen Freund und getreuen Mitarbeiter an der pommerschen Presse, Rektor Otto Noeske, jetzt Oberkotzau, und meinem Schulschiffkameraden Oberstabsbootsmann Werner Krüger, Deichsende.

Der Verfasser

# ERSTER TEIL

## 1.

## „... IT'S A LONG WAY TO GO!"

Singapore.
Herbst 1945.
Japan hat kapituliert.
Wochen vergehen. Endlich taucht im Lager Pasir Pandjang, wohin man die Deutschen aus dem stickigen Treibhaus des malayischen Dschungels wieder zurückdirigiert hat, der erste britische Offizier auf. Ein Major Wilson. Ziemlich jung noch, glattes Gesicht, Sommersprossen. In der Rechten ein dünnes Stöckchen aus Bambus. Er hat Militärpolizisten bei sich. Auf seinen Befehl verhaften sie den ehemaligen deutschen Stützpunktleiter von Malaya, Korvettenkapitän Ehrhardt. Er war einst IO auf von Rucksteschells Hilfskreuzer *Michel.* „Er sei ein Kriegsverbrecher ...", so spricht es sich im Lager herum.

„Na, denn man prost ...!"
Der Whisky, mit dem sie auf Korvettenkapitän Ehrhardts Wohl und Wehe und auf schnelle Klärung des offenkundigen Irrtums um ihren ehemaligen Stützpunkt-Chef anstoßen, stammt nicht vom black-market. Er ist ein Geschenk australischer, englischer und kanadischer Soldaten. Bis vor kurzem waren diese noch Gefangene der Japaner.

Die Überraschungen reißen nicht ab. Ein paar Tage später: Major Wilson fährt wieder vor. Schon am harten Bremsen ist zu merken, daß er heute mit keiner guten Botschaft kommt. Die deutschen Seeleute, es sind Monsun-U-Bootfahrer, Überlebende der Hilfskreuzer *Michel* und *Thor,* Besatzungsmitglieder von Versorgern und Prisen, stehen abwartend vor ihren Unterkünften.

„Where is Captain Freiwald?" ruft der Major den Männern zu.
Sie schweigen.

Noch einmal fragt Wilson.

Wieder bekommt er keine Antwort.

Mit seinem dünnen Stöckchen trommelt der Major auf seiner Khakihose. Sich zu beherrschen, kostet ihn sichtlich Mühe. Dann tritt er kurz entschlossen auf einen kleinen, wohlgenährten Seemann zu, der vorn in der Mauer der schweigenden Männer steht.

„You understand?"

„Jarnischt", sagt der Matrosenhauptgefreite Hein Briesicke aus Berlin-Moabit mit ausnehmend höflicher Stimme. „Ick vastehe keen Wort. Ick bin nämlich nich von hier."

Die Kameraden grinsen. Der Engländer schnauft und wischt sich den Schweiß von der Stirn. Er kocht.

Einer der Militärpolizisten flüstert ihm etwas ins Ohr; dabei deutet er auf einen kleinen Bungalow: Blumen vor den Fenstern; englischer Rasen rundherum. Wilson nickt und geht über den Hof.

Kapitän zur See Kurt Freiwald, letzter Kommandant von U 181, einem der berühmtesten U-Boote, das je die salzigen Meere befuhr, erhebt sich, als der britische Offizier bei ihm eintritt. Ohne Gruß setzt sich Wilson auf Freiwalds Stuhl.

Der Deutsche mustert den Engländer erstaunt.

„Sie wünschen?"

„Sie werden mit ihren Leuten verlegt! Morgen früh!"

„Wohin, wenn ich fragen darf?"

„Changi Jail."

„Ins Zuchthaus? Ich habe mich wohl verhört."

„Es bedarf keiner militärfachärztlichen Untersuchung, Ihnen ein ausgezeichnetes Gehör zu bestätigen", sagt der britische Major mit fühlbarer Ironie. Dabei schlägt er mit seinem Stöckchen auf Freiwalds Arbeitstisch die Takte eines englischen Soldatenliedes.

Kapitän zur See Freiwald zeigt unwillig auf den Bambusstock. „Würden Sie das bitte unterlassen, Major. Das stört die Unterhaltung."

Wilson läuft an wie ein Beefsteak. Er schnauft wie ein Walroß, zieht jedoch den Stock von der Tischplatte zurück.

„Wann kommen die Wagen?" fragt Freiwald.

„Wagen?" sagt der Brite gedehnt und reckt sich. „Wagen, sagten Sie? Sie werden marschieren, Captain!"

„Soll das eine Brüskierung sein? Wollen Sie die deutschen Marinesoldaten demütigen?"

Der Major gibt keine Antwort.

„Ich mache Sie darauf aufmerksam, daß meine Soldaten Seeleute sind", sagt Freiwald. Und weiter, leise, aber nicht ohne Schärfe: „Und ist Ihnen auch klar, was es bedeutet, wenn wir durch das farbige Singapore marschieren?"

Major Wilson springt auf.

„Ja, das ist mir klar. Sehr klar sogar."

„Sie werden Ihr Gesicht verlieren. Sie schneiden sich ins eigene Fleisch."

„Sie werden marschieren. Unter der Bewachung von mir ausgesuchter Gurkhas. Morgen früh, neun Uhr. Quer durch die Stadt. Kreuz und quer. Dafür werde ich sorgen. Und mir ist dabei völlig egal, ob jemand sein Gesicht verliert oder nicht."

Freiwald erkennt, daß es unmöglich ist, diesen Irrsinnsplan zu verhindern. Und ehe er sich dazu äußern kann, hat der Brite das Zimmer verlassen. Ohne Gruß, wie er kam.

Vom Lager Pasir Pandjang bis zum Zuchthaus Changi Jail sind es normal zweiundzwanzig englische Meilen. Das sind gut fünfunddreißig Kilometer. Und das bei tropischer Hitze. Bei mehr als 45 Grad im Schatten. Verlangt von Männern, die des Marschierens so ungewohnt sind wie ein bayrischer Gebirgsjäger der Windstärke neun auf den Teakholzplanken eines schwimmenden Untersatzes.

Der 18. Oktober 1945.

Zehn Minuten vor neun Uhr treten die 260 deutschen Seeleute auf dem Hof des Lagers an. Sie tragen das beste Zeug, das sie haben, makelloses, von den meisten noch nicht einmal getragenes Khaki. Sie haben blütenweiße Schiffchen auf dem Kopf, weiße Strümpfe an und schwarze Schuhe, auf Hochglanz poliert.

Wie zur Parade.

Ein Jeep fährt vor. Am Steuer Major Wilson. Sein Gesicht glüht vor Selbstbewußtsein. Hinter ihm ein LKW mit indischen Soldaten. Ein Zug schwarzbrauner Gurkhas aus den Vorbergen des Himalaya. Sie springen ab, pflanzen die Bajonette auf. Am rechten Flügel, also dort, wo die Spitze marschieren wird, treten australische Fallschirmjäger an. Sie haben entsicherte Maschinenpistolen unterm Arm.

Major Wilson erwartet, daß ihm der deutsche Kapitän zur See oder einer der Offiziere Meldung macht. Nichts dergleichen geschieht. Freiwald unterrichtet Wilson lediglich, daß die Lagerbesatzung vollzählig sei.

„Falls Sie das überhaupt interessiert", fügt er noch hinzu.

„Go on", befiehlt der Major.

Keiner der Deutschen bewegt sich. Sie warten auf Kapitän Freiwalds Befehl. Durch die Reihen der Seeleute wogt ein Murren. „Man sollte ihm in die..."

„Ruhe bitte", verlangt Freiwalds Vertreter. Nur nicht die Nerven verlieren.

„Go on!" schreit der Major erneut. Er ist jetzt bleich vor Wut. Der deutsche Kapitän sieht ihn gar nicht an, er beobachtet vielmehr die Zeiger seiner Uhr. Dann hebt er die Hand, tritt vor die Front: „Abteilung... stillgestanden! Rechts... um! Im Gleichschritt... marsch!"

Freiwald setzt sich an die Spitze. Voraus, in zwanzig Meter Abstand, die Fallschirmjäger. Die Gurkhas sichern an beiden Seiten. Major Wilson fährt im Jeep hinterher.

Der Marsch beginnt. Und mit ihm ein Lied. Das berühmte englische Soldatenlied: „It's a long way to Tipperary, it's a long way to go" ertönt. Aber nicht gesungen. Gepfiffen.

Wilson braust mit seinem Jeep nach vorn: „Shut up... Aufhören!"

Die Deutschen reagieren überhaupt nicht.

„Shut up!" Wilson ist direkt neben dem deutschen Kapitän aufgefahren.

„Aufhören!" befiehlt Freiwald.

„Was fällt Ihnen ein, ein englisches Soldatenlied singen zu lassen?" wettert der Major.

„Sie müssen zunächst einen Unterschied zwischen Pfeifen und Singen machen. Lassen Sie sich bitte weiteres von diesem Offizier erklären."

Kapitänleutnant Rasner, Ex-FTO vom Hilfskreuzer *Thor*, wendet sich an den Major. „Sorry, Sir. Was Sie da hören, ist zufällig auch die Melodie von einem europäischen Heimatlied."

Kaum hat er dies dem Major gesagt, befiehlt die Spitze: „Weitermachen! Das Lied noch einmal von vorn... Alle

Strophen durch ... pfeifen. Und danach: laut und vernehmlich singen ,Das kann doch einen Seemann nicht erschüttern'!"

„Eingepickt ...", brüllt der letzte Mann. „Drei ... vier ...!" Wilsons Gesicht nimmt die Farbe eines gebrühten Krebses an. Er fordert Freiwald auf, sofort in seinen Jeep zu steigen. Er hofft, er habe hier den verantwortlichen Deutschen besser unter der Kontrolle. Aber der Kapitän zur See lehnt höflich ab: „Danke, ich bleibe bei meinen Männern."

Wilsons erneuter Versuch, das Pfeifkonzert zu unterbinden, beantworten die Seelords mit doppelter Lautstärke. Und als sie später das Lied vom Seemann, den nichts erschüttern kann, singen, versickern seine Anordnungen und Wünsche wie Wasser im Sand. Die kleinen Gurkhas haben alle Mühe, Schritt zu halten. Die australischen Fallschirmjäger sind bereits nach den ersten paar Kilometern ausgeschoren ...

Der über zwei Meter große Dolmetscher, Oberleutnant zur See Cölln, hat aus Versehen dem vor ihm tippelnden Gurkha mit seinen langen Schritten um ein Haar ins Achterteil getreten. Er macht das dadurch gut, daß er dem Gurkha das Gewehr abnimmt und es für ihn trägt; nachher tut er das auch noch für dessen Hintermann.

Überall laufen die Farbigen zusammen. Die Menge am Straßenrand jubelt den Deutschen zu. Eingeborene Polizisten grüßen korrekt. Auch ein paar englische Kolonialbeamte stehen auf dem Bürgersteig, erstaunt, daß Europäer unter farbiger Bewachung durch Englands wiedergewonnene Kronkolonie marschieren müssen. Sie schütteln die Köpfe.

Im Hafengelände drängen australische und britische Fallschirmjäger, Soldaten, die in Europa hart gekämpft haben, die vor Begeisterung johlende eingeborene Bevölkerung mit brutaler Gewalt und mit Schlägen zurück ... Inder, Malayen, Chinesen, Eurasier ... Und ein eingeborener Polizist, den sie verschonten, ruft der Marschkolonne zu: „Das ist die beste Militärparade, die Singapore je sah. Bravo!" Dann trifft ihn ein Kolbenhieb.

Die Kolonne hält sich in tadelloser Ordnung. Die Männer haben jetzt zehn Kilometer hinter sich. In knapp zwei Stunden. Bei 45 Grad Hitze. Wilson führt sie nicht auf dem kürzesten Wege durch Singapore nach Changi Jail hinaus; er dirigiert sie kreuz und quer durch die Straßenzüge der britischen Kolonie. Über das glühende Pflaster der Innenstadt. Schweiß rinnt ihnen in Strömen am Körper herunter. Ihre Khakiuniformen sind klitschnaß. Durst macht sie halb wahnsinnig. Aber sie reißen sich zusammen.

„Ein neues Lied: ‚Wir lagen vor Madagaskar . . . und hatten die Pest an Bord . . .‘"

„Durch!" krächzt der letzte Mann aus heiserer Kehle. „Drei . . . vier . . .!" Der Gesang hallt wider von den modernen Hochhäusern der City. An allen Fenstern drängen sich Menschen, dieses einmalige Schauspiel zu sehen.

Major Wilson hat die kleinen, schmächtigen Gurkhas bereits durch eine neue Mannschaft ablösen lassen müssen. Sie vermochten nicht mehr Schritt zu halten. Im Zentrum der Stadt, vor dem Palast des britischen Gouverneurs, in dem Lord Louis Mountbatten residiert, hallen englische Kommandos, als sich die Kolonne nähert. Die Posten präsentieren. Bis der letzte Mann vorbeimarschiert ist. Letzter Mann ist der aus Berlin-Moabit stammende Matrosenhauptgefreite Heinrich Briesicke, den sie Hein Gummi nennen. Der kleine, rundliche Seemann wirkt gutmütig und geduldig wie ein braves Lebewesen, das seinen Daseinszweck sonst nur im Futtern sieht. Er hat große runde, braune Augen und den Blick eines Münsterländers. Das Unheimliche an ihm ist sein sechster Sinn.

Ein offener PKW mit britischen Marineoffizieren kommt der Marschkolonne entgegen. Der Wagen stoppt. Er wendet. Er fährt langsam an dem Zug vorbei. Die Navy-Offiziere steigen aus. Ihre Gesichter sind fassungslos. Ganz plötzlich bekommt der Fahrer von dem dienstältesten Offizier einen Wink. Die Offiziere steigen ein. Der PKW braust davon . . . unzweifelhaft, um etwas zu veranlassen.

Major Wilson hatte vorher die Wochenschauen alarmiert. Die Kameramänner, die am Straßenrand postiert sind, brechen ihre Aufnahmen ab. Das, was sie bis jetzt gedreht haben, darf später nicht vorgeführt werden. Diese Kulisse stimmt nicht. Ganz Singapore sympathisiert ja mit den ‚Germans‘. Aus dem Marsch der Demütigung ist eine Triumphparade für die Deutschen geworden.

Die Kolonne erreicht die Stadtgrenze, am Flugplatz vorbei. Immer weiter in der brütenden Hitze, die sich lähmend auf die Lungen legt. Jetzt singt keiner mehr. Aber sie marschieren noch, einige wankend, aber noch aufrecht. Naß, wie aus dem Wasser gezogen. Die Blasen an den Füßen scheuern auf. Die Strümpfe kleben am rohen Fleisch fest. Die ersten Ausfälle drohen. Wilson ist wieder in seinem Element. In seinem Jeep fährt er die Reihen entlang.

Hein Briesicke hat einen jungen Gefreiten, der einen Hitzschlag bekommen hat, untergefaßt. Der Junge ist totenblaß und hat sich erbrochen. Immer wieder knickt er in den Knien ein. „Los, leg deinen Arm um meinen Hals."

Wilson hat gesehen, daß die beiden immer zurückbleiben. Er stoppt seinen Jeep, winkt mit seinem Stöckchen einen Gurkha heran, ruft ihm einen Befehl zu und gibt wieder Gas.

„Ich kann nicht mehr", flüstert der Junge.

„Aber jewiss kannste noch. Det schaffste schon."

„Ich seh' bloß noch schwarze Punkte."

Beinahe unhörbar kommen diese Worte über die aufgesprungenen, trockenen Lippen des Jungen. Und ehe Hein Briesicke ihn halten kann, bricht der junge Funkgefreite zusammen und schlägt lang hin. Die Lider sind halb geöffnet, die Augen verdreht. Stoßweise rasselt der Atem.

Vorn, an der Spitze, ist Kapitän zur See Freiwald aus der Marschkolonne heraus und auf Wilsons Jeep zugetreten: „Ich habe den ersten Ausfall. Weitere sind zu erwarten. Die Männer brauchen einen Arzt."

„Ein Arzt ist nicht vorgesehen. Marschieren Sie weiter."

Nachdem die Kolonne langsam vorübergezogen ist, nimmt Major Wilson den Hörer des Funksprechgerätes aus dem Halter am Armaturenbrett: „Schicken Sie sofort einen Lastwagen auf die Straße nach Changi Jail. Die bloody Germans können nicht mehr. Lassen Sie auch einen Sani mit genügend Verbandszeug mitfahren."

„Nur Bewußtlose nimmt ein soeben bestellter Lastwagen auf", ruft er Kapitän zur See Freiwald zu, als er wieder an der Spitze auftaucht.

„Durchsagen: wer nicht mehr weiter kann, muß den Ohnmächtigen spielen", gibt Freiwald seinen Männern bekannt.

„Det soll uns een inneret Missionsfest sein. Machen wir den Anfang." Hein Briesicke legt sich neben seinem, noch immer benommenen Kumpel nieder. Aber nur ein paar noch machen von diesem Angebot Gebrauch. Keiner von den Alten ist unter diesen, schon gar keiner von den alten Oberfeldwebeln, den Obermaschinisten, den Obersteuerleuten, den Oberfunkmeistern der Monsun-U-Boote. Viele von ihnen sind sooft, ja wie oft denn überhaupt... in den Wasserbombenschlachten über den schmalen Grat zwischen Leben und Tod geschritten. Als die Sonne blutrot hinter filigranzarten Palmwedeln versinkt und die kurze, tropische Dämmerung hereinbricht, entdecken sie ein düsteres Gebäude voraus: Das Zuchthaus Changi Jail. Ein massiger Turm davor. Hohe Mauern rundherum. Aber das riesige, eisenbeschlagene Tor im Turm bleibt geschlossen. Es öffnet sich nicht, als die Spitze darauf zu marschiert.

„Honni soit qui mal y pense!" In steinernen Lettern steht es über dem Tor. Weiß Gott, diese drögen Briten haben Humor. Mit der Hand, nicht mit dem Stöckchen, weist Wilson die Spitze der Kolonne nach links ein, dorthin, wo im Schatten der düsteren Mauern bungalowähnliche Gebäude sichtbar werden. Sie dienten malayischem Zuchthauspersonal mitsamt deren Familien als Behausungen: „Das ist Ihr künftiges Quartier, Captain", sagt der Major, grüßt und fährt davon.

Beim Barte Neptuns, der Kerl hat gegrüßt . . . Sie alle, gewohnt, auch in dunkler Nacht zu sehen, notieren es in ihren Köpfen. Auch die glühenden Punkte der brennenden Zigaretten indischer und englischer Soldaten auf der Mauer des Zuchthauses Changi Jail. Die Kranken werden von den LKW's abgeladen. Dann sind die Deutschen sich selbst überlassen.

Keine Bewachung. Kein Stacheldraht.

Elektrisches Licht gibt es nicht in den Steinbaracken. Die Wasserleitungen funktionieren ebenfalls nicht. Weder Möbel noch Feldbetten sind vorhanden. Und nichts zu essen.

Das einzige, was sie im Flackerschein der Feuerzeugflämmchen erkennen, ist Dreck. Jede Menge Dreck. Dazu viehischer Gestank. Und Moskitos. Millionen.

„Hier sieht es ja aus wie bei Oberfähnrichs." Es ist der Matrosenhauptgefreite Briesicke, der als erster die Sprache wiedergefunden hat. Dann haut er sich kurz entschlossen hin: „Nacht Kameraden. Erst mal filzen."

*Das berüchtigte Changi Jail ist die letzte Etappe der Besatzungen der in Penang und Singapore von zwei Kapitulationen überraschten Monsun-U-Boote und des Personals dieser beiden deutschen Stützpunkte. Für die anderen Kameraden der Stützpunkte Bata-*

*via und Soerabaja auf Java ist es am Ende die dem Hafen Tan-jok Priok vorgelagerte Gefängnis-Insel Onrost.*

*Wenige Monate später werden die deutschen Seeleute aus dem Südostraum Asiens auf dem Fahrgastdampfer* Empress of Austra-lia *eingeschifft. Sie stehen an der Reeling und blicken auf die vom Monsun-Wind marmorierte See. Die Küste sinkt unter die Kimm. Die fernen Berge heben sich tiefblau wie Saphire aus dem Boden dieser paradiesischen Erde, wie mit einem Rasiermesser geritzt, gegen den tropischen Baldachin in seiner fiebernden Bläue ab. Sie sehen das sich plötzlich heraufwindende Gewölk über den Bergen. Nur ein wenig später schon ist der eben noch makellos blaue Himmel mit einer dunklen, düster dräuenden Wand bezogen. Sie schiebt sich höher und höher, über sie, über ihr Schiff hinweg.*

*Mit einem Furioso fauchen orkanhafte Böen aus ihr heraus. Und dann kommt der Regen:*

*Monsun-Regen. Er fällt in großen, schweren Tropfen herab. Und er zieht einen platinschimmernden Vorhang vor das entschwindende Land.*

*Sie denken an ihre Kameraden . . . an die, die der dampfende Dschungel fraß . . ., an jene, die Seite an Seite mit britischen Soldaten, den Feinden von gestern, gegen die Rebellen kämpften und fielen . . . und die nun unter den Palmen der glücklichen Inseln ausruhen . . . für immer. Sie denken an die, die in der Sunda-Straße, in der Malakka-Straße, vor Java, vor Sumatra, vor Celebes oder im Indischen Ozean mit ihren U-Booten blieben . . . an Kameraden, mit denen sie vor drei Jahren aus den Stützpunkten der Heimat ausgelaufen waren . . . hoffnungsfroh, aber doch voller düsterer Ahnungen, denn von drei U-Booten kehrte nur eines wieder heim . . . damals, als die Verhandlungen zwischen Deutschland und Japan den deutschen U-Booten den ganzen Indischen Ozean als Jagdrevier auf alliierte Tonnage frei-gaben und diesen die Benutzung der von den Japanern eroberten Stützpunkte Singapore und Penang, Batavia und Soerabaja ge-statteten.*

*Der Weg bis zu diesem Punkt ist eine besondere Phase in der deutschen Marinegeschichte des Zweiten Weltkrieges, so wie die Schicksale der Monsun-U-Boote, die stählernen Haien gleich in das tropische Paradies einbrachen, zu den unbekanntesten, ge-heimsten und nahezu unwahrscheinlich klingenden Kapiteln des U-Boot-Krieges zählen.*

# ZWEITER TEIL

## 1.

## RAEDERS UNERFÜLLTE HOFFNUNGEN

*Was lag für die deutsche Seekriegsleitung näher, als unmittelbar nach Kriegsausbruch im Sinne der Verhandlungen von 1938 vom Antikominternpartner Japan Hilfe und Unterstützung zu erhoffen? Großadmiral Raeders konkrete Wünsche, vom damaligen Oberbefehlshaber der Wehrmacht gutgeheißen, sind:*

*a) Erlaubnis zum Anlaufen japanischer Stützpunkte für deutsche Hilfskreuzer und Unterseeboote,*

*b) Überlassung einiger U-Boote an Deutschland zur Kriegführung in Ostasien.*

*Noch am 22. November erklärt der Großadmiral Hitler optimistisch, daß er von den Japanern eine günstige Antwort erwarte, während an Italien die Forderung um U-Boot-Gestellung erneut erhoben werden müsse, sobald seine Haltung klarer würde. Von Estland und Lettland könnten U-Boote nicht erbeten werden, da Rußland dies leicht als einen Eingriff in sein Interessengebiet halten könnte. Interessant ist, daß bei dieser Gelegenheit der Chef OKW, Generaloberst Keitel, erneut von Lieferungen russischer U-Boote an Deutschland spricht, hier aber von Hitler — und nicht von der fachlich qualifizierten Marine — darauf hingewiesen wird, daß sich die russischen U-Boote in schlechtem Zustande befänden. Hitler lehnt außerdem ab, weil man den Russen keine Schwäche bei der Großdeutschen Wehrmacht eingestehen dürfe. Außerdem wären sie sowieso nicht zu einer Abgabe bereit.*

*Die Antwort der japanischen Regierung, von Raeder am 8. Dezember 1939 vorgetragen, lautet unter Hinweis auf das gespannte Verhältnis von Japan zu den USA:*
*„Keine U-Boote, keine Stützpunkte!"*

*Wohl aber sei man dort in puncto Versorgung und Nachrichtenunterstützung durchaus ansprechbar. Dieses Entgegenkommen bezieht sich aber lediglich darauf, deutschen Handelsschiffen in Japan nicht nur Schutz zu gewähren, sondern an deren Beladung insoweit desinteressiert zu sein, ob deren Fracht unter Umständen im Indischen Ozean und Pazifik operierenden deutschen*

*Hilfskreuzern zugute kommen könnte. Deutschen Hilfskreuzern selbst will Japan im Mutterland keine Stützpunkte oder Reparaturfristen gewähren, wohl aber duldet es still das Aufsuchen unter japanischer Kontrolle stehender Südseeinseln ehemals deutscher Kolonialgebiete als Versorgungs- und Reparaturplätze, auch von deutschen Hilfskreuzern aufgebrachter und als Prisen nach Japan entlassener Feindschiffe, da diese ja nun unter deutscher Flagge fahren.*

*Jedenfalls, und das schwächt die von Raeder erhoffte Ausgangsposition, kann die deutsche U-Bootwaffe nicht mit großen japanischen Typen ausgerüstet werden, und eigene Fernkampf-Boote sind erst im Bau. Eine Genehmigung, japanische Häfen als Stützpunkte anzulaufen, liegt zudem für deutsche U-Boote nicht vor. Auch sie wären auf Eigenversorgung in See angewiesen.*

*Während sich in der ersten Phase des Seekrieges der Schwerpunkt der U-Boot-Operationen um die britische Insel und auf die Nordatlantik-Route konzentriert, operieren allerdings einige größere Boote bereits in südlicheren Gebieten, um das fehlende Dreieck außerhalb der sogenannten Westhemisphäre, der panamerikanischen Sicherheitszone, zu bedecken. Neues Operationsziel wird ab Sommer 1941 das Seegebiet vor der afrikanischen Westküste, dessen Erweiterung aber mit Rücksicht auf die USA, Portugal und Spanien vorerst nicht offiziell bekannt gemacht wird. Den U-Boot-Kommandanten werden aber durch interne Befehle die unbedingt notwendigen Freiheiten eingeräumt.[1]*

*Nachdem Japan, zusammen mit Italien, im September 1940 den Dreimächtepakt unterzeichnet hat, befaßt sich die deutsche Seekriegsleitung mit den verschiedenen Möglichkeiten für den Fall eines Krieges zwischen Japan und England oder auch dem USA. In einer Niederschrift legt Großadmiral Raeder am 25. Januar 1941 seine Überlegungen zur Frage: „Japan im Dreimächtepakt" dar. Diese sind insofern von Interesse, weil wir heute wissen, was eintraf und was nicht und welche Hoffnungen der deutschen Seekriegsleitung — auch in der Frage des U-Boot-Krieges im Indischen Ozean — sich erfüllten.*

*Im Kapitel IV, wohl das interessanteste in diesem Komplex, befaßt sich Raeder mit der japanischen Aufgabe aus der Sicht der deutschen Skl, wobei allein schon die Ziffer 1 interessant ist, weil sie die ganze Unsicherheit gegenüber dem fernöstlichen Bündnispartner ausdrückt:*

*„ . . . Von erster Bedeutung vor Einweisung Japans in seine Kriegsaufgaben ist eine genaue Kenntnis seines ‚Potentiel de guerre'. Diese Kenntnis muß sich nicht nur auf Eigenschaften und Zustand aller Kriegsfahrzeuge usw., sondern auch auf den Stand der Rüstungsindustrie, der Öl- und Rohstoffversorgung und Ernährungswirtschaft erstrecken.*

*Diese Voraussetzung für eine rationelle Zusammenarbeit muß*
*vertrauensvoll schon jetzt geschaffen werden...*
*Wenn auch vernichtende Schläge gegen amerikanische Überwas-*
*serkräfte kaum möglich sein werden und auch nicht Hauptauf-*
*gabe japanischer Überwasserkräfte sind, so muß es das Bestreben*
*und Ziel japanischer Überwasserkriegführung sein, einen mög-*
*lichst großen Teil der US-amerikanischen Flotte im Pazifik zu*
*binden und in ständiger aufreibender Bewegung zu halten. Diese*
*Diversionsaufgabe ist von entscheidendem Einfluß auf den Kriegs-*
*schauplatz in europäischen Gewässern...*
*... Die Besetzung feindlicher oder feindhöriger Stützpunkte muß*
*gegenüber den genannten Aufgaben zurücktreten. Sie kann jedoch*
*erforderlich werden, um den Rücken frei zu bekommen. Diese*
*Sachlage erscheint bei den Philippinen und bei Guam gegeben.*
*Eine Besetzung dieser Stützpunkte schaltet Amerika im west-*
*lichen Stillen Ozean weitgehend aus und verbessert für Japan*
*die Bewegungsfreiheit in südlicher Richtung. Ob diese Maßnah-*
*men möglich und dem Japaner anzuraten sind, kann erst nach*
*Kenntnis seiner tatsächlichen Stärke beurteilt werden.*
*Für die Ölversorgung wäre ein Fußfassen auf Borneo von großer*
*Bedeutung. Die Besetzung erscheint jedoch nur möglich, wenn*
*die strategische Bindung auf anderen Kriegsschauplätzen über-*
*legene britische und USA-Streitkräfte aus dem Singapore-Bereich*
*fernhält (Mittelmeer).*
*Eine enge Beziehung der Maßnahmen der Dreierpaktmächte muß*
*in diesem Sinne angestrebt werden. Die augenblickliche Schwäche*
*Englands in Asien/Fernost verlockt zu einem Angriff auf Singa-*
*pore. Dieser Angriff erscheint auch nicht aussichtslos und würde*
*im Falle des Gelingens die britische Machtstellung in Ostasien*
*beenden. Trotzdem darf er im Sinne der gemeinsamen Kriegs-*
*aufgabe erst hinter dem Zufuhrkrieg rangieren, da er auch im*
*günstigsten Falle starke eigene Kräfte für längere Zeit bindet*
*und bei Zähigkeit des Gegners voraussichtlich auch erhebliche*
*Verluste kosten würde..."*
*Von ganz besonderem Interesse sind die im Kapitel V erhobenen*
*Forderungen des Chefs der deutschen Seekriegsleitung:*
*„...Um bei Kriegseintritt Japans nicht in den gleichen Fehler*
*unabhängiger Kriegführung zweier Bundesgenossen, wie beim*
*Kriegseintritt Italiens, zu verfallen, erscheint eine straffe Zusam-*
*mensetzung durch einen gemeinsamen Stab erforderlich. Sitz*
*dieses Stabes zweckmäßig Berlin. Von japanischer Seite ein be-*
*vollmächtigter Vertreter der japanischen Seekriegsleitung. Beste*
*und unmittelbare Funknachrichtenverbindung zwischen beiden*
*Admiralstäben erforderlich.*
*Dieser gemeinsame Stab oder ,Oberste Kriegsrat' hat die Auf-*
*gabe, in laufenden Besprechungen mit strategischer Ausrichtung*

*die Kriegführung der Dreierpaktmächte aufeinander abzustimmen, so daß alle Kriegsmaßnahmen vom Kriegseintritt Japans an auf allen Kriegsschauplätzen ein strategisches Ganzes bilden. Durch ständige Fortführung dieser Tätigkeit muß der Gleichklang aller Maßnahmen auch bei sich ändernder Lage laufend erhalten bleiben. Nur so ist eine einheitliche Ausrichtung der Kriegführung möglich, und nur so kann dem Gegner die Möglichkeit genommen werden, auch hier wieder, wie im Falle Italien, nach dem Grundsatz ‚Divide et impera' weiterzukommen..."*

*Als Deutschland im Juni 1941 Rußland den Krieg erklärt, fällt der Transport von kriegswichtigen Rohstoffen aus dem asiatischen Raum, der vordem zum größten Teil über die transsibirische Eisenbahn rollte, vollends aus. Es bleibt also nur noch die Brücke über die See. In diesem Punkte erweisen sich die Japaner von aufrichtiger Hilfsbereitschaft, in Zusammenarbeit mit dem Deutschen Marine-Sonderdienst in Tokio ausgesuchte deutsche und einige italienische Mortorschiffe als Rohstofftransporter auszurüsten und deren Auslaufen nach Möglichkeit zu tarnen. Wenig später werden auch von Westfrankreich Frachtschiffe als Blockadebrecher nach Japan geschickt. Sie enthalten für Japan interessante Ladungen, so daß die Interessen beider Partner Befriedigung finden.\*)*

\*

1941.

Als Japan am 7. Dezember die USA angreift, kommt vieles anders, als die deutsche Seekriegsleitung in einigen wesentlichen Punkten erhoffte. Die Japaner deckten ihre Karten vorher nicht auf. Ihre wirkliche Stärke verrieten sie auch ihren Paktpartnern nicht. Erst nach Kriegsausbruch und der alle Welt überraschenden und erschreckenden Dezimierung des Großteils der US-amerikanischen Schlachtflotte\*\* in Pearl Harbour am 7. Dezember sowie des Rückgrats der britischen Fernost-Flotte, des Schlachtschiffes *Prince of Wales* und des Schlachtkreuzers *Repulse* durch Marineflugzeuge vor der Ostküste Malayas am 10. Dezember 1941, kommt es am 18. Januar 1942 zu einer militärischen Vereinbarung zwischen Deutschland, Italien und Japan. Sie wird als „Geheime Reichssache" zu den Akten genommen, dieweilen die Presse

---

\*) Über den Einsatz dieser Blockadebrecher — wie über die Leistungen der deutschen Handelsmarine im letzten Kriege schlechthin siehe Jochen Brennecke „Schwarze Schiffe — Weite See", Stalling-Verlag, Oldenburg 1958 (vergriffen).

\*\*) Vernichtet wurden zwei der acht dort liegenden Schlachtschiffe. Es sanken zwar fünf von den acht, drei aber wurden gehoben, repariert und neu in Dienst gestellt.

lediglich über die Tatsache einer solchen Militärkonvention informiert wird.

Das Geheimprotokoll lautet im hier erstmalig veröffentlichten Originaltext:

„... *Die Deutsche und die Italienische Wehrmacht sowie die Japanische Armee und Marine schließen hiermit, im Geist des Dreimächtepaktes vom 27. September 1940 und im Zusammenhang mit dem Abkommen zwischen Deutschland, Italien und Japan vom 11. Dezember 1941, eine militärische Vereinbarung ab, um die operative Zusammenarbeit untereinander sicherzustellen und so schnell wie möglich die feindliche Kampfkraft zu vernichten.*

*I. Aufteilung der Zonen für die Operationen.*

*Die Deutsche und die Italienische Wehrmacht sowie die Japanische Armee und Marine werden im Rahmen der ihnen nachstehend zugeteilten Zonen die erforderlichen Operationen ausführen.*

*1. Japan*

*a) die Gewässer ostwärts etwa vom 70. Grad östlicher Länge bis zur Westküste des amerikanischen Kontinents sowie das Festland und die Inseln (Australien, Niederländisch-Indien, Neuseeland usw.), die in diesen Gewässern liegen,*

*b) der asiatische Kontinent ostwärts etwa vom 70. Grad östlicher Länge.*

*2. Deutschland und Italien*

*a) die Gewässer westwärts etwa vom 70. Grad östlicher Länge bis zur Ostküste des amerikanischen Kontinents sowie das Festland und die Inseln (Afrika, Island usw.), die in diesen Gewässern liegen,*

*b) der Nahe Osten, der Mittlere Osten und Europa westwärts etwa vom 70. Grad östlicher Länge.*

*3. Im Indischen Ozean können die Operationen je nach der Lage über die oben vereinbarte Zonengrenze hinaus durchgeführt werden.*

*II. Allgemeiner Operationsplan.*

*1. Japan*

*wird im Zusammenwirken mit den deutschen und italienischen Operationen gegen England und die Vereinigten Staaten von Nordamerika die Operationen im Südseeraum und im Pazifik durchführen.*

*a) Es wird wichtige Stützpunkte Englands, der Vereinigten Staaten von Nordamerika und Hollands in Großostasien vernichten, deren dortige Gebiete angreifen oder besetzen.*

*b) Es wird die Vernichtung der nordamerikanischen und englischen Land-, See- und Luftstreitkräfte im Pazifik und im Indischen Ozean anstreben, um sich die Seeherrschaft im Westlichen Pazifik zu sichern.*

*c) Wenn die nordamerikanische und die englische Kriegsflotte sich größtenteils im Atlantik konzentrieren, wird Japan im ganzen Gebiet des Pazifiks und des Indischen Ozeans seinen Handelskrieg verstärken und außerdem einen Teil seiner Marinestreitkräfte nach dem Atlantik entsenden und dort mit der deutschen und der italienischen Kriegsmarine unmittelbar zusammenarbeiten.*

*2. Deutschland und Italien*
*werden, im Zusammenwirken mit den japanischen Operationen im Südseeraum und im Pazifik, die Operationen gegen England und die Vereinigten Staaten von Nordamerika durchführen.*

*a) Sie werden wichtige Stützpunkte Englands und der Vereinigten Staaten von Nordamerika im Nahen Osten und im Mittleren Osten, im Mittelmeer und im Atlantik vernichten, deren dortige Gebiete angreifen oder besetzen.*

*b) Sie werden die Vernichtung der englischen und nordamerikanischen Land-, See- und Luftstreitkräfte im Atlantik und im Mittelmeer und die Zerstörung des feindlichen Handels anstreben.*

*c) Wenn die englische und die nordamerikanische Kriegsflotte sich größtenteils im Pazifik konzentrieren, werden Deutschland und Italien einen Teil ihrer Marinestreitkräfte nach dem Pazifik entsenden und dort mit der japanischen Marine unmittelbar zusammenarbeiten.*

*III. Hauptpunkte der militärischen Zusammenarbeit.*
*1. Gegenseitige Fühlungnahme hinsichtlich wichtiger Punkte der operativen Planung.*
*2. Zusammenarbeit im Rahmen des Handelskrieges, darunter*
*a) gegenseitige Fühlungnahme hinsichtlich der Planung des Handelskrieges,*
*b) gegenseitige Fühlungnahme hinsichtlich des Verlaufs des Handelskrieges, wichtiger Informationen und anderer notwendiger Einzelheiten,*

*c) falls ein Partner der Vereinbarung außerhalb der ihm zu-*
*geteilten Operationszone den Handelskrieg durchführen will,*
*wird er die anderen Partner über seinen eigenen Plan im*
*voraus unterrichten, um die Zusammenarbeit und gegen-*
*seitige Unterstützung hinsichtlich der Benutzung der Ope-*
*rationsbasen, des Nachschubs, der Versorgung, der Erholung*
*der Besatzungen, der Reparaturen usw. sicherzustellen.*
*3. Zusammenarbeit bezüglich der Sammlung und des Aus-*
*tausches der für die Operationen wichtigen Informationen.*
*4. Zusammenarbeit bezüglich der militärischen Zersetzungs-*
*arbeit.*
*5. Zusammenarbeit zur Sicherstellung der gegenseitigen mili-*
*tärischen Nachrichtenübermittlung.*
*6. Zusammenarbeit zwecks Herstellung der militärischen*
*Luftverbindung zwischen Deutschland, Italien und Japan,*
*soweit die technischen Voraussetzungen für die Eröffnung*
*des Seewegs und des Seetransports über den Indischen Ozean*
*gegeben sind.*
*Zur Urkunde dessen haben der Chef des Oberkommandos*
*der Deutschen Wehrmacht, der Bevollmächtigte des Ober-*
*kommandos der Italienischen Wehrmacht und die Bevoll-*
*mächtigten des Chefs des Kaiserlich Japanischen Admiral-*
*stabs diese Vereinbarung unterzeichnet.*
*Ausgefertigt in deutscher, italienischer und japanischer Ur-*
*schrift in Berlin am 18. Januar 1942 — im XX. Jahr der Fa-*
*schistischen Ära — entsprechend dem 18. Tage des 1. Monats*
*des 17. Jahres der Ära Syowa."*

Noch im März 1942, als die als uneinnehmbar geltende
Festung Singapore überraschend schnell gefallen ist und
Malaya, Sumatra, Java und Borneo bereits von den Angrei-
fern besetzt worden sind, beabsichtigen die Japaner, sich
außer auf Ceylon auch Stützpunkte auf Madagaskar zu ver-
schaffen . . ., um von dort aus den Seeverkehr im Indischen
Ozean und Arabischen Meer lahmzulegen und den Verkehr
ums Kap wirksam anzugreifen.[2] Korrekt tragen sie diesen
Plan dem Bündnispartner vor.

Da aber alle Einheiten, also auch fast alle U-Boote für
Operationen gegen feindliche Flotteneinheiten in Anspruch
genommen sind, während der Einsatz von Hilfskreuzern im
Zufuhrkrieg kaum vorbereitet worden ist, vermochte die

japanische Marine den Handelskrieg im Indischen Ozean nur mit einer kleinen Anzahl von U-Booten und zwei Hilfskreuzern zu beginnen. Dies zu einer Zeit, da die deutsche U-Boot-Waffe auf dem Höhepunkt ihrer Erfolge steht und da es, wie auch der japanische Kapitän zur See a. D. Toshikazu Ohmae später erklärt\*), nötig und auch möglich gewesen wäre, diese großen Erfolge gegen die alliierte Handelsflotte noch entscheidend zu verstärken: ,Die japanische Tendenz, bei Angriffen auf Geleitzüge nicht selten das kleinere Kriegsschiff statt den großen Transporter als Ziel zu wählen, führt dann auch später an anderer Stelle zu katastrophalen Rückschlägen für den eigenen japanischen Seeverkehr.'

Immerhin versenkten japanische U-Boote im März 1942 (nach deutschen, wie es damals hieß, ,geprüften Angaben') 19 Schiffe mit 101 098 BRT, bei 89 Frachtern mit 524 286 BRT durch deutsche Boote im Atlantik, Nordmeer und Mittelmeer.

Im April teilt der japanische Marineattaché, Kapitän zur See Yokoi, als Vertreter des im Sinne der Vorschläge Raeders dem OKM beigeordneten Vizeadmiral Nomura, dem Chef der Seekriegsleitung mit, daß seine Admiralität beabsichtige, ab Mitte Mai bis Mitte Juli japanische U-Boote und Hilfskreuzer auch an Afrikas Ostküsten operieren zu lassen, zunächst bis Ende 1942. Der Chef der Seekriegsleitung begrüßt diesen Plan. Er weist darauf hin, daß auch der Einsatz von Überwasserstreitkräften im westlichen Indik dringend notwendig sei, um Feldmarschall Rommels derzeit laufende Libyenoffensive gegen Alexandria wirksam zu unterstützen.

Yokoi erklärt: „Ich bin hocherfreut über Ihre sofortige Zustimmung. Während des Weltkrieges haben wir mit den Engländern in ähnlichen Fragen laufend Differenzen gehabt, da die Briten starr an einmal festgelegten Grenzen festgehalten haben."

Am 2. Juli meldet der deutsche Marineattaché in Tokio, Admiral Wennecker, daß die Japaner, zur Störung der Zufuhr für Ägypten, die an Afrikas Ostküsten und im Arabischen Meer operierenden deutschen U-Boote auf die Zahl 20 erhöhen würden. Der aufrichtige Wille für eine koordinierte Zusammenarbeit der beiden Marinen ist zweifelsohne da. Aber 20 U-Boote genügen nicht. Außerdem sind die großen japanischen U-Kreuzer weder für eine Rudeltaktik geeignet,

---

\*) Marine Rundschau 5 (1957)

25

um gegnerische Geleitzüge wirklich wirksam anzugreifen, noch sind deren Kommandanten im Handelskrieg geschult. Jedenfalls vermögen die Japaner den von der Seekriegsleitung so begrüßten Zufuhrkrieg im gesamten Indischen Ozean nicht mit den hier gebotenen Kräften zu führen, da, um mit den späteren Worten des Oberleutnants i. G. Nishi[3] zu sprechen, ,der Gegner trotz seiner schweren Verluste im südostpazifischen Raum unerwartet früh zur Gegenoffensive angetreten ist'.

Wie sagte doch einer der japanischen Admiräle: „Wenn wir den Krieg gegen die USA nicht in sechs Monaten gewinnen, werden wir ihn verlieren."

Ende 1942 kann Japan nur noch fünf U-Boote und vier Hilfskreuzer im Indik operieren lassen. Seine Kräfte werden bei den Kämpfen im Seegebiet der Salomonen derart beansprucht, daß es sich am 7. November 1942 auf die Vertragsgrenze 70 Grad Ost zurückziehen muß; daher — trotz Einsicht— kaum noch zur Schwächung des Gegners, dessen 8. Armee in Nordafrika inzwischen zur erfolgreichen Gegenoffensive gegen Rommel angetreten ist, im westlichen Indik beitragen kann[4].

Der Zeitpunkt ist jetzt gekommen, da es Japan ist, das Operationen deutscher U-Boote — zunächst im westlichen Indik — von sich aus begrüßt und Admiral Wennecker in Tokio dem BdU den Vorschlag unterbreitet, doch die im japanischen Machtbereich liegenden Häfen Penang oder Sabang als Stützpunkte zu benutzen. Es ist dem BdU aber klar, daß diese Plätze für deutsche Bedürfnisse erst eingerichtet werden müssen. Solange aber noch im Atlantik und im Kapraum genügend Angriffschancen bestehen, will Dönitz von diesem Angebot noch keinen Gebrauch machen.

Außerdem scheinen noch viele andere Fragen dieses Vorschlags, denn nur um einen solchen handelt es sich zunächst, völlig ungeklärt.

*

Die deutsche U-Boot-Führung hat inzwischen, nachdem sich die Feindverkehrslage direkt unter der amerikanischen Ostküste nach dem „Paukenschlag vor den USA" früher als erwartet zu Ungunsten der deutschen Boote entwickelt, den

Schwerpunkt wieder auf den Kampf gegen Geleitzüge gerichtet und durch den Einsatz von U-Tankern neben Operationen in der Karibik und der Natal-Enge bis hinunter nach Bahia mit VII C-Booten mit IX C-Typen Fernunternehmungen in den Südatlantik vor dem La Plata und Kapstadt geplant. Dönitz will den Gegner hier an neuen „weichen Stellen" treffen.

Der erste größere Ferneinsatz dieser Art erfolgt unter dem Tarnnamen „Gruppe Eisbär" mit vier Booten: U 68 (Korvettenkapitän Merten), U 504 (Korvettenkapitän Poske), U 172 (Kapitänleutnant Emmermann), U 156 (Kapitänleutnant Hartenstein), denen der U-Tanker U 459 (Korvettenkapitän von Wilamowitz-Moellendorf) beigegeben ist. Da U 156 durch den Angriff auf den Truppentransporter *Laconia* wegen Rettungsaktionen der Überlebenden ausgefallen ist, kann die Gruppe durch das erste IX D2 Boot, U 179 (Fregattenkapitän Sobe), verstärkt werden. Diese Boote operieren im Raum vor und unmittelbar auf der Reede von Kapstadt. Während sie nach unerwartet großen Überraschungserfolgen den Rückmarsch antreten, treffen bereits weitere Boote in diesem neuen Operationsgebiet, das sich bis in den südwestlichen Indischen Ozean erstreckt, einzelbootweise ein. Es sind dies: U 177 (Korvettenkapitän Gysae), U 178 (Korvettenkapitän Ibbeken) und U 181 (Korvettenkapitän Wolfgang Lüth). Im Oktober versenkten diese „Kap"-U-Boote siebenundzwanzig Schiffe mit 161 121 BRT, während die drei Fern-U-Boote vom Typ XI D2 während ihrer Operationen bis in den Indik etwa zwanzig weitere Schiffe vernichteten. Diese ersten Ferneinsätze sind, wie Dönitz hoffte, in der Tat ein neuer „Paukenschlag" geworden.

Als nächste Gruppe tritt vor Kapstadt die Gruppe „Seehund" auf: U 160 (Oberleutnant Gerd von Pommer Esche), U 506 (Kapitänleutnant Erich Würdemann), U 509 (Kapitänleutnant Wolff) und U 516 (Oberleutnant Petran), alles IX C-Boote, zu denen noch das neue IX D2-Boot U 182 (Kapitänleutnant Clausen) stößt.

## 2.

## GEHEIME REICHSSACHE: U 180

*In diese Zeit des Frühjahrs 1943 fallen noch zwei weitere Fernunternehmungen: die der neuen IX D1 Boote U 180 und U 195, die vor Südafrika und im südwestlichen Indischen Ozean operieren. Die eine davon, die von U 180, war ausgesucht geheimnisumwittert, zudem politisch und militärisch bedeutsam und außerdem schon propagandistischer Tricks wegen interessant. Und sie endete, das sei vorausgeschickt, schließlich in einer Situation, die seemännisch nicht treffender, als mit dem Begriff „Zustand" apostrophiert werden kann.*

Der FdU-West in Angers hatte seinen Stab angewiesen, dem Marine-Gruppenkommando West in Paris sofort das Einlaufen des Bootes und damit den Abschluß einer in mehrfacher Hinsicht geheimen Sonderaufgabe durchtelefonieren zu lassen. Dem Partner in der Dienststelle des Bois de Boulogne der Seine-Stadt entlockte diese Meldung den optimistischen Kommentar:

„Wenn Sie Glück haben, mein Lieber, werden Sie deutscher FdU in Indien. Empfehle Cochin an der Malabarküste als palmenumwedeltes Stabsquartier."

Dem kameradschaftlich gemeinten, in der Praxis aber in den Sternen schwebenden Wunsch blieb die erwartete Resonanz aus.

Der so Angesprochene erwiderte zunächst gar nichts. Sein Schweigen konnte Überraschung bedeuten oder aber auch Widerspruch. Schließlich sagte er langsam:

„Nichts für mich, Herr Kapitän, solange nicht, solange ein Monsun wehen wird."

„Verstehe. Praktisch also gar nicht. Sie sehen die Weiterungen aus dem glücklich vollzogenen Geheimauftrag nicht günstig an?"

„Wenn Sie mich so direkt ansprechen, darf ich auf die Berichte der Offiziere des heimgekehrten Bootes verweisen", weicht der FdU-Offizier aus. Was er damit ausdrücken will, ist deutlich genug.

„Das lassen Sie bloß keinen hören. Schon der geringste Zweifel kann als Wehrkraftzersetzung ausgelegt werden. Das trifft ganz besonders auf diesen Fall zu. An ihm hat der Führer höchstpersönlich allergrößtes Interesse."

„Ich weiß. Ich zweifle auch gar nicht, Herr Kapitän. Ich stellte nur fest. Zur Sache selbst melde ich noch — ich weiß nicht, ob das für Ihr Ressort von Wichtigkeit ist —, daß sich die beiden mitgebrachten Passagiere der besten Gesundheit erfreuen. Sie erhalten der sprachlichen Hilflosigkeit und auch der Geheimhaltung wegen Offiziergeleit bis nach Paris. Sie sind wohl schon, glaube ich, nach dort unterwegs."

„Damit habe ich nichts zu tun", kommt es sachlich zurück und dann, lebhafter, „auch nicht mit den Barren. Sagen Sie, was ist denn das für eine mysteriöse Geschichte mit diesen Dingern. Da fehlen angeblich welche?"

„Mit den Barren?" Die Stimme verrät Erstaunen.

„Jaja, mit den Barren. Sie haben auf einmal so viel Hemmungen wie eine Gouvernante Gallensteine."

„Natürlich verwundert es, daß die Gruppe darüber schon informiert ist ... jaja, verstehe, direkten Draht nach Bordeaux ... erlauben Sie mir nur, daß ich berichtige: Sie sprachen im Plural. Es fehlt nur einer."

Der Ressortchef in Paris quittiert diese Feststellung mit lautem Lachen. Dann sagt er mit drängendem Ton in der Stimme: „Nur einer, sagten Sie? Wissen Sie denn, was solch ein Vogel im Gewicht von fast einem halben Zentner wert ist?"

„Ein Viertel von einem U-Boot könnte man wohl dafür schon kaufen. Aber schließlich kann sich kein Seemann solch ein Paket in die Hosentasche stecken. Da reißen alle Nähte."

„Ne, darin gebe ich Ihnen recht. Und wie Emmentaler Käse läßt sich das edle Zeugs auch nicht in Scheibchen schneiden, obschon es reiner und weicher als das bei uns im Handel übliche ist."

Nun lacht der Vertreter des FdU. Solange sie bei der Gruppe noch zu Scherzen aufgelegt scheinen, nimmt man die Sache wohl nicht allzu tragisch. Außerdem:

„Kommandant und LI hoffen ja auch, daß sich der Barren wieder auffinden wird. Die Dinger wurden ja an Bord zum Trimmen benutzt!"

„Zum Trimmen?! Reines Gold zum Trimmen? Ich höre wohl nicht recht. So was kommt doch hinter Schloß und Riegel."

\*

Es war Ende Januar des gleichen Jahres, als U 180 unter seinem Kommandanten, Korvettenkapitän Musenberg, in Kiel einlief. Das Boot, ein Neubau vom Typ IX D1, hatte in der Ostsee die üblichen Fronterprobungen erledigt. Es wurde nun mit größter Beeilung zur Feindfahrt ausgerüstet. Eine Leistung. Obwohl der Termin feststeht, läuft das Boot aber nicht aus.

Auf dem achteren Oberdeck, weit nach dem Heck zu, stehen der LI des Bootes, Kapitänleutnant (Ing.) Opitz, und der Flo-Ing. der Flottille, der U 180 vorübergehend im Durchgang zugeteilt worden ist. Sie debattieren schon seit geraumer Zeit, ungeachtet der frischen Brise, die über die Förde hereinweht. Die schneidende Kälte hat ihre Gesichter und Hände blaurot gefärbt.

Zur gleichen Zeit weilt der Kommandant in Kiel bei Admiral von Friedeburg, seit kurzem Kommandierender Admiral der U-Boote. Abgesehen von der geheimen Order, die Musenberg nach Benennung eines neuen Auslauftermins mit der Weisung erhält, auch seinen Offizieren gegenüber allerstrengstes Stillschweigen über Sinn und Ziel der Unternehmung zu wahren, haben die Gespräche beider Gruppen den gleichen Inhalt. Nur drückt sich Musenberg gegenüber dem Admiral, ob er dem neuen Typ trotz bekannter Mängel auch als Frontboot Erfolgschancen einräume, etwas gemäßigter aus, als es Opitz dem Flo-Ing. gegenüber tut.

Wenn — als Beispiel — in dem mit sechs Schnellboot-Dieseln vollgepfropften Maschinenraum nämlich irgendwo an einer Ölleitung eine Leckage entsteht, dann ... dann Himmel, Arm und Wolkenbruch ... wird es nicht einfach sein, an sie heranzukommen. „Wir haben da draußen dann keine Werft mehr im Rücken. Wir werden das halbe Boot auseinanderrupfen müssen und zwei Tage brauchen, um an die Schadenstelle heranzukommen."

„Und das möglicherweise in tropischen Zonen", pflichtet der Flo-Ing. mitfühlend bei. Er hat selbst Frontboot gefahren, kann aber hier nur raten. Zu ändern ist praktisch nichts. Es sei denn, man verzichtet darauf, diesen Typ überhaupt als Frontboot einzusetzen.

„Oder man baut ihn vollends um", knurrt Opitz.

Opitz macht eine Pause, dann zeigt er mit ruckartiger Handbewegung auf die Abgasrohre: „Das hätten Sie mal sehen sollen, als wir Agru-Front fuhren. Mit den sechs Daimler-Benz-Dieseln qualmt der Untersatz bei Überwassermarsch wie drei Kohlendampfer zusammen. Sich am Tage vorzusetzen, ohne dabei entdeckt zu werden ... völlig unmögliche Sache."

Der Flo-Ing. nickt nur. Er blickt nachdenklich auf das aufgerauhte stahlgraue Wasser der Förde.

„Naja, et helpt nix", resigniert Opitz. Er lacht und sagt noch: „Müssen eben sehen, wie wir fertig werden."

Dabei ist dem LI Opitz alles andere zumute, als er durch sein Lachen vorgibt. Die Sorgen, die er während der Feindfahrt auf sich zukommen sieht, rotieren jetzt schon wie ein Mühlrad in seinem Kopf herum. Seine dunklen Ahnungen sollen sich erfüllen ...

Daß der Auslauftermin wieder verschoben worden ist, macht die sonst auf dem Wohnschiff untergebrachte Besatzung unruhig. Die Gerüchte schießen ins Kraut. Daß U 180 auf Fernunternehmung nach Westindien oder in den Südatlantik gehen soll, ist ein offenes Geheimnis, aber ...

Für den 9. Februar wird ein neuer Termin angesetzt. Seeklar ist für 08.00 befohlen. Obermaschinist Wien hat am Vorabend die Wache an Bord. Es ist dunkel, als ein Wagen auf dem Pier vorfährt. Der „Posten vorm Schiff" meldet einen Offizier. Dieser, ein Oberleutnant, hält sich nicht mit Vorreden auf: „Lassen Sie diese Kisten und Koffer in den Offiziersraum des Bootes stauen. Der Kommandant ist verständigt. Sprechen Sie mit niemanden darüber."

Wien tut, wie befohlen. Dann legt er sich wieder auf seine Koje. Aber er kann schlecht einschlafen. Was soll denn bloß diese Geheimnistuerei? Wem gehört das Gepäck, das bei Nacht und Nebel an Bord geschafft wird?

06.00 Uhr am anderen Morgen macht er mit dem Personal seiner Wache die Maschinenanlage klar.

07.30 Uhr erscheint der Flo-Chef zur Abschiedsmusterung.
08.00 Uhr beginnen die Schrauben zu drehen.

„Na", brüllt Wien seinem Dieselmaaten durch den Motorenlärm zu, „mal wieder ein bißchen viel Rees an Backbord im Boot gewesen". Es ereignet sich nichts. Die Männer sind fast ein wenig enttäuscht.

U 180 hat gerade Friedrichsort passiert, als Wien als wachhabendem Obermaschinisten befohlen wird: „Beide Maschinen stopp!" Danach: „Beide langsam voraus!" Und wenig später: „Beide stopp."

Das Boot schwingt aus, liegt still. Im Maschinenraum könnte man eine Stecknadel zu Boden fallen hören. Doch dann hören sie das Trappeln von Schritten an Oberdeck. Danach nimmt U 180 die Fahrt wieder auf. Die Neugierde brennt den Männern im Dieselraum unter den Nägeln. Der zweite Obermaschinist taucht unaufgefordert im Motorenraum auf. Er löst Wien für zehn Minuten ab: „Du, geh mal nach vorn. Wir haben zwei Gäste an Bord bekommen. Die sieh dir mal genauer an."

Wien entdeckt im Offiziersraum zwei Zivilisten. Sie tragen dunkle Hornbrillen. Ihre Gesichtshaut hat die Farbe von verwittertem Bambus. Sie sind mit Mänteln aus schwarzem Tuch bekleidet. Ihre zivile Kopfbedeckung, Arbeitgeberhüte, haben sie neben sich auf die Bank gelegt. Der eine der beiden ist etwa einssiebzig groß. Er ist kräftig und untersetzt und beinahe etwas dick. Der andere wirkt klein und schmächtig. Als Wien 12.30 Uhr seine Maschinenwache abgibt, sind aus den beiden Gästen U-Boot-Fahrer geworden. Sie tragen, wie alle anderen an Bord, graugrüne Hosen und Jacken. Ihre schwarzen Bomben haben sie mit Offiziersmützen vertauscht. Die Gerüchte überschlagen sich. Einer läßt sich nicht beirren. „Den einen kenne ich. Vor ein paar Wochen habe ich ihn in der Wochenschau gesehen."

Als das Stichwort Wochenschau fällt, dämmert es auch anderen. „Das ist der Bose, der indische ‚Adolf'! Klar!"

Dagegen stehen die Erklärungen des Kommandanten. Es handele sich um zwei Zivilingenieure, die später in Bergen wieder abgesetzt werden sollen. Die Herren seien Spezialisten für den Bau von U-Boot-Bunkern.

Vollends überzeugt sind die Männer nicht.

**Rechts:** Die geheimnisumwitterte Fahrt von U 180. Auf diesem Marsch in den Indischen Ozean wurde dieser Frachter torpediert. Eine riesige Rauchfahne kündet noch lange die Position der Katastrophe. Mitten in der See ein gekentertes Rettungsboot, auf das sich Überlebende gerettet haben. Rechts im Bild einer von der U 180-Besatzung. **Unten:** Tanker waren das kostbarste Wild für die stählernen Haie, denn sie fuhren das Herzblut des Krieges an Bord. Oft gab es schaurige Bilder ... wenn diese Tanker explodierten... wenn ihre gefährliche Ladung auslief und die See in ein einziges blutrot waberndes Flammenmeer verwandelte...

**Links:** Der geheimnisvolle Passagier auf U 180: Subhas Tschandra Bose, der indische Freiheitskämpfer... mit echtem U-Boot-Bart und im U-Boot-Päckchen der Grauen Wölfe

**Unten:** Im Indischen Ozean werden Bose und dessen Adjutant an das japanische U-Boot I 29 gefahren. Die Japaner wollten ,mit von der Partie' sein. U 180 übergab außer Bose Geheimmaterial ... I 29 neue japanische Waffen, Gold und zwei neue Passagiere, an U 180

Einer legt wenig später seinem Kommandanten eine Illustrierte vor, in der dieser Bose gleich ein paarmal abgebildet ist. Die Ähnlichkeit ist mikroskopisch präzise. Es fällt Musenberg nicht leicht, den Zufall eines Doppelgängers zu beschwören. Doch ein anderer Zufall kommt ihm zu Hilfe.

In den Abendstunden spricht derselbe Bose aber über den Deutschlandsender und UKW. Auch die hartnäckigsten Zweifler an des Kommandanten Erklärungen scheinen überzeugt. So eine verblüffende Ähnlichkeit. Unheimlich, einfach unheimlich ...

Was Musenberg jetzt aufatmen läßt, soll ihm später noch schweren Verdruß bereiten.

Aber da ist noch etwas. Die, die auf der Brücke waren, haben die drei Zinkbehälter, die Korvettenkapitän Musenberg seinem IWO, Lange, bei seinem Anbordkommen übergab, natürlich auch gesehen. Es ist der Maschinenobergefreite Joseph Schöls, der sich seine eigenen Gedanken macht. Vor zwei Monaten, im Dezember 1942, wurde er zusammen mit fünf Kameraden in das Gebäude der vierten Kompanie gebracht. Hier mußten sie hinter verschlossener und von zwei Obermaaten engbewachter Tür Papierrollen in Ölpapier einwickeln und dann in solche Zinkbehälter einlöten. Der Gefreite Siebein hatte sich insgeheim die Rollen angesehen. Es waren Konstruktionszeichnungen, solche von raketenähnlichen Projektilen, andere von einem neuartigen, propellerlosen Antrieb für Flugzeuge. Diese Zinkbehälter hatten sie nun an Bord. Für wen? Wozu?

In Egersund bei Bergen, das sie in den Nachmittagsstunden des nächsten Tages erreichen, treffen die beiden Gäste ganz und gar keine Anstalten, von Bord zu gehen. Sie bleiben; denn Landgang ist strengstens verboten worden. Als der nächste Morgen, der 12. Februar 1942, erwacht, steckt U 180 seinen Bug seewärts. Die Unternehmung hat begonnen. Korvettenkapitän Musenberg ist nicht mehr an seine Schweigepflicht gebunden. Mehr plaudernd als militärisch erklärend, sagt er, was sich Obermaschinist Wien später in sein Tagebuch notiert:

„Inzwischen wird es jedem von Ihnen aufgefallen sein, daß wir zwei Herren an Bord bekommen haben. Es handelt sich um den Indischen Freiheitskämpfer Subhas Tschandra Bose und seinen Adjutanten Dr. Habid Hasan, ebenfalls ein Inder.

Sie werden in der Wochenschau oder in den Zeitungen von Subhas Tschandra Bose gehört haben. Wir haben Befehl, unsere Gäste sicher in den Indischen Ozean zu bringen. Das ist unsere Hauptaufgabe. Bis dahin werden wir keine Geleitzüge angreifen. Wir werden uns allenfalls mit Einzelfahrten befassen. Unser Hauptaugenmerk gilt zunächst, aus der Nordsee heraus unbemerkt den freien Atlantik zu erreichen. Außerdem darf ich erwarten, daß sich die Besatzung wie sonst anständig benimmt und die religiösen Bräuche der beiden Herren respektiert."

*

Zehn Tage später: Die WO's und die Unteroffiziere kennen ihre Pappenheimer: jene mit zweischneidiger Seele.

Wenn die Sonne scheint, wenn alles klargeht, sind sie fromm wie Heilige, aber... wenn irgendwas dwars läuft, wenn Sturm und Seegang den Untersatz durchwalken, wenn der Smut die Bouletten anbrennen ließ... dann verstehen sie sich aufs Fluchen, daß selbst abgebrühtesten Seeleuten kalte Schauer über den Rücken rieseln. Diesen Herren Seelords widmen sie ein gründliches Privatkolleg.

U 180 hat die gefährliche, vom Gegner streng bewachte „Enge" zwischen Island und den Faröer — welch ein Glücksumstand — bei ausgesucht schwerem Wetter passiert.

Erst kam die See von Backbord ein und ließ das Boot wüst von einer Seite auf die andere torkeln, dann, nach der Kursänderung nach Westen, kam sie vierkant vor vorn. U 180 stampfte, als läge es unter einem Rammbock. Dabei wurde die Sicht mit immer noch zunehmendem Stiem von Stunde zu Stunde schlechter.

Die Schwerwetterlage verbrachten die beiden Gäste zumeist in ihrer Koje. Gelbgrüngrau im Gesicht und sterbenselend in ihrem Innersten, ertrugen sie die Seekrankheit nach außen hin mit asiatischem Gleichmut. „Bleich und gefaßt", das ist wohl die treffendste Charakterisierung, die der Kommandant für die beiden Ärmsten fand. Nur einmal ließ Bose durchblicken, was er wirklich dachte, als er leise sagte: „Das ist ja noch schlimmer als im Gefängnis."

Als U 180 endlich auf Südkurs liegt, als der Sturm endlich abgeflaut hat und Aussicht auf die sonnigen Passatzonen winkt, haben die Gesichter der Inder wieder Farbe gewonnen. Bose, der während dieser Tage fast gar nichts zu sich nahm, hat einige Kilo seines stattlichen Gewichts eingebüßt. Er ist nicht böse darum.

„Sie haben sich aber dennoch", so sagte der Kommandant später, „und eigentlich sehr schnell in den Bordbetrieb eingelebt. Sie wurden von allen sehr gut aufgenommen, und es entwickelte sich bald ein ausgesprochen nettes, kameradschaftliches Verhältnis. Wir, die wir normal 56 Mann an Bord waren, sind eben noch ein bißchen enger zusammengerückt. Die Raumverhältnisse waren ja ausgesucht katastrophal, hatten wir doch auf der Ausreise eine für Japan bestimmte zusätzliche Ladung an Bord, nämlich Waffen und Maschinenteile, die in Kisten verpackt waren und deren Nachbau die Deutsche Wehrmachtführung den Japanern gestatten wollte. Diese Kisten engten uns entsetzlich ein. Nirgendwo konnte man richtig stehen. Immer mußte man über irgend etwas hinweg kriechen. Die Mannschaftsräume waren derart vollgepackt, daß die Männer die ganze Fahrt über fast nur auf allen Vieren kriechen konnten, denn auch auf der Heimreise nahmen wir, diesmal von den Japanern, ähnliche „Gegengeschenke" mit heim. Sogar in der Zentrale mußte über Kisten geklettert werden, um an die Tiefenruder heranzukommen. So mußten wir leider aus Platz- und Gewichtsgründen auf so begehrenswerte Sachen, wie Säcke und Kisten mit frischem Obst, die uns die Japaner für die Heimfahrt mit an Bord geben wollten, verzichten. Nur zwei Sack frische Kartoffeln konnte ich genehmigen.

Die physische wie psychische Belastung der Besatzung war daher ungeheuerlich, vor allem in tropischen Zonen bei einer feuchten Hitze von 50 Grad Celsius und mehr im Boot. Man merkte das, als wir nach vier Monaten auf der Heimfahrt standen. Da war es mit der physischen Spannkraft fast am Ende. Immer wieder kamen Tauchpannen vor, sei es, daß das Boot Kopf stand, sei es, daß andere das Boot und die Besatzung bedrohende Pannen passierten. Ich führte sie nicht auf Nachlässigkeit zurück, sondern eben auf die beispiellose Belastung aller an Bord."

Wie aber reimt es sich zusammen, daß ausgerechnet Musenberg diesen Geheimauftrag zugewiesen bekam. War dies Ausdruck eines besonderen Vertrauens?

„Reiner Zufall", beweist der Kommandant. „Erst acht Tage vor dem endgültigen Auslaufen erfuhr ich Einzelheiten und auch die Gründe, weshalb die anderen Termine verschoben wurden. Damals stand ja noch immer zur Debatte, Bose und seinen Adjutanten per Flugzeug nach Japan zu schaffen. Erst als dieser Plan wegen zu großer Gefährdung der Maschine und ihrer Insassen endgültig abgeschrieben wurde, blieb als einziger dünner Verbindungsfaden zum Achsenpartner Japan der Weg über die weite See. Und da meine Ausreise in diese Zeit fiel, griff man auf mich zurück. Die naheliegende Frage, weshalb wir Bose nicht direkt bis Japan fahren sollten, was bei unserem großen Aktionsradius durchaus möglich war, begründete Admiral von Friedeburg auf höheren, wenn nicht gar allerhöchsten Befehl damit, daß die Japaner bei der Verbringung Boses nach Indien unbedingt beteiligt sein wollten."

*

Inzwischen hat sich das Lebensbild der beiden indischen Gäste an Bord herumgesprochen und abgerundet. Man weiß von Bose, daß er Anfang 1941 aus Indien floh, um der drohenden Verhaftung durch die Briten zu entgehen. Als Lastenträger getarnt war er über den Khyber-Paß nach Afghanistan entwischt und von hier, in Kabul mit einem italienischen Paß versehen, über das damals mit Deutschland noch „befreundete" Sowjetrußland nach Berlin gekommen. Was lag näher, als daß er sich von Hitler Hilfe und Unterstützung in seinem Kampf um Indiens Befreiung von der englischen Kolonialherrschaft versprach. Aber anfänglich wußte man in Berlin mit dem radikalsozialistischen Patrioten nicht viel anzufangen. Man erlaubte, befürwortete und unterstützte Aufstellung, Ausbildung und Ausrüstung einer „Indischen Legion", sah aber erst mit Ausbruch des Krieges zwischen Japan und den USA realere Möglichkeiten, sich Boses Haß auf die Briten und seiner Ziele zu bedienen. Als die Japaner nach Malaya auch Burma erobern und in Kalkutta die ersten Fliegerbomben in Vorbereitung eines Vormarsches auf Indiens Grenzen fallen, glaubt sich auch Bose seinem Ziel näher, seine Heimat zusammen mit den Japanern mit Waffengewalt zu befreien. Obwohl seine Pläne ideologisch mit denen Mahatma Gandhis identisch sind, unterscheiden sie sich in der Ausführung doch erheblich, da Gandhi eine Politik der Gewaltlosigkeit verficht.

Korvettenkapitän Musenberg hat in sein Tagebuch geschrieben: „Er macht einen sehr gesetzen Eindruck. Wenn überhaupt, dann spricht er sehr überlegt und verrät den auf allen Wissensgebieten umfangreich gebildeten Menschen. Wenn man aber seine militärischen Absichten berücksichtigt, fällt es schwer, diesen Mann als eine Kämpfernatur zu bezeichnen. Dennoch weiß er genau, was er will und vorhat. Meinem Gefühle nach wird er dies auch ohne sein anscheinend fehlendes kämpferisches Naturell in die Tat umsetzen. Obwohl in der Presse des öfteren von krassen Gegensätzen zwischen ihm und Gandhi die Rede ist, hält er viel vom Mahatma, sagt aber im gleichen Atemzug, daß dessen Form des Kampfes zu keinem Ergebnis führen wird. Es sei nun, da die Japaner sich Indiens Grenzen nähern, notwendig, auch militärisch aktiv zu werden. Hinsichtlich eines selbständigen Indiens sieht er die Situation sehr nüchtern an. Die älteren Landsleute, besonders die Beamten, die unter den Engländern ein gutes Leben hatten, werden schwerlich von heute auf morgen umschwenken. Er vertraut auf die Jugend.

In Deutschland war er ein paarmal bei Hitler vorgelassen worden. Wie weit es zu Absprachen gekommen ist, läßt er nicht durchblicken. Dennoch hat man bei Bose das stete Gefühl, daß er sehr vorsichtig ist, wenn das Gespräch auf Hitler, den Nationalsozialismus und das Dritte Reich kommt. Ich kann mich des Eindrucks nicht erwehren, daß er Befürchtungen hegt, Hitler könnte gewisse Situationen überziehen und den Bogen überspannen.

Auf Fragen aus religiösem Gebiet näher einzugehen, lehnt er zwar nicht ab, aber man sieht es ihm an, daß er sie nicht wünscht. Eine Ausnahme bildet die sachliche Feststellung, daß die religösen Spannungen zwischen Hinduismus und Mohammedanismus gar nicht so groß sind wie die Presse sie darstellt. Bose hält dieses für eine vom Engländer bewußt geschürte und gezielte Propaganda, um die Zerrissenheit und Uneinigkeit im indischen Volk zu schüren. Wie gut ein Hindu mit einem Moslem zusammenleben und zusammenwirken könne, beweise ja sein ausgezeichnetes Verständnis zu Hasan, der ein Moslem sei.

Und immer fühlt man zwischen seinen Worten nur zu deutlich heraus, daß er vom Endsieg Hitlers in Europa nicht mehr überzeugt zu sein scheint. Trotz der Siegesmeldungen vom afrikanischen Kriegsschauplatz glaubt er schon gar nicht mehr an ein Verbleiben der Deutschen in Afrika, nicht einmal in Italien.

Bei der Befreiung seiner Heimat hofft er aber mit Sicherheit noch zum Zuge zu kommen.

Die zur Stunde noch großen Erfolge der U-Bootwaffe beurteilt er positiv, weist aber auf der anderen Seite auf die weltweiten Möglichkeiten hin, über die das Britische Imperium mit seiner riesigen Flotte und seinen über die Erde verteilten Stützpunkten verfügt und denen die Deutschen nichts entgegenzusetzen hätten.

Auch hier wieder läßt er durchblicken, wie wenig optimistisch er Deutschlands Gesamtlage beurteilt.

Bevor er in Kiel bei uns einstieg, war er noch einmal in Berlin. Bei wem, sagt er nicht.

Über die Japaner spricht er fast gar nicht.

Zum Kommunismus nimmt er weder eine positive noch eine ablehnende Stellung ein. Man habe bis jetzt gut nachbarlich nebeneinander gelebt, meint er. Warum denn solle es nicht auch in Zukunft so bleiben? Gefahren glaubt er bei den Kommunisten am wenigsten zu sehen. Sein Haß auf die beherrschenden Kolonialvölker blendet ihn."

Adjutant Dr. Habid Hasan, bei seinem Einsteigen auf U 180 28 Jahre alt, hat in England in Oxford studiert. Kurz vor Kriegsausbruch kam er nach Deutschland, an die TH in Berlin. Er will seinem Land einmal als Straßenbauer nutzen. Als Bose dann 1941 in Berlin eintraf und später alle Inder in Europa aufrief, der „Legion Freies Indien" beizutreten, schloß auch er sich an.

Von ihm, der wesentlich gesprächiger als sein Chef ist und der zu aller Ergötzen waschechten Dialekt wie ein Berliner Schusterjunge spricht und über ein schier unerschöpfliches Repertoire an Witzen über die Größen des Dritten Reiches verfügt, erfährt Wien, daß von den Briten auf Boses Kopf ein Preis von tausend Pfund gesetzt worden ist.

Der Obermaschinist notiert: „Er sagt mir: Nun wird Ihnen klar, weshalb das Auslaufen unter solchen geheimnisvollen Umständen stattfand. Mein Chef und ich sind sehr glücklich, daß wir nun außerhalb des gefährlichen Gebietes sind; beruhigt werden wir aber erst sein, wenn wir die ganze Seereise hinter uns haben ..."

Das schlechte Wetter hat beträchtlichen Mehrverbrauch an Treiböl zur Folge gehabt. Durch FT wird für den 3. März im deutschen Marine-Quadrat BD 8111 eine Versorgung vereinbart. Das Treffen mit U 462, Kapitänleutnant Bruno Vowe, klappt prompt. U 180 übernimmt außer 60 Kubikmetern Treibstoff noch weitere Zuladung.

Um diese Zeit ist es, daß aus dem von den Japanern besetzten malayischen Hafen Penang der japanische U-Kreuzer I 29 in See geht. Sein Generalkurs lautet: Indischer Ozean. Nur der Kommandant, Korvettenkapitän Mokuri Yoichi, kennt den ihm vom Befehlshaber persönlich bekannt gemachten Geheimauftrag.

Die Besatzung hat sich an die beiden Gäste gewöhnt, auch an den Anblick, Bose mit seinem Indischen „Icke" oft bis in die Nächte hinein hinter der Schreibmaschine oder einem Stapel Manuskriptpapier sitzen zu sehen. Sie arbeiten an einem Buch, das den Titel „Mein Kampf für Indiens Freiheit" führen soll.

Bose und Hasan bereichern des Bootes Küchenzettel um bisher unbekannte, dafür aber höchst schmackhafte und interessante indische Gerichte, sozusagen um solche beider Konfessionen. So wie es sich der in Schlesien aufgewachsene Berliner „Alte" an Bord, Korvettenkapitän Musenberg, nicht nehmen läßt, mit dem Smut echt schlesische Kartoffelklöße zu produzieren — welch eine Kunst, jeder Schlesier wird es bestätigen, daß sie beim Kochen nicht zerfallen —, so geht Bose dem Koch für seinen indischen Reistopf zur Hand. Souverän wie der Meister der lukullischen Raffinements auf einem Ozeanliner dirigiert er die Vorbereitungen. Schließlich läßt er das verschiedene Fleisch (man fährt auf einem U-Boot, man hat's ja), die mehrfachen Sorten an Fisch, das Gemüse aller Art und die Butter schichtweise zwischen den echt burmesischen Reis plazieren. Aus seinem Privatgepäck fügt er Ingwer und ein gelbes Pulver dazu. Nur wenigen der Besatzung ist es als Curry ein Begriff.

Am Ende füllt Bose den großen Kessel bis zum Rand mit Wasser auf und läßt ihn vom Koch in die Röhre stellen. Zwei Stunden später bezeichnet er das Gericht als „gar". Als es auf den Backen dampft, als die Seelords nach anfänglich vorsichtigem Probieren dann aber reinhauen wie in einen seemannszünftigen Labskaus, übertrumpfen sich die Kommentare der Begeisterung, denn mehr, als irgendeine andere Truppe, vereint die Marine in ihren Reihen ausgesuchte Gourmets.

Korvettenkapitän Musenberg vermerkt in seinem privaten Tagebuch, in das er diese wie alle anderen Rezepte sorgfältig mitsamt dem Zubereitungshergang eintrug: „Es schmeckte wunderbar."

Immer, wenn Bose wieder einmal durch das Boot gewandert war, wenn er wieder einmal den Motorenraum, die Zentrale, die Torpedoanlage und die Schießeinrichtungen besichtigt hatte, drängt es ihn, mit dem Kommandanten eine Unterhaltung zu führen. Und immer wieder bewegt ihn die Frage, wie er „sein" Indien, oder bescheidener, zunächst „seine ersten Stützpunkte" gegen See verteidigen könne. Ihm schwebt eine eigene Kriegsflotte vor. Wenn man anfangs zwar keine eigenen Kriegsschiffe bauen könne, so habe Indien doch Geld genug, solche in anderen Staaten bauen zu lassen.

Der Kommandant möchte den Eifer und das Interesse seines Gastes nicht allzusehr dämpfen, aber er sagt, daß es nicht ganz einfach wäre, jemandem Kriegsschiffe anzuraten, wenn überhaupt noch keine ausgebildeten Besatzungen vorhanden wären.

„Man könnte allenfalls kleine Fahrzeuge, Schnellboote, allenfalls Zerstörer empfehlen."

„Und warum keine größeren?" bohrt Bose weiter.

„Ohne gründliche Ausbildung der Besatzungen wird alles andere mit noch so gutem Willen und selbst mit Hilfe der indischen Götter einfach nicht betriebsklar zu bekommen sein. Hier sehen Sie zum Beispiel..."

Es ist nur gut, daß Bose auf U 180 das Arbeiten der einzelnen Laufbahnen mit eigenen Augen studieren kann, das uhrwerkähnlich eingespielte Ineinandergreifen all der verschiedenen Stellen unter einem souveränen Kommando begreift. So sieht er schließlich doch ein, daß seine Pläne von einer eigenen Flotte unter dem Banner eines Freien Indien erst in weiter Zukunft realisierbar sind.

Die Kriegslage im Südatlantik gestattet um diese Zeit noch die Durchführung einer Linientaufe, wenige Monate später schon ist auch hier die Luftlage so bedrohlich geworden, daß die nachfolgenden Boote auf den alten Seemannsbrauch verzichten müssen.

Der Besatzung entgeht es nicht, daß ihr Alter in letzter Zeit immer häufiger im Funkraum verweilt, daß er hinterher lange Gespräche mit Bose führt, daß danach wieder solche mit dem Funker folgen und daß er am Ende ein Gesicht zeigt, als habe er statt Boses auf indische Art zubereiteten Darjeeling Tee ein Faß mit schierem Essig ausgetrunken. Und da in einer solchen Röhre auf die Dauer kaum etwas geheimgehalten werden kann, wissen es bald alle an Bord, wieso und weshalb Korvettenkapitän Musenberg wegen der eingehenden langen Funksprüche, die ihn zu gleich langen Elaboraten über FT zwingen, ausgesprochen mißvergnügt ist.

Um Boses Ausreise möglichst lange geheimzuhalten, hatte dieser in Berlin, auf Anraten von Goebbels, eine Reihe Schallplatten für den Rundfunk besprochen. Die werden während seiner Überfahrt nun von Fall zu Fall gesendet. Inzwischen aber wechselte in Europa, wie auch in Südostasien, die Lage derart schnell, daß Schnitte und Berichtigungen notwendig werden. Nur über den Funkweg aber kann Bose zur Stellungnahme aufgefordert werden.

*

Am 18. April versenkt U 180 den mit Heizöl beladenen und für Kapstadt bestimmten 8 132 BRT großen Tanker *Corbis*. Die Eintragung im KTB ist erschütternd, kann doch das U-Boot die Besatzungsmitglieder des Tankers nicht übernehmen: „... bei Dämmerung vier Boote, drei davon sind gekentert."

Und dann folgt noch ein Zusatz: „... Angriffseigenschaften des U-Bootes werden durch immer stärker zunehmendes Qualmen der Diesel eingeschränkt. Hochgehen mit Umdrehungen aus Marschfahrt ergibt unglaubliche Qualmbildung (bis zu einer Stunde), die Vorsetzmanöver praktisch unmöglich machen ... Bei jeder Dampfersichtung nach Möglichkeit sofort tauchen, rankommen zum Angriff ist daher Glückssache, je nach Lage beim Sichten ..."

Zwei Tage später, am 20. April, heißt es im KTB: „10.48 Uhr: KQ 7764*) Dampfer 100 Grad, wegen Qualmen sofort Alarm.

*) Position nach deutscher Quadratkarte = Raum südlich von Madagaskar

41

Vor Angriff durch Dünung dreimal rausgeschlagen. Wegen Rammkurs auf Tiefe gegangen. Aufgetaucht zum Vorsetzmanöver, wegen Qualmen mit Sehrohr. Abgebrochen, da Diesel ausfällt und uns der Dampfer immer achteraus hält (Qualmwolke!)..."

Den vom Obersteuermann in die Karte eingetragenen Treffpunkt im Marinequadrat KR 5276*) im Indischen Ozean steuert U 180 bei ziemlich unhandiger See, hoher langer, aus Südsüdwest auslaufender Dünung und sturmähnlichem Wind an. Um die zehnte Abendstunde meldet der Obergefreite am GHG[5] Geräusche von langsam drehenden Schrauben.

„Typisch für dieselmotorenbetriebenes Fahrzeug", fügt er hinzu.

Nur wenig später entdeckt der Steuerbordausguck am nachtschwarzen Horizont einen hin- und hertaumelnden Schatten. Als er ihn meldet, ist er verschwunden. Aber nach Sekunden schiebt er sich wieder über die Kimm, bleibt für kurze Zeit sichtbar, geht wieder weg, um im gleichen Rhythmus wieder aufzutauchen.

U 180 hängt sich mit verminderter Fahrtstufe an. Nichts deutet darauf hin, daß da drüben das deutsche U-Boot gesehen oder im Horchgerät geortet wurde. In regelmäßigem Turnus der hochgehenden See beobachten sie immer wieder den vierkanten Schatten in den Nachtgläsern. Jetzt, noch näher an dem Fremden stehend, sind sogar die schemenhaften Gestalten der Brückenwache auszumachen.

Position, Schiffsform und Größe lassen keinen Zweifel offen: voraus schwimmt der japanische U-Kreuzer I 29.

Aus der Zentrale hat sich LI Opitz für ein paar Minuten auf die Brücke abgemeldet. Als er neben dem IWO, Oberleutnant zur See Lange, steht, ist sein Gesicht so naß wie nach einer Dusche.

„So warm ist's ja nun auch nicht", sagt Lange, als er beobachtet, wie sich der LI die dicken Tropfen auf der Stirn abtupft. „Ne", schüttelt sich Opitz, „aber der bloße Gedanke an die da drüben, an deren Frauen, deren Kinder daheim... treibt einem den kalten Schweiß aus den Poren... Seit über einer Stunde karren wir unentdeckt in knapp ein paar hundert Metern hinter dem ahnungslosen Japaner her. Mann, Lange,

*) Quadrat südöstlich von Madagaskar

wenn wir ein Engländer wären... Fächerschuß... Detonation... Fontäne über der See... Totalverlust..."

„Die pennen", sagt einer der Ausguckposten. Da mischt sich der Kommandant ein. Ein solcher Vorwurf ist nicht gerechtfertigt. Von Nachlässigkeit der japanischen Ausguckposten kann schwerlich die Rede sein. „Die japanischen Posten stehen viel zu hoch. Sie scheinen beinahe auf der Brückenverkleidung zu stehen. Aus dieser überhöhten Position sehen sie auf das Wasser herunter, in die See hinein. Bei uns hat die Brückenwache einen tieferen Stand. Sie hat dadurch eine bessere und viel weitere Kontrolle des Horizonts."

„Jetzt wird mir eines klar", schaltet sich Lange ein.

„Sie denken an die hohen japanischen U-Bootverluste durch Feind-U-Boote?" ergänzt der Kommandant.

„Genau das, Herr Kapitän."

Jetzt frieren die anderen auch.

Nach anderthalb Stunden läßt Musenberg tauchen. Über das GHG vermögen sie auch den Kursänderungen des auf dem Treffpunkt auf- und abstehenden Japaners zu folgen. Als sie mit der Morgendämmerung aus der Tiefe des Indiks hervorbrechen, steht I 29 nur knapp drei Seemeilen von ihnen entfernt. Der Austausch der über das Auswärtige Amt vereinbarten Flaggensignale ist deutscherseits nur noch eine Formsache. Musenbergs Absicht, die er dem Japaner über Winkflaggen in englischer Sprache bekannt gemacht hat, die beiden Boote so zu manövrieren, daß sie in geringem Abstand parallel nebeneinander zu liegen kommen, um dann in diesem Leeraum die Schlauchboote hin- und herfahren zu lassen, scheitert an einem Phänomen. Stoppt U 180 die Motoren, ist es einfach nicht quer zum Wind zu halten. Es schwoit immer wieder mit dem Heck in den Wind, bleibt dann aber völlig ruhig liegen. Völlig anders verhält sich der riesige Japaner. Wie vorgeschlagen, verharrt er quer zum Wind und quer zur See.

Sie manövrieren hin und her. Aber am Ende bilden sie immer wieder ein T.

Die Bockigkeit von U 180 kann ihre Ursache wohl nur in den anderen Aufbauten haben. Jedes Schiff hat seine Eigenarten. Jedes Schiff treibt in einer bestimmten Lage bei gestoppten Maschinen im Wind.

In einem großen Schlauchboot schert der japanische U-Boot-kommandant bei U 180 längsseit. Als ihm Musenberg nach herzlicher Begrüßung bei einem Umtrunk in der Messe wissen läßt, man habe sein Boot schon in der Nacht in Sicht bekommen, man sei ihm Stunden erst dicht über Wasser und später getaucht gefolgt, wird Korvettenkapitän Yoichi blaß, wie von tropischer Sonne ausgebleichtes Stroh.

Musenbergs Erklärung, warum sie I 29 früher und besser sahen, leuchtet ihm ein. Er wird diese Erkenntnis zu verwerten wissen. So sagt er und dankt. Er hat des deutschen Kommandanten Rat sicherlich auch beachtet, nicht aber sein Nachfolger, der Korvettenkapitän T. Kinashi. Vor Singapore wird es sein, daß am 26. Juli 1944 die Torpedos des britischen U-Bootes *Sawfish* den japanischen U-Kreuzer in die ewigen Tiefen schicken. Es wird Nacht sein, als dies passiert . . . Und es wird vielleicht die gleiche Situation gewesen sein . . .

Das Wissen allein genügt eben nicht. Schulung, immer wieder Schulung ist das A und O für eine Besatzung. Erkenntnisse solcher Art müssen gleichsam unter die Haut eingeritzt worden sein. Dönitz zog auch seine Folgerungen daraus. Die Erprobungs- und Schulungszeit für neue Boote wurde trotz U-Boot-Mangel an der Front nicht verkürzt.

Safety first — für Boot und Besatzung.

Oberstes Prinzip des BdU.

Personen mit einem Schlauchboot zu befördern, ist, darin sind sich beide Kommandanten einig, auch bei hoher See kein Problem; aber der Austausch der kostbaren Güter zwischen U 180 und I 29 scheint in dieser Dünung gewißlich gefährdet. Musenbergs Vorschlag, ein Gebiet besserer Wetterverhältnisse anzulaufen, findet des Japaners Billigung. I 29 marschiert mit NNO-Kurs in Richtung Indien voraus . . . einen Tag . . . zwei Tage. Der deutsche Kommandant hat am dritten Tag, am 27. April, wegen der prekären Treibölsituation schon einen Morsespruch vorbereitet, notfalls selbst mit nach Penang fahren zu müssen, wenn das Wetter nicht bald besser wird, als der Wind endlich abflaut und die See ruhiger wird.

Die Übergabe und Übernahme der Austauschgüter beginnt. Manche Kisten sind so groß, daß sie nur durchs Torpedoluk gestaut werden können. Zwischendurch besichtigen deutsche U-Boot-Männer den Japaner und Japaner U 180.

Kommentar auf U 180:

„Sonst alles tadellos, genau wie bei uns, bloß mehr Platz, viel mehr Platz für die Besatzung."

U-Kreuzer I 29 hat diese Fahrt übrigens mit nur halber Besatzung angetreten, des Sonderauftrags wegen.

Am Ende verabschieden sich Bose und sein Adju Hasan. Mit Schwimmwesten umgetan, klettern die beiden mehr geschoben, als daß sie freiwillig einsteigen, in das wild auf und ab torkelnde große japanische Schlauchboot hinein.

Sie winken. Zurück bleiben Boses Dankesworte im KTB von U 180:

„Den 23. April 1943. Für einen Zivilisten ist im allgemeinen das Leben auf einem U-Boot nicht sehr bequem. Das kann ich aber von mir nicht behaupten. Der Kommandant, die Offiziere und die gesamte Besatzung verwöhnten mich nicht nur durch ihr Entgegenkommen auf der Reise, sondern gestalteten sie zu einem fröhlichen Erlebnis. Als ich zum ersten Mal an Bord kam, wunderte ich mich, wie ich wohl diese lange Zeit mit diesen beengten Verhältnissen aushalten würde. Nun ist die Zeit unseres Abschiedes gekommen, und es ist wahrlich keine Übertreibung zu bekennen, ich habe das Gefühl, als ob ich ein gemütliches Heim verlasse. Schweren Herzens. Auch die Natur war uns gnädig, und wir konnten während der Fahrt einige unvergeßliche Schönheiten des Meeres und des Himmels bewundernd in uns aufnehmen. Wir sprechen von ganzem Herzen den Offizieren und Mannschaften, im besonderen dem Kommandanten, für die uns während der ganzen Fahrt gezeigte stets freundliche Hilfsbereitschaft unseren Dank aus. Wir wünschen dem Boot U 180 frohe und stolze Heimkehr in den Stützpunkt zurück, geschmückt mit Siegeswimpeln und Girlanden. Mögen die Sonne und die Sterne des öfteren Zeugen sein der harten Schläge, die dieses Boot dem gemeinsamen Feind liefert. Gehen unsere Wünsche in Erfüllung und ist England auch an der Front im Fernen Osten geschlagen, dann werden wir immer mit Freude an die Fahrt zurückdenken, die uns auf U 180 zum Siege und zur Freiheit führte."

*gez. Subhas Tschandra Bose und Abid Hasan, Adjutant.*

Anstelle der beiden Indischen Freiheitskämpfer steigen auf U 180 zwei japanische Ingenieur-Offiziere ein, der Schiffbau-

Fregattenkapitän Tetsushiro Emi und der Schiffbau-Korvettenkapitän Tomonaga. Sie sollen in Deutschland mit dem Bau der neuesten U-Boote und mit der U-Bootausbildung vertraut gemacht werden.

Man läßt sich die ,Achse' etwas kosten.[6]

In den Kisten, die U 180 übernahm, befinden sich unter anderem drei kleine Einmann-Torpedos japanischer Konstruktion, eine Dreizentimeter-Gasdruck-Selbstladekanone und in den anderen, kleineren, Gold, fast pures einundzwanzigkarätiges Gold, das für die Japanische Botschaft bestimmt sein soll.

Der Abschied ist nicht überschwenglich, aber seemännisch kameradschaftlich.

Drei Hurrahs für die beiden Gäste.

Hände winken. Befehle. Das Oberdeck wird geräumt.

Der Rückmarsch beginnt.

Und mit ihm die für U 180 nun erlaubte freie Jagd auf das kostbare Wild, das Handelstonnage heißt.

*

*Wie aber ist es um die gleiche Zeit um die deutschen Interessen im asiatischen Kampfraum bestellt?*

*Nachdem Japan sich in unerwartet schnellem Siegeslauf in den Besitz von Indonesien und Malaya zu setzen vermocht hatte, den reichsten Gebieten an Öl, Gummi, Zinn, Chinin und anderen wichtigen Rohstoffen, lag für die deutsche Leitung der Blockadebrecheraktion der Gedanke nahe, die Dienststelle des Marine-Sonderdienstes in Tokio nach dem Südostraum zu verlegen, um die Überwasser-Blockadebrecher an den Erzeugungsstätten der Rohstoffe zu beladen und den fast 6000 sm langen Hin- und Rückweg nach Japan einzusparen. Obwohl diese Planung seit Frühjahr 1942 betrieben wurde, kann sie erst Anfang 1943 verwirklicht werden. Die japanischen Dienststellen geben nicht eher ihre Zustimmung zur Errichtung eigener deutscher Dienststellen im Südostraum.*

*Dies hängt wohl damit zusammen, daß sie sich bisher scheuten, gegen den Schwerpunkt ihrer Großostasien-Slogans: „Kampf dem weißen Unterdrücker und Ausbeuter", selbst zu verstoßen, wenn sie Deutsche, also Weiße, wieder ins Land holen. Überall im Mutterland wird in maßgeblichen Kreisen jene bewußt betonte chauvinistische Überheblichkeit auch weiterhin proklamiert, trotz des Bündnisses mit den Deutschen. Über Vermittlung der weniger orthodoxen japanischen Marine gelingt es endlich doch, die Genehmigung für die Beladung ,am Ort' zu erwirken.*

*Die Organisation im Südostraum sieht zunächst nur an drei Plätzen eigene deutsche Dienststellen vor: Singapore — von Japan in Shonan-to umbenannt — ist wegen seiner zentralen Lage, des Sitzes der obersten japanischen Kommandobehörden im Südostraum und als Platz mit den besten Werftanlagen und Werkstätten als Zentrale vorgesehen. Daneben sollen Batavia — von Japan auf Drängen der Indonesier in Djakarta umbenannt — wegen seiner Lage an der Sundastraße, der Ein- und Auslaufstraße nach und von Ostasien und Penang als Hauptplatz für die Zinn- und Gummi-Verschiffung besetzt werden.*

*Nach Übereinkunft mit der japanischen Marine sind die deutschen Dienststellen den jeweiligen höchsten japanischen Marinedienststellen an den Plätzen beigeordnet. Sie unterstehen aber, was ihre deutschen Aufgaben anbetrifft, dem Marineattaché Tokio. Eigene deutsche Funkstellen dürfen im Südostraum zunächst wegen Einspruchs des japanischen Heeres-Oberkommandos nicht eingerichtet werden. Der Nachrichtenverkehr mit Tokio muß über die japanischen Marinenachrichtendienststellen abgewickelt werden. Um bei der damals schon zunehmenden Verknappung japanischen Schiffsraums hinsichtlich der Anfuhr von Ausrüstung und Ladung für die Blockadebrecher an den einzelnen Plätzen unabhängig zu sein, hat der deutsche Marineattaché die Zustimmung der japanischen Marine zur Stationierung eines eigenen deutschen Zubringerschiffes, des Motorschiffes Q u i t o , erbeten und auch erhalten. Das Schiff ist mit einer eigenen und noch dazu modernen Funkstation ausgerüstet. So besteht wenigstens auf diese Weise von Fall zu Fall eine direkte, wenn auch geheime Verbindung zwischen der deutschen Leitung in Tokio und den ihr unterstellten Dienststellen im Südostraum, die unabhängig und unkontrolliert von den Japanern ist. Sehr bald ergibt sich aber für die Stützpunkte die Unzulänglichkeit der normalen Nachrichtenverbindung über die japanischen Stellen. Es sind dies nicht nur Sprachschwierigkeiten, sondern untragbare Verzögerungen, da die deutschen Funksprüche bei der Beförderung stets hinter den japanischen zurückzustehen haben. Schließlich wird dann doch erreicht, daß die bisher nur als reine Empfangsstation eingerichteten deutschen Funkstellen im Südostraum auch Sendeerlaubnis erhalten.*

*Auch organisatorisch, das sei vorausgegriffen, unterstehen die Stützpunkte zunächst bis Ende 1944 weiter dem Marineattaché Tokio, Admiral Wennecker. Als Dienststellenleiter fungieren in Singapore Korvettenkapitän von Zatorski — vormals Kommandant des in Japan durch eine Explosionskatastrophe verlorengegangenen, marineeigenen Troßschiffes U c k e r m a r k —, in*

47

*Penang Korvettenkapitän Ehrhardt — vormals I. Offizier auf dem Hilfskreuzer M i c h e l . Nach der Umkommandierung von Korvettenkapitän von Zatorski übernimmt Ehrhard Singapore und Penang zunächst Kapitänleutnant Hoppe, vormals Fliegeroffizier auf HSK M i c h e l .*

## 3.

## DEUTSCHLAND BRAUCHT ASIENS ROHGUMMI

*Noch bevor die deutschen Stellen im Südostraum eingerichtet worden sind — die Entsendung des Personals von Japan verzögerte sich durch eine Havarie der Q u i t o —, hat sich die Kriegslage auch im Atlantik verschärft. Die Blockadebrecherreisen von Überwasserschiffen sind so risikovoll geworden, daß Berlin die Umstellung der Rohstofftransporte auf U-Booten in Erwägung ziehen muß.*
*Hierfür sind aber zunächst Erprobungen und Versuche notwendig. Deutschland besitzt keine Transport-U-Boote. Es braucht die eigenen Front-U-Boote für den Handelskrieg dringender denn je.*

Diese so wichtige Frage hat Großadmiral Dönitz als neuer Oberbefehlshaber der Kriegsmarine am 8. Februar 1943 im Lagebericht im ‚Führerhauptquartier Wolfsschanze'[7] aufgegriffen. Unter dem Eindruck der zunehmenden Bedrohung der ‚Gummischiffe', wie die klassischen Blockadebrecher im Europa-Ostasienverkehr amtlich bezeichnet werden und von denen immer mehr der gegnerischen Luftüberwachung und den durch diese herangezogenen Seestreitkräften im gesamten Atlantik zum Opfer fallen, hat er als Schnellmaßnahme vorgeschlagen, für den Fronteinsatz weniger geeignete italienische Atlantik-U-Boote als Rohstofftransporter zwischen Westfrankreich und dem nun auch für deutsche Interessen stärker erschlossenen Südostraum einzusetzen. Um den weiten Anmarsch zu sparen, könnten diese Boote, die gegen deutsche Kampf-U-Boote ausgetauscht werden müßten, gegebenenfalls in See im Raum von Kapstadt oder Madagaskar beladen werden. Hitler hält diesen Vorschlag für gut und

Oben: Kalt, heiß, warm, kalt und wieder heiß... Der Marsch in den Indischen Ozean glich einer Monstre-Saunafahrt. — Aber immer, bei jedem Wetter, war hellwacher Ausguck oberstes Gebot, schon im eigensten Interesse aller an Bord.

Unten links: Der Versorger ist in Sicht. Hier auf diesem Geheimtreffpunkt südwestlich von Madagaskar ist es der getarnte Tanker *Brake*. Er hat Treiböl für die IX C-Boote mit ihrem geringeren Aktionsradius an Bord, Proviant und Wasser für alle... und japanisches Bier für die ozeanischen Gäste.

Vorseitig: Außenbordsarbeiten bei schwerer See. Irgend etwas klappert... Bei Schleichfahrt unter Wasser unter Umständen eine tödliche Gefahr für das U-Boot.

befiehlt Prüfung.\*) Falls sich ein solcher Umbau lohne, wolle er den vorstehenden Austausch dem Duce brieflich mitteilen. In der Besprechung vom 26. Februar dagegen wird unter Ziffer 3 protokolliert: „Da die Ausnutzung der italienischen Atlantik-U-Boote als Transport-U-Boote so wenig bringt, lehnt Führer ihre Verwendung für uns ab." Angeregt wurde Dönitz, U-Boote als Rohstofftransporter zu verwenden, durch die glücklich verlaufene Südostasien-Westfrankreich-Reise des japanischen U-Kreuzers I 30 unter Commander S. Endo, eine Unternehmung, die, wie wir heute wissen, bei der damaligen Beanspruchung der japanischen Streitkräfte überzeugendster Ausdruck des ‚good will' für eine Zusammenarbeit gewertet werden darf.[8]

Um die fragliche Zeit hatte aber das OKM von sich aus bereits mit der Supermarina in Rom verhandelt, um die in Bordeaux liegenden italienischen Atlantik-U-Boote als Transporter verwenden zu können. Als Gegenleistung bot Dönitz den Italienern neun neue Kampf-U-Boote vom Typ VII C an, die nach und nach geliefert werden sollten.

Am 18. März berichtet Dönitz in der Wolfsschanze, daß die Supermarina für ihre Atlantik-U-Boote mit Ausnahme der *Ammiraglio Cagni*, die auch weiterhin als Kampfboot eingesetzt werden soll, ihre Zustimmung gegeben habe. Darüber, daß Hitler in seiner Entgegnung am 26. Februar den Einsatz dieser italienischen U-Boote abgelehnt hatte und nunmehr von Dönitz vor eine vollendete Tatsache gestellt wird, findet sich nirgendwo die Aufzeichnung eines Widerrufs. Bei der Besprechung am 18. März betont Dönitz zu diesem Punkt lediglich noch, daß die Gummiverteilung wie gewöhnlich nach dem bestehenden Wirtschaftsvertrag erfolgen soll. Generalfeldmarschall Keitel habe die Richtigkeit dieser Auffassung bestätigt.

Bereits im Mai laufen die ersten italienischen Transport-U-Boote unter dem Sammelbegriff „Aquila" plus Nummer mit dem Ziel Südostasien aus.

---

\*) Bei solchen historischen Untersuchungen, die ja nur aus der Sicht der damaligen Zeit erforscht werden können, bleibt es nicht aus, daß Hitler als Staatsoberhaupt und Oberster Befehlshaber der Wehrmacht Erwähnung findet. Man würde einer leidenschaftslosen Untersuchung, wie es zu dem damaligen Unrechtsstaat kam, wenig nützen, hier etwa vom ‚böhmischen Gefreiten' zu sprechen. Die politischen Fehler und seine Verbrechen gegen das Recht und die Menschlichkeit werden weder verkannt noch entschuldigt, im Gegenteil.

Von den fünf ausgelaufenen italienischen Transport-U-Booten trafen aber nur drei im Südostraum ein, und zwar, das ist wichtig, noch vor der Kapitulation Italiens.

Später, am 8. Juli, meldet ObdM Dönitz Hitler diese Verluste und sagt:

„Meiner Bitte an Admiral Riccardi, uns doch noch die beiden gut geeigneten Transport-U-Boote *Romolo* und *Remo* zur Verfügung zu stellen, ist nicht entsprochen worden. Admiral Riccardi begründet diese Ablehnung damit, er brauche diese Boote für Transporte im italienischen Raum selbst dringend. Er sitzt wie eine Spinne auf seinen Booten. Er macht, das ist meine Überzeugung, hier die gleichen Fehler wie bei seinen Kampf-U-Booten, über deren geringen Einsatz der italienische BdU, Admiral Legnani, selbst sehr unglücklich ist."

In dem Vortrag am 8. Februar referierte Großadmiral Dönitz auch über den bevorzugten Bau von eigenen, regulären deutschen Fracht-U-Booten, solchen vom Typ XX.[9]

Durch andere für die Front aber wichtiger gewordene Bauvorhaben verzögert sich der Bau dieser deutschen Fracht-U-Boote derart, daß diese Reihe zunächst abgebrochen wird und später, nach ihrer Wiederaufnahme, vor Sommer 1945 nicht mit der Fertigstellung der ersten Boote für den Ostasienverkehr gerechnet werden kann. Dagegen vermögen die Italiener noch zwei Transport-U-Boote bis zur Kapitulation in Dienst zu stellen. Sie kommen aber nicht mehr zum Einsatz. Im Südostraum zeichnete sich also im Frühjahr 1943 schon ab, daß in baldiger Zukunft die neu einzurichtenden Dienststellen in Singapore, Penang und Batavia neben den noch nicht endgültig abgeschriebenen Überwasser-Blockadebrechern nun auch U-Boote zu betreuen, zu versorgen, zu reparieren, auszurüsten und zu beladen haben werden.

Im Mai 1943, dem schicksalhaften Wendepunkt des bisher so erfolgreichen Kampfes der Grauen Wölfe, trifft MS *Quito* dann mit dem Personal für die Stützpunkte ein. Singapore, Penang und Batavia melden Anfang Juni arbeitsfähig. Um diese Zeit aber wird hier über Tokio der Entschluß des Oberkommandos der Deutschen Kriegsmarine bekannt, den U-Boot-Krieg auf den gesamten Indischen Ozean auszudehnen. Nach Übereinstimmung mit den Japanern, deren maritime Kräfte im Pazifik außerordentlich beansprucht werden, sei vorgesehen, die im Indik operierenden Front-U-Boote nach ihren Operationen, beziehungsweise in Havariefällen, statt in die Heimat, zur Überholung und Neuausrüstung nach Penang zu senden.

Das Aufgabengebiet des Marine-Sonderdienstes Ostasien, dessen Dienststelle Kapitän zur See Werner Vermehren*) als 1. Gehilfe und Chef des Stabes beim Marineattaché Tokio untersteht, erfährt hierdurch eine in ihren Auswirkungen noch gar nicht zu übersehende Erweiterung.

## 4.

### U-DOMMES UND U-MARCO-POLO IN PENANG

*Während U 180 auf dem Rückmarsch steht, sind inzwischen vor Südafrika und im südwestlichen Indischen Ozean weitere Boote der großen Typen für ozeanische Verwendung eingetroffen. Es sind dies die IX D2-Boote: U 177 (Korvettenkapitän Gysae), U 178 (jetzt unter Korvettenkapitän Wilhelm Dommes), U 181 (Korvettenkapitän Wolfgang Lüth), U 196 (Kapitänleutnant Eitel-Friedrich Kentrat), U 197 (Kapitänleutnant Robert Bartels), U 198 (Kapitän zur See Werner Hartmann).*

*Ab Mai treten diese Boote ins Operationsgebiet ein, so daß dieser Seeraum nach U 180 und U 195 auch für die Folgezeit besetzt bleibt. Die Boote operieren ostwärts von Madagaskar und zum Teil bis ins Gebiet der Straße von Mozambique, wo der Gegner seine Schiffe durch eine landgestützte Luftaufklärung in Geleitzügen zusammenfaßt, die aber nur in einigen Fällen mit mehr oder weniger Erfolg von einigen der Boote angegriffen werden konnten. Am 21. Juni verholen die Boote in östlicher Richtung und versorgen in der Zeit bis zum 26. Juni aus dem im Mai aus einem Südostraum-Stützpunkt ausgelaufenen Tanker C h a r - l o t t e   S c h l i e m a n n , der, von den Kanarischen Inseln kommend, am 20. Oktober 1942 in Yokohama eingelaufen war. Die Versorgung verläuft vom Gegner unbemerkt, so daß die Boote, mit Allem neu ausgerüstet — zu neuen Operationen ablaufen können.*

---

*) Kpt. Vermehren gelangte mit dem Überwasser-Blockadebrecher MS REGENSBURG nach Japan, wo er im Juli 1942 seine Dienstgeschäfte übernahm.

*Ende August werden U 181 und U 196 auf BdU-Befehl zur Suche nach dem vermißten U 197 angesetzt. Die Aktion verläuft erfolglos. Bartels Boot wurde bereits am 20. August, wie wir heute wissen, südöstlich von Madagaskar durch Fli-Bos vernichtet, es gab keine Überlebenden. An sich ist dieser Verlust für die U-Boot-Führung nicht sonderlich beunruhigend, doch ist bekannt, daß der Gegner seine in Küstennähe fahrenden Schiffe durch landgestützte Flugzeuge bewacht. U 197 ist der erste Verlust in diesem für deutsche U-Boote jungfräulichen Seegebiet. Die Hoffnung des BdU, vielleicht von Überlebenden Einzelheiten über die Ursache des Verlustes zu erfahren, erfüllt sich nicht.*

*Während U 181, U 177, U 196 und U 198 nach weiteren Operationen glücklich in ihre Ausgangsstützpunkte zurückkehren, wird U 178 unter Korvettenkapitän Dommes nach Penang befohlen.*

*Die Operationslücke im Indik füllen inzwischen japanische U-Boote aus, die nach Admiral Wenncker ab Juli 1943 erneut gegen die indische Versorgungsschiffahrt eingesetzt werden.*

*Der Erfolg der deutschen Operationen, die mit der ‚Gruppe Eisbär‘ ihren Anfang nahmen, ist überaus befriedigend. Von den im Seegebiet um Kapstadt und dem Raum südlich und östlich von Madagaskar operierenden Booten wurden nach deutschen Unterlagen 110 Gegnerfrachter mit rund 600 000 BRT versenkt. An diesem Erfolg, der durch, wenn man so sagen darf, nur drei Verluste überschattet wurde, waren Gysae und Lüth mit je zwei Unternehmen mit zusammen 36 Schiffen mit 191000 BRT beteiligt.*

\*

Als Dommes einläuft, flattern fünf Wimpel am ausgefahrenen Sehrohr. Fünf Frachter mit zusammen ca. 25 000 BRT sind der Erfolg von 156 Feindtagen. 156 Tage sind fünf Monate: das bedeutet: pro Monat ein Schiff.[10]

Bevor U-Dommes festmachte, lief übrigens ein anderes Kampfboot in den Südostraum ein: U 511, das am 10. Mai unter Kapitänleutnant Schniewind Westfrankreich verließ.

Das Boot, ein IX C-Typ, das unter dem Namen *Marco Polo* geführt wird und den japanischen Marineattaché, Vizeadmiral Nomura, Admiral bei der Skl und Japans Vertreter des Dreimächtepaktes in Berlin[11] sowie den neuen Landesgruppenleiter der sogenannten AO für Japan an Bord hat, ist ein Geschenk Hitlers an den Tenno. U 511, das auf dem Anmarschweg zwei Gegnerfrachter mit zusammen 11 000 BRT versenkte, wird am 7. August im japanischen Kriegshafen Kure in feierlicher Form der Kaiserlichen Marine zum Zwecke des Nachbaues mitsamt den Konstruktionsplänen und anderen Geheimunterlagen übergeben. Es wird später als R0 500 unter dem Sonnenbanner in Dienst gestellt.

Vorausgegangen war eine heftige Debatte zwischen Hitler und Dönitz im Führerhauptquartier Winniza am 26. Februar 1943, bei der, wie bemerkt, Hitler die Ausnutzung der italienischen Atlantik-U-Boote als Transport-U-Boote ablehnte, während Dönitz von einer anderen Sache nichts hielt. Ihm hatte nämlich Nomura erklärt, daß die japanische Marine mit ihren U-Booten jetzt auch Handelskrieg betreiben wolle. Über den japanischen Botschafter Oshima und den deutschen Außenminister von Ribbentrop hatte sie um Zurverfügungstellung von zwei deutschen U-Booten gebeten.

„Ich halte gar nichts davon", sagte Dönitz zu Hitler. „Eine solche Abgabe bringt militärisch nichts ein. Allein schon aus Materialgründen erachte ich einen Nachbau in Japan in großem Stil für nicht möglich."

Hitler meinte aber, daß es doch richtig sei, den Japanern ein U-Boot zu geben, weil man für das Gummi auch Gegenleistungen machen müßte. Im Protokoll[12] vom 5. März hieß es weiter:

„Wenn es uns schwerfiele, diese Gegenleistungen in hochwertigem Stahl und Fertigwaren, wie Werkzeugmaschinen, zu erfüllen, dann würde uns die Abgabe eines U-Bootes gegebenenfalls leichter fallen. Hitler will sich jedoch erst entscheiden, wenn die Forderung konkretere Formen angenommen hat."

*

Noch ahnen weder der nun in Penang eingelaufene Dommes noch sein IWO, Kapitänleutnant Wilhelm Spahr, einst Priens Obersteuermann, noch die Männer der Besatzung, was ihnen bevorsteht.

Man hat wieder Land unter den Füßen. Land, auf dem Palmen und Bananenstauden im Freien wachsen. Ein Südseetraum scheint erfüllt...

Kapitänleutnant Wilhelm Spahr erinnert sich:

„Wir wurden in Penang mit viel Tamtam begrüßt. Sogar ein japanischer Admiral war erschienen. Die erste Maßnahme:

Alle Besatzungsmitglieder bekommen Zivilsachen verpaßt. Für die Soldaten war das schon 'ne Wucht ... so mit rohseidenen Oberhemden und gleicher Unterwäsche spazieren zu gehen ...

Die Maßnahme war von den Japanern aus Tarnungsgründen angeordnet worden, und unsere Seelords sorgten dafür, daß die Tarnung vollkommen wurde ... Sie lüfteten ihre Hüte gentlemanlike salopp, sie tippten an die Krempe, als seien sie die Herren im Hause.

Unteroffiziere und Mannschaften wurden in Hotels untergebracht. Für die Offiziere ist in der Park-Road ein ganzes Viertel beschlagnahmt worden. Ich wohnte in der Villa des Chefarztes des Krankenhauses, zu unserer Bedienung hatten wir den gleichen Malayen und ein chinesisches Ehepaar, die schon Jahre in diesem Hause dienten.

Die Verrechnung der Unterkunft und Verpflegung ging über die deutschen Behörden. Der Wehrsold wurde in Chinesen-Dollar ausgezahlt. Besondere Ausweise bekamen wir nicht, aber wir waren verpflichtet, an der Jacke eine kleine schwarzgelbe Kokarde zu tragen. Das gab uns zwar den Japanern gegenüber als deutsche U-Boot-Männer aus, natürlich aber auch den zahlreichen Agenten der Feindseite. Deutlicher ging es nicht.

Wozu also die Tarnung?

Daß die feindliche Abwehr ihre Männer in den obersten japanischen Dienststellen und auch bei uns sitzen hatte, konnte ich wenige Tage nach dem Einlaufen bemerken. Während ich Schlüsselunterlagen und Gekados-Sachen stets bei mir trug, hatte ich für die anderen Verschlußsachen eine Kassette. Diese stand verschlossen in meiner Unterkunft. Unter der Koje.

Auf dem Stützpunkt warnte man mich besonders vor dem japanischen Dolmetscher Dr. Nishijawa. Dieser würde seine flinken Augen überall reinstecken.

Als ich abends nach Hause komme, sagt mir der malayische Diener, Dr. Nishijawa sei im Hause gewesen. Er habe nach meinem Zimmer gefragt. Er hätte ihm gesagt, daß er es nicht dulden könne, wenn er in Abwesenheit eines der deutschen Offiziere auf die Stuben ginge. Der Doktor hätte aber erklärt, daß er für mich etwas holen solle ...

54

Voller böser Ahnungen eile ich auf mein Zimmer. An einigen Unordnungen sehe ich sofort, daß hier jemand herumgeschnüffelt hat. Da entdeckte ich dann auch die unverschlossen dastehende Kiste. Siehe da, ein Buch fehlt: Die Bedienungsanweisung für die Kanone 10,5 cm!

Schöne Schweinerei. Ich auf der Hinterhand kehrtgemacht und zurück zum Stützpunkt. Dort schnappe ich mir den Doktor und stelle ihn zur Rede. Ich sage ihm auf den Kopf zu, daß er bei mir eingebrochen habe und nenne ihm als Zeugen unseren Malayen. Mit unbewegtem Gesicht und ohne auch nur mit den Augen zu zucken, hörte er sich meine Strafpredigt an.

Dann sagte ich noch:

‚Im übrigen, mein Lieber, was wollen Sie denn mit der Kanonenbeschreibung. Sie haben doch von uns ein komplettes U-Boot geschenkt bekommen. Warum klauen Sie also bei mir. Oder denken Sie, U-Schniewind hat eine andere Spritze an Bord als ich?'

Als ich zwei Stunden später wieder in meiner Unterkunft bin, ist auch das Buch wieder an Ort und Stelle.

Das war aber auch der einzige trübe Punkt in diesen ersten Tagen. Allein der dienstlich befohlene Erholungsaufenthalt auf Penang Hill ließ alles vergessen."

# DRITTER TEIL

## 1.

## DIE MONSUN-U-BOOTE

*Mit der Einrichtung Penangs als Zwischenstützpunkt hat die deutsche U-Boot-Kriegführung hinsichtlich der Operationsdauer der U-Boote durch Wegfall der zeitraubenden An- und Rückmärsche in die europäischen Stützpunkte eine wesentliche Entlastung erfahren. Sie hat nunmehr die Möglichkeit, neben den neuen großen Booten des Typs IX D auch Boote des Typs IX C ohne allzu häufige Zwischenversorgungen in See im Indischen Ozean operieren zu lassen.*

*Noch während die vorher genannten Boote, die im Raum von Madagaskar operierten, auf dem operativen Rückmarsch stehen, ist in der Heimat die 1. Monsun-Gruppe ausgerüstet und in Marsch gesetzt worden. Neun Boote, alle vom Typ IX C, sind in der Zeit vom 28. Juni bis 7. Juli in drei Gruppen, rottenweise, von Sicherungsstreitkräften bis an die Zwohundert-Meterlinie geleitet, aus Lorient an der französischen Westküste ausgelaufen. Es sind dies:*

*U 168 (Kapitänleutnant Helmuth Pich), U 183 (Korvettenkapitän Schäfer), U 188 (Kapitänleutnant Siegfried Lüdden), U 506 (Kapitänleutnant Erich Würdemann), U 509 (Kapitänleutnant Werner Witte), U 514 (Kapitänleutnant Jürgen Auffermann), U 516 (Korvettenkapitän Gerhard Wiebe), U 532 (Fregattenkapitän Ottoheinrich Junker) und U 533 (Kapitänleutnant Helmuth Henning). Ferner haben zwei weitere Boote vom Typ IX D2 Kiel mit dem gleichen Operationsbefehl verlassen. Diese beiden Boote — U 200 (Korvettenkapitän Heinrich Schonder) und U 847 (Kapitänleutnant Herbert Kuppisch) — haben nach kurzem Zwischenaufenthalt und einer Nachbeölung in Norwegen Kurs auf den Indischen Ozean genommen. Außerdem ist der 1. Monsun-Gruppe U 462 (Kapitänleutnant Vowe) als Versorgungsboot für den südafrikanischen Bereich mitgegeben worden.*

*Im Indik sollen diese elf Boote nach erfolgten Operationen im nunmehr gesamten Indischen Ozean die für die deutsche U-Boot-Waffe von den Japanern im Südostasiatischen Raum freigegebenen Stützpunkte anlaufen. Bereits beim Anmarsch gehen fünf Boote und der Versorger verloren, und zwar alle unmittelbar nach dem Auslaufen, während U 516 im Atlantik als Monsun-U-Boot zurückgezogen und zunächst als Versorger-U-Boot eingesetzt wird:*

*U 200 wird am 24. Juni südwestlich von Island von Flugzeugen angegriffen und gebombt (Totalverlust), U 506 wird am 12. Juli westlich von Vigo das Opfer amerikanischer Fliegerbomben (Überlebende) und U 509 am 15. 7. nordwestlich von Madeira durch Flibo USS S a n t e e . U 514 geht am 8. Juli Ausgang Biscaya durch britische Flugzeuge verloren (Totalverlust), und U 847 wird am 27. August im Mittelatlantik, im Sargossa Meer, von drei Maschinen des VC. Sqdr. 1 des USS C a r d vernichtet (Totalverlust). Das Versorgungsboot U 462 geht ebenfalls kurz nach dem Ausgang Biscaya nordwestlich von Kap Ortegal am 30. Juli durch Bomben der Halifax S des RAF. Sqdr. 502 verloren (Überlebende). Von den elf Booten der 1. Monsun-Gruppe haben also nur fünf ihr Operationsgebiet erreicht. Hier werden sie bereits von dem Hilfstroßschiff B r a k e unter Kapitän Kölschbachs „glücklicher Hand"[13] auf dem geheimen Treffpunkt erwartet. Nach der Versorgung, die zwischen dem 8. bis 14. September ohne Zwischenfall durchgeführt werden kann, laufen die Boote zum Einsatz in ihre Operationsgebiete im Indischen Ozean ab ...*

Auf U 168:
Knappe vier Wochen danach ...

In den nördlichen Gebieten des Indischen Ozeans weht Nordost-Monsun. Er hat wenigstens das heiße, vom Dunst des Meeres vollgesogene Gespenst des sommerlichen Südwest-Monsuns verdrängt.

Im Vorschiff liegt wie auf allen Booten vom Typ IX C die O-Messe. In ihr hocken, eine Tasse mit dampfend heißem Tee vor sich, noch Stunden nach Mitternacht der Kommandant, der LI und der blutjunge IIWO, intelligent, so intelligent und so klug, daß sein Besserwissen manchmal störend wirkt. Vor der Back steht, in abwartender Haltung, der Torpedomaat.

„Es könnte", so sinnt der LI, „an dieser blöden Hitze in der Röhre liegen." Mit dem Bleistift zeichnet er auf ein Stück Konzeptpapier einen Torpedo.

Der IIWO langt blitzschnell über den Tisch hinweg und zeigt auf einen Punkt. „Klar, nur das ist der Grund."

Kapitänleutnant Pich wehrt mit erhobener linker Hand ab, mit der rechten wischt er sich mit einem neuen Handtuch —

das wievielte ist es heute schon? — den Schweiß aus dem Gesicht und von den Schultern ab.

„Nein", sagt er ruhig, „wir haben die Aale ganz einfach zu tief eingestellt. Die Tanker, die in den Golf von Oman einfahren, sind leer. Sie liegen zu hoch aus dem Wasser heraus. Also mußten wir ...", Pich unterbricht sich. Der Funkmaat ist in die Messe getreten. „Was ist?"

„BdU Funkspruch, Herr Kaleunt. Hier, bitte."

Dabei muß sich der Funker vorbeugen. Wasser läuft von seiner Schulter über den Arm auf die Hand. Es tropft auf das Papier.

„Tschuldigung, Herr Kaleunt."

Pich wehrt ab, lacht. Aber dann wird sein Gesicht ernst. Das FT aus der Heimat meldet, ein russischer Tanker habe im Golf von Oman in den Stunden vor Mitternacht ein U-Boot gesichtet und durch Funkspruch gemeldet. „Das waren wohl wir, als wir den einen der beiden Tanker angriffen. Der hat den zu tief eingestellten A-To gesehen. Bei der spiegelglatten See und bei diesem tropischen Vollmond bestimmt auch uns."

„Ein anderes Boot operiert hier ja nicht", sagt der LI.

„Nicht mehr", ergänzt der IIWO, und er reißt damit auf, an was sie alle nicht denken wollen, was sie in sich tief, sehr tief vergraben haben. Nur der Gedanke an die anderen Kameraden wirkt wie ein Riß von oben nach unten.

„Jaja ... natürlich nicht mehr", hört sich Pich sagen. Unvermittelt blickt er auf die Uhr, steht auf, schiebt sich zwischen Bank und Back in den Gang und sagt zum LI:

„Beckmeier, wir unterhalten uns nachher weiter. Es ist sowieso gleich Wachablösung."

Die Wachablösung geht ihn, den Kommandanten, nur indirekt an. In Wirklichkeit hat Pich das Verlangen, ein paar Minuten allein mit sich zu sein. Hinter dem grünen Vorhang, der einzigen Trennwand für ihn an Bord, hockt er sich auf den Rand seiner Koje ...

Seine Gedanken wandern zurück. Merkwürdige Fügungen, wenn man die letzten Monate, Jahre nachzeichnet, überfällt es ihn. Er war fünf Jahre bei der Marine-Fliegerei, am Schluß Staffelkapitän bei der Seeaufklärung im Ägäischen Meer. Als er 1941 zu den U-Booten kam, als er all die vielen Kurse absolviert hatte, teilte man ihn gleich als Konfirman-

den*) und nicht erst als WO, dem Boot von Kapitänleutnant
Gysae zu. Dessen Boot, U 98, lag in St. Nazaire, eines vom
VII C Typ. Aber Gysae wurde plötzlich abgelöst, denn im
Villenviertel von Bremen fiel eine ganze U-Bootbesatzung
einem Bombenangriff zum Opfer. Es war Gysae, der das ver-
waiste Boot, ein IX D2 Typ, übernahm. Pich aber schickten
sie zu Kapitänleutnant Winter an Bord. Und der fuhr ein
großes Boot vom Typ IX B. Reiner Zufall, der den ehemaligen Seeflieger als Konfirmanden statt, wie vorgesehen, mit
einem VII C Boot nun mit einem großen Typ vertraut werden ließ.

Am 1. Oktober 1942 notierte sich Pich: „Mein Boot, U 168, ist
heute in Dienst gestellt. Man kann eigentlich schwer be-
schreiben, wie stolz man ist, wenn man ein eigenes Boot
unter sich hat, aber auch wie kümmerlich man sich auf einmal fühlt... denn jetzt mußt DU alles selbst machen. Als
Konfirmand kutschiert man ja nicht selbst. Man hält sich
immer etwas zurück, sieht, wie's gemacht wird. Nun aber ist
man allein, letztverantwortlich... Und siehe da, es geht."

Später, bei der AGRU-Front passierte es. Pich brauste in der
Dämmerung eines Dezember-Abends hinter dem Übungs-
geleit hinterher. Auf einmal tauchte vor ihm auf der Höhe
von Hela ein grünes Licht aus der See auf... Er konnte noch
„Beide Maschinen Stopp" und „Hart Backbord" brüllen, da
knallte es auch schon. Das andere, gerade auftauchende U-
Boot, riß U 168 die ganze Steuerbord-Seite in Fetzen. Aber
der Druckkörper hielt, und über die Liegezeit im Heimat-
hafen Stettin war keiner böse. Noch eine Atempause vor dem
ersten Einsatz...

75 Tage dauerte es dann. Im von Frühjahrsstürmen über-
tosten Nordatlantik. Windstärken noch und noch. Und mehr.
Bei Überwasserfahrt wirkt die Röhre innen wie ein dumpf-
dröhnendes Gewölbe.

Einmal nahmen sie im hohen Norden im diffusen Scheine
von Polarlicht, das überirdischen Fahnen gleich über den
Himmel wanderte, einen Eisberg an, weil sie dachten, daß es
ein Zerstörer sei. Sie nahmen viel Wabos hin. Und dann
wieder Fliebos... Pich blättert in seiner Kladde, in der über
diese Fahrt geschrieben steht:

---

*) Konfirmand = U-Boot-Kommandant-‚Anwärter'

„Man wird von Norden nach Westen, von Westen nach Osten
gehetzt. Man lebt also eigentlich immer unter Druck. Es ist
erstaunlich, daß man das alles aushält...

... Lorient im Frühlingskleid, traumhaft, unwirklich schön,
für uns wie ein Paradies nach der winterlichen Atlantikfahrt.
Die Beine tun weh, die Füße schmerzen noch...

Dieser Mai 1943... Dieses nervenzehrende Warten auf die
Kameradenboote, dieses Wissen, daß wieder ein Boot vernichtet war... Noch eines... Noch eines... Noch eines...
Wieder eines... Laufen wir unter diesen Umständen überhaupt noch aus? Alle Boote sollen doch aus dem Atlantik zurückgezogen werden. Ein Gerücht, wie viele?

Von den anderen acht Booten, mit denen U 168 in Stettin zusammen lag, hat kein einziges Lorient erreicht..."

Beim FdU: „Wozu denn das Tropenzeug? Also geht es doch
weit nach Süden, Herr Kapitän?" wollte er damals wissen.

Aber der FdU lächelte undurchsichtig: „Sie finden alle Einzelheiten im Operationsbefehl, zu öffnen drei Tage nach dem
Auslaufen. Die Tropenkleidung ist für alle Fälle, auch andere
Boote bekommen sie ja mit..." Und nach einer Pause sagte
er weiter, langsam, behutsam, als gieße er jedes Wort in eine
Schale aus hauchdünnem Glas: „Sie wissen ja, was augen-
blicklich im Nordatlantik los ist. Seien Sie froh, daß Sie ein
großes Boot haben. Sie Glückspilz."

Wie hat man Glück? Wie verdient man es sich? Nach Moltke
auf die Dauer durch Tüchtigkeit. Hier aber steht es am Anfang...

U 98, auf das er als Konfirmand sollte, lebt auch schon lange
nicht mehr: Fliegerbomben, westlich Gibraltar.

Und dann war es doch so weit.

Mit acht Booten liefen sie zusammen aus. Der FdU hatte noch
rechtzeitig den zuerst festgelegten Auslauftermin auf Null
machen lassen, sie hätten sonst an einem Freitag die Leinen
loswerfen müssen. So war es ein Sonnabend morgen, als Ge-
leitboote und Zerstörer Pich und seinen Rottenkameraden
Schäfer auf U 183 bis an die Zwohundertmeter-Grenze ge-
leiten. Sie fuhren in Rotten, der Bienen wegen. Zu zweit
hoffte man, angreifende Flugzeuge besser abwehren zu können. Und dann meldete der Mann am FuMB eine Ortung...
Pich gab das verabredete Zeichen: ab in den Keller. Erst im

Indik, bei der *Brake*, hörten sie wieder über ihren Rottenkameraden. Er hatte bereits mit den anderen Booten während der befohlenen Zeit zwischen dem 8. und 11. September versorgt.

„Wir hatten Sie schon abgeschrieben", waren Kapitän Kölschbachs Begrüßungsworte, als Pich, im Schlauchboot der *Brake* geholt, sein rechtes Bein über die Reeling des Tankers schwang.

„Weil ich erst heute, am letzten Termintag, erscheine? Wir sind sparsamste Fahrt gelaufen. Wer garantierte mir denn Ihre Anwesenheit?"

„So kann man's auch nennen, wenn die Navigation nicht stimmt", brummte Kölschbach. Aber aus seinem Zorn sprach ehrliche Sorge um dieses Boot. Er war so froh, daß wenigstens Pich noch kam, denn auch er hatte die Programmzeiten auf der U-Bootschaltung mit abhören lassen. Auch ihm war bekannt, daß hier dieses, dort jenes U-Boot wiederholt und vergeblich gerufen wurde und wird ...

Daß ein ‚kleiner' und junger U-Boot-Kommandant noch seinen Bordarzt und seinen Bordmeteorologen ungebeten mit in den Kapitänssalon zu bringen wagte, grub noch tiefere Furchen in Kölschbachs Stirn ein. Großartiger Salon übrigens: Alles edelholzgetäfelt, mit herrlichen japanischen Zwergbäumen ausgeschmückt. Pich ertappt sich dabei: wenn so was mal absaufen muß ... statt sich über das tiefgekühlte Bier zu freuen, das der brummige Kapitän dann doch mit nun sanfter Stimme spendierte.

Erstes Operationsziel für U 168 nach der Versorgung: Der Seeraum von Bombay.

Der erste Tag unter der Küste war der beste. Sie erwischten einen Zweieinhalbtausend Tonner. Eben noch im Unschuldsschimmer des ersten Morgenlichtes.

Wie heißt es doch in der operativen Weisung so hoffnungsschwer: „Die Operationen vor Indiens Westküste sollen ein neuer ‚Paukenschlag' werden ..."

Für Pich und für die Kameraden wurde nicht einmal ein ‚Trommelwirbel' daraus. Die Japaner haben dieses Seegebiet schon vorher abgegrast und die Abwehr mobilisiert. Der Verkehr ist inzwischen auch hier zu Geleitzügen zusammengefaßt worden. Einzelfahrer sind so selten wie Kometen am

Himmel. Dafür mehren sich auch hier die überwachenden Flugzeuge.

Schwarz wie eine Teertonne war die Nacht, als sie verwegen versuchten, in den Hafen von Bombay einzudringen. Bevor sie das Land sahen, rochen sie es bereits, hatten sie den süßlich, schweren Duft tropischer Fauna in der Nase. Und dann sahen sie die Küste und die Perlschnüre der Lichter der Stadt und des Hafens, die auf einmal für Sekunden erloschen, als eine Sternschnuppe über den Tropenhimmel fuhr und die Nacht mit fast sonnengleicher Kraft erhellte, als sie zerplatzte. Sie tasteten sich bis in die Einfahrt, bis in die riesige Bucht vor dem Hafen vor. Meeresleuchten beunruhigte sie dabei. So stark, so intensiv hatte es keiner je gesehen.

Sie entdeckten kein Schiff. Nur ein harmloses kleines Fischerboot bohrten sie in dem mondlosen Dunkel direkt vor der Einfahrt um ein Haar in den Grund. Wer auf der Brücke stand, hat heute noch den gutturalen Entsetzensschrei der braunen Fischer in den Ohren.

Kurz bevor sich die Sonne aus ihrem saphirblauen Bett erhob, verholten sie sich in die Tiefe. Auf 30 Meter legten sie sich auf den Grund. Es müssen doch ein paar tausend Tonnen aus dem riesigen Hafen herauskommen ... es müssen ... Ihre ganze Hoffnung. Sie warteten. Vergeblich. Die nächste, die übernächste Nacht bescherte ihnen beim Überwassermarsch wieder dieses unheimliche Meeresleuchten, gleichsam, als ob ein unterseeischer Gong heraufschlägt und kreisförmige Strahlen nach oben schickt. Bei nur 30 bis 40 Meter Wasser unterm Kiel und akuter Luftgefahr schmeckte das keinem an Bord.

Bei Tage standen sie etwas weiter ab. Da waren sie schon, die Bienen, meist Catalinas, runter mit dem Boot, wieder hoch, wieder runter. Sie suchten dann später nördlich, dann südlich von Bombay ... Kein Schiff, nur Flugzeuge.

Und die große Hoffnung, nun hier im Golf von Oman in den Persischen Golf fahrende oder aus ihm herauskommende Tanker zu erwischen, ist durch die unheimlichen Versager der Torpedos zu einem Schlag ins Wasser geworden.

Der grüne Vorhang vor des Kommandanten Unterkunft zerteilt sich.

„Na, Beckmeier", sagt Pich zu dem Oberleutnant (Ing.), „wenn Sie so ungerufen kommen ..."

„Es ist nichts, Herr Kaleunt. Aber wenn wir es nun nicht waren, der den Russen angriff, dann..."

„Nein, Beckmeier, seit Tagen schon wird Hennings Boot vergeblich gerufen. Wie ich den Unterlagen auf der *Brake* entnahm, wollte auch er in dieses Seegebiet. Diese hellen Nächte, dazu jetzt noch Vollmond. Eine Zeitung läßt sich ja mühelos lesen. Aufgetaucht karren wir in der Nacht wie auf einem glitzernden, blitzeblanken Spiegel einher. Und dann diese Fehlschüsse."

„Ich bin fest davon überzeugt, daß die Batterien der E-Tos bei dieser Affenhitze einfach zu heiß geworden sind. Das ist der Grund."

„Wenn Sie mir das als Techniker sagen, möchte ich das gern glauben. Es ist gar nicht so leicht, sich damit abzufinden, daneben oder drunter durch geschossen zu haben."

„Etwas müssen wir doch aber hier erwischen. Und wenn wir ein paar von diesen Dhaus unter Arabiens Küsten mitnehmen."

Pich sagt nichts darauf. Der LI wertet sein Schweigen als Bedenken. „Die Briten würden keine Sekunde zögern, auch solche Schiffe zu vernichten. Das sind ja ganze Flotten, die den Monsun ausnutzen, die da kriegswichtige Waren zwischen Persien, Arabien und der ostafrikanischen Küste hin und her schleppen."

Als U 168 in der nächsten, silberhellen Nacht aus der Tiefe hervorbricht, ziehen in kaum einer Seemeile Entfernung die dreieckigen Segel solcher Dhaus vorbei. Deutlich heben sich die schwebenden Schatten gegen Omans Küstenstreifen mit seinen sich dahinter auftürmenden Bergmassiven ab. Der IWO zählt mehr als zwanzig Segler. Alle sind tief beladen, jedenfalls scheint das so.

„Also", befiehlt sich Pich, „Klar zum!"

Fünf oder sechs dieser Dhaus versinken. Durch Rammstoß, durch Artilleriefeuer vernichtet. Die anderen entkommen unter die nahe Küste. Wenn es hoch kommt, haben diese Schiffe zusammen tausend Tonnen geladen.

Aber jede Tonne Frachtraum zählt...

Das Schießen wird die RAF alarmiert haben. Pich verzichtet auf Verfolgung der anderen, er dreht ab.

„Und wenn es Pilgerschiffe gewesen sind?" bohrt der IIWO. „Schiffe mit englandfeindlichen Arabern an Bord?"

Pich überhört die beschwörende Frage, und Assistenzarzt Dr. Wenzel trägt laut, zu laut, seine Vorschläge für den neuen Küchenzettel der kommenden Tage vor. Dieser Doktor Wenzel ist nicht nur ein hervorragender Arzt, der allein schon durch seine immer gleichbleibende Fröhlichkeit viel für die gute Stimmung an Bord tat, er ist ja auch Wirtschafts- und Proviantminister an Bord. Und vor allem ausgezeichneter Psychologe.

„Ich denke, wir versuchen noch einmal an Indiens Westküste unser Glück", sagt der Kommandant, so unvermittelt und bestimmt, daß alle fühlen, daß er sich schon seit Tagen mit diesem Gedanken vertraut gemacht hat ...

*

„Ich zähle fünf, nein jetzt sechs Mastspitzen", sagt der Steuerbord-Ausguck.

„Geleitzug", bestätigt der WO. „Na endlich. Stimmt die Horchpeilung also doch. Auf Flugzeuge achten."

Fast gleichzeitig mit den ersten Schornsteinen und Brückenaufbauten und weiteren, dahinter erkennbaren Mastspitzen entdecken sie die beiden Punkte am diesigblauen Tropenhimmel, eben noch rechtzeitig genug, um in die Tiefe zu fahren. Die Hoffnung, sich dem Geleitzug in schneller Überwasserfahrt vorsetzen zu können, schwindet. Kaum aufgetaucht, müssen sie dieser Bienen wegen, es sind Catalinas, immer wieder runter.

Kapitänleutnant Pich setzt seine ganze Hoffnung in die Nacht. Sofort mit Einbruch der Dunkelheit brechen sie aus der Tiefe hervor und jagen den Schiffen nach. Es scheint zwar kein Vollmond mehr, aber auch die nur halbe Scheibe des wandlungsfähigen Gefährten der Himmelsnacht genügt, die tropische See wie flüssiges Blei glitzern zu lassen.

Der vorliche Backbord-Ausguck und der WO hatten den Schatten am sammetblauen Nachthimmel fast gleichzeitig gesehen und blitzschnell erkannt, daß er immer mehr Sterne verdeckte, also immer näher kam, daß er immer größer wurde. Und mit dem Schrei der Meldung über die Sichtung hat der IWO auch sofort eine Kursänderung befohlen.

„Hart Backbord ..."

O b e n : Ölabgabe von U 178 an ein italienisches U-Boot auf dem Geheim-Treffpunkt im Indischen Ozean. Bei dieser rauhen See wahrlich kein Spaß, den Ölschlauch des Tankers auf dem U-Boot-Oberdeck zu bedienen. — U n t e n : Frühschoppen auf dem Versorgungsschiff, südwestlich von Madagaskar. Von links nach rechts: Kapitänleutnant Lüdden (Kmdt. U 188), Korv.-Kapitän Schäfer (Kmdt. U 183), Freg.Kapitän Junker (U 532), Kapitän Kölschbach, der Kapitän der *Brake,* und (mit Pfeife) *Brake*-IO, Kapitänleutnant Tangermann, später der Verwalter auf der Farm Tschikopo auf der Insel Java.

Vorseitig: Haie sind seit ehedem der Seeleute größte Feinde. Ihre Schwanzflossen, am Klüverbaum eines Segelschiffes oder beim U-Boot am Turm angebracht, sollen Glück bringen. Diese Bestie wurde auf U 180 gefangen.

Und Sekunden später, das Boot dreht gerade an, kommen die Bomben. Zwei fahren vorn, zwei achtern in die See. Doch bevor sie krepieren, verspüren sie alle im Boot einen metallisch dröhnenden Schlag, erst dann scheint die Welt um sie herum im Dröhnen der Detonationen unterzugehen. Das Boot bockt. Es fährt nicht mehr. Es wird regelrecht aus dem Wasser herausgehoben. Als es in sein Element zurückfällt, glauben sie nicht, daß es überhaupt noch schwimmt.

Die Maschinen sind intakt. Aber die Schäden sind so schwer, daß sie auch der so erfahrene LI mit seinen Männern nur behelfsmäßig beheben kann. Den Wassereinbruch kann er stoppen, aber die achteren Torpedorohre, die bekommt er nicht wieder hin. Sie bleiben verklemmt.

Durch FT unterrichtet Pich die Heimat. Zwei Tage später bestätigt der BdU und funkt: „Einlaufen Penang."

Und wieder zwei Tage später warten sie vergeblich auf dem vereinbarten Aufnahmepunkt, weil inzwischen von den Japanern ein anderer bestimmt worden ist.

Schließlich werden sie auf der Höhe der nördlich von Sumatra gelegenen Insel Sabang von einem japanischen Geleitboot aufgenommen, das sie nach einer Verständigung über das internationale Signalbuch in den Inselhafen bringen will. Pich notiert später:

„Man hat bei diesen bergigen Inseln, die steil aus der kristallklaren, blauen See herauswachsen, immer das Gefühl, daß man gleich anstößt. Nichts dergleichen. Man hat immer noch zehn Meilen zu fahren. Der Hafen entsprach dem, was man sich von einer Tropeninsel in seinen Träumen vorzustellen pflegt. Er war kreisrund, ein Kraterhafen, hinter dem blütenweißen Strand Hütten unter sich wiegenden Palmen.

Nach 152 Tagen Einsatz endlich wieder der Befehl ‚Maschinen aus!'"

Ein japanischer Offizier erwartet sie bereits. Über auf beiden Seiten zusammengeraffte englische Sprachkenntnisse erfahren die U-Boot-Männer, daß ein japanischer Admiral ihren Kommandanten zum Empfang bitte, daß die Gäste dieses Herrn aber vorher von dem angebotenen Bad Gebrauch machen möchten.

Und ob! Pich wird in einem japanischen Badehaus mit tierischem Ernst und viel Eifer von drei japanischen Soldaten in einem mit beinahe siedend heißem Wasser gefüllten Holzfaß abgebrüht und abgeschrubbt. Als er dieser ungewohnten Prozedur entsteigt, fühlt er sich wie neugeboren. Die gleichen Früchte, die man ihm reicht, sind inzwischen auch seinen Männern dargeboten worden: Einige davon sind schärfer als Pfeffer.

Der japanische Admiral nimmt an den so gar nicht gesellschaftsfähigen Khakiuniformen seiner Gäste, des Kommandanten und dessen IWO, ganz und gar keinen Anstoß. Im Gegenteil.

„Er machte uns und wir ihm Komplimente. Wir waren ja so froh, daß wir endlich einen Tag Ruhe hatten und sahen uns nach dem Empfang die Eingeborenen-Hütten am Strand und die Affen an. Im übrigen wußten wir nicht, wie es weitergehen würde. Der freundliche Admiral hatte lächelnd gebeten, wir möchten uns gedulden.

Geduld, ein Wort, das in Asien ganz groß geschrieben wird, das aber in uns nagte wie Sand in einem Getriebe."

Aber auch diese quälenden Wartestunden fanden nach einer ruhig verbrachten Nacht am nächsten Morgen schon ein Ende. Sabang hatte mit Penang telefoniert. Das Geleitboot, das sie einbrachte, sichert U 168 ‚nach herzlichem Abschied von den ersten japanischen Waffengefährten' auch auf dem Marsch durch die Malakkastraße.

„Noch sind wir nicht da", unkt der IIWO. Und er hat es kaum ausgesprochen, da wird auf dem Begleiter voraus die rote Lampe geschwenkt; das vereinbarte Signal für U-Boot-Gefahr.

Aber es geht alles klar, auch das Einlaufen in den Hafen von Penang, willkommen geheißen vom Stützpunktchef Kapitänleutnant Conrad Hoppe. Welch eine Überraschung für Pich. Sie kennen sich beide aus der Zeit der Seefliegerei.

Nur das Festmachen klappte nicht. Pich hatte im Hafen, in dem drei andere, inzwischen eingelaufene deutsche U-Boote festgemacht haben, einen schneidigen Kreis gefahren. Er will sein Boot mit dem Bug in die Richtung zur See an den Pier legen. Ein bißchen Kleinholz läßt sich nicht vermeiden. Während der eigens von Singapore herübergekommene japanische Militär-Musikzug, zusammen mit einer japanischen Band aus Tokio, abwechselnd deutsche und japanische Märsche intoniert, versuchen Pichs Seeleute das Boot zu vertäuen. Eine Leine haben sie am Pier bereits um einen provisorischen Holzpoller belegt.

„Achtung ...! Wahrschau ...!"

Dann ein Knall. Die Leine ist gebrochen.

Wohl zur gleichen Zeit hat der Tidenstrom eingesetzt. Jetzt herrscht Zustand. Vierzig Minuten lang plagen sie sich herum, um das kopfscheu gewordene, störrische U-Boot mit jeder Menge an Ruder- und Maschinenmanövern endlich festzubekommen.

Pich in sein Tagebuch: „Inzwischen spielte die Kapelle munter weiter. Die wurden so langsam heiß, wir aber auch, ehrlich gesagt.

Und wieder ein Knall. Diesmal war's keine Leine, die brach. Die Pauke war's. Ihr Fell zerfetzte."

*

„Wohin und zu wem?" will Pich von Hoppe, den sie hier unter sich den Tenno-Hoppe nennen, endlich wissen, als die ersten Begrüßungszeremonien vorüber sind.

„Du mußt hier nun eine ganze Reihe von Besuchen machen, vorher aber baden ... sehr heiß baden; du, deine Offiziere, alle Männer. Solch ein Bad wird in Japan statt Blumen gereicht."

Pich über das, was nun folgt: „Das Baden kannten wir ja schon. Dann, nachdem ich mich vergewissert hatte, daß es meiner Besatzung an nichts fehlte, gingen diese Besuche los. Bei zwölf höchsten und höheren japanischen Offizieren. Angefangen beim Admiral, beendet bei einem Kapitän. Erst war es immer ein wenig steif. Aber bei jedem wurde ein kleines Gläschen gereicht. Bei dem einen war der likörähnliche Inhalt eiskalt, bei anderen lauwarm. So verschieden sind hier die Geschmäcker. Ich habe an diesem Vormittag 68 Stück Köhms verputzen müssen.

Zum letzten Antrittsbesuch kamen wir daher schon sehr fröhlich an. Man war nicht idigniert, nein, man freute sich sehr darüber, und der Gastgeber zeigte uns auch gleich seine Frau. Plötzlich, als er unser unverhohlenes Interesse und Wohlwollen an der grazilen Dame mit malayischem Einschlag sah, veränderte sich seine Miene. Seine Züge zeigten Angst. Er steckte die Dame, die er seine Frau nannte, schnellstens wieder weg.

Abends war zu unseren Ehren in dem Club der japanischen Marine ein großer Empfang arrangiert. Erst wurden kernige Worte des Dankes gewechselt, und schließlich, ich traute meinen Augen nicht, zogen die Herren Gastgeber, alles höhere und höchste Offiziere, ihre Jacken aus.

So begann das Mahl. In Hemdsärmeln.

Mich redeten sie mit ‚Pitschi-San‘ an. Wie froh war ich, daß ich nur ein kleiner Kapitänleutnant war, denn Korvettenkapitän Ehrhardt, von Singapore zur Begrüßung herübergekommen, hießen sie ‚Ehrhardt-Kakker‘.“

Beim Frühstück am nächsten Morgen, unter Palmen auf der Veranda der Villa, legt LI Beckmeier etwas auf den mit frischen Früchten reichlich gedeckten Tisch.

„Was ist das denn?“ sagt Pich und dreht das längliche Stück Metall zwischen den Fingern hin und her. Es ist verschrammt, es wurde, das ist offenkundig, mit roher Gewalt verbogen.

„Dieses Teilchen haben wir vorn auf dem Boot gefunden, unter den Grätings verklemmt. Dort, wo wir glaubten, daß uns ein Bombensplitter traf. Es ist der Zünder einer Bombe. Sie schlug genau auf die Mitte des Bootskörpers auf.“

Beckmeier saugt an seiner Zigarette. Und als Pich nichts sagt und den Zünder noch immer in seiner Hand wiegt, als wäre er aus Edelmetall, fügt der LI noch hinzu:

„Und nicht krepiert . . .!“

Der II WO, der Pessimist, der am liebsten alles um sich und die anderen herum mit schwarzer Farbe anpinseln möchte, sagt, was alle denken: „So eine Bootfahrt ist ein Unternehmen, bei dem sich über alle Tüchtigkeit und alles Können der Beteiligten hinweg der liebe Gott die Regie vorbehält. Er allein bestimmt den Termin für die letzte Landung.“

Sie alle empfinden fröstelnd, wie doppelsinnig des II WO's Bemerkung ausgelegt werden kann.

## 2.

# NUR VIER MONSUNER ÜBERLEBTEN

*Zur Lage ist zunächst zu sagen: Nach U 168 haben von den fünf Booten der 1. Monsun-Gruppe, die von den in Marsch gesetzten elf Booten im Indischen Ozean zwischen Indien und dem Golf von Suez einschließlich der Straße von Oman und dem Persischen Golf mit Ausnahme der japanischen Boote vorbehaltenen Bengalischen See operieren sollten, nur vier die neuen deutschen U-Boot-Stützpunkte im Südostraum erreicht. Vor U-Pich, das erst am 11. November in Penang festmachte, waren schon U 183 am 17. Oktober und am 31. Oktober U 188 und U 532 eingelaufen. U 533 wurde während der Tagesstunden des 17. Oktober nach der Versenkung eines Feindfrachters im Golf von Oman von den Bisleys E und H des RAF Sqdr. 244 gebombt und versenkt. Nur ein Mann, der Matrosengefreite Günter Schmidt, überlebte.*

*Vier Boote sind weniger als die Hälfte und etwas mehr als ein Drittel der eingesetzten Gruppe. Allerdings ging die Masse der Boote der 1. Monsun-Gruppe im Nord- und Mittelatlantik verloren. Sie wurden, wie schon erwähnt, ausnahmslos Opfer gegnerischer Luftüberwachung.*

*Die Relation für den Indik sieht mit nur einem Verlust bei fünf operativ eingesetzten U-Booten dagegen günstiger und beruhigender aus, wenn auch Anzeichen darauf hindeuten, daß die Luftüberwachung auch in diesem Gebiet zuzunehmen beginnt. Die Erfolge liegen unter der Erwartung des BdU, aber mit 25 000 BRT pro Boot im Mittel immer noch höher als Schwarzseher fürchteten, nachdem der Gegner aus dem Auftauchen der ersten deutschen U-Boote im Raum von Madagaskar seine Konsequenzen gezogen haben wird. Den taktischen Erfolgen sind auch noch die strategischen hinzuzuzählen. Das Zusammenfassen der meisten Frachtschiffe in Geleitzügen, der vermehrte Einsatz von Sicherungsstreitkräften auf See und in der Luft und der durch die Verlegung von Routen dicht unter die Küste durch Umwege bedingte Zeitverlust sind ganz erheblichen Tonnageverlusten gleichzusetzen.*

*Die größten Erfolge haben mit je fünf versenkten Schiffen U 188 und U 532 erzielt. Die von U 532 wurden unter nach gerade fürchterlichen Bedingungen erkämpft...*

Über die Hitze in der mit Technik und schwitzenden Menschenleibern vollgepfropften Röhre sollte eigentlich nicht mehr gesprochen werden. 35, 36, ja 40 Grad in der Zentrale und anderen Räumen und 60 und 65 Grad am Diesel beim Überwassermarsch sind im tropischen Indik „normal". Als sich U 532 nach der Versorgung durch Kölschbachs *Brake* endlich dem ihm zugewiesenen Operationsgebiet zwischen Ceylon und den Gewässern vor dem südwestlichen indischen Subkontinent nähert, fällt der im achteren E-Maschinenraum in Höhe der Bilge zu den Flurplatten montierte Frischwassererzeuger aus. Die Brüdenpumpe ist zum Teufel. Einer derart langen und tropisch harten Beanspruchung ist das Material nicht gewachsen.

„Ja, wenn man gewußt hätte, wohin wir sollten, dann...", knurrt der LI zum x-ten Male in seinen Fusselbart.

Was hatte Obermaschinenmaat Robert Wörle, der Seemann aus München, für einen beinahe trefflichen Kommentar darauf?

„Aber die Werftgrandies in Lorient, die hoabens g'nau gewußt. Der eine hat mir's zuageflüstert: Ihr seid's für den Indischen Ozean bestimmt. Morgen sollen wir euer Boot ganz hellblau pöhnen."

Natürlich waren auch dem LI solche Gerüchte nicht verborgen geblieben, aber hellblauer Außenanstrich hätte ja auch Karibik oder südlicher Südatlantik bedeuten können... Woher nur wußten die Werftgrandies es besser? Und was die Werftgrandies wissen, das wissen die Franzosen.

Jedenfalls ist der Ausfall des Frischwassererzeugers eine böse Sache, vor allem, weil durch irgendeinen Organisationsfehler weder der Proviant noch der Frischwasservorrat von der *Brake* randvoll aufgefüllt worden waren. Als man's merkte, war's zu spät.

Nach dem zweiten Frachter, den sie auf dem Marsch ins Op-Gebiet erwischen, passiert, was einer beschwor: „Aller guten Dinge sind drei, aber auch aller schrecklichen."

Wie sich Fregattenkapitän Junker zur Regel gemacht hat, war er nach der Versenkung volle vierundzwanzig Stunden im Keller geblieben. Schließlich, das ist sein Argument, ist eine Torpedierung immer Beweis für die Anwesenheit eines U-Bootes. Es muß also mit Flugzeugen und Sicherungsstreitkräften gerechnet werden. Die Altbefahrenen unter der Besatzung haben über diese Vorsichtsmaßnahme ihres Alten anfänglich nachsichtig gelächelt, denn der Kommandant, unter dem sie vorher fuhren, lief nach einer Versenkung mit AK ab und suchte sofort neue Opfer... Na ja, dieser neue Alte ist wirklich ein Alter. 1905 in Freiburg geboren, gehört er der Seeoffizier-Crew des Jahres 1924 an. U-Boot hat er zwar vor dem Kriege gefahren, dann aber ist er von 1938 bis 1942 Gruppenleiter beim TEK, beim Torpedo-Erprobungskommando, gewesen.

Später, als sie nach einer Unternehmung, die sich sage und schreibe über volle drei Jahre erstrecken soll, mit ihrem Boot gesund und glücklich in Europa festmachen dürfen, als sie hören, daß die See auch die Boote ihrer so bewährten vorherigen Kommandanten fraß, werden sie anders über Ottoheinrich Junkers Praktiken denken...

U 532 ist jedenfalls erst in der Nacht nach der zweiten Versenkung wieder aufgetaucht. Junker weilt auf der Brücke... Es wird Zeit zum Tauchen, denn vor Hellwerden will er wieder verschwunden sein.

Schon an der Stimme merkt der Kommandant, daß im Boot etwas unklar gegangen ist, als der LI anfragt, ob er nach oben kommen dürfe.

„Bleiben Sie, ich komme in die Zentrale", ruft er zurück. Wie ein Wiesel schlüpft er ins Loch.

„Furchtbares ist passiert, Herr Kapitän", sind des LI's erste Worte.

Junker notiert: Das Gesicht seines Leitenden ist kreidebleich. Das jenes Matrosengefreiten, der hinter ihm steht, ist nicht nur bleich, dessen Augen verraten Angst.

Eines scheint sicher: das Boot ist nicht in Gefahr.

„Immer langsam LI. Eins nach dem anderen. Also, was ist Furchtbares passiert?"

„Ich habe diesem Mechanikergasten", sagt der LI und weist auf den Matrosengefreiten hinter sich, „Befehl erteilt, die Torpedozellen für die Heckrohre klarzumachen. Dabei hat der Mann ausgerechnet die Reserve-Trinkwasserzelle, also die mit Süßwasser gefüllte Torpedozelle, statt der anderen gelenzt."

„Wie konnte das denn passieren?" fragt Junker ruhig.

Der Mechanikergast will antworten, aber Junker winkt ab. Die Antwort erwartet er von seinem LI.

„Ich bin fassungslos, Herr Kapitän. Wahrscheinlich hat der Mann die Zelle falsch angeschlossen und das Süßwasser nun außenbords gepumpt."

„Hm", sinnt Junker und schiebt mit seinem rechten Fuß einen Fussel Putzwolle über die öligen Flurplatten zur Seite. Dann scheint ein Entschluß in ihm gereift zu sein. Zu dem Matrosengefreiten gewandt, sagt er: „Gehen Sie, machen Sie Ihren Dienst weiter und passen Sie in Zukunft besser auf."

Als der Mann, dessen Augen Erstaunen und Nichtbegreifen ausdrücken, nach einer Kehrtwendung durch das Schott gefallen ist, bricht es aus dem Leitenden heraus: „Sie wollen ihn nicht bestrafen? Sie wissen doch selbst, was dieser Frischwasserverlust für uns unter den augenblicklichen Umständen bedeutet ..."

Und der LI meint in seinen Ohren die Namen jener anderen U-Boot-LI's zu hören, die Dönitz ablösen ließ, weil die von ihnen betreuten Boote wegen Trinkwasserkalamitäten ihre Feindfahrt in der Schlacht um den Atlantik abbrechen mußten, genauso wie sich Fregattenkapitän Junker in diesem Augenblick an die von Dönitz gemaßregelten Kommandanten dieser Boote erinnert.

„Natürlich weiß ich das, LI. Nun sind wir 15 000 Seemeilen marschiert, wir stehen vor unserem Operationsgebiet, da droht, daß uns eine solche Panne zum Abbruch der Unternehmung zwingt ... Das ist mir schon klar. Aber, sagen Sie doch selbst, was hätte das für einen Sinn, diesen Seemann obendrein noch zu bestrafen? Der Junge hat Pech gehabt, einfach Pech. Wir sind Menschen. Fehler machen wir alle. Aber hier, unter diesen ungewohnten klimatischen Umständen, sind die physischen Belastungen auch ungewohnt und größer. Sie haben doch gesehen, wie der Mann aussah ... wie der Junge leidet ... Ihn zu bestrafen würde bedeuten, daß er nur noch mehr den Kopf verliert, daß er beim nächsten Alarmtauchen vielleicht wieder einen Bedienungsfehler macht und dann ...? Dann gefährdet er das Boot und uns alle. Nein, LI, mit einer Bestrafung des Mannes ist uns wahrlich nicht gedient. Kommen Sie, lassen Sie uns überlegen."

Ein Zentralgast bekommt Befehl, den Bordarzt zu wecken. Tatsachen sind: 1. Die theoretisch ohnehin auf vier Kubikmeter verminderte Frischwasserkapazität des Bootes beträgt jetzt noch ganze 2,3 Kubikmeter. Von diesen sind noch 800 Liter für die Batterieaufladung abzuziehen. 2. Der Operationsbefehl aber sieht auf Grund der dem BdU in der Heimat bekannten Treibölvorräte Operationen von mindestens noch vier Wochen vor. U 532 hat über 50 Mann Besatzung an Bord. Wenn nun jeder Mann nur noch einen Liter Wasser pro Kopf und Tag bekommt, sind das 50 Liter je Tag. Das sind an zehn Tagen 500 Liter, 1000 Liter an zwanzig, 1500 Liter an dreißig. Junker hat die Zahlen auf ein Stück Papier hingeworfen und dabei leise vor sich hingesprochen. Er ist so in Gedanken, daß er den Bordarzt gar nicht bemerkt hat, und der nun das Wort ergreift.

„Nach bisher drei Liter Wasser pro Tag und pro Kopf, Herr Kapitän, ist in dieser tropischen Hölle nur noch ein Liter eine ... na, sagen wir ... ebenso rigorose wie riskante Maßnahme. Von diesem einen Liter geht ja noch das Frischwasser für die Kombüse ab, wenn wir auch die Kartoffeln in Salzwasser kochen können."

„Natürlich", bestätigt Junker, „anders geht's einfach nicht."
„Wenn dann also noch ein halber Liter zum Trinken bleibt, könnten wir es, vorausgesetzt, daß jeder Mann die Energie dazu aufbringt, vier Wochen durchstehen. Vier Wochen sind aber wirklich das Alleräußerste, das ich zu verantworten wage. Ob die Gefechtsbereitschaft der Männer dann noch vollwertig zu nennen ist, wage ich zu bezweifeln."

„Das technische Personal kann sogar eine Tasse Trinkwasser mehr zugeteilt erhalten", hat der LI inzwischen ausgerechnet.

„Einverstanden", sagt Junker. „Vier Wochen genügen." Er erhebt sich, als sei gar nichts weiter geschehen, schwingt sich durch das Kugelschott in die Zentrale und befiehlt, das Boot zum Tauchen klarzumachen ...

Zurück bleibt der Arzt. Seine wirklichen Bedenken hat er Junker nicht genannt. Wenn die Körper der Männer nicht genügend Wasser erhalten, kommt es zu gefährlichen Wärmestauungen ... dann dickt das Blut ein ... dann werden die Nieren die abgebauten Giftstoffe nicht mehr ausschwemmen ... Diese werden dann durch die Haut ausgeschieden ...

Weiter aber werden innere Organe austrocknen... Schäden an den Nieren, am Herzen und auch am Gehirn sind zu erwarten... Diese werden sich durch Apathie und in schlimmeren Fällen durch Psychosen ankündigen... Nur zwei Wochen mit nur einem Liter Wasser sind bei diesen klimatischen Bedingungen ein sehr großes Risiko. Aber oft hält ein Mensch mehr aus, als er nach medizinischem Ermessen dürfte.

Schon am nächsten Morgen sucht der LI seinen Kommandanten in dessen Raum auf. „Herr Kapitän, das geht nicht. Das Maschinenpersonal hält das nicht durch. Bei 60 Grad im Dieselraum ist die Wasserration einfach zu wenig."

„Das wird schon zu schaffen sein, Buggisch. Die Männer m ü s s e n sich daran gewöhnen."

„Es wird zu schaffen sein, Herr Oberleutnant", versichert am gleichen Tage E-Maschinist Rotermehl seinem LI. Zusammen mit Obermaschinenmaat Wörle will er den einen Frischwassererzeuger reparieren. Sie sind sehr zuversichtlich, auch, wenn so etwas bisher noch keinem Boot auf See gelang.

U 532 versenkt in den nächsten Wochen noch einen dritten und einen vierten Frachter.

Die Besatzung hält sich nun, nach drei Wochen, nur noch mühsam aufrecht. Furunkel, unter denen die Leute sonst zu leiden hatten, sind allerdings verschwunden, denn keiner schwitzt mehr an Bord. Das ist aber auch das einzig Erfreuliche. Das Essen würgen sie von Tag zu Tag mit immer größeren Anstrengungen herunter. Der Speichel fehlt. Der Mund ist trocken, und die Zunge gleicht einem Reibeisen. Die Haut, die nicht mehr schwitzt, die aber die abgebauten Giftstoffe ausscheidet, ist klebrig. Alles im Boot scheint mit Kleister überzogen. Alles pappt. Auch das Kojenzeug. Und kaum einer benutzt noch das WC.

Es ist genau um Mitternacht, da U 532 in Suchfahrt durch die von einem strahlend, fast sonnengleichen Vollmond versilberte See ackert, als aus dem E-Motorenraum ein Schrei durch das Boot schwingt. Das in Gemeinschaftsarbeit von der Maschine gebastelte, würfelförmige Aggregat funktioniert. Es wirft soviel Kondenswasser aus, daß mit gut 150 Liter Süßwasser am Tage gerechnet werden kann. Aber in den Ausruf der Freude mischt sich ein ganz dicker Wermuttropfen: Der Arzt verbietet, die bräunliche Wasserbrühe zu trinken.

Auf Wörles Vorschlag haben die Bastler schließlich, als sie keinen anderen Rat mehr wußten, die Innenseite mit Kuril abgedichtet. Dieses Kuril ist eine teerähnliche Dichtungsmasse. Die Teersubstanzen teilen sich nun bei der Aufbereitung des Seewassers dem Kondenswasser mit, dessen Salz als sogenannte Brüde ausgeschieden wird.*) Dieses braune Teerwasser zu trinken, käme einem Selbstmord gleich.

„Aber vielleicht wird der Teergeschmack weniger, Herr Stabsarzt", läßt Wörle hoffen.

„Sie sind Techniker, nicht ich."

„I gloab scho, daß wir dös Zeugs in a paar Tagen trinken können."

„In ein paar Wochen vielleicht, vorher auf keinen Fall. Und nicht ohne meine ausdrückliche Genehmigung", bestimmt der Doktor und denkt:

Morgen oder übermorgen müssen wir sowieso abbrechen. Schon gestern sind zwei Leute für Minuten zusammengeklappt. Weitere Ausfälle sind zu erwarten. Er braucht sich die Kameraden nur anzusehen. Wenn es die anderen erst packt, wird es wie eine Epidemie über sie herfallen. Morgen oder übermorgen will er dem Kommandanten reinen Wein einschenken, will er ihm zum Abbruch der Unternehmung raten. An eben diesem Tage sichten sie einen Frachter, gelingt das unbemerkte Vorsetzen und in der Nacht die Versenkung als Nummer Fünf.

Weil wieder einmal Vollmond ist, weil die phosphoreszierende See wieder einmal in Milliarden leuchtende Perlen zerfällt, wenn der Bug des U-Bootes das Wasser zerteilt, hat der Kommandant, um seine Anwesenheit und seinen Angriff nicht zu verraten, trotz Nacht wieder unter Wasser angreifen lassen ...

Taumelnd wie Trunkene tun sie in U 532 ihre Pflicht. Sie sind so apathisch, daß sie das Absaufen des Gegners nur zur Kenntnis nehmen. Sogar den temperamentvollen IWO, Oberleutnant Krohn, der für jedes versenkte Schiff eine Buddel Knallkümmel in Aussicht gestellt hat, rührt dieser Erfolg nicht.

---

*) Daher Brüdenpumpe

Bei diesem Angriff gingen die letzten Torpedos drauf, denn schon beim zweiten Frachter hatten sie 25 Prozent ihres Torpedobestandes verschießen müssen. Ergo bleibt nun nur noch der Marsch nach Penang im Südostraum. Als ihn Junker befiehlt, tauchen vor seinem Auge gespensterhaft wieder die Szenen bei der Versenkung dieser Nummer Zwei auf. Zum wievielten Male schlägt ihm seine Erinnerung dieses Bild wieder auf.

„Oder eben doch nicht komisch", resigniert Ottoheinrich Junker erneut, als er, in der Messe sitzend, in seinen Aufzeichnungen blättert, dieweilen der LI den Stabsarzt mit viel technischem Beiwerk in seinen Worten zu überzeugen versucht, daß das Teerwasser in einigen Tagen bestimmt kein Teerwasser mehr sein wird. Was der Doktor entschieden bezweifelt. Aber das macht ja nichts, man wird sowieso bald im Hafen sein ...

Ja, die Sache mit der Nummer Zwo.

Eigentlich war Junker an diesem Tage, am 21. September, hinter einem anderen Untersatz her, einem, den sie, als das Boot tagsüber unter Wasser stand, durch Horchpeilung in die Fänge bekommen hatten. Als sie auftauchten, war das westwärts ziehende Schiff trotz Fernsicht unter die Kimm getaucht. Dafür aber trottete ihnen aus derselben Richtung ein anderer Frachter direkt entgegen.

Die See war spiegelglatt ... Junker muß wieder tauchen. Aber gegen Abend haben sie das Schiff auf zwanzig Seemeilen querab.

„Jetzt hilft nur noch Glück, Herr Kapitän", unkt der IIWO, Leutnant Woweries.

Ja, Glück brauchen sie jetzt, denn die Dämmerung ist sehr kurz, und bei dieser Entfernung kann der Frachter, wenn er einen von U 532 nicht richtig einkalkulierten Zack einlegt, durchaus noch entwischen.

„Er hat jetzt noch Südwestkurs", überlegt Junker laut. „Kein Zweifel, daß er nach Colombo will. Der Kapitän da drüben wird mit Einbruch der Dunkelheit einen Schlag nach Osten machen. Also tun wir's auch."

Genauso kommt es. Drei Stunden nach Einbruch der Dunkelheit meldet der Steuerbord-Ausguck einen zunehmend größer werdenden Schatten. Der Frachter läuft U 532 direkt vor die Rohre, so nahe, daß Junker im Widerstreit mit seinen Überlegungen doch nur einen Torpedo losmacht. Widerstreit deshalb, weil eine andere Stimme in ihm nagt: „Spare bloß nicht an falscher Stelle." Aber wenn man 15 000 Seemeilen durch die Meere geackert ist, um zum Einsatz zu kommen, hält man eben doch mit den Torpedos zurück.

Der Aal trifft nach 40 Sekunden Laufzeit. Er krepiert mittschiffs. Bootsmann Meske, die Nummer Eins und bester Fla-Maschinenmann an Bord, kommentiert die Detonation: „Der funkt nicht mehr."

Wie beruhigend der Gedanke, daß die da drüben nicht mehr auf die Taste drücken werden.

„Nanu", staunt der IWO, „der zockelt ja weiter. Fliegender Holländer etwa? So was gibt's doch nur bei den Wagners in Bayreuth!"

Tatsächlich. Der vierkant torpedierte Frachter, ein Schiff von über 9000 BRT, ist zwar ein wenig nach Steuerbord ausgeschoren, setzt aber seine Fahrt mit unverminderter Geschwindigkeit fort. U 532 schiebt sich vor, und in dem Augenblick, da Junker erneut angreifen will, sehen sie, daß die Fahrt da drüben langsam weniger wird. Nach gut zehn Minuten ruht das torpedierte Schiff gestoppt auf der dünenden See.

„Rohr zwei... Fertig... Los..."

Wieder verläßt ein Magnet-Torpedo das Boot. Wieder beobachten sie einen Mittschifftreffer. Und wieder sehen sie dieses sonderbare, ja unheimlich wirkende magnesiumfarbene Licht bei der Detonation. Als die gläsern leuchtende Wasserfontäne in sich zusammensinkt, schwimmt der Frachter genau wie eben vorher weiter auf der See.

„Der hat aber robuste Schotten", meint einer.

Erst denkt Junker das auch und gerade, als er sich vor dem Schiff vorbei an die Steuerbordseite setzen will, um von hier aus sein Glück noch einmal zu versuchen, entdeckt er, als der andere in vorliche Position eindreht, nach beiden Seiten backspierenähnliche Ausleger. Unter diesen hängen, für ihn ganz deutlich erkennbar, Netze. Die Spieren sind gut 15 Meter lang. Das erklärt alles.

Junker durchfährt es wie mit glühenden Nadeln: „Seit vier Jahren sind wir nun darauf erpicht, einmal zu beobachten, wie eine solche Abwehr auf Magnet-Torpedos wirkt, und nun erlebst du es selbst... Ein Teil der Frühzünder wird bei Angriffen anderer Boote wohl genauso, wie hier in diesem Falle, auf solche Netze zurückzuführen sein. Nie aber hat eines der Boote eine Beobachtung darüber gemeldet..." Diese Netze sind, davon ist Junker als alter Torpedo-Fachmann überzeugt, mit VES versehen, mit einem Stromkreis also, der die Magnetpistolen früher, das heißt weit v o r der Bordwand, zur Entzündung bringt. Auf die Entfernung, in der Magnet-Torpedos dann vorher hochgehen, haben die Druckwellen auf den Schiffskörper keine Wirkung mehr.

„So hat das also keinen Zweck, jetzt mußt du es mit einem Torpedo mit Aufschlagzündung versuchen", überlegt Junker.

Der Aal trifft prompt. Er knallt auf die Bordwand im vorderen Viertel. Er ist durch das Netz dort hindurchgefahren, wo die beiden anderen Aale durch ihre Detonationen ein Loch in die Maschen gefetzt haben.

Dumpfer Schlag. Hört sich an, wie in Watte gepackt. Detonationswolke. Minuten später schon legt sich das Schiff auf die Nase. Drüben bringen sie ein Boot zu Wasser. Nur ein Boot! Seine Insassen machen sich an der Bordwand zu schaffen, danach fahren sie um ihr Schiff rundherum. Es scheint so, daß sie die Schäden am Netz und am Schiffskörper untersuchen.

Drei Aale hat der Kasten schon gekostet, mit dem einen auf den Frachter Nummer Eins sind das vier zusammen und damit 25 Prozent des Gesamtbestandes.

„Wollen wir es nicht mal mit unserer Kanone versuchen, Herr Kapitän?" Leutnant Woweries ist es, der den Vorschlag macht.

Schon bei dem vierten Schuß brechen explosionsartige Brände aus dem Schiff heraus. Wahrscheinlich Benzin oder Öl. Im Scheine dieses Feuerwerkes schälen sich unerfreuliche Einzelheiten aus dem Dunkel heraus: Vorn eine große Kanone, achtern gleich zwei, auf beiden Seiten, vom Schornstein etwas versetzt, Podeste, wie sie die deutschen K-Kreuzer für ihre Scheinwerfer haben, und darauf drei Fla-Kanonen, auf der Brücke jede Menge MGs. Ein Hilfskriegsschiff?

Junker fährt zweimal um den 9000-Tonner herum. Er läßt ihn von allen Seiten beschießen: „Zielwechsel achtern!"

Dies gerade noch rechtzeitig in dem Augenblick, als einige Seeleute da drüben versuchen, eine der beiden großkalibrigen Kanonen zu richten. Aber sie kommen zu spät. Bei den ersten Treffern ins Achterschiff fliegt die gesamte Bereitschafts- und Signalmunition in die Luft. Die Wucht der Explosionen fegt die beiden Kanonen wie Spielzeug über Bord.

45 Schuß sind raus. Der Gegner brennt. Von vorn bis achtern. In das Knistern der Flammen hinein gellen Hilferufe. „Help...! Help...!" Es sind Überlebende in einem Rettungsboot.

Aber Junker hilft nicht. Er hat jede äußerlich sichtbare Gefühlsregung ausgekuppelt, in seinem Innern reiben sich die Empfindungen wie Glassplitter aneinander, denn im Innersten bleibt auch ein U-Bootkommandant in erster Linie Seemann. Aber der Selbsterhaltungstrieb läßt nur den kalten, nüchternen Verstand ans Ruder.

Nach zweieinhalb Stunden erlischt der Brand. So plötzlich, wie man das Flackerlicht einer Kerze auspusten kann.

Der Frachter ist gesunken.

Hatte er nun Schutznetze? Oder hatte er keine?

Fregattenkapitän Junker sagt: „Ja, er hatte."

Er erklärte weiter: „Abgesehen davon, daß ich auf meinem zweiten Einsatz im Indik eine gleiche Beobachtung machen konnte, hatte ich sechs Wochen nach dieser Versenkung und sofort nach meinem Einlaufen in Penang, am 31. Oktober, mit der japanischen Marine über diese Feststellung gesprochen."

Deren Antwort lautete: „Das wissen wir schon lange. Wir kennen sogar die Maschenweite und auch die Stärke solcher Netze."

Übrigens, was der Obermaschinenmaat Wörle versprach, trifft ein. Das Teerwasser wird von Tag zu Tag heller. Schließlich genehmigt der Arzt, sich damit die Zähne zu putzen, um so den ausgedörrten Mund wenigstens zu erfrischen.

„Aber ausspucken das Zeugs!"

„Jawohl, Herr Stabsarzt, ausspucken", bekräftigten die Männer und schlucken das Zahnputzwasser runter, kaum, daß der Arzt ihnen den Rücken zugekehrt hat. Dem zehrenden Durst zu widerstehen, haben sie nicht mehr die Kraft.

Gottlob, es geht gut. Es treten keine Vergiftungserscheinungen auf.

Acht Tage vor dem Einlaufen in Penang ist das Wörle-Wasser so sauber, daß sie damit sogar Kaffee kochen. Bohnenkaffee mit Teergeschmack ... es schmeckt dennoch wie eine Delikatesse.

Und noch etwas: Daß U 532 überhaupt den Indik erreichte, daß es nicht das Schicksal der Kameradenboote teilte, war fast nur Glück.

Kurz nach dem Auslaufen aus Westfrankreich, etwa 800 Seemeilen westlich der Straße von Gibraltar, hatte Junker das tägliche Prüfungstauchen befohlen. Als das Boot aus der Tiefe wieder herausbrach und bis zum Umschalten auf Dieselmotorenkraft für kurze Zeit kaum Fahrt voraus machte, sah die Nummer Eins die aus den Schäfchenwolken herausstoßende Trägermaschine zuerst. Das FuMB hatte sie nicht gemeldet, konnte auch nicht, seit die Briten ja, was die deutschen Experten als unmöglich ansprachen, auf eine andere Welle gegangen sind. Die Biene war wie der Blitz über dem Boot, aber sie hatte keine Bomben mehr. Nur ihre MG-Garben zersägten den Schacht für das Funkmeßgerät.[14]

### 3.

## U-BOOT STÜTZPUNKT PENANG

*Betrachten wir zunächst die Gesamtoperation der deutschen U-Boote während dieser fraglichen und für die Deutschen so kritischen Zeit, so versenkten die Grauen Wölfe während der drei Monate Juni, Juli, August 1943 auf den Meeren der Welt, das Mittelmeer ausgenommen, nicht mehr als 58 Handelsschiffe mit 327 081 BRT; nahezu die Hälfte dieser Versenkungen wurde in Seegebieten in Südafrika und im Indik erzielt. Der Preis, den die deutsche U-Boot-Waffe dafür zu zahlen hat, sind 74 Boote, deren größter Teil, wie schon dargestellt, in der Biscaya verloren ging; hier nämlich 25, auf der nördlichen Transit-Route 4, auf der Nordatlantik Convoy-Route 24, in entfernteren Seegebieten 17, vor Norwegen 1, in der Ostsee 2, in der Arktis 1. Allein 58 U-*

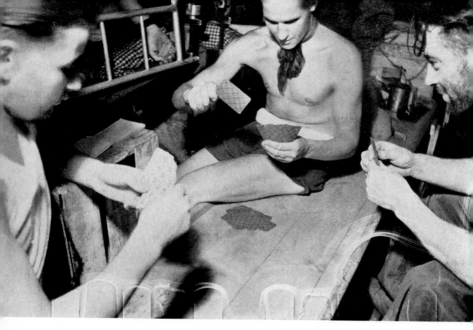

Oben: ein zünftiger Skat hilft mit, so mancherlei Gedanken vertreiben...
solche an gute Kameraden, von denen man nie wieder etwas hörte, solche an
das so ferne Daheim und über die Frage, wann und ob man es jemals wieder
sehen würde...

Unten: im Offizierraum. Die Sitzbank dient dem Arzt von U 183 als Koje.
Ein friedliches Bild, denn auch die Fotos von den Lieben daheim stehen aufrecht in ihren Rahmen.

R e c h t s : Eine auf Grad, Minuten und Sekunden genaue Position in den riesigen ozeanischen Weiten zu bestimmen, ist der Nautiker hohe Kunst. Hier ‚schießt' Korvettenkapitän Schäfer selbst die Sonne für das Mittagsbesteck im Indischen Ozean.

M i t t e : Weiße Querstreifen sind japanischen Flugzeugen das Erkennungssignal, daß dieser stählerne Hai (U-Oesten in diesem Fall) ein Bundesgenosse in ihrem Revier ist.

U n t e n : Land in Sicht: nach vier, fünf, ja manchmal auch sechs Monaten langer Feindfahrt ... ein trügerisch friedliches Bild beim Marsch von U-Freiwald durch die Malakka-Straße. Das Paradies interessiert nicht, noch nicht...: „Auf Blasenbahnen achten!" Immer die gleiche Mahnung.

Boote wurden die Opfer von Flugzeugen von Trägern und Landbasen. Den Indischen Ozean noch ausgenommen, hat sich also die alliierte U-Boot-Bekämpfung nun auch auf die entfernteren Seegebiete im Mittel- und Südatlantik erfolgreich ausgewirkt.

Im Indischen Ozean, in dem auch weiterhin deutsche und japanische U-Boote zusammen operieren, wurden bis zu dieser Zeit*) versenkt:

| | | | | | |
|---|---|---|---|---|---|
| im Januar | 6 mit 56 213 BRT bei total | 50 mit 261 359 BRT, |
| im Februar | 3 mit 15 787 BRT bei total | 73 mit 403 062 BRT, |
| im März | 2 mit 6 161 BRT bei total | 120 mit 693 389 BRT, |
| im April | 6 mit 43 007 BRT bei total | 64 mit 344 680 BRT, |
| im Mai | 6 mit 32 300 BRT bei total | 58 mit 299 428 BRT. |

Im Juni, in dem sieben deutsche U-Boote und der Hilfskreuzer M i c h e l im Indik operierten, verlor der Gegner 12 Schiffe mit 67 929 BRT (zwei durch den HSK), und

im Juli stieg die Verlustquote beim Gegner auf 17 Schiffe mit insgesamt 97 214 BRT an, alle das Opfer deutscher U-Boote. Die Totalverluste lagen im Juni bei 28 Schiffen mit 123 825 BRT und im Juli bei 61 mit 365 398 BRT.

Der britische Admiral Sommerville sah sich vor nahezu unüberwindliche Schwierigkeiten gestellt, in diesem riesigen Seeraum mit seinen sich kreuzenden Routen ein einigermaßen ökonomisches und wirksames Convoy-System aufzustellen. Lediglich für die Routen Durban-Aden, Aden-Bombay, Colombo-Bombay und Kalkutta können schnellstens Geleitzüge organisiert werden. Geleitfahrzeuge, an denen es der Eastern Fleet noch schmerzlich mangelt, werden, soweit überhaupt verfügbar, von den südafrikanischen Gewässern hinaufgeschickt, dieweilen dort Ruhe scheint, während die Royal Indian Navy alle Anstrengungen macht, die Handelsschiffe dicht unter die eigenen indischen Küsten und die des Persischen Golfs zu ziehen.

Mit der Eastern Fleet arbeitet im Hauptquartier Colombo die 222. Gruppe der RAF zusammen, während die anderen Luftwaffen-Hauptquartiere in Ostafrika, Indien und Aden vor Fall zu Fall mit massierten Aufgaben in der U-Boot-Jagd selbst ausgelastet sind: Eine Vereinfachung für eine konzentrierte Luftüberwachung ist also im Interesse der Schwerpunktansätze dringend notwendig. So wird dann die Verantwortlichkeit der Gruppe 222 auch auf die anderen RAF-Hauptquartiere ausgedehnt, so daß die 222. Gruppe nunmehr als ‚Coastal Command' vollverantwortlich mit der Eastern Fleet zusammenarbeitet. Im Herbst 1943 schon verfügt Marschall Lees über 13 weitreichende Aufklärer-Squadrons; elf davon sind mit Catalinas ausgerüstet. Die Flugzeuge starten und wirken von den verschiedensten Basen aus.

---

*) nach Roskill

*Gegen Ende des Jahres kommt es zu einer mehr organisatorischen Neuregelung. Das Prinzip, daß der Luftbefehlshaber den ihm am besten geeigneten Weg einer Zusammenarbeit mit seinen Navy-Kollegen bestimmt, bleibt erhalten, aber die einzelnen Luftkommandos werden zu dem ‚Air-Commander-in-Chief South-East-Asia' zusammengefaßt, der nunmehr mit dem ‚Naval-Commander-in-Chief' eng zusammenarbeitet; die praktische Luftkontrolle jedoch verbleibt dem Kommandeur der 222. Gruppe.*

*Da der Aufbau dieser Zusammenarbeit und die Heranführung von Geleitschiffen aber nur langsam vorankommt, wirken sich diese Maßnahmen vorerst noch nicht aus.*

*Im August versenkten deutsche U-Boote 7 Schiffe mit 46 401 BRT bei 25 mit 119 801 BRT total. Lediglich U 197 kann durch die von Madagaskar startende RAF vernichtet werden.*

*Während die Boote der 1. Monsun-Gruppe aus der B r a k e versorgten, wurden im Indik 6 Frachter mit 39 471 BRT (total 29 mit 156 419 BRT) versenkt. Nach Roskill durfte ein Teil (nach diesem der größte) dieser Versenkungen japanischen U-Booten zugeschrieben werden, da zu dieser Zeit acht Boote im Indik operierten. Also haben die Japaner die Lücke gestopft, wie der deutsche Militärattaché im Juli meldete: „Japanischer Marineattaché mitteilt, daß demnächst erneuter Einsatz japanischer U-Boote gegen indische Versorgungsschiffahrt beabsichtigt."*

*Im Monat Oktober, in dem U 533 im Golf von Oman verloren geht, verliert der Gegner 6 Schiffe mit 25 833 BRT (total 29 mit 139 861 BRT). Während die Boote der 1. Monsun-Gruppe nach Penang laufen, führen im Indik einige japanische U-Boote weiterhin Handelskrieg. Ihre Operationen kosten den Gegner in den Monaten November und Dezember 9 weitere Frachter mit 60 321 BRT (total 60 mit 312 915 BRT).*

*Das Ergebnis dieser Phase des U-Bootkrieges im Indik, in dem nie mehr als sieben deutsche und bzw. oder acht japanische U-Boote operierten, betrug während dieser Periode 57 Schiffe mit 337 169 BRT, von denen nur fünf aus Geleitzügen versenkt wurden. Viel schwerwiegender als dieser Verlust waren, so betont Roskill, die strategischen Auswirkungen. D i e D i s l o k i e r u n-g e n   w a r e n   g a n z   b e t r ä c h t l i c h. Besonders bedroht waren die Einfahrten in die Rote See und den Persischen Golf. Roskill schreibt:\*)*

*„In retrospect it seems that the damage might well have been worse than it was."*

Im Südostraum Asiens ist folgendes geschehen: Die Japaner haben die drei italienschen Transport-U-Boote nach dem

---

\*) Roskill: The War at Sea. Vol. III, part. I, London 1960

am 25. Juli 1943 erfolgten Sturz Mussolinis nur schleppend überholt und zögernd beladen. An sich sollte das von Shanghai nach Singapore verlegte italienische Kolonialschiff *) *Eritrea* diese drei Fracht-U-Boote betreuen. Hier aber kam es zu keiner Zusammenarbeit, da das Mißtrauen, das die Japaner damals von Natur aus Europäern — oder richtiger gesagt — Weißen schlechthin entgegenzubringen pflegten, durch die Ereignisse in Italien erneut geschürt und vertieft worden ist.

Für die Japaner schien die Lage bei den Italienern derart unsicher, daß sie das Auslaufen des Anfang September dann doch beladenen und seeklar gemeldeten ersten der drei italienischen U-Boote zu offenkundig verzögerten. Als Marschall Badoglio über Radio Rom den bereits am 3. September 1943 zwischen der Regierung der Monarchie Italien und General Eisenhower unterzeichneten Waffenstillstand bekanntgab, gelang es dem über die neue Lage rechtzeitig informierten Kleinen Kreuzer *Eritrea* am Tage des Inkrafttretens des Waffenstillstandes, am 12. September, unbehindert aus Singapore zu schlüpfen. Daß der Kreuzer, der in Singapore lediglich eine Verlegung vorgetäuscht hatte, nachher, als seine Flucht bemerkt worden war, auch die Malakka-Straße passieren konnte, dürfte Beweis für die völlig unzulängliche Überwachung der von den Japanern besetzten Gebiete sein.

Die *Eritrea* lief am 15. September in Colombo ein. Ihr Kommandant, Fregattenkapitän Janucci, übergab das Schiff der britischen Navy. Wenn der Kreuzer zunächst auch beschlagnahmt und die Besatzung interniert wurde, so darf doch behauptet werden, daß die Aufhebung der Internierung und das Wiederhissen der italienischen Flagge auf dem wieder voll gefechtsklar hergerichteten Kleinen Kreuzer nicht bloß ihre tieferen Gründe in der von Fregattenkapitän Janucci „erwiesenen Treue zum Italienischen Königshaus" gehabt hat. Janucci hatte nämlich den Engländern außer der *Eritrea* auch ausführliche Berichte über Einsatz, Taktik und Gepflogenheiten der deutschen U-Boote im allgemeinen, so wie deren Versorgung durch Troßschiffe im Indischen

---

*) Italienisch: Nave coloniale. Dieses Schiff stellte einen Sondertyp dar, der allenfalls in seinen Aufgaben, keineswegs aber in seiner Bauart an einen Kreuzer erinnerte. In Deutschland entsprach ihm etwa der Aviso GRILLE.

Ozean übergeben, hatte er doch die Berichte der italienischen U-Bootkommandanten, die in Westfrankreich als Bundesgenossen der Grauen Wölfe in viele und oft in die geheimsten Planungen Einblick bekommen hatten, ebenso geschickt auszuwerten verstanden wie seine Kenntnisse über die Pläne der deutschen U-Bootführung in Südostasien.

Obschon deutscherseits eine solche Haltung durch einen diktaturfeindlichen und königstreuen italienischen Seeoffizier in Rechnung gestellt und alle Maßnahmen soweit als möglich geändert wurden, zog der Gegner doch seine Schlüsse daraus. Er handelt sogar sehr schnell, wie noch bewiesen werden wird.

Unmittelbar nach der Flucht der *Eritrea,* am gleichen Tage noch, beschlagnahmten die Japaner jedenfalls die drei italienischen U-Boote.

Erst nach langwierigen Verhandlungen des deutschen Marineattachés in Tokio wurden sie schließlich wieder den Deutschen unterstellt, die sie ihrem ursprünglichen Zweck — dem Transport von Rohstoffen nach Europa — wieder zuführen wollen. Dieses Zugeständnis setzte aber voraus, daß diese Boote, die in der Zwischenzeit von Japanern gründlich untersucht und zum Teil sogar auseinandergenommen worden sind, künftig ausschließlich unter deutscher Besatzung fahren sollten.

Zusammen mit den drei Ex-Italienern sind nun acht U-Boote von den deutschen Dienststellen im Südostraum zu betreuen. Für das Eindocken stehen in Singapores Kriegshafen Selatar Docks zur Verfügung, aber nur nach vorheriger Terminabsprache mit den Japanern, wobei die Termine durch Notstände bei Einheiten der japanischen Flotte, die von den Amerikanern immer härter bedrängt wird, oft genug aufgehoben und verschoben werden müssen. Japans Flottenchef, Admiral Fukodome, verschließt sich zwar nicht der Erkenntnis, welchen großen Nutzen die Operationen deutscher U-Boote auch für Japans Kriegsführung darstellen, aber er kann schwerlich deutsche U-Boote japanischen Kriegsschiffen vorziehen lassen.

In Penang gibt es nur noch Werkstätten für Notreparaturen, denn das große Schwimmdock ist während der ersten Kriegsmonate weggeschleppt worden. Tandjok Priok, der

Hafen von Batavia, ist noch nicht vollends wiederhergestellt. Ein Eindocken und eine Grundüberholung der Boote ist dort, schon aus Mangel an Spezialarbeitern, noch nicht möglich. In kleinerem Maßstab bietet sich zwar Soerabaja auf Java für U-Bootüberholungen an. Hier aber muß erst eine deutsche Dienststelle eingerichtet werden. Vorerst ist sie nur geplant.

Doch das sind nicht die einzigen Sorgen und Probleme:

Die Beschaffung von Ersatzteilen, von Munition, von Textilien für die Zivilkleidung und Bordpäckchen, von Nahrungsmitteln für europäischen Bedarf und vor allem ihre Konservierung für die U-Bootverwendung sind andere, nicht weniger schwierig und ernsthaft. Hier aber wieder bildet das für den U-Boot-Dosenproviant erforderliche Weißblech bald schon den ärgsten Engpaß. Eine lächerliche, aber dringend notwendige Taschenlampenbatterie zu besorgen, macht eine regelrechte Expedition nach Bangkok notwendig. Und nicht selten tritt der Fall ein, daß diese Verbindungswege von Partisanen angegriffen werden.

Ein weiteres Problem: An Spezialpersonal zur Überholung der U-Boote ist schon gar nicht zu denken. Hafenablösungen, wie sie die Besatzungen der in Europa einlaufenden Boote gewohnt sind, stehen in den Sternen. Wenn die Männer blaß, erschöpft und mit keuchendem Atem aus ihren Booten klettern, wenn viele von ihnen endlich nach vielen Monaten wieder einmal die Sonne sehen, kann ihnen ihr Kommandant nur eine kurze Erholung gönnen, während die Überholungen der Boote, die in der Heimat hundertprozentig von der Werft durchgeführt werden, mangels Fachpersonal und bis auf Außenbordarbeiten auch aus Geheimhaltungsgründen von den ohnehin erschöpften Besatzungen selbst durchgeführt werden müssen. Japanische Fachkräfte heranzuziehen, scheitert von vornherein. Die Japaner scheuen sich, vor den Augen Farbiger körperlich zu arbeiten. Später können wenigstens noch die Besatzungen der italienischen U-Boote für diese Zwecke herangezogen werden. Die italienischen Kameraden bewähren sich in dieser Hinsicht hervorragend. Obwohl der Verfasser in einer anderen Publikation die weiteren Probleme in Verbindung mit einem kurzen, zusammenfassenden Kapitel über den Einsatz deutscher U-Boote in Asien bereits dargestellt hat,[15] erscheint es im Zusammenhang der ausführlichen Geschichte der Monsun-U-Boote und der bisher unbekannten, aber so hochinteressanten Einzelschicksale dieser Boote hier doch notwendig, das, was dort bereits gesagt wurde, zu zitieren:

„Die Arbeitszeiten werden, soweit vertretbar, in die Morgen- und späten Nachmittagsstunden verlegt, um eine Überbeanspruchung in der heißesten Tageszeit — 40 bis 50 und mehr Grad Celsius — zu vermeiden.

So sieht der Zeitplan eines in Penang oder später Batavia einlaufenden U-Bootes aus:

D r e i Tage Ausräumen des Bootes, Ziehen und Abgabe der Torpedos;

z w a n z i g Tage dringendste Konservierungs- und Überholungsarbeiten am Bootskörper, den Taucharmaturen, Maschinen und Waffen;

d r e i Tage Einpacken des Bootes, Überführung nach Singapore zum Dock;

v i e r z e h n Tage Dockzeit zur Reinigung und Konservierung der oft übermäßig und fahrtvermindernd wirkenden bewachsenen Außenhäute, Beseitigung äußerer Schäden, zur Ölentnahme und der anschließenden Überführung zum Absprunghafen;

etwa v i e r z e h n Tage beanspruchen die Neuausrüstung des Bootes mit Treiböl, Schmieröl und Proviant, die Munitionsergänzung, die Erholung der Besatzung, Probefahrten und Prüfungstauchen.

In der Praxis treten stets unvorhergesehene Verzögerungen ein. Sie sind auf die Anfälligkeit der Boote gegenüber dem feuchten Tropenklima zurückzuführen.

Die günstigste Überholungszeit liegt bei siebzig Tagen . . .“

Wie gut nur, daß weder die Seelords noch ihre Offiziere den Humor verlieren. Das Paradies würde ihnen sonst als Hölle erscheinen.

„Zurückgekehrt vom Erholungsplatz Penang Hill“, notiert sich Kapitänleutnant Wilhelm Spahr, „machten wir uns mit viel Eifer und noch mehr Schweiß an die Überholungsarbeiten des Bootes. Zu den Binnenbordarbeiten durften keine Ausländer herangezogen werden, Spezialkräfte waren sowieso kaum aufzutreiben. Für die Außenbordarbeiten wur-

den Arbeiter auf dem öffentlichen Arbeitsmarkt ange-
heuert. Ich hatte fünfzehn Mann angefordert. Sie sollten
sich am nächsten Morgen gegen 10.00 Uhr an Bord melden,
wohlbemerkt, ich hatte rücksichtsvoll schon ‚gegen‘ zehn
Uhr gesagt. Wir legten alles klar. Kratzer, Mennige, Farbe.
Es wurde 10.00, 12.00, 14.00 Uhr. Kein Schwanz ließ sich
blicken. Die Nummer Eins wurde zum Arbeitsmarktboß geschickt, sollte nachfragen, wo denn nun die bestellten und
zugesagten Arbeiter blieben?

Er berichtete mir nachher, daß ihn der japanische Boß ganz
erstaunt angesehen habe, als er außer Atem angelaufen
kam und nach den Arbeitern fragte. Der Seemann vermeinte
aus den unverständlichen Lauten — die wohl bedeuteten:
Geduld, Geduld, sie werden schon noch kommen! — im
Unterton herausgehört zu haben: „Nur Verrückte haben es
eilig!"

Nachdem wir volle vier Tage mehrfach rückfragten, erin-
nerten, mahnten, baten, gaben wir es auf — und als nach
14 Tagen die Binnenbordsarbeiten fast erledigt waren, erschienen die 15 Piepels. Sie meldeten sich devot und mit
freundlich lächelnden Gesichtern und machten sich unver-
züglich an die Arbeit. Diese haben sie dann aber sehr schnell
und äußerst zufriedenstellend ausgeführt.

Am nächsten Tage verlegten wir nach Singapore ins Dock.
Nach beendeter Werftzeit liefen wir zu einem Tieftauchversuch aus, wenn man bei den dortigen Wassertiefen bis
höchstens 40 Meter überhaupt von einem solchen sprechen
kann. Trotzdem zerplatzte uns bei diesem Manöver der
Backbordbunker. Wir liefen weiter nach Penang und versuchten, den Schaden selbst zu reparieren. Der Plan, ihn
mit Hilfe eines aufgesetzten Blechkastens und anschließen-
dem Lenzversuch zu beheben, schlug fehl. Also zurück nach
Singapore, wohin uns die kleine *Quito* begleitete.

Plötzlich U-Boot-Alarm! Und schon schnurrten zwei Torpedos auf uns zu. Wir konnten ihnen aber noch ausweichen.
Während wir auf das feindliche U-Boot, dessen Sehrohr gut
zu sehen war, mit AK zuliefen, tauchte dieses weg.

Ohne weitere Zwischenfälle erreichten wir Singapore. Hier
mußten wir allerdings geraume Zeit warten, denn nach der
‚Schlacht in der Javasee‘ waren alle Docks belegt. Als dann
aber wir am Drücker waren, hatten uns die chinesischen

Arbeiter, die Vorzügliches leisteten, schon nach acht Tagen wieder seeklar.

Von Singapore ging es dann nach Penang, wo uns der unbezahlbare Willy Vogel unter seine Fittiche nahm ..."

Für die, die aus den feuchtheißen Röhren entsteigen, ist dieses Penang Hill der Garten Eden. Chinesische Köche und Bedienung sorgen für ihr leibliches Wohl. Bloß die Affen, soviel Spaß und fröhliche Aufregung sie anfänglich auch auslösen, fallen den Lords so nach und nach auf den Lukendeckel. Ihr Spektakel ist grausam, und ihre Streiche sind oft keine mehr.

Dschungelwald erstreckt sich bis an die Bungalows heran. Riesige uralte Bäume, Schlingpflanzen, bunte schillernde Schmetterlinge. Wie in Urzeiten. Jeder darf hier oben tun und lassen, was er will. Wecken und Zapfenstreich sind unbekannt.

Den Männern wird von heute auf morgen ein fast traumhaftes Maß an Freiheit gewährt: ohne Dienstgrad, ohne Orden, ohne Ehrenzeichen, ohne Uniformen und ohne ‚Vater Philipp'.

Die Dienststelle selbst — Stützpunktleiter ist zur Zeit noch Kapitänleutnant Conrad Hoppe, später Korvettenkapitän Wilhelm Dommes, Ex-Kommandant U 178 — ist in einer Villa im typischen Kolonialstil untergebracht. Als Unterkunft für die U-Boot-Besatzungen ist das Elysee-Hotel hergerichtet worden. Hier drehen sich an den Decken ständig elektrische Kammerlüfter, und die Eisschränke sind immer wohlgefüllt.

Rundherum um die Insel führt eine Autostraße zu den traumhaften Vororten „Batu Feringai" oder zum „Mount Pleasure" mit seinem Schwimmbad unter Palmen.

„A propos Autofahren", sagt Obersteuermannsmaat Thomsen von der *Brake* zu seinen Kollegen von den U-Booten. „Unsere PKWs werden alle von Eingeborenen gefahren. Hat man endlich einen sicheren Fahrer erwischt, so ist es hier in Ostasien ungeschriebenes Gesetz, daß er an ‚Gesicht' nur gewinnt, je schneller er fährt. Je höher die Stellung seines Herren, um so rücksichtsloser wird er sein. Wenn wir ein solches Verhalten auch nicht gutheißen, ist es dennoch völlig falsch, dem Fahrer etwa Vorhaltungen zu machen, wie er zu fahren habe, oder etwa gar selbst zu fahren, um ihm zu zeigen, daß man langsamer auch zum Ziele kommt, und zwar viel gefahrloser. Unbelehrbaren Selbstfahrern sei dabei gleich noch ins Ohr geflüstert, daß unsere Nerven den chaotischen Verkehrsverhältnissen in den volkreichen ostasiatischen Städten gar nicht gewachsen sind. Ein europäischer Selbstfahrer, besonders wenn er vermögend ist, läuft ständig Gefahr, bei einem Vekehrsunfall ‚ersatzpflichtig und schuldig' gesprochen zu werden. Wie leicht kann er dann zeitlebens eine zwanzig- und mehrköpfige Chinesenfamilie ernähren. Eingeborene Fahrer hingegen sind in den Augen hiesiger Richter immer unschuldige Opfer ‚verzeihlicher Irrtümer' im Verkehr. Bei ihnen ist ja ohnehin nichts zu holen. Und noch etwas: Nur Neulinge in Ostasien tanken ihren Wagen und verkehren selbst mit der Reparaturwerkstatt. Ihr Kraftfahrer wird sich natürlich um seine ‚Provision' betrogen fühlen. Kein Geschäft in Asien ohne Provision. Wer die nicht zahlen will, soll zu Hause bleiben!"

*

Ja, Geduld ist das oberste Gesetz. Die deutschen Seelords müssen umdenken lernen. Sie müssen sich erst durch die Praxis aneignen, was erfahrenen Fernostexperten in Fleisch und Blut übergegangen ist. Einen „Knigge für Asien" ließ die Marine nicht drucken ... Leider ... Aber vielleicht nutzt dieser Hinweis der Zukunft.[16]

Wo es Militär gibt, ist trotzdem, also trotz Penang Hill, eine Arrestzelle zu finden. Die vom Stützpunkt ist gar nicht mal so selten unbelegt, zumal, wenn ein nur der Form nach existenter UvD sich in der Nacht noch einmal zu einer Runde entschließt und dabei eine nur mit dem Moskitonetz bedeckte Koje eines Seemanns entdeckt. Wenn andere sehen, daß er es sieht, ja dann kann er nicht anders. Auch im Paradies kann nicht jeder tun und lassen, was er will ...

Neu ankommende U-Boot-Besatzungen werden von den alten Hasen im Stützpunkt daher gleich über derartige Punkte aufgeklärt und mit manchen nützlichen Tips versehen. Während der ersten Tage nehmen es die braven Lords befehlsgemäß mit den Nürnberger Rassegesetzen auch noch wirklich einigermaßen ernst. Aber dann ... Was bedeuten

Hein Seemann schon diese ihm völlig unverständlichen Gesetze. Er liebt die freie Welt. Und so ist er auch nicht eben wählerisch. Das Neue reizt. Vor allem nach so langer Fahrt. Wenn man dann dazu noch im geheimnisvollen Fernen Osten landet, ist die Sache natürlich besonders interessant. Jeden drängt es, in Wirklichkeit zu erleben, was er bisher nur aus dem Erzählen alter Fahrensleute kennt. Ein Beispiel nur ... die Sache mit dem Funkmaaten Bahlke. Als er eines Nachts um die zweite Morgenstunde von Wache kommt und noch schnell eine kalte Dusche nehmen will, rauscht schon Wasser im Baderaum. Aber unter der Brause findet er nicht etwa einen prustenden Matrosen, sondern — Bahlke fährt sich über die Augen, er träumt nicht — eine modejournalbildhübsche junge Chinesin. Mit weiter nichts bekleidet, als mit einem Bindfaden um den Bauch und einem Amulett aus geschnitzter Jade daran.

„Wo kommst du denn her?" fragt Bahlke die Tochter Chinas rechtschaffen erstaunt.

„Ich wohne hier", lächelt die nächtliche Badenixe treuherzig.

„Was? Hier bei uns? Wo denn bloß?"

„Na, hier im Hause. Heute", antwortete sie mit unschuldigem Augenaufschlag. „Nur heute."

*

*Zu allen Problemen und Schwierigkeiten, die das Paradies wie die blauschwarzen Gewitterwolken des Monsuns verdüstern, treten noch die völlig verschiedenen Mentalitäten der beiden Partner. Erschwerend dabei ist, daß die Offiziere der deutschen Stützpunkte über keine speziellen Kenntnisse des Landes und seiner Bewohner verfügen und zu leicht dazu neigen, deutsche Maßstäbe anzulegen.*

*Die sogar für die 30 000 Angreifer so überraschend gekommene Kapitulation der von 38 000 Engländern verteidigten Festung Singapore und die nicht minder mühelose Besetzung der von anderen europäischen Weißen, den Holländern, verteidigten Inseln Niederländisch-Indiens haben im Zusammenklang mit einer vielleicht verzeihlich zu nennenden Siegerpsychose auch die japanische Überheblichkeit Weißen an sich gegenüber nur noch genährt. Von einer Verachtung zu sprechen, entspräche sogar noch augenfälliger den Fakten. Und da die Intelligenzdecke des japanischen Volkes, das ein Land bewohnt, das so arm wie Grön-*

*land ist, ausgesprochen dünn ist, begreift die Masse der Japaner
die Zusammenarbeit mit den Deutschen nur schwer oder gar
nicht. Die einzige, wenn auch schmale Brücke gegenseitiger Achtung von seiten des japanischen Militärs ist vielleicht deren ‚Apo-
strophierung' als ‚die Preußen Ostasiens'.[17]*

*Hinzu tritt ferner, daß es in Japan drei politische Säulen gibt,
deren Auffassungen über politische und militärische Ziele zu
allen Zeiten schon auseinandergingen: 1. das Heer, 2. die Marine
und 3. die Wirtschaftskreise. Die hier vorherrschenden Gegensätze werden bis in die untersten Dienststellen deutlich.*

*Sie nehmen Formen an, die für europäische Begriffe hart an der
Grenze der Sabotage liegen.*

*Auch sie wirken sich fühlbar auf die deutschen Stützpunkte aus,
so sehr diejenigen japanischen Flaggoffiziere, die, wie viele Marineoffiziere aller Nationen, weltoffener eingestellt sind und von
denen einige Europa und Deutschland aus eigener Schau her kennen, auch bemüht sind, diese Eindrücke durch aufrichtig gemeinte
Herzlichkeit, ehrliche Kameradschaft und stete Hilfe zu verwi-
schen.*

*Überall lassen sich zudem typische Etappenbildungs-Tendenzen
feststellen. Sie sind hier stärker als irgendwo auf der Welt.*

*Außerdem bleibt grundsätzlich zur japanischen Kriegführung
festzustellen, daß Gebiete, die das Heer eroberte, auch vom Heer
verwaltet werden. Die Marine ist hier lediglich durch ihre Admiräle als Attachés vertreten. Sie verfügt also über keine selbständigen Befugnisse. Wo das Heer zu sagen hat, untersteht ihm also
befehlsgemäß auch die Marine und umgekehrt.*

*Wie unheimlich groß die Gegensätze zwischen Heer und Marine
sind, erleben die Besatzungen der ersten deutschen U-Boote gleich
in den ersten Tagen...*

Es geht auf die Mittagsstunde zu. Die im Hafen an ihren
Booten arbeitenden Schichten haben schon lange Ausschei-
den gemacht. Während der heißen Tagesstunden wird nicht
gearbeitet. Einige der U-Bootfahrer hocken noch am Ende
vom Pier. Sie haben die Schuhe ausgezogen und lassen die
nackten Füße in das kristallklare Wasser baumeln, während
andere im Stützpunktbereich in Liegestühlen eisgekühlte
Getränke genießen. Wenn es sich hier um Dienstgrade handelt, werden sie, nur auf einen Fingerwink hin, lautlos und
prompt von „ihren" Eingeborenen bedient.

Eine fürchterliche Detonation läßt die Luft erdröhnen und
die Gebäude erzittern. Die Männer in den Liegestühlen werden durch einen taifunartigen Druck herausgerissen, hoch-

gehoben oder zur Seite geschleudert ... Die im Hafen wirft es auf den Kai hin, so wie eine plötzliche Orkanbö Holz und Reisig davonwirbelt. Staub und Sand stieben auf. Die Palmen biegen sich. Von den Dächern fliegen Ziegel herunter. Glas splittert.

Und dann sehen die, die sich hochrappeln, wie sich eine dicke schwarze Wolke über der meist von japanischen Transportern voll belegten Reede in den Himmel schraubt. Danach donnern weitere, kleinere Explosionen. Aus der sich nach oben verbreiternden Wolke schießen und wirbeln Masten, Reelingsstützen, Lukendeckel, Eisenfetzen und wohl auch Menschen heraus ...

Und dann sehen sie alle auch die lodernden Flammen.

„Um Himmelswillen, muß ja'n ganz großer Kasten in die Luft geflogen sein", bricht es aus Dechow, Oberfähnrich und Funker im Stützpunkt, heraus.

Sein Begleiter, Oberfunkmaat von U-Lüdden, ist genauso bestürzt. „Wird doch nicht etwa unsere *Quito*, unser Versorgungsdampfer sein?"

„Nein, der liegt da nicht. Aber los ..."

Sirenen heulen auf. Japanische Lastwagen donnern in Richtung Hafen vorbei. Der Oberfähnrich winkt einem Sanitätsfahrzeug. Es hält mit einem Ruck. Der japanische Fahrer steckt den Kopf durch das Fenster. Dechow deutet zum Hafen hin und schwingt sich, ohne des Japaners Antwort abzuwarten, auf das Trittbrett, der Funker von U-Lüdden steht auf der anderen Seite.

Der Fahrer legt ein irrsinniges Tempo vor, daß sie froh sind, als sie im Werftgelände halten.

Von hier aus sehen sie das auf Reede vor Anker liegende Schiff genau. Es ist ein Japaner, auf dem es im Augenblick der Katastrophe von Menschen wimmelte. Es hat schwere Schlagseite. Das ganze Oberdeck brennt. In den Laderäumen explodiert ständig Munition. Giftige, grüngelbe Wolken quellen aus ihnen heraus. Gellende Hilferufe der Verletzten stehen in der Luft.

Es sind bereits deutsche Seeleute da. Sie haben Schlauchboote und Kutter zur Rettung Überlebender klargemacht. Schwerverwundete treiben im Wasser.

Überall auf dem Kai und im Werftgelände stehen japanische Matrosen und höhere Dienstgrade der Marine herum. Viele haben die Hände in den Hosentaschen. Andere rauchen. Gleichgültig, ja ausgesprochen gelangweilt starren sie auf den brennenden Dampfer. Die schrillen Schmerzensschreie und das Wimmern der Verwundeten scheinen sie nicht zu hören.

Das Bild der glühenden Hölle macht auf sie nicht den mindesten Eindruck.

Den beiden deutschen Funkern stellt sich ein japanischer Marineoffizier in den Weg. Seine ausgestreckte Hand weist nach hinten. Seine Miene ist böse. Er spricht ein hartes Deutsch.

„Verlassen Sie den Hafen. Sie sind hier unerwünscht."

Die beiden Deutschen begreifen nicht. Den anderen deutschen Seeleuten in den Booten schreit der gleiche Japaner zu: „Mit Arbeiten sofort aufhören, die Boote verlassen."

Die U-Boot-Männer denken gar nicht daran. Es hat doch Schwerverwundete gegeben ... sie treiben im Wasser ... Als sich diese Deutschen mit ihren Rettungsmaßnahmen noch mehr beeilen, statt diese, wie gebieterisch verlangt, einzustellen, wird der japanische Fregattenkapitän ausgesprochen wütend. Was er in seiner Erregung nun auf japanisch herausschreit, versteht keiner mehr.

Die Männer im Stützpunkt erleben ähnliches.

Gleich nach dem Knall wurde alles abkömmliche Personal zusammengerafft. Mit wortloser und tausendmal einexerzierter Selbstverständlichkeit erscheinen die deutschen Soldaten in ihren ältesten Klamotten. Die Ärzte, die Sanitäter legen Verbandszeug, Wolldecken, Medikamente klar. Alles preußisch ausgerichtet.

Der Stützpunktleiter ist sofort zum japanischen Admiral gerast, ihm die Hilfe der deutschen Waffenbrüder anzubieten. Er kommt zurück, langsam, mit schleppendem Schritt. Dann befiehlt er:

„Alles wegtreten."

In der Luft sind noch immer die entsetzlichen Schreie der Verletzten. Über dem Hafen weht braunroter, widerlich süßlich riechender Rauch.

Was ist denn da los, daß sie, die retten und helfen wollen, wegtreten sollen?

Erst später findet der Chef Worte, um über seinen Besuch beim japanischen Admiral zu sprechen.

Das sei ein Heeresschiff, habe ihm der japanische Admiral auseinanderzusetzen versucht. Er erklärt es mit fast tonloser Stimme. Das japanische Heer habe ja seine eigene Marine, es verfüge sogar über eine eigene Luftwaffe. Also, so habe der Admiral gefolgert, sei es auch Sache des Heeres, sich um die Rettung der Verletzten und die Bergung der Toten zu kümmern. Für die Marine bestünde noch gar kein Grund zum Eingreifen, solange nicht, solange die Kameraden vom Heer nicht ausdrücklich darum bitten würden.

Für den Stützpunktleiter ist dies praktisch ein Befehl. Die U-Boot-Kommandanten, die sich mit ihren Männern trotzdem und mit wortloser Selbstverständlichkeit an den Rettungsaktionen beteiligten, bekommen später böse Worte von der japanischen Marine zu hören. Daß es zu keinem Bruch der so notwendig guten Beziehungen zur japanischen Marine kommt, hing bedrohlich an einem dünnen seidenen Faden.

„Da kann man wirklich sagen: andere Länder, andere Sitten", flucht Kuddel Hollenkamp und zieht mit den Ballen seiner breiten Seemannshand seine Hose in den Hüften hoch.

4.

ZWISCHENOPERATIONEN DER 1.,
EINSATZ DER 2. MONSUN-
U-BOOTGRUPPE

*Während die U-Boote überholt werden, startet die Skl in Berlin noch einmal den Versuch, Rohstoffe aus Asien durch ihre eigens als Blockadebrecher hergerichteten Motorfrachter nach Westfrankreich fahren zu lassen. Die Skl hofft, diese schnellen Schiffe im Schutze der längeren Winternächte im Nordatlantik und auf der letzten Etappe unter besonders starker Sicherung durch Zerstörer und Torpedo-Boote einbringen zu können. Diese ‚Blockadebrecher in der Kautschukfahrt' werden im Oktober 1943 in Häfen des Südostraums beladen und in Marsch gesetzt. Es sind dies die*

Motorschiffe O s o r n o , R i o  G r a n d e ,  A l s t e r u f e r , B u r - g e n l a n d und W e s e r l a n d . Nur der O s o r n o glückt der Durchbruch, die anderen Frachter werden das Opfer der nun engmaschigen Überwachung des gesamten Atlantiks, vornehm- lich der berüchtigten Natal-Freetown-Enge. Damit ist die ‚klas- sische Blockadebrecher-Aktion', die Rohmaterialien und insbe- sondere Maschinen, zum Teil Einrichtungen für ganze Fabriken und Elektrizitätswerke nach Asien und Rohstoffe, hier vornehm- lich Rohkautschuk, Wolfram und Chinin, von Asien nach West- frankreich transportierte, zusammengebrochen.

Einen Hoffnungsstrahl in dieser Situation versprechen die im Südostraum den Deutschen zurückgegebenen italienischen U- Boote. Mit deutscher Besatzung an Bord werden sie nach und nach als UIT 23, 24 und 25 wieder in Dienst gestellt.[18] Die Besat- zungen für diese Boote rekrutieren sich aus dem Personal des Stützpunktes und vor allem aus den Männern des den Japanern übergebenen U 511. Kapitänleutnant Fritz Schneewind, Ex-Kom- mandant von U 511, hat U 183 übernommen, da dessen Komman- dant, Korvettenkapitän Schäfer, im Südostraum verstorben ist. Dieses Boot ist aber nicht voll einsatzklar, da es zunächst zum Batteriewechsel nach Japan geschickt werden muß. Das Kom- mando von U 178 hat der bisherige IWO, Kapitänleutnant Spahr, erhalten, da Korvettenkapitän Dommes wegen Erkrankung zu- rücktreten mußte. Als einziger U-Bootfahrer unter den Offizieren im Südostraum ist ihm zunächst das Kommando vom Stützpunkt Penang übertragen worden, dieweilen Kapitänleutnant Hoppe nach Soerabaja geschickt werden soll, um dort in Erwartung weiterer Monsun-U-Boote im Südostraum wegen der dort gege- benen Dockmöglichkeiten einen weiteren U-Boot-Stützpunkt auf- zubauen.

Um die gleiche Zeit ist in der Heimat die 2. Monsun-Gruppe aus- gerüstet worden. Aus Westfrankreich und Norwegen laufen aus: U 510, ein IX C-Boot Typ, unter Kapitänleutnant Alfred Eick; U 848, ein IX D2-Typ — wie auch die anderen beiden Boote — unter Korvettenkapitän Wilhelm Rollmann; U 849 unter Kapitän- leutnant Heinz-Otto Schultze und U 850 unter Fregattenkapitän Klaus Ewertz. Drei dieser Boote gehen bereits kurz nach dem Auslaufen verloren:

U 848 wird am 5. November südwestlich Ascension von US- Flugzeugen gebombt; U 849 wird am 25. November westlich der Kongo-Mündung beim Angriff von Flugzeugen der US-Liberator VB Sqdr. 107 und U 850 am 20. Dezember südwestlich der Azoren das Opfer von fünf Maschinen des VC Sqdr. 19 des US-BOGUE. Alle Verluste sind Totalverluste.

Genau wie bei den Booten der 1. Monsun-Gruppe ist für die 2. eine Versorgung im südwestlichen Indischen Ozean vorgesehen

*worden. Sie soll dieses Mal wieder durch das Hilfstroßschiff*
*C h a r l o t t e   S c h l i e m a n n   erfolgen. Dessen Stationierung*
*ist terminlich so eingeplant, daß auch die aus dem Südostraum*
*Anfang Januar 1944 ausgelaufenen vier Kampf-U-Boote nach*
*ihren durch den geringen Torpedobestand*[19] *an sich begrenzten*
*Operationen im Indischen Ozean für ihren Weitermarsch in den*
*Atlantik und Rückmarsch in die Heimat versorgt werden können.*
*Aber diese Rechnung soll ebensowenig aufgehen wie viele an-*
*dere ... Es trifft dies die Monsuner U 168, U 178, U 188 und U 532,*
*deren restliche Ladekapazität auf dem Treffpunkt C h a r l o t t e*
*S c h l i e m a n n   aus dem Versorger mit Rohstoffen für die Hei-*
*mat ausgenutzt werden soll.*

„Unverständlich bleibt", so sagt der damalige Fregattenkapitän Ottoheinrich Junker heute, „warum der deutsche Stützpunkt im Südostraum die dort über den B-Dienst bekannt
gewordene Tatsache, daß am 10. Januar im Indik ein britischer Hilfsflugzeugträger mit Flugbooten an Bord in See
gegangen war[20], den ausgelaufenen U-Booten nicht gefunkt
hat. Hätte ich einen solchen Funkspruch gehabt, als ich später, im Indischen Ozean, durch immer wieder neue Befehle
hin- und herdirigiert, doch wieder Penang anlaufen mußte,
wäre ich hellhörig geworden, ebenso aber auch die Kommandanten der anderen Boote, vor allem aber der Kapitän
der *Charlotte Schliemann*. Daß der Gegner Hilfsflugzeugträger einsetzte, war nicht überraschend, daß er aber Flugboote mit weitreichendem Aktionsradius von einem beweg-
lichen Träger startete, war neu und für unser Verhalten von
entscheidender Bedeutung."

Es war der 11. Februar 1944, als U 532 10.30 Uhr MOZ 75° Ost
die *Charlotte Schliemann* in Sicht bekam.

Mit ihrem Kapitän, Louis Rothe, hat Fregattenkapitän Junker zunächst eine längere Besprechung. Dieser, der auf dieser
Position Ende Januar bereits U 178 und das aus der Heimat
eingetroffene U 510 versorgt hat, teilt Junkers zweifache
Bedenken:

Einmal ist das Wetter derart unhandig geworden, daß die Versorgung nur unter erschwerten Umständen, möglicherweise
sogar nur mit Verlusten durchgeführt werden kann, zum
anderen aber hat das U-Boot einen Funkspruch vom BdU
empfangen, der die bisherige Versorgungsposition bereits als
„unsicher geworden" erklärt. Die beiden Kapitäne verein-

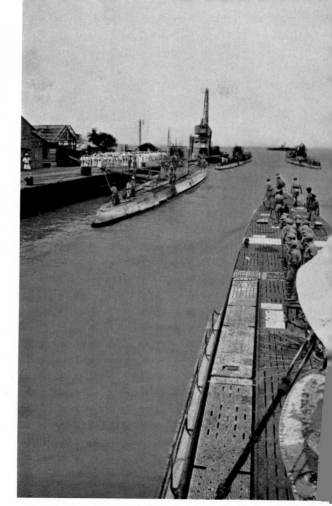

L i n k s : Einlaufen nach langer, langer Feindfahrt in Hafen von Georgetown auf Penang. An Land sind die Abordnungen vom deutschen Stützpunkt und der japanischen Marine zu einer Begrüßung angetreten ...

U n t e n : Fregattenkapitän Freiwald wird vom japanischen Admiral und vom Stützpunktleiter, Korvettenkapitän Dommes, begrüßt. Wilh. Dommes wurde später zum „Chef im Südraum' bestellt und außerplanmäßig zum Fregattenkapitän befördert. Im Hintergrund Besatzungen von japanischen U-Booten...

**L i n k s** : Der Bart muß ab. Nicht wie in der Heimat durften die ,Grauen Wölfe' ihre Bärte an Land bewundern lassen. Aus strikten Geheimhaltungsgründen mußten sie bei den ,Monsunern' v o r dem Einlaufen ,fallen'.

**U n t e n  l i n k s** : Sonst ist dieser Frisör an Bord Dieselheizer, der hier einen Maaten für's Einlaufen landfein macht.

**U n t e n  r e c h t s** : Das schmeckt Hein Seemann ... in Penang von einer so charmanten Eingeborenen den Kopf gewaschen zu bekommen. Er fühlt sich dem Leben neu geschenkt, nach Wabos, Torpedos und infernalischer Hitze im Boot wieder als Mensch.

baren einen neuen Treffpunkt in südlicheren Gefilden. Für den Fall, daß auf dem Marsch nach dort Flugzeuge in Sicht kommen und die *Charlotte Schliemann* anfliegen und angreifen, will Junker nicht tauchen, sondern versuchen, die Angreifer auch mit seinen Waffen abzuwehren.

Es ist 14.00 Uhr, als der Tanker mit Südkurs, rechtweisend 200 Grad, wieder Fahrt aufnimmt. In 72 Stunden wird man, wenn alles gut geht, die neue, 600 Seemeilen südlicher gelegene Position, erreicht haben. U 532 wird an der Grenze der Sichtweite mitlaufen. Obwohl weder U 532 noch die anderen U-Boote in diesem Gebiet Flugzeuge beobachtet haben, erscheint es Junker zweckmäßig, durch die Anwesenheit eines U-Bootes in unmittelbarer Nähe eines Tankers nicht von vornherein Verdacht zu erregen.

16.11 Uhr ist es, als sie auf der *Charlotte Schlieman*, die gerade auf 22⁰ 11 Süd, 73⁰ Ost steht, in rechtweisend 70 Grad und gute 15 Seemeilen entfernt ein Flugboot entdecken. U-Junker, das noch in ziemlicher Nähe des Tankers schwimmt, wird sofort durch das Signal: ‚Fritz! Fritz!' verständigt. Zur Verwunderung der Schiffsführung des Tankers taucht das U-Boot aber plötzlich weg.

Fregattenkapitän Junker ist nicht ohne Grund von seinem eigenen ersten Befehl ‚Es wird nicht getaucht, es wird abgewehrt', abgewichen.

„Donnerwetter auch", so überlegte er sich blitzschnell und auch zu Recht, „wo kommen denn hier in dieser Landschaft Flugboote her? Der nächste Stützpunkt dafür ist die Madagaskar vorgelagerte Insel Réunion. Die Entfernung bis dorthin beträgt gute 1500 Seemeilen. Also wird sich diese Maschine, wenn sie nicht von einem Träger stammt — und das wäre ja völlig neu —, mit Anbruch der Dunkelheit wieder auf den Rückflug begeben müssen. Bei ihrer Geschwindigkeit von etwas mehr als 250 Stundenkilometer wird sie sowieso sechs bis sieben Stunden dafür brauchen..."

Junker beobachtete noch, wie die Catalina den Tanker in respektvollem Abstand umkreiste, wie sie von diesem das Erkennungssignal forderte, dann verschwand er von der Wasseroberfläche. Mit dem langsamen Flugboot wird die massierte Flak des Tankers — die 1-7,5 cm, 1-3,7 cm in Doppellaffette und die 4-2 cm — schon allein fertig werden. Und wenn sie in der Catalina das U-Boot nicht gesehen haben

— eine Funkmeßortung haben sie ja im FuMB nicht — dann ist noch lange nicht raus, ob sich die so vorzüglich getarnte *Charlotte Schliemann* nicht, ohne ihre Tarnung preisgeben zu müssen, als Neutraler durchmogeln wird.

„Bei einem Flugboot ist mit Seestreitkräften in der Nähe nicht zu rechnen", bekräftigt Junker, als er in der Zentrale vor seinem LI und seinen WO's die Abkehr von seiner Übereinkunft mit dem Tankerkapitän motiviert. Die Männer nicken. Junkers Gründe sind einleuchtend.

Weder in der Nacht, als sie auftauchen und mit AK auf den Punkt zulaufen, den Junker mit Kapitän Rothe für den Fall einer Trennung vereinbart hat, noch am nächsten Tage, noch in der folgenden Nacht bekommen sie den Versorger in Sicht; nur wieder ein Flugboot, das sie aber rechtzeitig entdecken. Fünf Tage steht U 532 auf dem vereinbarten Ausweichtreffpunkt auf und ab. Vergeblich.

Was sie auf Junkers Boot nun alle fürchten, trat schon in der Nacht des 12. Februar ab 00.30 Uhr ein. Wohl hatte sich die Catalina gegen 17.00 Uhr entfernt, Kapitän Rothe ließ aber noch bis 20.00 Uhr Scheinkurse in Richtung Australien steuern, um erst dann wieder auf den vereinbarten Kurs zu drehen. Inzwischen hatte das Gegnerflugzeug aber ein eigens auf deutsche Versorgungsschiffe angesetztes Kriegsschiff eingewiesen.

Kurz nach Mitternacht wird auf dem Tanker achteraus in 220° der Schatten von einem Überwasserfahrzeug ausgemacht. Der Fremde, den sie auf dem Versorger 00.30 Uhr als Kreuzer ansprechen, ist der Zerstörer *Relentless* mit der taktischen Nummer ‚H 85'.

01.00 Uhr, als der Verfolger das Feuer aus allen Rohren eröffnet, läßt Kapitän Rothe stoppen, die Besatzung aussteigen und die Sprengladung abreißen. Aus einer Entfernung von höchstens zwei Seemeilen schießt der Gegner noch acht Torpedos. Nur einer trifft die Backbordseite unter der Brücke. Wenig später, 02.00 Uhr, versinkt der Tanker. Ein Teil der Besatzung, 41 Mann, wird von dem Zerstörer übernommen. Das Schicksal der anderen, die in ihren Rettungsbooten im Schutze der Dunkelheit entwischen und je 27 Tage und 31 Tage unterwegs sind, ist eine Odyssee an Leiden, Strapazen und Qualen für sich.

Was hatte der von ‚H 85' gerettete Oberleutnant zur See d. R. Wimmel zufällig gelesen, als er vom britischen Kommandanten auf die Brücke und ins Kartenhaus gebeten wurde...? Die *Relentless* war danach bereits am 5. Februar ausgelaufen...

„...for German supply ship...'

Wie es ausdrücklich hieß.

Vielleicht hätte U 532 der *Charlotte Schliemann* doch helfen können, hätte es nicht getaucht, wäre es in unmittelbarer Nähe des Tankers verblieben, vielleicht hätte sich in der Nacht die Chance zu einem Angriff auf ‚H 85' geboten. Aber das sind Unwägbarkeiten. Im Augenblick des Auftauchens der Catalina hat sich U 532 in beiderseitigem Interesse richtig und vernünftig verhalten.

Vier Wochen später, U-Spahr hat inzwischen U-Junker mit 30 Kubikmeter Treibstoff ausgeholfen, ereilt die als Ersatz für die *Charlotte Schliemann* ausgelaufene *Brake* dasselbe Schicksal. Wieder auf einem geheimen Versorgungstreffpunkt, und zwar gerade, als Kapitän Kölschbach einige U-Boote betreut.

U-Lüdden ist schon, U-Pich muß in dieser Stunde noch weiter versorgt werden. U-Junker hat bereits Brennstoff, aber noch kein Schmieröl übernommen, zudem ist der Kompressor ausgefallen. Man hofft, daß er von dem Werkstattpersonal des Troßschiffes repariert werden kann. Außerdem soll U 532, wie auch die anderen in die Heimat gehenden Boote, noch drei Tonnen Gummi und eine halbe Tonne Zinn an Bord nehmen.

Um die gleiche Zeit nun funkt das aus Bordeaux kommende ex-italienische Transport-U-Boot UIT 22, es könne wegen Mangel an Treibstoff den Treffpunkt nicht erreichen.

Es funkt, funkt und funkt immer wieder.

„Ich spür's im ... na ja, ich spür's eben, es liegt Unheil in der Luft", orakelt auf U 168 Ersatz-IWO Conrad Hoppe, als der Funker dem Kommandanten immer neue, vom FT-Raum entschlüsselte Notrufe vorlegt.

„Du meinst, was UIT 22 betrifft?" sinnt Pich.

„Auch das, mehr aber noch, was uns hier angeht. Du bist nach Antritt der Unternehmung umgekehrt. Ein Seemann kehrt nicht um."

„Aberglauben hin, Aberglauben her, das hier sind doch Haarspaltereien, Herr Kaleunt", mischt sich der LI ein. „Wir sind doch nicht nach Singapore, von wo aus wir die Unternehmung antraten, wir sind nach Penang zurückgelaufen. Und schließlich sind Sie jetzt an Bord. Sie sind ein neues Zahnrad im Getriebe."

„Trotzdem", murrt Hoppe und schlürft seinen Tee. Das Frühstück interessiert ihn nicht. Pich denkt daran, daß ihm das Pech in Penang ja auf den Füßen gefolgt wäre, womit die Regel als abgegolten gelten dürfte. Aber er sagt es nicht. Insgeheim weiß er, daß das Strohhalme sind.

Die vom alten Stamm erinnern sich:

Sie standen bereits vier Tage in See, als sich der IWO mit akuter Blinddarmentzündung in die Koje legte ... Bordarzt Dr. Wenzel erklärte zwar, eine Operation zur Not auch auf See durchführen zu können, wenn es gar nicht anders ginge ... Das Risiko sei bei den behelfsmäßigen Bordmitteln aber doch wohl größer, als in einer modern ausgestatteten Klinik an Land. Die Japaner seien, er hätte sich überzeugt, als Chirurgen durchaus auf der Höhe.

Solcherart Bedenken könne man also getrost beiseite schieben.

Pich funkte also die Situation und seine Absicht, umzukehren und Penang anzulaufen. Rührend das Interesse und die Hilfsbereitschaft der Japaner, deren Fachärzte genaue Diagnosen erbaten und mit Ratschlägen halfen ... „Tun Sie das ..." „Achten Sie auf das und das ..." „Bitte, laufen Sie am besten das nähere Sabang an. Es ist alles für eine Operation bereit ..."

„Nein", entschied Pich nach Rücksprache mit Dr. Wenzel: „Wir halten die Entzündung unter Eis. Wir fahren nicht zum näheren Sabang, wir marschieren bis nach Penang durch."

Heute erzählt er, wie es dann weiterging, interessant deshalb, weil sich die Japaner an kameradschaftlicher Hilfsbereitschaft überboten ...

„... Wir kamen gut in Penang an, kriegten diesmal die richtige Kurve, hatten die Leinen noch nicht fest, da stürzten schon zwei Japaner mit einem Tragkorb an Deck und holten den IWO von unten herauf. Sie setzten ihn in das Gestell, trippelten an Land, verfrachteten ihn in den Wagen ... und ab dafür. Unser Doktor wollte noch mit, doch ehe er sich's versah, waren sie schon weg. Eine Stunde später war unser IWO seinen Blinddarm bereits los. Unser Doktor kam zwar noch rechtzeitig in die Klinik nachgebraust, durfte aber nicht assistieren, nur zusehen. Daß wir ein zweites Mal nach Penang zurückkamen, war insofern vom Übel, weil wir nun die Schäden bezahlen mußten, die wir beim ersten Einlaufen angerichtet hatten. Auch ein neues Fell für die kaputte Pauke hatte uns der Stützpunkt auf die Rechnung gesetzt.

‚Ah‘, jubelte Oberleutnant zur See der Reserve Willy Vogel, als er, der für Nachschub, Ersatz und dergleichen Verantwortliche, uns wiedersah. ‚Jetzt müßt ihr blechen.‘

Wer nun sollte das bezahlen? Und von was? Wir von unserem Wehrsold? Der langte doch nicht hinten und vorne für solche Summen, allenfalls für das japanische Paukenfell.

Nach diesem zweiten Einlaufen erschien übrigens Seine Exzellenz, der Deutsche Botschafter für Japan, Dr. Stahmer, Tokio. Er wollte sich an Ort und Stelle überzeugen, wie es in den Südostraum-Stützpunkten aussah. Gern zeigte ich ihm auch unser Boot von innen. Es war wieder mal heiß darin und auch ölig-schmutzig. Ein Paradebesichtigungs-Zustand ließ sich einfach aus Zeitgründen nicht demonstrieren. Der Botschafter war ziemlich durchgedreht und fertig, als er in seinem nun nicht mehr blütenweißen Maßanzug aus Echt-Panamaleinen aus dem Turmluk herauskroch.

Bei der zweiten Ausreise, bei der ich nun Conrad Hoppe als IWO übernahm, habe ich entschieden: ‚Wir werden klamm und heimlich und ohne das übliche Stützpunktzeremoniell vom Pier verschwinden.‘ Es würde nur Unglück bringen, wenn wir laufend verabschiedet würden ... Das war nicht nur meine sorgenschwere Meinung ...“

Soweit der Kommandant, Kapitänleutnant Pich, im Wortlaut.

Aber das bereits zitierte Unheil läßt sich nicht mehr bannen. Hier, auf dem Treffpunkt mit dem V.-Schiff, auf 32 Grad Süd und 72 Grad Ost, passiert es:

Es ist nachmittags — U 168 hat obendrein noch Maschinenschaden, der der Reparatur mit Hilfe des Versorgers bedarf — als von U 532 Flugzeuge gesichtet werden. Es ist genau 16.00 Uhr, als die Alarmmeldung eingeht. Der Angriff der Maschinen konzentriert sich auf die *Brake*, auf U-Lüdden und U-Junker, während das wegen Maschinenreparatur 15

Seemeilen auf und ab stehende U-Pich ungeschoren bleibt. Als dann wie bei der *Charlotte Schliemann* ein Kriegsschiff auftaucht und den Tanker unter gezieltes Feuer nimmt, hofft *Brake*-Kapitän Kölschbach vergebens. Keines der von den Bienen unter Wasser gedrückten U-Boote greift den Gegner an, der zumal stark zackt und nach Erfüllung seiner Aufgabe im Hinblick auf die akute U-Bootgefahr sofort und ohne eine Rettungsaktion abläuft.

U-Pich, das als erstes Boot zur Stelle ist, übernimmt die Überlebenden und Verwundeten des Versorgers, der sich im Feuer der gegnerischen Granaten befehlsgemäß selbst versenkt und die Boote ausgesetzt hatte.[21]

„Ich kann Ihnen doch Männer abnehmen", schlägt Fregattenkapitän Junker vor, als er später, in der Nacht schon, auf dem Katastrophenplatz auftaucht.

„Nicht nötig, Herr Kapitän. Denke, daß ich damit schon klar komme."

Pich hofft, daß alles klar geht. Mit den 136 Überlebenden werden sie 190 Mann an Bord sein. Seine Koje hat der Kommandant an den völlig erschöpften *Brake*-Kapitän abgetreten, die anderen Kojenbesitzer ihre Schlafplätze an die Verwundeten. Gerade, als der letzte Überlebende in das Boot übernommen, treffender gesagt, gerade als er in die Röhre hineingestopft wird, gibt es erneut Fliegeralarm. 136 Mann mehr an Bord entsprechen gut und gern einem Mehr von 200 Zentnern. Pich taucht mit einem gewichtsmäßig noch nicht ausgerechneten Boot, und die Fliegerbomben detonieren in verdammt bedrohlicher Nähe. Aber der Druckkörper hält stand. Dem LI aber gelingt es, U 168 noch vor Erreichen der Sicherheitsgrenze abzufangen.

Während U-Lüdden ohne nochmalige Kontaktaufnahme mit den Kameradenbooten inzwischen auf Kurs Heimat gegangen ist, haben Junker und Pich noch kurz vor dem erneuten Fliegeralarm verabredet, sich nach Osten abzusetzen. Von hier soll dem BdU über FT die Lage berichtet werden. Und diese ist alles andere als erfreulich. Der Ausfall der *Brake* wirft die Pläne der U-Bootführung hier im Indik über den Haufen.

„U-Pich zurück nach Batavia — stop — U-Junker wie befohlen weiter nach Westfrankreich", bestimmt der BdU, als er das FT von U 532 erhält, in dem Junker den Verlust des

Tankers berichtet, auch, daß er U 168 nach einem erneuten Fliegeralarm verloren und später nicht wiedergefunden habe. „U-Junker bekommt neuen Kompressor und Schmieröl im Südatlantik von ausgehendem Boot", heißt es in der BdU-Antwort weiter.

„Das fehlt uns gerade noch", sagt Junker mit zerfurchter Stirn. Ob der Ausmarschierer überhaupt ankommt? Wer weiß das denn überhaupt? Wer garantiert dafür? Und was, wenn er vorher absäuft?

Und was ist inzwischen mit UIT 22 passiert?

Hatten Kapitänleutnant Wunderlichs Hilferufe Erfolg? Half ihm ein Kameradenboot aus?

Zur Stunde, da Fregattenkapitän Junker erneut Kurs auf die Roaring Forties nimmt, um in deren Schutz das Kap der Guten Hoffnung zu runden, schwimmt UIT 22 überhaupt nicht mehr.


Das ging voraus:

Nachdem Wilhelm Dommes wegen Erkrankung ausstieg, hatte U 178, das jetzt unter Spahrs Kommando fährt, auf seinem Weg in den Atlantik und nach Westfrankreich wieder einmal eine Reparatur in der Maschine. Diese, nur bei aufgetauchtem Boot durchführbar, ging nicht reibungslos über die Bühne. Ein Flugzeug drückte U 178 mitten während der Arbeiten ganz plötzlich unter Wasser. In 40 Meter Tiefe krepierte eine Bombe. Zum Glück weit ab. Und zum Glück auch nur eine.

Nach dem Auftauchen angelt der Funker ein FT aus dem Äther: „Treffen mit UIT 22 auf Position..."

Es ist der 11. März 1944, mittags.

Spahrs bester Ausguck, Fähnrich Lange, meldet ruhig und bestimmt: „Fünf Flugzeuge recht voraus!"

Auf Sehrohrtiefe angekommen, beobachtet Spahr, wie die Maschinen abkippen. Minuten später sind unter Wasser harte Detonationen zu hören.

„Jetzt haben sie den Wunderlich beim Wickel."

„Wunderlich wird sich wundern, was hier los ist", sagt der Zentralemaat. Er meint es nicht spöttisch. Er sagt es verbittert und aus ehrlicher Sorge um die Kameraden heraus.

Die Maschinen bleiben den ganzen Nachmittag in der Luft. Erst am nächsten Morgen kann Spahr auftauchen.

Auf dem Treffpunkt genau breitet sich ein riesiger, buntschillernder Ölfleck aus.

Was sich hier abgespielt hat, ist Spahr und seinen Männern klar.

„Trotzdem blieb ich", so schreibt Spahr ins KTB, „eine Weile über Wasser und suchte das Seegebiet ab. Aber nichts, außer dem Öl, war zu entdecken. Ich tat noch ein Übriges, ich tauchte, um UIT 22 mit UT zu rufen. Wir blieben geraume Zeit unter Wasser, bekamen aber auf diese Anrufe keine Antwort..."

Wenige Tage nach dem Ende der *Brake* bekommt U 532 Befehl, UIT 24 zu versorgen. Der Ex-Italiener ist unter Oberleutnant zur See Pahl das erste regelrechte Transport-U-Boot, das mit Kautschuk, Chinin und Edelerzen an Bord nach Westfrankreich unterwegs ist. Wegen schwerer Seeschäden scheint aber ein Weitermarsch durch den Atlantik zu risikoreich. Nun soll Junker Pahl mit hundert Kubik Brennstoff aushelfen, damit UIT 24, das sonst im Südatlantik nachtanken sollte, zum Südostraum zurückmarschieren kann.

Was erzählt der Kommandant von U 532 heute?

„Das war eine sehr problematische Angelegenheit, denn wir hatten ja gar keine richtigen Versorgerschläuche. Wir haben das nun mit unseren Feuerwehrschläuchen gemacht. Wenn man da aber einmal Treiböl hindurchgepumpt hat, sind die schon halb hinüber. Der Gummibelag ist dann schon halb zerfressen, hatten diese Dinger doch schon beim Treffen mit U-Spahr herhalten müssen.

Aber es half ja nichts. Wir mußten diesem Boot die hundert Kubik geben. Bloß hatte ich Sorgen, daß das sehr lange dauern würde und daß die Trägergruppe wieder kommen könnte. Ich sagte mir, das mußt du eben riskieren. Wir hatten aber Glück: Wahrscheinlich waren die Briten durch ihren Erfolg bei der *Brake* müde. Oder satt. Außerdem sagte ich mir, wie günstig, es ist ja Wochenende. Du versorgst am Sonntag. Die Engländer sind gute Christen. Die werden den Sonntag heiligen.

Welchem Umstand wir es zu verdanken haben, weiß ich nicht, jedenfalls haben wir den ganzen Feiertag über zwar mit viel Mühe und noch mehr Not, aber unbelästigt U-Pahl versorgt.

Wegen der wesentlich schlechteren Steuerfähigkeit des Ex-Italieners schoren die Boote immer wieder auseinander. Der Schlauch brach mindestens ein halbes Dutzend mal. Das hinterließ Ölspuren, die auf 20 bis 30 Meilen zu entdecken waren. Ja, und dann der Kummer mit den Anschlußstutzen, die verschiedene Durchmesser hatten. Aber das technische Personal hat Mittel und Wege gefunden, auch diese Schwierigkeit zu überbrücken..."

UIT 24 soll also mit U 532 zusammen nach Penang zurücklaufen. Aber da ist noch jener Kranke bei Pahl an Bord, ein Seemann, der den Rat der Ärzte und seiner Vorgesetzten in den feuchtheißen Monsunwind schlug. Ziemlich schwerer Fall von Paralyse, eine Folge der Lues.

„Wenn wir unterwegs getrennt werden, was wird dann mit dem Kranken, den unser Bordarzt betreut?" sorgt sich Junker.

„Was soll werden? Hat er sich doch selbst zuzuschreiben", meinen einige.

„Bitte bleiben Sie sachlich. Natürlich trägt er allein die Schuld. Aber die steht hier nicht zur Debatte. Als Schwerkranker verdient er es, daß wir ihm helfen, wann und wie wir nur können."

Pause. Keiner sagt mehr etwas.

„Es wird das beste sein, wir nehmen ihn zu uns an Bord. Ich kann den Arzt ja nicht jeden Tag hinüberschicken."
Proteste auf U 532.

„Einen so schweren Fall ins Boot übernehmen?"
Der Arzt hat keine allzu ernsten Bedenken. So geschieht, was Junker vorschlägt.

Er sagt heute darüber:

„Es war entsetzlich, diesen Schwerkranken zu erleben. Für meine Besatzung war er aber ein warnendes und erzieherisch wirkendes Exempel. Es war ja auch immer wieder ein Problem, Leute, die diese asiatischen Stützpunkte nach langer Seefahrt im Vollgefühl ihrer Kraft betraten, zusammenzuhalten. Da ist natürlich schon das eine oder andere passiert. Das war nicht zu umgehen. Aber es blieb Gottseidank auf ein Minimum beschränkt.

Die Arzthilfe hat dem Seemann aber dennoch nichts genutzt. Auch nicht die neuen Medikamente, die unser Doktor vorausschauend aus Deutschland mitnahm. Das Stadium der Erkrankung war schon zu weit fortgeschritten. Ein halbes Jahr später, an Land, starb der Seemann. Wenigstens lindern konnten wir ihm seine Qualen. Und Hoffnung spenden, solange er bei uns an Bord war."

Manche Menschen haben einen sechsten Sinn. Das zeichnet gute Seeleute besonders aus. Jedenfalls läuft U 532 nach acht Tagen der erwartete, die beiden Boote trennende Zwischenfall in Form eines Dampfers über den Weg. Junker greift an und versenkt das Schiff, das zweite dieser Reise. Frachter Nummer Eins hat das Boot vierzehn Tage nach dem Auslaufen, genau am 21. Januar, fünf Torpedos gekostet. Zwei bei dem Unterwasserangriff in einer wieder einmal tückischen Vollmondnacht. Sie detonierten prompt, aber der Kasten schwamm weiter. Drei am Tage, als sich U 532 vorgesetzt hatte. Sie gingen vorbei oder unten durch. Junker glaubte deutlich, wieder diese Schutznetze zu sehen, die ihm Ursache für die Frühkrepierer der Magnettorpedos schienen.

„Dann habe ich versucht, ihn noch einmal zu stellen und bin bis zum Abend hinterher gelaufen. Ich habe mich auch bis zu einem gewissen Grade vorgesetzt und als dann der Mond aufging, gab es eine merkwürdige Sichtveränderung. Es war fast windstilles Wetter und ganz plötzlich war keine Kimm mehr zu sehen. Es herrschte dabei kein Nebel, aber es war einfach kein Horizont mehr da. Eine ganz merkwürdige Atmosphäre. Da tauchte ich, um zu hören, ob der verfolgte Frachter noch in der Nähe stand. Da ich mich bei Tage weit vorsetzen mußte, hatte er mir aber in Verbindung mit dieser sonderbaren Atmosphäre einen Streich gespielt. Wie ein halbes Jahr vorher der andere, kam er mir nicht wieder vor die Rohre. Na ja, da habe ich mir gesagt: auf den hast du nun fünf Torpedos ohne Erfolg verschossen. Vielleicht ist es ganz gut so, daß er abgehauen ist, sonst wären vielleicht die anderen, restlichen fünf Aale auch noch drauf gegangen."

Trotz der Angriffsmanöver auf Frachter Nummer Zwo findet U-Junker nachher den Ex-Italiener wieder. Aber die Freude, nun also doch gemeinsam in Penang einlaufen zu können, weil sich eine Umkehr zu zweit leichter ertragen läßt, soll nur von kurzer Dauer sein. Für U 532 hält das unerforschliche Fatum eine neue Überraschung bereit. Der Funker blättert sie Fregattenkapitän Junker mitten in der Nacht auf den Kojenrand.

U 510 hatte nämlich sein Operationsgebiet verlassen und Kapitänleutnant Eick hat seine Erfolge, beachtliche sogar, dem Löwen gefunkt. Es heißt da weiter:

„Vorschlage BdU: Treibstoff-Versorgung aus U-Junker. Könnte Operationen dann noch fortsetzen."

„Nun bin ich aber neugierig", brummt Junker und dreht sich auf die andere Seite. Zwei Stunden später klopft der Funkmaat wieder ans Holz der Koje.

„Ah, die Antwort?"

„Woll, Herr Kapitän, eine, die uns in einer Sache betrifft, von der wir selbst noch nichts wissen."

Fregattenkapitän Junker liest, mit einem Ruck sitzt er aufrecht.

„Was funkt der BdU da an Eick...?" murmelt Junker und liest halblaut vor: „... kann Versorgung durch U-Junker nicht zustimmen. Junker muß U 1062 beölen."

Wer ist denn nun dieses U 1062?

Erst später geht ein weiteres, nun für Junker bestimmtes FT aus der Heimat ein:

„Nach Ausfall *Charlotte Schliemann* versorgt U 532 das aus der Heimat im Indik zu erwartende U 1062 mit Treiböl."

Rein in die Kartoffeln... raus aus den Kartoffeln. Das aufregende Hin und Her und Hü und Hott ist fast noch ärger als eine Waboverfolgung. Und die sechs Tage, die sie wieder einmal auf einem Treffpunkt auf und ab stehen, zehren an ihrer Nervensubstanz Mühlsteinen gleich, zwischen denen Körner so gründlich wie ihre Hoffnungen zermahlen werden.

Abends, als eine purpurne Sonne mit viel Pomp in die dünende See eintaucht, schreit der achtere Backbord-Ausguck auf: „U-Boot achteraus."

Kommandant von U 1062 ist Oberleutnant zur See Albrecht. Er wirkt auf die Männer von U 532 ein wenig nervös. Aber vielleicht scheint das auch nur so.

Dieses U 1062 ist das erste reguläre Nachschub-U-Boot. Es hat Torpedos für die Stützpunkte im Südostraum an Bord. Wie beruhigend. Kaum sind dem BdU die Schwierigkeiten gemeldet worden, schon schaltet die Heimat, schon geschieht Nützliches, Zweckmäßiges.

Aber es ist wie bei einem morschen Socken.

Wo ein Loch dichtgestopft wird, tauchen zwei neue daneben auf.

Aber diese Überlegungen spricht Junker nicht aus.

Wozu die Leute beunruhigen.

Was kommen muß, kommt früh genug.

\*

Und U 510 ist das einzig überlebende Boot der 2. Monsun-Gruppe.

„Eick nachmachen. Sofort Gebiet Lüdden besetzen", hatte Dönitz gefunkt, als U 510 nach der Versorgung durch *Charlotte Schliemann*, der unter Südafrikas Ostküste ein vergeblicher Angriff auf einen Frachter voranging, quer durch den Indik geackert war. Lüdden hatte sich verschossen. Nun soll Eick dessen Operationsgebiet — den Dampfertreck zwischen Colombo und Aden besetzen. Während es aber Lüdden glückte, innerhalb von zehn Tagen acht Einzelfahrer zu torpedieren, bekommt U 510 nicht mal eine Rauchfahne in Sicht.

„Nachmachen ist leicht gesagt", knurrt Eick, denn der Feind ist aufmerksam geworden, nachdem Lüdden diesen Seeraum abgegrast und beunruhigt hat. Die Frachter im Verkehr zwischen Aden und Ceylon fahren jetzt andere Kurse. Nach japanischen Meldungen — Eick erhält sie über die Funkstelle von Dommes in Penang — soll unter Arabiens Küsten mit Geleitzügen zu rechnen sein. Na klar, da müssen doch die aus dem Persischen Golf kommenden Tanker entlangmarschieren. Also hin, denn Eick ist ansonsten völlig frei in seinen Entschlüssen.

Die Diesel hummeln ihr monotones Lied, Tag und Nacht, solange sich Eick noch außerhalb der Aufklärungsbereiche der gegnerischen Luftwaffe glaubt. Die großartigen Sonnenuntergänge sind in Erwartung von Erfolgen wieder interessant geworden. Sie sind im Vergleich zu den atlantischen mit ihren in Sekunden wechselndem Spiel der Farben vom satten Rot ins goldene Gelb, vom leuchtenden Grün ins strahlende Violett Naturschauspiele kaum zu beschreibender und von bisher nie erlebter Großartigkeit.

Sternenhelle Nächte in regelmäßiger Wiederkehr. Das Leben an Bord geht seinen gewohnten, stumpfen Trott.

Dem in Essen geborenen Kapitänleutnant ist bis vor nicht allzu langer Zeit die U-Bootwaffe gar nicht sympathisch gewesen. Bis zu dem Tage, da er zu den Grauen Wölfen abkommandiert wurde — keine Rede etwa von einer Freiwilligenmeldung—, hatte er als stolzer WO auf dem stolzen Zerstörer *Richard Beitzen* gefahren. Immer hatte er mit körperlichem Unbehagen, ja mit Grauen an die Enge, an diese fürchterlichen Luftverhältnisse in einer solchen Stahlröhre gedacht, wo auch immer er ein U-Boot sah. Und als er auf dem kleinen Schul-Boot in Pillau das erste Tauchmanöver erlebte, wurde er, wohl das einzige Mal in seiner Soldatenzeit, so weiß wie eine frischgekalkte Wand. Dem Kommandanten des 250-Tonnen-Bootes hatte er seinen Zustand mit Seekrankheit entschuldigt. Und der hatte gar nicht ironisch gelächelt, nur verständnisinnig genickt und gesagt: „Das legt sich, Eick. Passen Sie nur auf." Dieses erste Tauchmanöver hatte ihn aber dennoch stark beeindruckt. Wochen später schon war er mit seinem ersten U-Boot-Frontkommando derart verwachsen, daß er sich kein schöneres Los vorstellen konnte.

Es war in der äußeren Biscaya, als Kapitänleutnant Dierksen, auf dessen U 176 er als WO fuhr, sein Boot genau vierkant in eine schwere achterliche See gelegt hatte. Ein steil auflaufender, besonders großer Brecher hatte Eick urplötzlich über das Brückenschanzkleid hinweggerissen. Und das im Anzug Mickymaus! Im warmen Lederzeug mit bis oben hin verschnürtem Ölzeug darüber. Die grünglasigen Tatzen der Biscaya hatten ihn wie eine Strohpuppe über Bord gezerrt.

So also sieht das aus, hatte er dabei gedacht ... und kein Fünkchen Hoffnung mehr gehabt, noch einmal davon zu kommen. Aber dann kam das von der schweren See unter Wasser gedrückte Boot wieder hoch. Eick glückte es, die achterliche Reeling zu packen. Er zog sich hoch, sprang mit ein paar langen Schritten zum Wintergarten und schwang sich durch. Für eine gute halbe Stunde fiel er als WO einfach aus. Diese böse Geschichte hatte ihm doch höllisch schwer zugesetzt. Dierksen zeigte volles Verständnis, nicht aber dafür, den Kurs des Bootes nun doch etwas schräg zur See zu legen. Stur ließ er auch weiter die gewaltigen Brecher direkt von achtern her anrollen. Er hatte seinen Spaß an diesem Spiel mit den Urgewalten.

Er, Eick, hatte sich diese Erfahrungen zunutze gemacht, als er auf dem Weg in den Indik in der wüsten See der Brüllenden Vierziger Tag und Nacht über Wasser marschierte. Hervorragend hat sich sein etwas schräg zur See gehaltenes Boot benommen, kaum, daß es bei der hier ziemlich konstanten achterlichen See Wasser übernahm.

Vor dieser Unternehmung hatte Eick übrigens schon eine andere mit U 510 als Kommandant gefahren und zwar während der Zeit der schwersten Verluste der U-Bootwaffe. Und da er vor Brasiliens Küsten gute Erfolge hatte und nach dem Rückruf der Nordatlantik-Boote und weiteren Verlusten das einzige Boot seit Wochen war,*) das durch die Biscaya wieder in seinen Stützpunkt einlief, hatte ihn Dönitz zu sich nach Berlin befohlen. So kam es, daß sein Boot mit zu den ersten zählt, die mit der neuen Geheimwaffe ausgerüstet wurden, mit dem ,Zaunkönig', jenem Torpedo, der sich auf Schraubengeräusche einsteuern soll.

Zwei davon hat U 510 nun in den Rohren. Befehl vom BdU: „Wenn du sie aber nicht brauchst, vor Einlaufen im Südostraum versenken."
Warum und wieso? Das hatte der Löwe nicht verraten. Die Japaner sind doch Deutschlands Bundesgenossen?
Alfred Eick hebt plötzlich den Kopf. Er tritt neben das Turmluk, bückt sich und lauscht hinein. Dann strafft er sich wieder und zündet sich eine Zigarette an. Über sein Gesicht huscht ein kurzes Lächeln. Unten, in der Zentrale, streitet sich der LI mal wieder mit seinem hitzigen, recht nervösen E-Maschinisten.

Ja, ja, der LI. Er war gegen seinen Willen noch an Bord, denn er, der auf diesem Boot schon unter Korvettenkapitän Neitzel fuhr, wollte nach Eicks erster Reise unbedingt aussteigen. Er hatte sich im Grunde genommen auch eine Ruhepause verdient. Aber der schon auf U 510 als Ablösung kommandierte LI-Schüler wurde auf einmal wieder anderweitig gebraucht. Es gab einen fürchterlichen Tanz zwischen LI und FdU. Aber am Befehl änderte sich nichts. Der alte LI hatte zu bleiben.
Natürlich blieb es im Boot nicht verborgen, daß der LI ein bißchen ängstlich war — oder anders formuliert, daß er seine

---

*) nach Eick

Besorgnisse nicht wie andere zu verbergen verstand. Immer wenn das Boot in Gebiete einlief, wo etwas los oder zu befürchten war, rief ihm der Obersteuermann mit einem schalkhaften Augenzwinkern zu: „Herr Oberleutnant, es wird gleich mulmig!"

Aber dann verließ der vorsichtige Boß der U-Bootstechnik seine Zentrale nicht mehr.

Eick hat für sich das Beste aus diesem Zustand gemacht. Dadurch, daß der Leitende bei dicker Luft immer in der Zentrale weilt, ist das Boot immer rechtzeitig alarmtauchklar.

Mit dem IWO, den Eick an Bord bekam, schien das anfangs auch nicht so einfach. Er ist wesentlich älter, als der Kommandant, verheiratet und Vater von vier Kindern. Der IIWO ist ein junger Mann von knapp zwanzig Lenzen. Der Bootsarzt ist Reserveoffizier und ein recht beleibter Herr von über dreißig Jahren, der, als er beim ersten Alaumtauchen auf der Brücke weilte, einige Schwierigkeiten hatte, rechtzeitig ins Boot zu verschwinden.

Die Feldwebel an Bord sind ausnahmslos hervorragende Könner. Die Obermaschinisten haben die Flurplatten von U 510 schon seit der 1940 erfolgten Indienststellung unter ihren Füßen, und der Obersteuermann ist ein altbefahrener U-Boot-Hase, glänzender Nautiker, solide und korrekt. Der Bootsmann, die Nummer Eins, ist Seemann durch und durch. Die Unteroffiziere sind im großen und ganzen gute Durchschnitte, alle aber routiniert in ihrem schweren Metier. Wie die Mannschaft sind sie so hervorragend ausgebildet und aufeinander eingespielt, daß oft nur Zeichen vom Kommandanten oder vom WO genügen.

In kritischen Lagen arbeitet die Besatzung wie ein Automat. Die geistige Regsamkeit seiner Männer aufzufrischen — und das scheint im Gegensatz zur Auffassung anderer Kommandanten erwähnenswert — unternahm Eick bisher nichts: „Die 52 Mann werden ja laufend gebraucht. Sie sind im Einsatz und im Wachwechsel-Törn derart in Anspruch genommen, daß der tägliche Rhythmus: Wachsein, Essen, Schlafen in sturer Gleichmäßigkeit abläuft." Auf irgendwelche Freizeitgestaltung möchte sich der Kommandant daher auch jetzt nicht einlassen.

„Haben Sie schon mal darüber nachgedacht, wo die Wurzeln für die sprichwörtlich gewordene gute Kameradschaft unter den Grauen Wölfen zu suchen ist?" fragt der Kommandant seine Nummer Eins während der Brückenwache von 04.00 bis 08.00 Uhr morgens.

„Klar, Herr Kaleunt. Das enge Zusammenleben verlangt größte Rücksichtnahme untereinander."

„Aha, Thema: Benehmen an Bord."

„Das ist graue Theorie, Herr Kaleunt. Auf einem U-Boot bringt es die Praxis mit sich. Aus gegenseitiger Rücksichtnahme wächst gegenseitiges Verstehen."

„Das also nennen Sie Kameradschaft."

„Das i s t Kameradschaft."

Aus der Zentrale meldet der Obersteuermann: „An Kommandant. Sonnenaufgang in 20 Minuten. Zeit zum Tauchen." Gut 14 Tage stehen sie nun schon hier im Golf von Aden unter Arabiens Küsten. Die klimatischen Verhältnisse zehren körperlich, sie nagen seelisch an den Männern. Die Temperaturen verhindern erholsames Ausruhen. Beim Unterwassermarsch von meist zwölf Stunden wirkt sich die stickige, heißfeuchte und sauerstoffarme Luft lähmend auf die Besatzung aus. Nur eiserner Wille hält die Männer aufrecht. Kein Wunder, wenn Eick auch heute wieder einmal zögert, tagsüber in den Keller zu gehen . . .

Er wartet noch den Tag ab, der im Osten das silbrige Grau erst in ein Blau, dann in ein Seegrün und dann sehr schnell vom Rosa in ein blutiges Rot und dann, ganz plötzlich, in leuchtendes Gold verwandelt. Eick, ein gutaussehender Seeoffizier, der seine Selbstsicherheit wie einen Maßanzug trägt, genießt auch heute dieses unvergleichliche Schauspiel.

Schlagartig ist es hell. Als habe einer einen Vorhang aufgezogen.

„Klarmachen zum . . ."

Minuten später hat der LI U 510 auf Sehrohrtiefe eingependelt. Eick legt sich endlich schlafen. Unter dem wirbelnden Lüfter über seinem Kopf fließt ihm der Schweiß vom nackten Oberkörper. Wache hat der Obersteuermann, der auch das Sehrohr von Fall zu Fall bedient, aber nur von Fall zu Fall, denn die See da oben ist spiegelglatt. Die Dünung ist so träge wie flüssiges Blei.

„Herr Kaleunt!" weckt Oberfunkmaat Maul den im Halbschlaf dahin dösenden Kommandanten. „Horchraum . . . Schraubengeräusche."

R e c h t s : Das Haus des deutschen U-Boot-Stützpunktes in Penang, fürwahr ein höchst repräsentatives Gebäude.

U n t e n: Eines der Unterkunftshäuser im Paradies Penang Hill. Eine Zahnradbahn führte zu diesem, in den Bergen gelegenen Erholungsplatz hinauf, und Erholung und Ruhe brauchten die von tropischer Feindfahrt ausgedörrten Männer. Die einzigen Ruhestörer waren hier Affen, in jeder Menge. Auf dem Bild Fregattenkapitän Kurt Freiwald, Kommandant von U 181, im Gespräch mit dem Ex-Kaufmann H a e b e r l e vom Stützpunkt Penang.

Oben: Tschinsche, tschinsche mit eingeborenen Händlern. Der Rat der Erfahrenen an die Neuen: „Immer zehn Prozent von dem bieten, was die hier als ersten Preis verlangen. Am Ende kommst du noch einigermaßen gut weg, und der andere macht sein ‚business'". So haben beide Teile ihren „Spaß".

Unten: Posten unter Gewehr auf einem Monsun-U-Boot in Georgetown. Ein Sonnensegel bietet ihm während der ärgsten Hitze Schutz. Aber der Posten muß sein. Die Japaner sind mißtrauisch, neugierig, und der Agenten gibt es viele unter den Eingeborenen. In vielen Fällen sind diese sogar sehr hübsch.

Der Obersteuermann sucht die Kimm mit der Optik ab, während Eick im Horchraum hockt. Der Obersteuermann sieht nichts. Die Schraubengeräusche bleiben. Sie werden sogar deutlicher.

Der LI hat eine Erklärung: „Hier in diesem Golf sind die Horchmöglichkeiten ganz ausgezeichnet. Schätze sie auf zehn bis zwölf Seemeilen. Das kann an der Wasserschichtung oder auch an der Temperatur liegen."

Wenig später entdeckt der Obersteuermann Rauchfahnen. Erst drei, dann vier; dann zählt er sechs und mehr. Alles geht so schnell, ehe Eick ihn ablösen kann.

„Tagesangriff unter Wasser kommt nicht in Frage", entscheidet der Kommandant. Auf dem Billardtisch der See ist das Risiko zu groß. Er läßt den Konvoy an sich vorübermarschieren. Dumpf rumoren die Schrauben der Frachter und Tanker. Durch das Sehrohr beobachtet Eick:

„Tanker. Zwölf an der Zahl. In der Mitte in Dreierkolonnen. An den Seiten Liberty-Frachter. Nur zwei Zerstörer als Sicherung. Einer vorn, einer hinten."

Der Konvoy ist kaum außer Sicht, da läßt Eick auftauchen, um hinterherzuackern. Immer wieder zwingen ihn Flugzeuge zum Tauchen. Vorsichtig, daß die Bienen das U-Boot nicht entdecken. Wenn es nicht glückt, rechtzeitig aus der Fahrt heraus zu tauchen, läßt Eick sogar vorher stoppen, um verräterisches Kielwasser zu vermeiden. Ein auf die Nerven gehendes Spiel. Das Stunden über Stunden währt.

U 510 sackt dabei immer weiter achteraus. Ob das vielleicht die Absicht der Flugzeuge ist?

„Der geht uns in die Binsen", denkt Eick für sich. Seine Offiziere und der Obersteuermann befürchten Gleiches.

Die Nacht ist da. Endlich, der Run beginnt. Aber erst, nachdem ein zurückgebliebener Zerstörer wieder Fahrt aufgenommen hat. Kluge Burschen, diese Briten. Zehn bis zwölf Stunden Dunkelheit stehen zur Verfügung. Zwei Stunden nach Mitternacht hat der Horcher wieder Peilung. Aber jedes Horchen kostet Vorausfahrt, denn zum Horchen muß das Boot tauchen.

Zwei Stunden vor Sonnenaufgang haben sie sich endlich mit AK vorgesetzt: Schulmäßiger Angriff von Backbordseite gegen eine regelrecht zusammenhängende Front dunkler Schiffsleiber.

Vier Torpedos, vier Treffer.

Die Liberty-Frachter schwärmen aus, einer läuft vierkant auf U 510 zu und hinter ihm her. Ein Zaunkönig für ihn ... Aber Eick läßt den Wunderaal im Rohr. Um es später bitter zu bereuen.

Beim Nachladen werden die Mixer und ihre Gäste nervös. Ein Aal verklemmt sich. Als sie endlich klar melden — in den Heckrohren ruhen ja die Zaunkönige für den Fall der Fälle — leuchtet am Osthorizont schon ein schwacher Silberstreifen.

Die Dämmerung ist schon da, als Eick noch einmal schießen läßt. Entfernung 2000 Meter. Näher heranzukommen, gestattet der anbrechende Tag nicht mehr. Der IWO hatte den Vorhalt errechnet und eingestellt. Aber der Geleitzug war mit der Fahrt heruntergegangen, er läuft nur noch sechs statt zehn Knoten. Die Folge: nur einer der vier Aale trifft noch, die drei anderen ziehen vorn vorbei. Einen Liberty-Frachter hat es erwischt. Treffer Vorschiff, unterhalb der Back.

U 510 verschwindet. Es wurde höchste, allerhöchste Zeit.

Gegen elf Uhr meldet der Horchraum: „Schraubengeräusche kommen auf, vermutlich Zerstörer."

„LI, auf Sehrohrtiefe", sagt der Kommandant.

Der Leitende arbeitet mit der Präzision eines Uhrmachers. Das Sehrohr lugt nur eben mit dem Kopf aus dem Wasser. Oh, verteufelt ... Was ist denn das ...? Eick wird geblendet ... Von einem lichtstarken Morsescheinwerfer ...

Dicht voraus schwimmt ein Zerstörer, der auf ihn zuläuft. Gerade holt Eick Luft, gerade öffnet er den Mund, um die Zaunkönige einzusetzen, da sagt Oberfunkmaat Maul etwas von einer weiteren Peilung achteraus. Aha, der voraus morst mit einem anderen Zerstörer, der genau in Linie zum Standort des U-Bootes steht.

Da ist auf einmal noch ein dritter Zerstörer an der Backbordseite da.

Gute Arbeit. Sie haben das U-Boot eingekreist. Aber sie greifen nicht an. Der, der auf U 510 zuhält, dreht auf drei Seemeilen Entfernung plötzlich mit 90 Grad ab. Dann verschwinden die drei. Mit Höchstfahrt.

Sonderbar? Es scheint so ... Oder hat sich die für Zerstörer tödliche Wirkung der Horchtorpedos schon herumgesprochen?

Sie hat. Und die Alliierten haben auch schon eine Gegenwehr entwickelt. Wozu also kostbare Zerstörer unnötig opfern, wenn ihre bloße Anwesenheit genügt, den Angreifer in ein gehetztes Wild umzuwandeln und vom Geleitzug abzudrängen.

In seinem Tagebuch vermerkt Kapitänleutnant Eick:

„Dieses ausgesprochen ökonomisch zu wertende Verhalten der britischen Zerstörerkommandanten darf nicht zu falschen Schlüssen à la Goebbelscher Propaganda führen. Nach dieser seien die Engländer ausgemachte Feiglinge. Dabei ist es für jeden, der die Briten nur ein wenig studiert hat, eine alte Weisheit: Sie werden um so zäher, je dichter ihnen das Feuer auf der Haut brennt."

Abends: Bewußt langes FT über Erfolge und die Lage, danach läuft U 510 ab, nicht in Richtung Penang, wie der Gegner vermutet, weil er annimmt, daß sich das Boot ja verschossen haben muß. Irgendwo muß der Verkehr laufen, der von Australien über Colombo nach Aden führt, nagt es in Eick. Lüddens Goldader zu finden, ist wie das mühsame Spiel von Schatzgräbern. Aber nördlich der Laccadiven graben sie sie aus. Mit Pannen und auch mit Erfolgen. Und zum Deutschen Kreuz drahtet der Löwe für Eick nun noch die Verleihung des Ritterkreuzes und für viele Männer des EK Eins.

Eicks Blechkrawatte ist das erste Ritterkreuz im Indik.

Ja, die Pannen ...

In der Nacht hatte der IIWO einen Dampfer entdeckt. Der Kommandant fällt aus der Koje und stürzt auf die Brücke. Aber auch ein Kommandant ist nur ein Mensch. Die zwei Minuten, die zum ‚müssen' notwendig waren, genügten dem anderen. Jedenfalls war er weg und trotz AK nicht wieder zu finden. Den Verdruß darob wog der Bordarzt auf: Er schmiedete einen neuen ‚Bonifazius Kiesewetter' draus.

Und dann diese andere Sache: Unterwasserangriff bei Tage, weil nur dieser Weg blieb. Als U 510 in Schußposition steht, zackt der Bursche. Eick muß statt mit den Bugrohren mit den Heckrohren schießen. Das Umschalten vom Bug auf Heck mißlingt: Die Technik versagt. Der Maat am Rechengerät hat nicht aufgepaßt. Als die Torpedos fauchend das Rohr verlassen, sind die Zeiger nicht in Deckung. Die Aale brausen mit falscher Einstellung ab.

Welch ein Glück, denn wären sie bei dem jetzt nur noch 150 Meter abstehenden Dampfer hochgegangen, der nach dem Torpedoschuß noch näher auf U 510 zuhielt, dann hätte es auch im Boot ganz schön gescheppert.

Als es auf das Ende der Reise zugeht, ertappt auch Eick bei sich zunehmende Wurstigkeit. Erst viel später, im Stützpunkt, jagt ihm diese Erkenntnis der Lähmung des kritischen Spannungsvermögens Schauer den Rücken herunter. Aus purer Verzweiflung über die elende Monsun-Hitze taucht er jedenfalls schon zwei Stunden vor der Dunkelheit auf. Dies im Bereich vor Colombo. Das ist gegen jede sonstige Gewohnheit. Der Himmel ist mit dicken grauen Wolken bedeckt, und Flugzeuge wurden hier bisher kaum festgestellt. Angeblich.

Dennoch! Dieses Dennoch ist auch aus den Gesichtern der Offiziere und der Männer herauszulesen, soweit diese überhaupt Dienst tun, des WO's, des LI's, der beiden Tiefenrudergasten, des unbedingt notwendigen Maschinenpersonals in der E-Maschine.

Alles andere liegt bis zum Auftauchen auf den Kojen und jappst und hechelt und dampft.

Den Dampfer, dessen Rauchwolken sie ausmachen, greift Eick nach Einbruch der Dunkelheit mit zwei Aalen an. Zwei Detonationen und eine riesige dunkle Wolke. Wo der Dampfer schwamm, ist nichts mehr, als sich der Qualm verzieht.

Der LI glaubt eine Erklärung zu haben: „Kohlenschiff. Kohlenstaubexplosion."

„Jaja, so wird es wohl gewesen sein."

Die immer stärker werdende Apathie ist wie schleichendes Gift in die Seelen der Männer eingesickert. Daß der Gegner so plötzlich verschwand, wie ein Luftballon zerplatzt, rührt sie nicht. Daß da drüben keiner überlebte, keinen an Bord bewegt es ... Der Monsun, dieser verdammte Monsun ... Er stumpft ab, er erstickt alle Harmlosigkeit, er erdrosselt sonst so kameradschaftliches Empfinden für die ‚Anderen', die es in d i e s e m Falle erwischte ...

Und dann ist das Treiböl alle. Aber der BdU, der in der fernen Heimat die neue Position von U 510 mit Nummernfähnchen in seine große Lagekarte steckt, will nicht, daß Eick U-Junker anzapft.

Also auf denn, nach Penang, auf ins Paradies.

„Vor Einlaufen unbedingt die Zaunkönige versenken", funkt die Heimat.

Kopfschütteln, Staunen, Verbitterung.

„Dann hätten wir sie ja beim Geleitzug auf die Zerstörer ansetzen können", sagt der IWO ärgerlich.

„Noch besser in der Natal-Enge ... Wissen Sie noch, als wir erst den Schatten auf dem geheimen Prisenweg für unsere Blockadebrecher entdeckten ... den, der wie die *Osorno* aussah ... als wir dann später den alten US-Vierschornsteinkreuzer und den großen Zerstörer sichteten ... als der Kreuzer vierkant auf uns zulief, dann aber in den Wind drehte und wir feststellten, daß er Flugzeuge einsetzte ..."

Ja, das war die ganz große Chance für die Zaunkönige gewesen. U 510 hätte so vielleicht das Schicksalsblatt eines der anderen Blockadebrecher noch einmal zurückgeschlagen.

Aber da war der Befehl: „Die neuen Torpedos dienen in erster Linie der Defensive!"

Das war schon richtig, jedenfalls damals noch, als sie noch absolut geheime Chefsache waren.

„Eick-San ...", so sagt der japanische Admiral nach dem Einlaufen in Penang, nach dem Begrüßungszeremoniell, in kleinem Kreise, „... wo haben Sie denn die neuen Torpedos gelassen?"

„Ich verstehe nicht", weicht der U 510-Kommandant mit gespielter Gleichmütigkeit aus, „... was für Torpedos meinen Herr Admiral? Die mit den Magnetknöpfen? Die sind doch schon uralt."

„Oh, nein, ich meine diese ganz neuen Dinger, die, die auf Schraubengeräusche ansprechen."

„Aber davon weiß ich gar nichts."

„Aber wir, Herr Kapitänleutnant", übersetzt der Dolmetscher des Admirals letzte Worte, die er noch im Aufstehen spricht.

Die Japaner verdankten ihre Kenntnisse, das erfährt Eick von des Admirals Adju, der amerikanischen Presse. Was nicht von der Hand zu weisen ist.

Acht Tage später legt Korvettenkapitän Dommes Eick einen langen Funkspruch der Skl vor. Danach hat das OKM den Japanern auch das Geheimnis der Horchtorpedos anvertraut, eine nun schon beinahe uninteressant gewordene Gekados-

Technik, denn inzwischen sind die meisten alliierten U-Boot-Jäger, die Zerstörer, Fregatten und Korvetten, mit ‚Rabbatz-Bojen' ausgestattet worden.

*

Apropos Begrüßungszeremoniell ... und das traumhafte Gartenfest unter Palmen im Scheine von hundert und aberhundert Lampions.

„Oh Mann, oh Mann", stöhnt Obermaat Maul. „Die haben hier aber Sitten."

Das Bier, gutes japanisches Bier nach deutschen Rezepten, trinken die gelben Herrschaften aus Tassen ohne Henkel. Sie nehmen solch eine Schale in beide Hände. Solange Hein Seemann schluckt, schüttet der Gastgeber von oben immer willig nach ... eine Flasche, noch eine, die nächste ...

„Da kann man wahrhaftig sagen: hoch die Tassen, der Tenno möge länger leben", ächzt Maul, denn er hat einen Kopf wie'n Poller am Ozean-Liner-Kai. Erst als er dem japanischen Kumpel sachte an den Schlips faßt, läßt der mit dem Nachschenken nach und führt den deutschen Obermaaten mit vielsagendem Lächeln an einen Platz, an dem bereits der Obersteuermann und die Obermaschinisten hocken. Auf einem Holzkohlefeuer werden Froschschenkel zubereitet, so wie in München auf der Wies'n die Steckerlfische.

Froschschenkel! In Old Germany nur was für die obersten Tausend.

Japanische Geishas erfreuen zwischendurch mit grazilen Tänzen und verwirrender Musik. Und auf einmal läßt der japanische U-Boot-Kommandant, Korvettenkapitän Aruizumi, seine Besatzung antreten. Aruizumi, mit U-Boot-Bart nach deutschem Vorbild, tritt in deutschem Lederpäckchen auf.

Der Deutschen Staunen wächst, als ein japanischer Unteroffizier „Marsch" kommandiert. Auf deutsch! Sie marschierten dann auch. Aber auf der Stelle, weil sie im Laufen nicht singen können. Einer ruft: „Ein Lied!" Und der letzte Mann schreit mit gebieterischer Stimme: „Drei ... vier ... durch."

Was singen die denn da ...? Das deutsche U-Boot-Lied. Nicht zu glauben.

Am Ende fallen die Gäste mit ein, um die japanischen Kollegen bei ihrem schweren Unterfangen, in deutscher Sprache zu singen, zu unterstützen.

Dann sollen die Deutschen ein paar Songs zum besten geben. Aber nicht irgendwelche. Auf Wunsch des Admirals zuerst: „Sah ein Knab' ein Röslein stehn." Bei den Marineliedern klappt es mit dem Text wieder besser. Ja, es wird ein rauschendes Fest — bis der japanische Admiral plötzlich aufsteht. Aus. Ende. Wie, wenn einer einen Lichtschalter bewegt.

5.

## EINSATZ FÜR SÜDOSTASIEN:
## AB JETZT EINZELBOOTWEISE

*Von den in Penang ausgelaufenen Booten der 1. Monsun-Gruppe trifft U 188 Anfang Juli, einen Monat später, nachdem bereits U 178 die Gironde heraufschwamm, in Bordeaux ein. Beide Boote werden, da vorübergehend AKB, nach der Invasion und Einschließung von Bordeaux gesprengt, beiden glückte es aber, ihre Rohstoff-Ladungen noch vorher nach Deutschland zu schicken, wo sie trotz schwerster Luftbombardements ankommen. Die beiden anderen Boote der 1. Monsun-Gruppe liefen, wie dargestellt, zum Südostraum zurück. U 532 nach Penang, U 168 unter schwierigsten Verhältnissen nach Batavia, wo die 132 B r a k e - Überlebenden eine willkommene personelle Bereicherung für den Ausbau des Stützpunktes, vor allem für die neue Dienststelle Soerabaja bedeuten. Für U 532 ist wegen Batteriewechsels ein Marsch nach Japan notwendig geworden. U 168 bedarf gründlichster Überholung und Reparaturen, danach soll es zum Docken nach Soerabaja, um von hier zunächst als Kampfboot im australischen Raum eingesetzt zu werden. U 183, das vierte Boot der 1. Gruppe, ist am 1. Februar nach ziemlich gründlicher Überholung zu einer kurzen Zwischenoperation in den Indik geschickt worden, von der es im Mai 1944 zurückkehrt, um dann im Juli ebenfalls zum Batteriewechsel nach Kobe zu laufen. Der Verschleiß von Batterien ist ungeheuerlich. Den Deutschen fehlten tropische Erfahrungen, als der Krieg ausbrach.*

*Die Gesamterfolge der 1. Monsun-Gruppe\*) betragen 23 Schiffe mit 162 000 BRT. An diesem Erfolg sind U-Junker und U-Lüdden mit je 70 000 BRT beteiligt.*

*U 510, einziges überlebendes Boot der 2. Monsun-Gruppe, war am 17. April nach Versenkung von sieben Frachtern mit 55 000 BRT in Penang eingelaufen. Nach dem üblichen Überholen und Docken in Penang und Singapore muß es zum Batteriewechsel nach Japan geschickt werden.*

*UIT 24, das von U 532 versorgt wurde, kehrte am 11. April wieder in den Südostraum zurück, wo es nach zahlreichen Reparaturen ebenfalls zum Batteriewechsel nach Japan fahren muß. Am gleichen Tage lief das ebenfalls von U 532 beölte U 1062, ein Transport-U-Boot vom Typ VII F, mit seiner Torpedoladung in Penang ein. Einen Tag später, am 20., folgte U 532.*

*Nach englischen Unterlagen wurden im Januar 1944, und zwar in den letzten Tagen — acht Frachter mit 56 213 BRT versenkt... Diese Verlustquote ist bei 26 Schiffen mit 130 635 BRT total die höchste in diesem Monat auf den Seekriegsschauplätzen: Nordatlantik 5: 36 065 BRT; im Bereich der Britischen Inseln 8: 6 944 BRT; Südatlantik 0; Mittelmeer 5: 31 413 BRT; Pazifik 0. Vier der deutschen U-Boote operierten im Golf von Aden und nördlich der Malediven. Eine Sonderaktion, den Tanker C h a r l o t t e  S c h l i e m a n n im Raum südöstlich von Mauritius aufzuspüren, verlief in diesem Monat ergebnislos.*

*Im Februar 1944 verloren die Alliierten zehn Schiffe mit 64 169 BRT. In diesem Monat traten wieder japanische U-Boote in Erscheinung. Am 11. griff Ro 110 ein Schiff in einem Calcutta-Colombo-Convoy an. Der beschädigte Frachter mußte später vom Geleitfahrzeug selbst versenkt werden. Am 12. operierte I 27 auf fünf von Kilindini nach Colombo fahrenden Truppentransportern, wobei die K h e d i v e  I s m a i l\*\*) versenkt wurde und über tausend Mann umkamen. I 27 wurde von den Zerstörern P e t a r d und P a l a d i n vernichtet. Wieder einmal zeigte es sich, wie notwendig für den Engländer im Indik U-Boot-Such- und U-Boot-Killer-Gruppen sind, um U-Boote vor dem Angriff zu orten und gezielt anzugreifen.*

*Im März 1944 erzielen die U-Boote mit elf Frachtern ihren größten Erfolg im Indik seit dem Juli 1943. Im gleichen Monat, in dem der Engländer die B r a k e versenken kann, geht noch ein weiteres britisches Schiff verloren. Drei aus Singapore zu einem Vorstoß in den Indik ausgelaufene japanische Kreuzer versenken südlich der Kokos-Inseln die der British India Steamship gehörende B e h a r . Die Japaner retten über achtzig der Überleben-*

---

\*) nach deutschen Unterlagen
\*\*) 7290 BRT

120

*den.* Mit Zustimmung des Befehlshabers, Vizeadmiral Takasu, werden 65 an Bord der T o n e massakriert, eine der schwerwiegendsten Aktionen, die sich die Japaner gegen wehrlose Gefangene zuschulden kommen ließen.*) Der Angriff auf die B e h a r war der letzte Fall überhaupt, daß ein Frachtschiff von Überwasserstreitkräften versenkt wurde. Mit der B e h a r erhöht sich die Versenkungsziffer der ‚Achse' auf 12 Schiffe mit 75 498 BRT, bei 157 960 BRT total. Insgesamt verloren die Alliierten während der ersten drei Monate im Indischen Ozean 24 Schiffe mit 188 040 BRT. Nach britischen Berechnungen haben die Japaner mit zehn und die deutschen U-Boote mit 19 Schiffen an dieser Endsumme Anteil.

Captain Roskill über die japanischen Praktiken im Wortlaut:
„In certain cases, however, callous brutality by the submarine crews towards the survivors has enabled the attacker to be identified as Japanese."

Im April und Mai wird kein einziges Frachtschiff im Indik torpediert, erst ab Juni werden wieder deutsche und auch japanische U-Boote im Indischen Ozean aktiv.

Und was geschah inzwischen auf den anderen ex-italienischen U-Booten?

UIT 23, das nach einer Grundüberholung in Singapore unter Oberleutnant zur See I. W. Striegler mit Kurs Heimat auslief, ging kurz nach dem Auslaufen in der Malakkastraße verloren. Das Boot wurde von dem britischen U-Boot T a l l y H o am 14. Februar versenkt, nachdem dieses U-Boot vorher, am 11. Januar, den japanischen Leichten Kreuzer K u m a versenkt hatte.

Wie der deutsche Stützpunktleiter von der Katastrophe des torpedierten UIT 23 erfuhr, ist symptomatisch für die ostasiatische Mentalität:

Er saß unter dem rotierenden Lüfter in seinem Arbeitszimmer. Es klopft leise. Er rief: „Herein."

Ein japanischer Offizier tritt ein. Er verneigt sich.

„Heute morgen ist ein japanisches Verkehrsflugzeug in Singapore angekommen."

„Danke", sagt der Deutsche. Er ist lange genug in Japan, um sich nicht darüber zu wundern, daß sich der Japaner nach dieser Mitteilung mit einer abermals tiefen Verbeugung zurückzieht.

Nach einer halben Stunde klopft es wieder. Wieder betritt ein japanischer Offizier das Arbeitszimmer des deutschen

---

*) nach britischen Dokumenten

121

Stützpunktleiters. Er verbeugt sich. Dann sagt er: „Heute ist ein japanisches Verkehrsflugzeug gekommen. Es hat einen Ölfleck gesehen."

Der Kapitän weiß, daß es sinnlos ist, diesen Japaner zu drängen, mehr, als er will, darf oder kann, auszusagen. Er dankt höflich. Der Japaner verabschiedet sich.

Nach einer weiteren halben Stunde wiederholt sich das Spiel. Der deutsche Kapitän erfährt, daß in dem Ölfleck Leute schwimmen würden. Mehr nicht.

Da erscheint nach einer weiteren halben Stunde erneut ein japanischer Offizier. Verbeugung. Der Kapitän hört ihn sagen:

„Heute morgen ist ein japanisches Verkehrsflugzeug in Singapore eingetroffen. Es hat einen Ölfleck gesehen. Darin schwimmen Weiße. Diese Weißen sind wahrscheinlich Deutsche."

Da der deutsche Kapitän die Japaner und ihre sonderbaren Höflichkeitsformen bereits zur Genüge kennt, hat er inzwischen seine Vorbereitungen getroffen. Die beiden Arados 196 wurden zum Einsatz klar gemacht, ebenso das japanische Flugzeug, das Korvettenkapitän Dommes bei den an allen technischen Neuerungen wie Kinder am Spielzeug so brennend interessierten Japanern gegen eine ‚Bachstelze' eingehandelt hatte.

Wer die Überlebenden in dem Ölfleck sind, glauben sie im Stützpunkt mit Sicherheit zu wissen: Es sind Seeleute von der Besatzung von UIT 23. Wer die Katastrophe überlebte, wird von der Arado gerettet.

UIT 25, der dritte Ex-Italiener?

Dieses Boot liegt zur Zeit in Kobe und ist nicht einsatzklar. Als Kommandant ist der IWO von U 183, Oberleutnant zur See d. R. Alfred Meyer, im Juni, also nach Einlaufen von U 183 von der Zwischenoperation, abkommandiert worden.[22]

\*

Wie schon vorher haben die Japaner inzwischen weitere mit Rohstoffen beladene U-Kreuzer nach Europa geschickt. Das ist bei der Beanspruchung der japanischen Flotte ein bemerkenswerter Dienst an der ‚Achse' und am Dreimächtepakt.[23]

Aus der Heimat sind inzwischen weitere Kampfboote zu Operationen im Indischen Ozean und anschließender Überholung und Neuausrüstung im Südostraum in Marsch gesetzt worden. Ihr Einsatz erfolgt nunmehr einzelbootweise.

Es handelt sich um die Boote:

U 68, Typ IX C, unter Oberleutnant Albert Lauzemis, vormals IWO an Bord;

U 177, Typ IX D2, unter Korvettenkapitän Heinz Buchholz;

U 181, Typ IX D2, unter Fregattenkapitän Kurt Freiwald;

U 196, Typ IX D2, unter Korvettenkapitän Eitel-Friedrich Kentrat;

U 198, Typ IX D2, unter Oberleutnant Burkhardt Heusinger von Waldegg;

U 537, Typ IX C 40, unter Kapitänleutnant Peter Schrewe;

U 843, Typ IX D, unter Kapitänleutnant Oskar Herwartz;

U 851, Typ IX D2, unter Korvettenkapitän Hannes Weingärtner;

U 852, Typ IX D2, unter Kapitänleutnant Heinz-Wilhelm Eck;

U 859, Typ IX D2, unter Kapitänleutnant Johann Jebsen;

U 860, Typ IX D2, unter Fregattenkapitän Paul Büchel;

U 861, Typ IX D2, unter Korvettenkapitän Jürgen Oesten;

U 862, Typ IX D2, unter Korvettenkapitän Heinrich Timm;

U 863, Typ IX D2, unter Kapitänleutnant Dietrich von der Esch;

U 867, Typ IX C, unter Kapitän zur See von Mühlendahl;

U 871, Typ IX D2, unter Kapitänleutnant Erwin Ganzer.

Von diesen Booten gehen auf dem Anmarsch verloren:

U 68, Mertens Erfolgsboot, am 10. Mai 44 im Mittelatlantik nordwestlich von Madeira durch drei Flugzeuge des VC Sqdr. 58 USS CVE Guadalcanal, ein Überlebender; Gysaes Erfolgsboot, U 177, am 6. Februar 44 im Südatlantik, südwestlich Ascension durch Flugzeuge des VB 107. Überlebende; U 851 im März 44 im Nordatlantik, Ursache unbekannt, letzte Meldung 27. März südöstlich Neu-Fundland, Totalverlust; U 867 am 19. September 44 durch Flugzeugangriff von Liberator A des RAF Sqdr. 224 nordwestlich Bergen, Totalverlust, Leiche des Kommandanten trieb in Norwegen an; U 871 am 26. September nordwestlich der Azoren von Fortress P, der RAF Sqdr. 220 versenkt, Totalverlust, und U 863 am 29. September 44 im Südatlantik südöstlich von Pernambuco durch zwei US Liberators des VB Sqdr. 107.

Lüth, Lüth, Lüth!

„Lüth hätte das so gemacht. Lüth hätte das anders gemacht ... Lüth hätte bestimmt nicht getaucht ..."

U 181, im November 1943 von Fregattenkapitän Freiwald übernommen, ist mit der Hypothek großartiger Erfolge, höchster Auszeichnungen und der auch bei dickster Luft bewiesenen glücklichen Hand des Vorgängers, Korvettenkapitän Lüth, belastet. Wolfgang Lüth, ein geistreicher, aber zäher, witziger, aber lederner Balte, hatte auf der letzten, bis in die Randgebiete des Indik führenden Unternehmung, auf der er während 205 Seetagen zehn Frachter mit 45 331 BRT versenkt, die Brillanten zum Ritterkreuz mit Eichenlaub und Schwertern erhalten; dies, nachdem er seit Kriegsbeginn ohne Unterbrechung an der Menschen und Material fressenden „U-Boot-Front" stand ... Als Kommandant von U 9, von U 138, von U 43 und schließlich U 181.*)

Ist es ohnehin für jeden neuen Kommandanten schwer, eine schon länger in Dienst stehende Einheit zu übernehmen, so hat es Freiwald besonders schwer. Im Vergleich zu Lüth kann er zwar eine gute Friedensausbildung, auch auf U-Booten, aber nur eine kurze, knapp drei Monate während U-Bootausbildung während des Krieges aufweisen. Die andere Zeit, fünfeinhalb Jahre, hatte er in Stäben verbracht, erst in der Seekriegsleitung, dann als Adjutant des ObdM, Raeder, später in gleicher Eigenschaft bei dessen Nachfolger, Dönitz. Ihn direkt vom Schreibtisch auf den Turm eines der erfolgreichsten U-Boote zu kommandieren, war eine Überforderung. Oder ... eine Auszeichnung? Denn wer schon sollte dieses Boot mit seiner eingefahrenen und durch die Praktiken und Erfolge des berühmten Lüth verwöhnten Besatzung denn sonst übernehmen?

Der einfache Seemann hat meist sehr bald schon die Qualitäten eines „neuen Alten" abgetastet. Er empfindet unbelasteter, unkomplizierter, intuitiver: „Diese Ruhe hatte Lüth nicht", sagt einer nach den ersten Wochen.

„Wenn er draußen auch so ruhig bleibt, haben wir keinen schlechten Tausch gemacht", ein anderer

„Hast du gestern gesehen, wie er mit dem Boot aus der Schleuse in die Gironde fuhr?"

---

*) siehe auch Brennecke: Jäger — Gejagte, Koehlers Verlagsgesellschaft, Biberach/Riss 1956[3] (jetzt Herford).

„Und ob. Lüth war seemännisch vorsichtiger, bei ihm mußten wir immer Tampen an Land geben, vorn zwei und achtern zwei. Und mit der Fahrt heruntergehen. Und dieser
Freiwald verzichtet darauf. Er karrt mit ‚Zweimal Kleine‘
einfach und ohne Schlepperhilfe durch. Allerhand, allerhand.“

In der Tat verlangt ein solches Manöver vollendete Beherr-
schung aller Manövriereigenschaften eines U-Bootes dieses
Typs und gründlich studierte Fahrwasserbedingungen für
den, der aus dem Schleusenkanal ohne Schlepperhilfe in die
starke Strömung der Gironde eindrehen will.

Als Freiwald auf der Gironde vor dem Strom am Kai an-
legen wollte, als er die Schnauze des Bootes genau dorthin
dirigierte, wo sie hin sollte, um die Vorleine an Land zu geben, bummste es ... nur ein wenig, aber spürbar. Freiwald
ärgerte sich, er machte, als das Boot fest lag, auch seinen
Männern keinen Hehl daraus. Und deren Antwort? Erstaunen und dann: „Aber Herr Kapitän, das war doch prima, das
Manöver ... Wie mit einem Torpedoboot!“

Kopfschütteln, ungläubiges Erstaunen an Bord, als Fregattenkapitän Freiwald, nachdem das Boot am 16. März 1944
aus Bordeaux zur Unternehmung ausgelaufen ist und nun
schon tief im Atlantik steht, mit einer Pütz in der Zentrale
auftaucht. In der Holzpütz ist heißes Seewasser, und in diesem schimmt des Kommandanten Wäsche. Er, der sich hier
auf die Kartoffelkiste gesetzt hat, knobelt sie selbst. Sonst
besorgt das der Aufklarer, der jedem Kommandanten zusteht. Als dieser seinem Boß nun die Pütz mit der eingeweich-
ten Wäsche abnehmen wollte, hatte ihn Kapitän Freiwald mit
einigen freundlichen, aber bestimmten Worten weggeschickt.
Die Art, wie er das sagte, wie er auch in diesem Falle, wie in
anderen, den Mann abfertigte, ist vielen neu. Sie ist anders
als bei anderen Kommandanten, hat doch Freiwald Übung
in der hohen Kunst, Autorität mit vollendeter Höflichkeit zu
verbinden.

Die Offiziere, insbesondere die Aktiven, zu gewinnen, fällt
schon schwerer. Sie sind kritischer und ob ihres Intellekts
auch dialektischer eingestellt. Gewiß, was die Besatzung fühlt
und denkt, empfinden im Grunde genommen auch sie, aber
mit der Sonde ihrer auf Feindfahrt ausgereiften praktischen
Erfahrungen suchen sie nach der Antwort auf Fragen wie

diese: „Was aber, wenn ... Bei Lüth, den wir kennen, wußten wir ...“

Freiwald kontert.

Mit einem non plus ultra.

Er erfindet für den Offiziersbereich den FvD:

Den Feigling vom Dienst.

Jeden Tag wird ein anderer Offizier mit dieser in der U-Boot-Waffe und wohl in der Kriegsmarine einmaligen Sonder-Dienststellung auf einer frontfahrenden Einheit betraut. Der FvD darf an der Offiziersback der schreibtischgroßen Messe tadeln, beanstanden, kritisieren, meckern, nörgeln. Er darf alles sagen, auch Überlegungen, die über die engmaschigen Grenzen dessen hinausgehen, was in der Heimat unweigerlich als Zersetzung der Wehrkraft mit Kriegsgericht geahndet wird. Der FvD genießt sozusagen Narrenfreiheit. Dabei weiß Freiwald, daß dessen Stimme oft die der Offiziere ist und daß er Bedenken ausspricht, wie sie sonst keiner der WO's so glasklar formulieren würde und daß er offen zeigt, was kein guter Offizier deutlich werden lassen darf: Angst, pure nackte Angst, daß die vom Kommandanten gehegten Absichten Boot und Besatzung ins sichere Verderben führen könnten.

Die Debatten, die der FvD entzündet, sind daher hundertprozentig ehrlich. Sie sind offener als anderswo. Und sie haben dreifachen Nutzen:

1. aufrichtiger und dankbar werden Anregungen von Freiwald entgegengenommen,

2. sie entspannen die Besserwisser, und

3. sie verhüten Kritik h i n t e r dem Rücken.

Mit dem FvD hat Freiwald so etwas wie eine demokratische Kommandoführung eingeführt, ein Novum auf einem Schiff und auf einem Kriegsschiff dazu, auf dem absolute Souveränität des Kapitäns zum Althergebrachten zählt. In Diktaturen, in Monarchien wie auch in Demokratien. Seit ehedem bis heute.

Festzustellen bleibt jedoch: als Kommandant befiehlt Freiwald am Ende doch, was e r für richtig hält.

Aber, wie gesagt, der FvD mildert den Überdruck.

Oft mehr als das.

Der 12. Juni.

U 181 hat am 20. Mai das Kap der Guten Hoffnung gerundet und am 2. Juni den BdU Befehl erhalten, in das Gebiet der Malediven zu gehen, falls sich das bisherige Operationsgebiet im Raum von Madagaskar als zu unergiebig erweisen sollte. Zwei vorausgegangene Ereignisse verdienen noch der Erwähnung:

1. Im Mittelatlantik mußte U 181 den unter Lüth bewährten und hervorragend eingespielten LI, den Ritterkreuzträger Kapitänleutnant (Ing.) Carl-August Landfehrmann, wegen Erkrankung an das aus dem Südostraum heimkehrende U-Lüdden abgeben.

2. Am 1. Mai versenkte das Boot ostsüdöstlich von St. Helena den 5312 BRT großen Briten *Janeta*. Freiwald meldete ihn später der Heimat auf Grund falsch verstandener oder wissentlich irreführender Aussagen der in ihren Rettungsbooten befragten Überlebenden als *Benevon*.

Aber so weit ist es noch nicht ...

Bereits zweimal hat der BdU von U 181 nun schon Standortmeldung gefordert. Er braucht die jeweilige Position seiner Boote, denn die operative Führung auch der Monsun-Boote erfolgt aus seinem Hauptquartier. Führen und ansetzen kann der BdU aber nur, wenn er von Fall zu Fall über die ohnehin mitgekoppelten Kurse die jeweiligen Positionen seiner Grauen Wölfe kennt. Nun hat die Heimat zum dritten Male gemahnt.

„Wenn wir uns jetzt nicht melden, Herr Kapitän, bekommen unsere Muttis daheim den obligatorischen Brief", erlaubt sich Funkmeister Wurmbach zu bemerken, als er die FT-Mahnung Freiwald übergibt. Er versucht seinen Hinweis zu bagatellisieren, in Wirklichkeit ist Angst und Sorge in seiner Stimme. U 181 wird jetzt schon seit Tagen gerufen.

„Wie war das denn früher hier an Bord?"

„Unter Lüth haben wir viel gefunkt. Ganz wohl war mir als Funkfachmann dabei nicht. Aber die Briten hatten damals ja keine so großangelegte Überwachung aufgezogen."

„Sie meinen, heute ist das anders?"

„Herr Kapitän, ich sage Ihnen nichts Neues, daß man Funksprüche einpeilen kann, auch die aus sechs Buchstaben bestehenden Kurzsignale. Wir Funker sind uns darüber schon lange im klaren."

„Aber um solche Peilungen auszunutzen, brauchen sie mindestens zwei Positionen. Erst diese ermöglichen dem Nautiker einen Schnittpunkt in dem betreffenden Seegebiet."

„Jawohl, das heißt, sie müssen an allen Küsten Funkpeiler haben."

„Und . . .?" bohrt Freiwald.

„Haben sie auch. Das ist meine ganz private Meinung." Und auf einmal wird der sonst so ruhige, manchmal immer etwas phlegmatisch wirkende Wurmbach höchst munter. „Diese Funkpeiler müssen ja nun Tag und Nacht besetzt sein. Das kostet viel Fachpersonal. Und das ist sehr knapp. Ich meine fast, Herr Kapitän, daß die Brüder automatische Peilgeräte haben."

„So, so, das behaupten Sie. Aber beweisen können Sie es nicht."

„Natürlich nicht, allenfalls Fälle, daß U-Boote nach langen Funksprüchen angegriffen wurden und danach abgeschrieben werden mußten. Da gibt's genug Beispiele. Wenn man als Funkenpuster hinter seinen Röhrenkisten sitzt, ist man ja viel enger mit dieser Materie verwachsen."

Freiwald erwidert nichts darauf. Was Wurmbach sagt, deckt sich ganz mit seinen Überlegungen. Die Zeit im OKM gab ihm Einblick in manches Für und Wider. Wurmbach, der so energisch automatische Funkpeiler an die berühmte schwarze Wand malt, ahnt zu dieser Stunde nicht, daß er in gar nicht allzu ferner Zeit eines der strengst gehüteten Geheimnisse der Engländer in die Hände bekommen soll . . . in Singapore nämlich, als auch die Japaner kapituliert hatten . . . als die Engländer wieder Herr im fremden Hause sind und immer wieder ehemalige deutsche U-Bootfahrer für Reparaturarbeiten in ihren Werkstätten anforderten . . . Mit 120 Mann arbeiteten sie in der Marinewerft in Selatar, einige in der Torpedowerkstatt, andere in der für die Kanonen und er, Wurmbach, nun Oberfunkmeister, in der Hochfrequenz-Abteilung. Zusammen mit britischem Fachpersonal und indischen und malayischen Studenten als Hilfskräften sollte Wurmbach damals ein Gerät reparieren. Daß es ein Funkpeiler war, sah er als alter Fuchs mit einem Blick aber . . . dieser hier hatte kein Handrad . . . innen ist ein Motor eingebaut . . . und dieser ist mit einem Sender gekoppelt. Was hat ein Sender in einem Funkpeiler zu suchen? Der Ingenieuraspirant Chaudhuri aus Calcutta erklärt es ihm. „Jede Peilung wird automatisch, das heißt sofort, an die Zentrale weitergemeldet."

Aber auch soweit sind wir noch nicht.

Im Augenblick verlangt der BdU zum dritten und letzten Male die Position.

„Ja, aber geschehen muß jetzt etwas", entfährt es Freiwald, als er das BdU-FT noch einmal gelesen und an Wurmbach zurückgegeben hat. „Melden wir also. Oberleutnant Giese bitte zu mir. Der Obersteuermann soll ihn solange ablösen." Giese ist ehemaliger Handelsschiffsoffizier, A 6er. Beim Norddeutschen Lloyd fuhr er vor dem Kriege auf der berühmten *Columbus*.

„Sie sind unser Nautiker Nummer Eins an Bord", eröffnet ihm Freiwald, als er sich beim Kommandanten meldet. „Prüfen Sie noch einmal ganz genau das Besteck, übertragen Sie die Position in die Quadratkarte — und dann ab dafür mit der Positionsmeldung... Bin mal neugierig, was danach passiert..."

Das FT wird in der Nacht vom 12. zum 13. Juni aus dem Gebiet zwischen Mauritius und Madagaskar gefunkt. Am nächsten und übernächsten Tage werden westlich und nördlich von Mauritius tatsächlich Feindflugzeuge gesichtet oder geortet. U 181 verzieht sich in allen Fällen in den Keller. In 32 Sekunden sind sie mit dem großen Boot auf 80 Meter. So oft haben sie Tag für Tag das Alarmtauchen zur Probe geübt, und bei jedem neuen Manöver eine Hundertstel-Sekunde eingespart.

Tatsache ist, das wissen wir heute aus den Unterlagen der Eastern Fleet, daß dieses Kurzsignal wirklich von den britischen Peilstellen aufgefaßt und eingepeilt worden ist. Es wurde aber ungenau auf etwa 15° S und 51° Ost lokalisiert. Der zuständige Seebefehlshaber veranlaßte daraufhin sofort eine Luftaufklärung, die aber ohne Ergebnis verlief... das heißt, die Flugzeuge sahen das Boot bloß nicht, denn auf U 181 hatten sie die besseren Optiken. Und mehr und bessere Ausgucks. Außerdem ist ein Flugzeug in der Luft leichter als ein — im Verhältnis — kleines U-Boot auf dem blaugrauen Riesenteller eines Ozeans zu sehen.

Da die einst so fette Weide in diesem Raum einer sonnenversengten Prärie im Hochsommer gleicht, verholt U 181 mit Nordostkurs in Richtung auf den Chagos-Archipel.

Hier lächelt Fortuna.

Der 7118 BRT große Holländer *Garoet* sinkt am 19. Juni nach wohlgezielten Torpedos. Es geht so schnell, daß die Angegriffenen nicht mal einen Notruf senden und der Frachter von den Aliierten zunächst nicht vermißt wird.

Während die BdU Freiwald nun südlich der Malediven koppelt, stößt U 181 in das Gebiet der Laccadiven und an die Südwestküste Indiens vor. So kommt es, daß die Heimat vom B-Dienst ermittelte Frachtschiffversenkungen U 181 zuteilt, nämlich die Shadzada, die indessen auf das Konto von U-Kentrat kommen.

In der Nacht des 15. Juli detonieren zwei U-181-Torpedos an der Bordwand des 7174 BRT großen Briten *Tanda,* den Freiwald und Giese vorsichtshalber etwas kleiner ansprechen.

„Weniger ist oft mehr" Diesem Wahlspruch stimmte auch der Handelsschiffexperte Giese zu, bevor die Aale aus den Rohren fauchten und auf den 6000 BRT geschätzten Frachter zurasten.

Dieses Schiff hatten sie in den frühen Nachtstunden nur 25 Seemeilen von der indischen Küste entfernt ausgedampft. Und da der Frachter zackte, war das sogar recht schwierig.

Plötzlich meldete der Funkraum Radarimpulse in höchsten Lautstärken. Vielleicht ein Flugzeug...? Freiwald entschloß sich zum sofortigen Angriff. Wegen der drohenden Luftgefahr hatte er sofort alle Fla-Waffen voll besetzen lassen.

Zwo Torpedos, zwo Treffer!

„Einsteigen... einsteigen... Beeilung!"

Nur der Kommandant bleibt noch oben. Er hat „Alarm" befohlen. Aber er kennt die Wassertiefe in diesem bekanntermaßen relativ flachen Seegebiet nicht.

„Loten!" Sein nächster Befehl ins Boot. Die Zentrale versteht statt „Loten" aber „Fluten". Und sie handelt prompt.

Während Freiwald, auf die Tiefenmeldung wartend, den torpedierten und absaufenden Frachter beobachtet, merkt er erst in letzter Sekunde, daß sein Boot versinkt und taucht. Eben noch, aber gerade eben noch, geht diese Sache klar. Den 181ern bleibt ihr Kommandant erhalten.

Fregattenkapitän Freiwald will wegen der überlauten Ortungen im FuMB zunächst den ganzen Tag unter Wasser bleiben und erst in der späten Nacht wieder auftauchen. Dieser Tag ist ein Sonntag. Sie spüren es auf der Zunge. Am Nachtisch, den der Smut spendiert.

In den ersten Nachmittagsstunden glaubt der Funker am Horchgerät, Schraubengeräusche zu hören.

„Hm, könnten das nicht auch Eigengeräusche sein, von Wasserschichten zurückgeworfene Eigenschwingungen?"

„Nein, Herr Kapitän. Das sind typische Schraubengeräusche von einem Frachter. Dem Rhythmus nach zu urteilen, ist's ein Schiff mit Kolbenmaschine. Alter Zossen wahrscheinlich, der seine 90 Umdrehungen macht. Turbinenschiff hört sich ganz anders an."

Kriegsrat in der O-Messe. Anwesend sind der IWO, Oberleutnant zur See Dühring, IIWO Giese, der IIIWO Limbach, Ex-Obersteuermann unter Lüth und der LI. Den FvD „spielt" heute der IIIWO.

Auftauchen oder nicht, das ist die entscheidende Frage.

„Nichts wie hoch und nichts wie hinterher", drängt der IWO. Der FvD bekräftigt mit einem satten „Nur dieses, Herr Kapitän."

Aber Freiwald entschließt sich erst einmal, auf Sehrohrtiefe zu gehen. Er fährt den Spargel aus. Er sieht nichts. Blanke Kimm, blanke See, am Himmel Monsungebirge aus blaugrauen Wolken.

„Voraus eine Möwe, that's all", ruft er in die Zentrale. „Sehrohr ein."

Der FvD murrt, als Freiwald in der Zentrale berichtet, was er sah und denkt. Komisch, die Schraubengeräusche hat der Funker noch immer im Gerät.

„Sehr komisch sogar", das meint auch der technisch versierte LI. „Nach der Lautstärke müßte der Eimer doch zu sehen sein, kann kaum fünf Meilen abstehen."

„Eben", sagt Freiwald. „Es hat also gar keinen Zweck aufzutauchen. Bei der noch immer akuten Luftgefahr scheint mir das viel zu riskant, Kameraden. Der Himmel hängt voller Bienen!"

„Lüth würde auftauchen."

Lüth fand seit Wochen, nein, seit Monaten keine Erwähnung mehr, denn sein Nachfolger hat sich durchgesetzt und überzeugt. Daß die Weide so mager wurde, ist nicht seine Schuld. Auch das sahen sie ein. Auch daß der Indik immer mehr Gefahrenmomente birgt. So rührt denn des FvD Bemerkung an Bord schon fast Vergessenes. Die Offiziere befürchten — zu Recht — eine Zurechtweisung.

„Gut, meine Herren", sagt Freiwald, als auch die anderen Offiziere des IIIWO's Vorschlag nicht beanstanden. „Tauchen wir also auf. Sie werden sehen, was jetzt auf uns zukommt."

Keiner widerspricht. Keiner widerruft.

Freiwald läßt anblasen. Sie fahren der Geräuschortung nach. Aber nichts kommt in Sicht. Funkmeister Wurmbach meint, die Engländer könnten vielleicht eine Geräuschboje abgeworfen haben.

„Speck für 'ne Mausefalle", fügt er noch hinzu.

16.00 Uhr lösen die Wachen ab. Auch der Zentraleheizer und BÜ Trenn, der seine Station Steuerbord vorn zwischen den Tiefenrudern und dem Hauptruder hat, hier, wo die Sprachrohre und Telefone zusammenlaufen und von wo aus er auch bei Alarmtauchen die Untertriebszelle bedienen muß, hat es eilig, in seine Koje zu fallen: Weniger Bewegung, weniger Durst; weniger Durst, weniger Schweiß.

Da ... die Sirene schrillt im Bugraum. Die Blinklichtanlage schaltet sich ein. Gleichzeitig mit dem Befehl „Alarmtauchen" stellt sich das Boot auf den Kopf. Sekunden später dröhnen nacheinander vier Hammerschläge auf das Boot, vier fürchterliche Explosionen. So laut, daß sie im Bugraum glauben, die Bomben sind auf der Bordwand aufgeschlagen und krepiert.

Trenn ist wie seine Kameraden bei Alarm und der ersten Bombe aus der Koje rausgestürzt ... Da fiel auch das Licht schon aus ... da hörten sie, daß mit der Maschine etwas nicht stimme, daß das vordere Tiefenruder klemmen würde.

„Mit klemmendem Tiefenruder in die Tiefe ... Na, denn Gute Nacht", fröstelt es Trenn.

Was Freiwald befürchtet hatte, ist eingetroffen.

Er selbst hatte das Flugzeug, das ihm zwar sofort, aber, da es aus den Wolken herausschoß, eben auch zu spät gemeldet wurde, erst gar nicht gesehen. Auf der Brücke waren die üblichen sieben Mann: zwei See-Ausguck, jeder hat einen 180 Grad Sektor zu bewachen, vier Mann für die Luft, eingeteilt in 90 Grad Sektoren, und ein Mann, der den Galgen mit der FuMB-Antenne zu drehen hat.*)

Der Galgendreher hatte die Biene mit bloßem Auge entdeckt. Abstand höchstens 2000 Meter.

Alarm. Und als Freiwald als letzter in den Turm sprang, setzte die Maschine, ein zweimotoriges Flugzeug, aus einer Kurve heraus gerade zum direkten Angriff an.

In sein Tagebuch schrieb er:

„... Auf 40 Meter Tiefe fuhren die Bomben in die See. Und zwar in schräger Richtung. Die beiden ersten Explosionen waren noch erträglich, die beiden letzten schüttelten U 181 mit erheblicher Vehemenz durcheinander. Die Elektrizität fiel aus. Die Tiefenruder, die beide ‚Hart unten' lagen und infolgedessen das Boot sehr stark vorlastig werden ließen, klemmten in dieser Stellung und erhöhten die Vorlastigkeit nur noch. Zur gleichen Zeit platzte eine Hochdruckleitung und blies mit einem ungeheuren Krach in den Raum ab. Die E-Maschinen blieben stehen. Es herrschte ein ziemlich chaotischer Zustand. Aber in dieser gefährlichen Situation hat sich die eingefahrene Besatzung außerordentlich bewährt. In Sekundenschnelle haben die Männer alle Störungen erkannt und beseitigt. Die defekte Leitung wurde im Augenblick abgedreht und die beiden Tiefenruder sofort auf Handbetrieb umgeschaltet. Neue Sicherungen für die E-Maschinen wurden eingesetzt. Sämtliche Glühbirnen im Boot waren schlagartig demoliert worden. Sie waren durch die Erschütterung einfach zerplatzt. Die Notbeleuchtung wurde eingeschaltet, die wichtigsten Lampen sofort ausgewechselt. Nach zwei Minuten hatten wir das schwer mitgenommene Boot wieder sicher und auf allen Stationen vollständig in der Hand. Aber wir tauchten nicht wieder auf. Wir gingen nun dabei, die Röhre und ihre dahinein komprimierte Technik im einzelnen zu untersuchen und, wo notwendig, zu reparieren. Einer der wesentlichsten und unangenehmsten Schädden war der totale Ausfall vom Kreiselkompaß. Die Kalotte war gerissen. Sie mußte ausgebaut und gegen eine neue ausgetauscht werden, eine Reparatur, die allein 18 Stunden in Anspruch nahm — mit dem Erfolg, daß wir uns inzwischen

---

*) Bei Sonne zieht noch ein Posten „Sonne-Luft" auf.

nicht mehr orientieren konnten, denn der Magnetkompaß hatte unter Wasser Mißweisungen bis zu 180 Grad. Er war also praktisch wertlos ..."

Soweit Fregattenkapitän Freiwald.

„Nach zwei Minuten hatten wir das Boot wieder in der Hand ..."

Das schreibt sich so leicht hin, das liest sich auch so leicht hin. Aber was in diesen zweimal sechzig Sekunden an übermenschlichen Leistungen vollbracht wurde, vermag in seinem ganzen Umfang wohl nur einer ermessen, der dabei war ...

... als beim Alarmtauchen zu allem Überfluß diese verdammte Kupplung wieder mal hängen blieb ...

... und einfach nicht.auszurücken war.

Da die E-Motoren sofort auf volle Drehzahl hochfahren, müssen sie nun nicht nur die Schraube, sondern auch die Diesel mitdrehen.

Der altbefahrene Obermaschinist am Diesel schaltet blitzartig. Um die Kompression des Dieselmotors zu vermindern, dreht er bei nach innenbords umgeschalteten Auspuffklappen alle Indikatorenstutzen auf ... Vielleicht ist diese Überbelastung die Ursache, daß auf einmal die Sicherungen für die E-Maschinen herausflogen und die Schrauben für Sekunden ganz zum Stehen kommen ...

... Vorne im Bugraum ist mit dem Zentralegasten Trenn und dem anderen Freiwächter auch der erste Torpedomechaniker, der Mechanikerobergefreite Hölscher, ein Hannoveraner übrigens, aus der Koje gesprungen. Auf die Notmeldung hin, daß die vorderen Tiefenruder klemmen, wirft er sich in seiner ganzen Länge, halbnackt wie er ist, geistesgegenwärtig zwischen die Torpedorohre auf die Flurplatten hin. Er greift mit voller Armlänge durch eine Öffnung hindurch und reißt den Hebel herum. Sein gebrülltes „Klar für Handbetrieb" übertönt sogar die vielen anderen Geräusche im Boot. Tatsächlich lassen sich die Tiefenruder des noch immer mit 35 Grad Lastigkeit nach unten schießenden Bootes nunmehr mechanisch bedienen.

Wäre dieser Hölscher durchgedreht, hätte er nur für ein paar Minuten den Kopf verloren, wäre er verwundet worden, was dann ...? Dann wäre, bis Ersatz kam, die Vorlastigkeit noch größer geworden ... dann hätte sich das Boot wohl gar auf den Kopf gestellt ... Kein Manöver hätte seinen Todesmarsch in die schweigenden Tiefen dann mehr aufgefangen ...

... Trenn, der als einziger Zentralegast im Bugraum mit der Tauch- und Entlüftungsanlage bestens vertraut ist, hat sofort die Entlüftungen, die Zu- und Abluftleitungen und sonstigen Verbindungen zugedreht. Das Kugelschott hat er in der Hand. Er ist fest entschlossen, es zu schließen, wenn Wasser von hinten nach vorn braust, wenn das Achterschiff undicht werden sollte. Von hinten nach vorn ist übrigens nicht richtig ausgedrückt. Trenn sieht regelrecht nach unten ... in den Unteroffiziersraum, in die Kombüse, in den Feldwebel- und Offiziersraum hinein ... Wer in den Gängen steht, krallt sich fest ... Im Scheine der Notbeleuchtung ein erregendes, gespenstisches Bild. Aus den Gesichtern schreit nur Weißes heraus. Dabei verraten Haltung und Mienen Selbstbeherrschung ... Dabei dreht keiner durch ...

Das Boot fällt, fällt und fällt. Noch immer sprechen die Tiefenruder nicht an. Endlich verändert sich die Lage. Die Männer merken es zuerst unter ihren angespannten Fußsohlen, dann an der Verlagerung ihres Körpergewichts. Das Boot schwingt langsam auf ebenen Kiel.

Auf Freiwalds Befehl steuert LI Hille, gemessen an seinem Vorgänger ein junger Mann noch, das Boot auf 80 Meter ein, dann, während U 181 mit drei Knoten Unterwasser-Marschfahrt abläuft, machen sie sich dabei, die Schäden zu beheben. Einer davon ist, daß der Steuerbordbunker gerissen sein muß. Jedenfalls hat er an die 30 Kubikmeter Öl verloren. Auf Hilles Vorschlag wird das restliche Öl rausgedrückt und der Bunker mit Seewasser durchgespült.

Sechs Stunden später wummert die See um sie herum. Es hört sich an wie ein fernes, aber schweres Gewitter. Die Männer geben es bald auf, die Bombendetonationen zu zählen. Nach britisch-indischen Angaben habe die indiche Sloop *Sutley* auf 12° 44 N, 73° Ost zwei Wasserbombenangriffe auf ein mit Sicherheit geortetes U-Boot gefahren und dabei, nach dem zweiten Angriff, eine breite Ölspur beobachtet. Das ist, mit Verlaub gesagt, eine bemerkenswert großzügige Erklärung.

Doch noch sind die Überraschungen für U 181 nicht zu Ende. Immer, wenn Freiwald während der Kreiselkompaß-Reparatur nur auftaucht, meldet das FuMB akute Luftgefahr. Also wieder runter. Ein Besteck zu nehmen, ist bis jetzt unmöglich gewesen. Aber Sonnenstand, Seegang, Windrichtung geben einigermaßen verwertbare Anhaltspunkte. Als nach 18 Stunden nicht nur die Luft, sondern auch die Batteriekapazität verbraucht ist, müssen sie wohl oder übel hoch. Und sie haben Glück, sie haben keine Ortung mehr.

Der Saft wird aufgeladen, die Luft ergänzt und für die nächsten acht Stunden befiehlt Freiwald „Klar bei Hängematten", denn das ewige Rauf und Runter hatte die Besatzung nervös gemacht.

Zwei Stunden vor der letzten Auftauchmöglichkeit hatte Freiwald mit drei Offizieren einen zünftigen Skat angesetzt. Mit Kontra und Ré, Bock und Schwarz, kurzum mit allen munter dargebotenen Schikanöschen und Raffinessen. Diese lachende, manchmal lärmende, manchmal schimpfende, in allem aber sich unbekümmert darbietende Skatrunde stärkte der Besatzung Selbstvertrauen.

Kleiner Trick nur, denn auch Freiwald war so gar nicht wohl...

Bis auf ein paar unbedingt notwendige Wachgänger holen die Männer nun den so wohlverdienten Schlaf nach. Sie laden wieder auf, wie die Batterien. Wieder ausgeruht, wird alles wieder rosiger ausschauen.

Vergleiche, wie „Lüth hätte das aber anders gemacht", zieht von Stunde an keiner mehr an Bord.

Freiwalds Überlegung, zunächst in das Seegebiet der Malediven zu laufen, findet daher, auch beim FvD, uneingeschränkte Zustimmung. Nur, daß dieses Gebiet wegen der vielen kleinen Inseln und Korallenriffe navigatorisch wohl doch ein bißchen schwierig sei, gibt der IWO als ehemaliger Handelsschiffkapitän zu bedenken.

„Lieber diese Schwierigkeiten, als die anderen", meint Freiwald und zeigt mit dem Daumen nach oben.

Wieso? Ja, wieso?! Diese Inselchen und Riffe haben nämlich den Vorzug, die Flugzeugortungen zu erschweren. Verwunderung selbst beim technisch versierten LI über diese Idee des Kommandanten. Nur beim Funkmeister Wurmbach nicht: „Um zu begreifen, was so ein gegnerisches Funkmeßgerät in Flugzeugen wirklich bedeutet, taktisch wie auch strategisch, muß man sich an ein funkmeßtechnisches Denken gewöhnen, muß man die Funkmeßtechnik sozusagen in den Fingerspitzen kribbeln fühlen . . . Sowas geht nicht von heute auf morgen, auch nicht bei noch so gutem Willen ein. Verstehen, Gentlemänns, was ich meine? Unser Alter hat sich in Berlin im OKM nämlich schon sehr eingehend damit befaßt. Daher also!"

Die Wache für die acht Stunden „Ruhe im Schiff" hat der IWO übernommen. Auch Freiwald hat sich auf der Koje ausgestreckt. Als er erwacht, ist der kleine Zeiger seiner Armbanduhr erst sechs Stunden vorgerückt. „Dann hast du ja noch zwei Stunden Zeit", sagte er sich. Aber irgend etwas beunruhigt ihn, ein sonderbares, komisches Gefühl bohrt da im Magen. Er erhebt sich, schwingt sich in die Zentrale, nickt dem IWO zu, sagt „Wollen mal auf Sehrohrtiefe gehen" und untertaucht den Verdunklungsvorhang.

Leise schnurrt der Motor für das Sehrohr. Aus einer nervösen Unruhe heraus hat Freiwald die Augen schon lange am Okular, bevor der Spargel die Wasseroberfläche ritzt. Wundervoll diese Farben, dieses kristallen leuchtende Grün des Wassers, das heller, immer heller und immer duftiger wird. Dann ist die Optik raus.

„Oh", sagt Freiwald nur, „das ist aber interessant." Und nach unten gewandt, ruft er: „Dühring, kommen Sie doch bitte einmal rauf. Aber bitte Beeilung!"

Als der Oberleutnant im Turm neben seinen Kommandanten auf den Sehrohrbock tritt, macht Freiwald den Platz frei und sagt „Gucken Sie mal durch, aber schnell, wir haben keine Zeit zu verlieren."

Dühring preßt die Augen an den Gummibelag. Nur für eine Sekunde, dann sackt er beinahe in sich zusammen.

„Um Himmelswillen . . . Zurück, bloß zurück."

U 181 marschiert nämlich vierkant auf ein Korallenriff zu. Wenn man den Kippspiegel etwas nach unten kantet, sieht man unter dem Bootskörper, der sich in dem klaren Wasser messerscharf abhebt, den weißlich schimmernden Korallengrund und, voraus, unter sich im Winde wiegenden Palmen ein breites Band: mal eine hochgehende Brandung mal wieder schneeweißer Strand. Das Boot muß bei seinem Unterwassermarsch durch einen nicht bekannten und auch nicht vorauszuberechnenden Strom durch die schmale Einfahrt eines Atolls gedrängt worden sein. Dieses Atoll ist früher mal ein riesiger Krater gewesen. Sein Rand, der aus dem Wasser herausragt, ist heute mit tropischen Bäumen bewachsen. Er ist höchstens zwanzig Meter breit.

Die Manöver folgen viel schneller, als diese Zeilen geschrieben oder gelesen werden können:

„Beide Maschinen stopp . . . AK zurück."

Vorsichtig manövrieren sie durch den beiderseitig von wilder Brandung umtosten Durchlaß wieder nach draußen.

Nachher, an der Back, meint Freiwald: „Wenn man diese komische Sache in Ruhe zu Ende denkt, wäre vermutlich gar nicht viel passiert. Wir wären mit unseren zweieinhalb Knoten Fahrt auf das Riff gebrummt, hätten uns die Schnauze verbogen, hätten das Boot, das ja sehr labil ist und bei solchen Rammings bestimmt ausweicht, gestoppt und eben zurückgezogen. Bei einem U-Boot kann eine solche Ramming wohl kaum zu einem Verlust führen."

„Nein, das meine ich auch", sagt Dühring, als die anderen zustimmend schweigen, „aber . . ." Er packt seine Kaffeetasse, lüftet sie an, trinkt und schweigt.

Ja, aber . . . Daß in diesem Freiwald dieser sechste Sinn auch während der Schlafenszeit lebendig ist und auf die Alarmtaste drückt, das ist verdammt gut für die Nerven aller an Bord, das beruhigt besser als eine Pütz voll Baldrian.

Zwei Tage später, am 19. Juli, lächelt Fortuna noch einmal. Dem nach den Fli-Bos trotz der Reparaturen nicht mehr voll einsatzfähigen Boot marschiert der 5106 BRT große Brite *King Frederick* über den Weg. Nach seiner Versenkung meldet Freiwald das bisherige Ergebnis und die Absicht, wegen der Schäden den Rückmarsch, das heißt den Marsch zum Südostraum, anzutreten.

Der BdU bestätigt.

Einer unerklärlichen Ahnung folgend tat Freiwald unmittelbar nach der Versenkung wieder etwas, was ihm und seinen Männern später einmal sehr nutzen soll. Etwas, was auch im Widerspruch zum Befehl „Triton Null"[24] stand. Es war ja Nacht. Er manövrierte U 181 an die Rettungsboote heran. Er fragte, ob alles in Ordnung sei . . . ob die Überlebenden genug Proviant und Wasser hätten . . . ob sie den Kurs wüßten, der sie am schnellsten zur Küste bringen wird . . . ob sie Verletzte hätten oder sonst irgendwelche Wünsche . . .

Wohl wundert sich die Brückenwache, daß die Überlebenden beim Sichten und der Annäherung des U-Bootes verzweifelte Anstrengungen machen, mit ihren Booten davonzupullen.

Wohl entgeht den U-Bootmännern nicht die panische Angst in den Gesichtern der Weißen und der farbigen Seeleute, auch nicht das Aufatmen, als es nachher bei diesen Fragen bleibt, dieses so ungläubige, aber so befreiende Aufatmen.

Viel später, als auch die Japaner kapitulierten, als britische Seeoffiziere in Singapore auch die Besatzung von U 181 verhören, fragt ein englischer Commander Freiwald nach dem Schicksal von zwei anderen Schiffen. Der Ex-Kommandant von U 181 vermag keine Antwort darauf zu geben. Er weiß nur und kann dies auch belegen: Um jene Zeit stand kein deutsches U-Boot in den fraglichen Seegebieten.

„Ist eigentlich auch nur eine Routinefrage gewesen", meint der Engländer.

„Was meinen Sie mit Routinefrage?"

Der britische Navy-Offizier winkt erst ab, gibt dann aber doch eine Erklärung.

„Mit den Besatzungen und Passagieren dieser beiden Frachter sind ekelhafte Sachen passiert. Die betreffenden U-Boote haben Überlebende übernommen, gefoltert und nachher wie tote Ratten über Bord geworfen. Einer dieser Frachter hatte Frauen an Bord ... Sie haben diese Frauen in ihr Boot gezerrt. Mehr brauche ich Ihnen wohl nicht zu sagen. Grauenhaft!"

Die Deutschen ahnen, wer für diese entsetzlichen Geschehen in Frage kommt: Korvettenkapitän Aruizumi, damals U-Bootkommandant, später Chef des Stabes des japanischen U-Bootbefehlshabers in Penang.

Ein großartiger Seemann an sich, aber ... Asiate.

Nur Asiate? Tat nicht das Gift des Monsuns sein übriges? Verwirrte es nicht die Gedanken, verzerrte es nicht die Maßstäbe, entfachte es nicht die schwelende Glut triebhafter, tierischer Leidenschaften?

Übrigens, daß U 181 die *King Frederick* erwischte, war eine reine Glücksache. Das Boot war unter Wasser marschiert und tauchte in den ersten Nachtstunden zum Aufladen der Batterien auf. Sie hatten vorher keine Horchpeilung gehabt, konnten auch nicht, denn nach dem Bombenrummel funktionierte das Gerät nur manchmal, andermal wieder nicht.

Freiwald will nach dem Auftauchen gerade Rundblick nehmen, da versucht der eine Seemann, die Nummer Zwo, der durch das Aufentern noch aus der Puste ist, eine Meldung loszuwerden... Vor lauter Aufregung bekommt er kein Wort, nur unartikulierte Laute heraus. Als er dann endlich brüllt „S S S Steuerbord a a a a achteraus ein Dampfer", hat Freiwald den wedelnden Armen der Nummer Zwo folgend, die Schiffssilhouette auch schon gesehen. Entfernung 4000 Meter. Theoretisch muß der Fremde das U-Boot ebenfalls entdeckt haben. Es ist ja heller Tag. Was ist richtig? Tauchen und den Dampfer vielleicht verlieren? Oder oben bleiben, schmale Silhouette zeigen, ablaufen, vorsetzen und erst in der Dämmerung angreifen?

Freiwald entschließt sich, oben zu bleiben, das Boot zu drehen. Er muß sogar lächeln, als er beobachtet, wie sich seine Männer, diese so U-Boot-erfahrenen Kerle, wegen der klaren Sicht hinter die Reling ducken, eine verständliche, aber doch so sinnlose Reaktion. Aber die da drüben haben wahrscheinlich noch den Alkohol des Abschieds im Blut.

Angriff nach Eintritt der Dämmerung aus schmaler Silhouette. Aus 350 Meter zwei Aale. Treffer mittschiffs. Es dauert vier Minuten, bis das Opfer versinkt.

Am 6. August funkt Freiwald Einlaufmeldung. Der Smut präsentiert die Reserven.

„Nummer 18, Kerr Kapitän, und Nummer 21, wenn ich vorschlagen darf..."

Alle U-Bootkonserven, die in den Bilgen von Mud und Öl getränktem Wasser umspült werden, sind oben mit Ölfarbe numeriert. Büchsen mit der Nummer 18 sind Entenkeulen, die mit der 21 enthalten thüringische Erdbeeren, Sonderauslese.

Es ist der 10. August, als U 181 in Penang die Vor- und Achterleinen an Land gibt.

*

Drei Tage später läuft auch U 196 in Penang ein...

Kapitänleutnant Kentrat und seine Männer von der Brückenwache sehen schon von weitem die vielen Menschen auf dem Pier. Am rechten Flügel eine Musikkapelle, daneben eine Ehrenkompanie.

„Und wenn mich nicht alles täuscht, Herr Kaleunt", sinnt der IWO und setzt sein Glas nicht ab, „dann hat sich da an die Spitze der Ehrenkompanie ein richtiger japanischer Admiral mitsamt seinem Offizierskorps postiert."

Kentrat interessiert das im Augenblick ganz und gar nicht mehr. Die Strömung im Hafen ist ja ungeheuerlich. Trotz aller Maschinen- und Rudermanöver drückt sie das Boot immer wieder von der Pierseite ab. Endlich gelingt es der Nummer Eins, hundert Meter vor der Ehrenkompanie die Vorleine an Land zu geben. Ein deutscher Seemann vom Stützpunkt belegt sie flugs. Das Empfangskomitee wird umziehen müssen. Naja, und wenn schon, Hauptsache, das Boot hat bei dieser verrückten Strömung erst einmal eine Landverbindung.

Doch was passiert da? Kommt doch da ein japanischer Posten vom Heer. Seine MP umgehängt, schreitet er, ohne Kentrat und seine Männer nur eines Blickes zu würdigen, auf den Poller zu, bückt sich und wirft die Leine wieder los — ins Wasser.

Kentrat ist im Augenblick derart verblüfft, daß er zu träumen glaubt. Was ist das denn: offizieller Empfang mit Musik und allen Schikanen und dann dieses...? Aus dem Tritt gebracht, braucht U 196 jetzt eine volle Stunde, ehe es zwischen den anderen U-Booten sein Loch gefunden und festgemacht hat.

Wieso und warum durfte das U-Boot denn nicht die hundert Meter v o r der Ehrenkompanie festmachen? Daß gerade eine derart starke Strömung stand, das sahen die japanischen Seeleute mitsamt ihrem Admiral doch wohl auch ein? Schon, schon, aber nicht der japanische Heeressoldat. Kentrat hatte nämlich am Armeepier festgemacht, und dem Landser war es völlig wurst, daß hohe und höchste Marineoffiziere zum Willkommensgruß angetreten waren und daß der Gast Offizier einer befreundeten Nation ist.

Daß Kapitänleutnant Kentrat noch immer Kommandant von U 196 ist, ist ein Kapitel für sich...

Als er nach seiner letzten, 225 Tage andauernden Unternehmung in Frankreich bei Dönitz zur Berichterstattung erschienen war, hatte er den BdU um Ablösung gebeten. Er fühlte sich völlig abgekämpft. Das Naturell der Menschen ist eben verschieden. Den einen nutzen derartige Dauerbelastungen während einer langen Feindfahrt mehr, den anderen weniger ab. Und was Kentrat auf der längsten U-Bootfahrt auf den Meeren der Welt durchstehen mußte, hätte wohl auch andere verschlissen, vielleicht sogar umgeworfen. Dönitz zeigte Verständnis.

„Geh erst mal auf Urlaub, Kentrat. Das ist das Wichtigste und Eiligste."

Als Kentrat zurückkehrt, hat er Gelegenheit, die Verlustlisten der letzten Monate einzusehen.[25] Die Opfer an Booten und eingefahrenen Besatzungen sind erschütternd. Der Personalmangel vor allem auch an eingefahrenen Kommandanten ist erschreckend.

„Na, Kentrat, welches Landkommando soll ich dir geben?" begrüßt ihn Dönitz bei seiner Zurückmeldung.

„Keines, Herr Großadmiral."

Kapitänleutnant Eitel-Friedrich Kentrat will und kann seinen BdU in dieser Situation nicht im Stich lassen. Es m u ß eben gehen.

Zusammen mit U 181, das der 12. U-Flottille unterstand, lief auch er mit zwei weiteren Booten am 16. März aus.

Doch lassen wir Kentrat selbst berichten:

Wie schon bei der ersten Fahrt in den Indik fanden wir im 1. Operationsgebiet: ostafrikanische Küste, kein Ziel. Wir versenkten dann im zweiten Operationsgebiet, im Arabischen Meer, bei schwerem Sturm, einen 6000 BRT großen Frachter. Ein weiterer Angriff auf einen Dampfer vor der Süd-Westküste Indiens, unserem dritten Operationsgebiet, scheiterte am plötzlich eintretenden Monsun-Regen. Das vom Himmel strömende Wasser fiel so dicht, daß wir unseren eigenen Bug nicht mehr sahen. Daß Freiwald in der Nähe war, wußte ich nicht, hatten wir uns doch nach dem Auslaufen und der Verabschiedung des Geleits getrennt und nicht wiedergesehen.

Aber er bekam es dann bitter zu spüren, daß ich so dicht bei ihm stand. Das kam so:

Wir mußten unser bevorstehendes Eintreffen per Funk melden. Ich setzte also zur gegebenen Zeit mein FT ab — und ging dann gleich in den Keller, eine alte Erfahrung, die ich bei der ersten Unternehmung in den Indik gesammelt hatte. Zur Programmzeit wieder hoch — keine Quittung für meine

142

Signale. Also wieder gefunkt, getaucht, gewartet — wieder nichts. Wir saßen also in der Stillen Zone. Erst beim fünften Versuch hatten wir Glück. Während wir nun jedesmal nach dem Funken in Sicherheit waren, fuhr Freiwald ahnungslos — er hatte uns nicht gehört — aufgetaucht. Jedes meiner Signale war eingepeilt worden, und daraufhin waren die Bomber in Colombo gestartet. Er hat nicht schlecht geflucht, als wir uns in Penang trafen.

Inzwischen startete beim Einlaufen eines unserer Boote eine Arado 196 von Penang. Dort waren zwei von diesen Vögeln stationiert. Als der Pilot, Oberleutnant zur See Horn, Ex-Fliegeroffizier vom Hilfskreuzer *Michel*, am Treffpunkt ankam und ihn in niedriger Höhe überflog, lag dort ein U-Boot. Aber es beantwortete weder die Erkennungssignale noch reagierte es auf Morsezeichen. Als dann wenig später die japanischen Geleitfahrzeuge am Horizont auftauchten, nahm das Boot, es war entweder ein Holländer oder Engländer, Fahrt auf und verschwand von der Wasseroberfläche.

Genau einen Tag später liefen wir dann ein.

Ich selbst befand mich in einer äußerst schlechten Verfassung. Während fünf Monate langer Feindfahrt zunehmende, quälende Schlaflosigkeit. Der Blutdruck stark abgesunken, also im Keller. Kreislaufstörungen hatten sich zuletzt auch auf die Augen ausgewirkt. Mit der immer stärker werdenden Nachtblindheit war ich der schärfsten Abwehrwaffe des U-Bootmannes beraubt. Schweren Herzens mußte ich mich entschließen, nun doch um meine Ablösung zu bitten. Bemerkt hatte ich das Übel gegen Ende der letzten Unternehmung, als wir nämlich in der Dämmerung die Silhouette eines U-Bootes in Sicht bekamen. Ich versuchte zu erklären, ob es ein eigenes oder ein feindliches war. Da hatten wir ein gutes Erkennungszeichen: Die deutschen Boote fuhren in Indischen Gewässern zum Schluß des Krieges ohne Kanone. Für die zwei 10,5 cm gab es ohne tödliches Risiko aus der Luft für das U-Boot ja kaum oder überhaupt keine Angriffsmöglichkeiten mehr. Trotz Glas vermochte ich nur verschwommene Umrisse zu erkennen — scheute mich dann aber nicht, meine Nummer Eins zu fragen:

„Hat er eine Kanone auf der Back? Oder hat er nicht?"
Er hatte keine.[26]
Der Mann hat es mit bloßem Auge erkannt.

Der BdU entschied, daß ich U 196 an Striegler übergeben soll. Es war ein schmerzlicher Abschied von meiner alten Stammbesatzung. Als ich meiner Nummer Eins die Hand drückte, sagte er:

„Wenn Sie an Bord bleiben würden, wissen wir, daß wir alle wieder nach Hause kommen!"

„Reden Sie doch nicht solchen Unsinn", wehrte ich ab, wurde aber ein ungutes Gefühl nicht los.

*

Als der Brückenausguck in den ersten Morgenstunden recht voraus gleich mehrere Rauchfahnen ausruft, halten die Kenner an Bord die Meldung für eine verzeihliche Sinnestäuschung.

„Wo soll denn hier, eben östlich von Madagaskar ein Geleitzug herkommen?" brummt IIWO Günther am Frühstückstisch. Und Kapitänleutnant Oesten, der Alte von U 861, verspürt keine sonderliche Unruhe, als er sich anschickt, die Messe zu verlassen, um nach oben zu steigen. Er war es, der sich nach dem Marsch um das Kap der Guten Hoffnung für den Weg um Madagaskar entschloß und den ursprünglichen Plan, durch die Straße von Mozambique nach Norden vorzustoßen, wegen der aufrührerischen Meldungen über starke gegnerische Luftaufklärung ziemlich mißmutig abgeschrieben hatte. Östlich von Madagaskar..? Da schwimmt doch jetzt nicht mal ein Neutraler...

Die Stimmung an Bord ist nicht übertrieben glänzend zu nennen. Die Erfolge fehlen. Die Mühen und Strapazen stehen in keinem Verhältnis zu den mageren Ergebnissen. Zwei Schiffe, ein Zwerg von knapp zweitausend Tonnen vor Kap Frio und ein Liberty Schiff vor dem La Plata, das ist alles, was ihnen nach den Kreuzschlägen im ersten Operationsgebiet, das Südatlantik hieß, vor die Rohre lief. Und das nach einem Anmarsch, der bei jedem die Nervensubstanz um etliches verbrauchte. Des BdU's Befehl war es, für Oesten wie für alle anderen Monsun-U-Boote, von Norwegen ausgehend bis zum 15. Breitengrad Süd tagsüber in jedem Fall unter Wasser zu marschieren und nur nachts aufzutauchen, um die Batterien aufzuladen. Aber die Nacht ist seit langem nicht mehr der Schutzmantel der Grauen Wölfe. Immer, wenn sie

Oben: 70 Tage dauerten Überholung und
Neuausrüstung der Boote. Nur außenbords
durften Eingeborene helfen. — Bordaffe
Munki (r e c h t s) ausgenommen. Mitfahren
aber durfte er nicht, es sei denn, man hätte
extra eine Druckkammer für das Tier gebaut.

Oben: „Verbündete Haie" im Paradieshafen von Penang. Innen und außen zwei deutsche Monsun-U-Boote, in der Mitte einer der japanischen U-Kreuzer. Auch ein Nichtfachmann erkennt die Unterschiede... auch im Farbanstrich, der bei deutschen U-Booten für die jeweiligen Gewässer verschieden war.

Unten: Eines der ehemaligen italienischen Kampf-U-Boote, die, da Rohstofftransporter, als UIT-Boote (Untersee-Italien-Transport) Verwendung fanden.

oben, in den nördlichen Breiten, nach ihrem Auslaufen aus Kiel am 20. April 1944 und einem Zwischenaufenthalt in Kristiansand-Süd während der Nacht auftauchten, registrierte das FuMB an Bord Ortungen aus verschiedenen Richtungen. Meist aus allen. Und in allen Lautstärken. Zum Verrücktwerden. Zuerst hatte der Alte die Brückenwache einsteigen und das Boot in den Keller sacken lassen. Nach einer Stunde tauchten sie wieder auf. Derselbe Zirkus. Rundherum. Wieder runter. Nach einer Stunde wieder rauf. So trieben sie es einige Nächte hintereinander. Bis Oesten höchst unchristlich fluchte, die „verdammte FuMB-Kiste" abstellen ließ, denn die Batterien brauchten endlich wieder vollen Saft.

Sie fuhren dann mit „Klar zum" besetzten Fla-Waffen durch nachtdunkles, asphaltfarbenes Wasser. Aber: ein U-Boot bildet mit seiner phosphoreszierenden Hecksee ein ungleich besseres und größeres Angriffsziel als so eine Biene in der Luft. Gesetzt den Fall, daß es nun eine ist, denn neuerdings kommen sie in Schwärmen.

Aber es ging alles klar auf dem Wege bis zum 15. Grad Süd. Nach über zwei Monaten, nach genau 70 Tagen, sahen sie die Sonne wieder. Bis dato hatten sie wie die Barmädchen gelebt, am Abend gefrühstückt und um die Mitternacht Mittag gegessen, weil das Boot dann oben schwamm und die Essensdünste von den Lüftern herausgeschafft werden konnten ...

Herausgeschafft werden mußte auch noch eine andere Sache, wenn das Boot nach dem Unterwassermarsch auftauchte: eine gewisse Pütz, für die die Maschine eine auflegbare Sitzbrille anfertigen ließ. In größerer Tiefe ist die Handpumpenvorrichtung des normalen WC's nämlich nicht mehr zu gebrauchen. Mit dem Auftauchen schwang dann auch prompt der Ruf „Frage Pütz" aus der Zentrale in den Turm. Diesen randvollen „Apparat", wie Hein Seemann alles und vieles benennt, über die steile Eisenleiter nach oben zu schaffen, war schon ein beachtenswertes Kunststück. Vorsicht ... Vorsicht ... Vorsicht ... Aber es ging immer klar, obwohl jeden Tag zwei andere Besatzungsmitglieder in den zweifelhaften Genuß dieses so delikaten wie artistischen Jobs kamen. Immer, wenn es „klargegangen" war, erfuhren es die Heizerleins achtern im Boot viel früher, als die anderen: sie rochen „es". Beim Entleeren saugte der Zulüfter ein paar Kubikmeter solcherart verdickte Luft mit in die Röhre hinein.

Am Tage, bei Marschfahrt über Wasser, hatten alle nicht unbedingt notwendigen Männer auf der Koje zu liegen. Um Sauerstoff zu sparen. Reserven sind das A und O für einen U-Bootkommandanten. Die alten Hasen an Bord fanden diesen Zustand „primissima". Obermaat Rutkowski, gebürtiger Dortmunder, groß und breit wie ein westfälischer Bauernschrank, hatte die Neuen an Bord mit ganzen Tongemälden versorgt, wenn er, auf seiner Koje liegend, seinen Rees von den Geleitzugschlachten der „guten alten Zeit" spann. Von den Tagen und Nächten, von Wochen ohne Schlaf. Die sie durchstanden, weil was passierte, weil sie damals Erfolge auf Erfolge hatten. Und jetzt mußten sie zwangsweise zwölf Stunden auf der Koje zubringen. Sowas Dummes!

Aber das alles liegt nun hinter ihnen . . .

Und jetzt hat der Matrosengefreite auf einmal diese Rauchfahnen entdeckt. Als Oesten neben ihn tritt, sind sie schon mit bloßem Auge zu erkennen.

Der Alte läßt den Kurs ändern.

„Vier Dez Backbord", ruft er in den Turm hinein. Der Gefechtsrudergänger Siegfried Schulze bestätigt. Das Boot dreht.

„Neuer Kurs liegt an", kommt es aus dem Turm.

„Noch ein Dez Backbord."

U 861 dreht noch weiter zehn Grad. „Drei dicke Dampfer, zwei Bewacher", sagt der WO, in diesen Sektor einlaufend. Er setzt das Glas nicht ab und brummt: „Bißchen wenig Herde für soviel Hunde."

Oesten kaut auf seiner Unterlippe und seinem Bart herum. Er sagt nichts. Obermaat Rutkowski registriert diese Reaktion. Er kennt sie zu genau. Unten in der Zentrale trägt der neue Steuermann, Gustav Goetsche, neben dem PK Bildberichter, Leutnant Kiefer, dem einzigen Reservisten an Bord, die Position in die Karte ein. Oesten hat ihn, den A 6er, bei der Luftwaffe herausgefischt. Ein guter Fang . . . dieser Goetsche, der nicht nur ein hervorragender Nautiker ist und der bei nächtlichen Bestecken im All geistreich plaudernd und erklärend wie in einem Sagenbuch blättert, so genau kennt er jeden Stern und all das, was sich mit seinem Namen verbindet . . . „Mal sehen", sagt er zum Obersteuermann Achmed, „wie er diesen Angriff ansetzen wird", als er mit

Kursdreieck, Parallellineal, Zirkel und Bleistift hantiert und auf einem Sonderblatt die Angriffsskizze vorbereitet.

„Geht allens klor", versichert der Obersteuermann, alter „Oestenfahrer" und Hamburger nicht bloß von Geburt. Achmed nennen sie ihn wegen so einer Geschichte in Tanger.

„Einmal nimmt es jeden von uns zwischen die eiskalten Pfoten", ist des nüchternen LI's stete These. „Wer sich nicht viel vormacht, den wirft keine unerfüllte Hoffnung mehr um. Von drei ausgelaufenen Booten kehrt jetzt nur noch eines aus den Hauptoperationsgebieten heim."

Aber sie wollen ja nach Südostasien. Ins Paradies. Quasi zur Belohnung für vergangene Taten. Und auch zur Erholung. So ließ man daheim durchblicken.

Oesten manövriert das Boot zunächst einmal auf die Steuerbordseite des gesichteten Geleitzuges. Dadurch wird U 861 in den Abendstunden gegen den dunkleren Horizont zu stehen kommen. Oben auf der Brücke saugt auch der Backbord-Voraus-Ausguck, Obermaat Rutkowski, die Luft tief in die Lungen ein. Er fühlt sich gasleicht. Der Alte versteht ja sein Handwerk.

U 861 hält aber weiter große Distanz. Die Motoren hämmern. Das Boot arbeitet sich langsam immer weiter vor. Mit Anbruch der Dunkelheit staffelt es sich näher heran.

Die da drüben scheinen den Endsieg schon in der Tasche zu haben. Sie ändern auch während der Nacht nicht den Kurs. Sie zacken nicht.

Die gegnerischen Schiffe heben sich als dunkle Schatten gegen die Kimm der sternenhellen Nacht ab. Vor den bloßen Augen verschwimmen sie zu einer unklaren Masse. Durch das Glas aber beobachten sie auf dem Boot, daß der ihnen zugewandte Bewacher, es handelt sich um Korvetten, die Flanken seiner Schutzbefohlenen genau überdeckt.

Wie also rankommen an das wertvollere Wild? Wie?

Nur manchmal, bei Veränderungen der Fahrtstufen, sackt die Korvette für ein paar Minuten achteraus. Dann wird der schwarze Leib eines mächtigen Frachtschiffes sichtbar.

Als die Korvette wieder einmal die Fahrt verlangsamt, sieht Oesten die Chance gekommen. Er setzt sofort zum Angriff an. Er will von schräg voraus in den Geleitzug hineinschießen. Dabei gerät das U-Boot faßt direkt vor den Kurs des einen der gegnerischen Bewacher.

„Mann, oh Mann, der Alte hat aber Nerven", knurrt Rutkowski. Er steht mit seinem Ausguck-Kollegen vom gegenüberliegenden Sektor Rücken an Rücken. Die Unterhaltung auf Wache ist zwar verboten. Aber zuviel Verbote fordern nur Widerstand heraus. Oesten läßt die Männer also gewähren und ruhig mal quasseln.

Der IWO am Nachtzielgerät sagt leise „Lage ist gut".

„Je einen Aal auf den äußeren und den mittleren Frachter", befiehlt Oesten. Die Entfernung haben sie geschätzt.

„Rohr drei und vier fertig", meldet der Bugraum.

„Rohr drei und vier — Achtung!"

Oesten und sein IWO warten, bis die Korvette wieder etwas nach achtern abfällt.

„Jetzt", der IWO flüstert unwillkürlich.

Oesten am Sprachrohr „Rohr drei und vier . . .Los!"

Im Boot schlägt der Torpedomixer auf die Handabfeuerung. Ein sanfter, aber doch spürbarer Ruck durchpulst das Boot und die Männer, als Preßluft die beiden Torpedos aus den vorgewässerten Rohren heraustreibt, E-Tos, die nun ihren todbringenden Weg angetreten haben.

„Torpedos laufen", meldet der Bugraum an die Brücke. In der Zentrale trimmt LI Panknin das verlorene Gewicht wieder aus. Er flutet die vorderen Tanks nach.

Als das Boot jetzt hart abdreht und mit AK davonbraust, wandern die Schatten wieder im Sektor des Matrosengefreiten Tschoppe ein. Er ertappt sich bei dem Gedanken, die Aale möchten dieses Mal doch daneben gehen. Er ist abergläubisch. Wie fast jeder Seemann. Wenn ich euch Gutes wünsche, wird das Schicksal dann auch uns gnädig gesonnen sein? Unsinn, bohrt es in ihm. Unsinn, mein Junge. Diese Rechnung geht nicht auf. Es ist Krieg. Und du hast dich in diese Röhre obendrein noch freiwillig gemeldet. Zwischen den Erinnerungen, die in ihm plötzlich aufsteigen, zählt er weiter. Mit den Fingern seiner beiden Hände.

Gleich . . . gleich . . . müssen sie hochgehen. Das denkt auch Oesten, die Stoppuhr in der Hand. Das bewegt sie alle im Boot.

Da — zusammen mit einer steil aufsteigenden, blauweißen Fontäne hören sie den dumpfen Knall der Detonation.

Nummer Eins hat getroffen.

Der zweite, für den zweiten Dampfer vorgesehen, geht ebenfalls am ersten Frachter hoch.

Leuchtkugeln spalten das Dunkel auf. Aber ihr Schein trifft U 861 nicht. Das Boot steht günstig. Der Wind weht die schwebenden Lichter weg.

„Korvette läuft an." Der Matrosengefreite Tschoppe wundert sich wie ruhig seine Stimme ist, als er seine Beobachtung weitermeldet. Tatsächlich, die eine der beiden Korvetten hat gedreht. Sie marschiert hinter ihnen her. Vierkant auf das U-Boot zu.

Was die da drüben mit ihren Augen und durch ihre weniger guten Gläser nicht sehen, das schafft das Radar.

Ob der Alte tauchen läßt?

Auch die Neuen an Bord haben Oesten inzwischen kennengelernt.

Es ist schwer, mit ihm warm zu werden.

Aber wenn dicke Luft ist, dann ist er da. Und jetzt ist sie zum Schneiden dick. Und sie wird gleich noch dicker.

Nerven behalten. Nur Nerven behalten. Nur nicht weich werden sagt sich Oesten. Wenn ich jetzt in den Keller gehe, ist es mit der optischen Beobachtung des Geleitzuges aus. Dann werfen sie uns noch ein paar Wasserbomben ins Kreuz. Wie das ausgeht, das läßt sich nie so genau vorausbestimmen, das ist immer eine Spielerei mit Genickbruch. Also erst mal oben bleiben.

Die Korvette schwenkt auf einmal ab.

Na also, sie dreht ab. Sie glaubt ihre Aufgabe erfüllt. Sie hat das U-Boot vom Geleitzug abgedrückt.

„Du, der Alte, der schmeckt mir", stößt Tschoppe seinen Rückennachbarn an, als Oesten unmittelbar danach den Kursbefehl gibt, der Korvette vorsichtig zu folgen.

„Solange es uns noch schmecken kann."

Nach der Kursänderung sehen sie jetzt, nach achtern zu, das schäumend grünschillernde Heckwasser und dahinter, im Halbrund, nur blanke See. Der Feind kommt wieder von vorn. Es dauert eine Zeit. Dann schälen sich auch wieder für Obermaat Rutkowski Schatten heraus. Es sind die beiden Korvetten. Sie schwabbeln mit langsamer Fahrt bei dem torpedierten Frachter, der mit dem Vorschiff bereits tief im Wasser liegt, auf und ab. Wahrscheinlich bergen sie die Besatzung ab.

Doch wo sind die anderen Schiffe? Wo?

Alarmtauchen! Oesten läßt eine Horchpeilung nehmen. Der Mann am GHG hebt nur die Schultern, denn Oesten sitzt neben ihm. Er sucht weiter. Er dreht die Skala noch einmal vor und zurück.

„Nichts, Herr Kapitän!"

Also wieder rauf mit dem Boot.

Sie hatten den Gedanken alle gleichzeitig.

Der Alte, der WO und der Steuermann vor seinem Millimeterpapier: Der Generalkurs des Geleitzuges ist uns doch bekannt. Also hinterher. Zwei Stunden ... drei Stunden AK. Nichts kommt in Sicht. Und die deutschen Nachtgläser sind prima. Durch sie sehen die Männer fast so gut wie am Tage. Oesten ist zäh.

„Los, los, einsteigen."

Das Boot taucht erneut zur Horchpeilung. Funker Schürmann hebt die Hand. Immer höher. Dann nimmt er den Kopfhörer ab. Er reicht ihn Oesten.

„Das sind sie."

„Die hatten sich schon in Sicherheit geglaubt."

„Sie sind wohl traurig darüber?"

„Naja, Herr Kapitän, wenn man dran denkt, wie oft es im Leben anders kommt."

„Und im Kriege noch öfter", sagt Oesten, steht auf und verschwindet durch das Kugelschott in die Zentrale.

U 861 taucht auf. Es folgt dem errechneten Kurs. Da sind die beiden. Sie marschieren auf ihrem Generalkurs weiter, als sei nichts, ganz und gar nichts geschehen. Mag sein, daß da drüben alle Mann angelüftet wurden. Mag aber auch sein, daß die Kumpels von der anderen coté so dickfellig sind und sich sagen, ‚nun passiert uns nischt mehr'. Also haben sich die Freiwächter wieder auf den Kojen ausgestreckt.

Die beiden Frachter fahren immer noch in gestaffelter Formation. Oesten kann also nur einen der beiden angreifen, er pickt sich den größten heraus, ein ca. 10 000 BRT großes Schiff.*) Die Torpedos detonieren mittschiffs. Der Frachter legt sich zum Sterben auf die Seite. Der andere Dampfer dagegen reißt mit Höchstfahrt aus. Er dreht zurück. In diesem Augenblick kommen die beiden heranschnaufenden Korvetten in Sicht.

---

*) nach Aussagen Beteiligter

Sie verlegen Oesten den Verfolgungsweg.

Das ist die Rettung für die Nummer Drei.

U 861 dreht ab, zurück ins Seegebiet von Madagaskar. Die Korvetten bleiben bei ihren Opfern.

Als sie ein paar Tage später auch im Hafen Tamatave von Madagaskar durch das Sehrohr keine lohnenden Ziele sahen und nun nach Norden ablaufen, die Bachstelze, das zusammenklappbare Drachenflugzeug starten, schreit der Mann da oben in der freiluftigen Höhe plötzlich durch sein Telefon eine Sichtung aus.

Eingefahren die Bachstelze und mit AK drauf los, was der Beobachter für Mastspitzen und Schornstein eines Frachters hält.

Komisch, sehr komisch: die Peilung steht.

Das ersehnte Fahrzeug entpuppt sich als eine Insel der Aldabra-Gruppe.

Oesten gibt dem Drängen seiner ungestümen und abenteuerlustigen Offiziere und Männer nach, dieses ozeanische Eiland zu besichtigen. Nach dem Segelhandbuch soll es zwanzig Kilometer lang sein und in der Mitte von einem Küstensee unterbrochen werden. Eine typische Tropeninsel. Mit Palmen und einer Negersiedlung. Das ist doch etwas für die Seelords aller Dienstgrade. Und am Ende auch für den Alten.

Sie manövrieren sich vorsichtig an die Einfahrt zu dem Küstensee heran. Sie setzen das Schlauchboot aus. Was soll hier schon passieren...? Die Luken sind geöffnet. Frische Luft für alle. Die Freiwachen dürfen an Oberdeck. Wie gut das tut, sich die Beine zu vertreten. Dazu noch im Angesicht einer immergrünen Tropeninsel.

In dieser Situation kommt plötzlich und auch für die Pessimisten unerwartet ein Flugzeug in Sicht. Die Biene, noch ist sie für die bloßen Augen nur ein Punkt, fliegt direkt auf das U-Boot zu, auf dem in Windeseile die Flak besetzt worden ist und nun auf den Feuerbefehl wartet.

Oesten läßt aber nicht schießen. Die Maschine brummt näher, näher, immer näher. Noch immer gibt der Kommandant keinen Feuerbefehl. Als das Flugzeug bis auf 2000 Meter heran ist, dreht es in steiler Kurve ganz hart ab. Als es so einkurvt, erkennen sie den Vogel genauer. Es ist ein riesiges Flugboot, ein Brite.

Jene an Bord irren, die meinen, der Alte würde den Sonntagsausflug, denn ein Sonntag ist es, wie sie am vollen Schlag: ‚Suppe und Spargel mit Schinken', merken, nun nach dieser luftigen Begegnung zu den Akten legen. Oesten, der sich beim Admiral Norwegen auch mit den gegnerischen Funkmeßgeräten befassen mußte, ist davon überzeugt, daß diese Ortung für U 861 völlig ungefährlich ist. Das Boot liegt hier, in unmittelbarer Nähe der Insel im Funkmeß-Schatten des Gegners, der sich gewißlich nur auf sein Radar verläßt. Der Kommandant ißt erst einmal in Ruhe und mit Genuß sein Mittagessen auf. Der Nummer Eins, dem Bootsmann Max Schley, werden zu seinem Geburtstag Erdbeeren mit Milch als Nachtisch serviert. Alles, wie es das Bord-Protokoll vorschreibt. Er, der danach an Oberdeck mit seinem OF-Kameraden eine Sonntags- und zugleich Geburtstagszigarre genießt, erhält schließlich vom Kommandanten den Befehl, das Schlauchboot auszusetzen. Der WO steigt mit einem schwer bewaffneten Landekommando ein. Und da der Strom viel stärker als erwartet versetzt, wird das Schlauchboot weggerissen. Die Männer jumpen in den Bach. Oesten muß ankerauf gehen, um seine Seeleute wieder einzusammeln. Diese nun zweite unprogrammatische Unterbrechung wertet er als einen derben Wink des Himmels, denn der Mensch versuche die Götter nicht, und begehre nimmer und nimmer zu schauen ...

„Ab dafür. Heimlich, still und weise", grinst Gustav Goetsche und klappt das Segelhandbuch geräuschvoll zu.

So kommt es, daß die blackboys und deren Mammies mitsamt Kindern und Kegeln aus dem Dorf der üppigen Tropeninsel um die Attraktion ihres Lebens betrogen werden. Und U 861 wahrscheinlich um ein frühes Ende, sollte das Flugzeug vielleicht doch Verstärkung herbeizitiert haben.

Wer weiß das zu sagen. Nicht selten ist genau das richtig, was unbedingt falsch scheint.

In diesem Seeraum, nördlich von Madagaskar, gerät U 861 in ein ausgesucht ekelhaftes Wetter. Es regnet Bindfänden. Als sich die Nummer Eins, Bootsmann Schley, während seiner Nachmittagswache nach seinem Kameraden umschaut ... nur mal so ... da sieht er in dessen Sektor einen Dampfer schwimmen. Schläft der andere Ausguckposten? Oder was ist da los ...? Oder aber ist der Frachter gerade in diesem Augenblick aus der Regenwand herausgetreten? Er hat gut 6000 BRT, und er ist schon nah heran. Er müßte das U-Boot sehen.

Egal. Alarm. Oesten taucht und durch das Sehrohr stellt er fest: die da drüben haben das U-Boot offenbar nicht entdeckt, bevor es verschwand.

Später setzt sich U 861 vor, und in der Nacht verläuft alles so routinemäßig wie bei der Agru-Front im Seeraum vor Gotenhafen: Überwasserangriff... Treffer.

Die Besatzung des langsam sinkenden Frachters klettert in gut zu Wasser gekommene Boote. Die Küste oder bewohnte Inseln sind ja nicht weit.

Als die Rettungsboote schon abgelaufen sind, dreht Oesten noch einmal zurück.

„Wenn nun doch noch einer, vielleicht gar ein Verwundeter zwischen den Trümmern treibt!" Dieser Gedanke läßt ihm keine Ruhe.

Auf dem Wasser schwabbeln Planken, die Reste eines Rettungskutters, und ein leeres Floß. Aber keine Menschenseele ist zu sehen. Sie rufen. Nichts.

Plötzlich leuchtet auf dem Floß etwas auf: zwei grüne Pünktchen. Das Blinken wird stärker, als der WO die Stablampe anknipst.

Im Lichtschein steht ein Hund. Er wedelt aufgeregt mit dem Schwanzstummel und bellt.

„Das ist ja 'n Molly", ruft der Heizer, ein blonder Ostpreuße, der für eine Zigarettenlänge auf der Brücke frische Luft schnappt. „Wär gar nicht das dümmste, wenn wir ihn an Bord nehmen!"

Er turnt vom Wintergarten, dem balkonartigen Turmanbau, hinunter und läuft an Oberdeck entlang zu dem Floß hin. Er kniet nieder, streckt den Arm aus, dem zitternden Tier entgegen.

„Was macht ihr denn? Ihr könnt doch das Hundche nich schwimmen lassen."

„Kommen Sie sofort rauf", ruft der WO. „Wir können das Tier nicht retten... Vielleicht sind Haftladungen an dem Floß. Sollen wir wegen eines Hundes in die Luft gehen?"

Das Floß treibt am Boot entlang nach achtern. Der Hund bellt. Er läuft aufgeregt hin und her, setzt sich, hebt bettelnd eine Vorderpfote. Dann winselt er. Schließlich bleibt er am äußersten Rand des Floßes stehen. Klagend heult er in die Nacht hinaus.

Der WO löscht die Lampe. Das Jammern des Tieres wird leiser, es entfernt sich immer mehr, bis es schließlich achteraus erstirbt.

Ein zentnerschwerer, nicht zu analysierender Seemannsfluch ist der Schlußstrich unter dieses Drama.

„Und wenn es ein Mensch wäre?" schnauft einer.

Schweigen. Nur der Wasserfall der Bugwelle rauscht.

Wie schon mittags, so hockt auch beim Abendessen der Maschinengefreite Knoll wieder wie geistesabwesend vor seinem vom Backschafter gefüllten Teller. Er hat nicht einen Bissen gegessen. Sein Gesicht glüht.

Er ist ein junger Matrose. Zum erstenmal auf Feindfahrt. Er war glücklich wie ein Kind, als er hörte, wohin die Reise ging. Aber nun quälen ihn seit Tagen unerklärliche, immer schlimmer werdende Schmerzen. Nachher, im Heckraum, wo er mit anderen Angehörigen des Maschinenpersonals wohnt, erhebt er sich plötzlich, taumelt und wankt durch das Boot. Eine Hand drückt er gegen das linke Ohr und den Hinterkopf, mit der anderen klammert er sich irgendwo fest.

In der Offiziermesse sitzen zu dieser Stunde der Kommandant, der LI und der Bordarzt beisammen.

„Ich halt's nicht mehr aus, Herr Stabsarzt", stöhnt Knoll. Er beißt die Zähne aufeinander.

Oesten blickt den Doktor fragend an: „Was fehlt ihm?"

„Er klagt über immer stärkere Kopfschmerzen. Ich habe ihm heute früh ein paar Tabletten gegeben."

Im Kommandantenraum läßt er den E-Maschinengefreiten auf die Koje niedersitzen. „Das sind wohl keine gewöhnlichen Kopfschmerzen mehr, oder?"

„Nein — hier, so ganz hinten im Ohr, tut's jetzt verdammt weh. Als ob alles auseinanderplatzt."

Der Schmerz treibt dem Jungen Tränen in die Augen.

„Haben Sie noch andere Beschwerden dabei?"

Der Maschinengefreite bebt unter plötzlichem Schüttelfrost. „Mir ist so schwindlig, und gebrochen hab ich auch schon ein paarmal . . ."

154

„Daß Sie mir so etwas verheimlichen, zum Donnerwetter! Warum sind Sie nicht gestern oder schon vorgestern zu mir gekommen!"

Knoll versucht den Kopf zu drehen, aber es gelingt ihm nicht. Sein Nacken ist beinahe steif.

Behutsam tastet der Arzt den Kopf hinter dem linken Ohr ab. Der Kranke zuckt zusammen. Die Ohrmuschel steht stark ab. Dahinter, auf dem Schädelknochen, ist eine hohe Schwellung. Der Gehörgang ist voller Eiter . . .

„Bleiben Sie einen Moment hier." Der Doktor geht schnell zurück in die Offiziersmesse.

„Nun?" empfängt ihn Oesten.

„Mastoiditis . . . akute Mittelohrvereiterung. Alle Anzeichen sind da: Schüttelfrost, Fieber, Schwindelanfälle, Erbrechen, Nackensteifheit, Eiter . . .!"

„Verflucht und zugenäht! Ausgerechnet uns muß das passieren! Und wie behandelt man denn sowas, Doktor?"

„Es gibt nur einen Weg: Operieren."

„Können Sie diese Operation ausführen?"

Schweigen. Ein langes, bedrückendes Schweigen . . .

„Was ist, Doktor? Können Sie's oder nicht?"

„Ich habe so einen Eingriff noch nie gemacht. Außerdem fehlen mir auch die geeigneten chirurgischen Instrumente. Für einen Blinddarm reichen sie, aber nicht für eine solche Schädeloperation."

Oesten kaut nachdenklich auf seiner Unterlippe. „Was passiert, wenn er nicht operiert wird?"

„Dann geht die Entzündung auf das Schädelinnere über . . . und das ist lebensgefährlich!"

„Wenn ich also richtig verstanden habe, Doktor, dann bleibt nur eines übrig: Den nächsten Hafen anlaufen, damit der Mann sofort ins Lazarett kommt. Der nächste von den Japanern besetzte Hafen ist Penang bei Malaya. Bis dahin brauchen wir schätzungsweise noch zehn Tage."

„So lange lebt der Kranke nicht mehr."

Oesten trommelt den Takt des Dieselmotors auf der Tischplatte mit. „Gibt es noch einen anderen Ausweg?"

„Nein. Der Mann m u ß operiert werden, Herr Kaleunt. Ich muß es versuchen. Auch ohne vernünftiges Besteck — und ohne Erfahrung . . ."

Der LI, gebürtiger Pommer, hat bis jetzt geschwiegen. Nun fragt Kapitänleutnant (Ing.) Panknin: „Was brauchen Sie, Doktor? Irgendwelche passenden Werkzeuge werde ich schon haben. Meine Maschinen sind genauso empfindlich wie 'n Mensch."

Ein erschütternder Vergleich für den Stabsarzt. Was hat ein Werkzeugkasten im Dieselraum mit sterilen Instrumenten eines Operationssaales gemein? Zögernd sagt er:

„Ich brauche einen kleinen Meißel und eine Art Löffel zum Ausräumen des erkrankten Gewebes. Sehen Sie, so ..." Mit der Gabel ritzt er Konturen auf die Tischplatte.

„In Ordnung", sagt der LI und steht auf. „So was ähnliches hab ich. Muß es bloß ein bißchen zurechtfummeln. In einer halben Stunde kriegen Sie's."

Oesten hat eine scharfe Falte über der Nasenwurzel. Mit gedämpfter Stimme fragt er den Arzt:

„Es kann genauso gut schiefgehen, was?"

„Ja — weil ich eine Totalaufmeißelung machen muß. Man kann dabei leicht die Hauptader verletzen, die den Kopf mit Blut versorgt. Stoppen kann man die Blutung nicht ... Es ist eine schwierige und große Operation, selbst für Fachärzte. Na ja, ich will alles versuchen ..."

„Ich werde Ihnen zur Hand gehen, Doktor."

Während der Kranke vom Stabsarzt eine Morphiumspritze gegen die unerträglichen Schmerzen bekommt, verwandelt Sanitäts-Gast Baumgartner die Offiziersmesse in einen Operationsraum. Über dem Tisch bringt Maschinenmaat Helferich noch zwei starke Lampen an.

„Offiziersmesse ist für jeden Durchgang gesperrt", befiehlt Oesten.

Der Smutje rasiert dem Kranken den Kopf kahl. In der Kombüse brodelt Wasser zum Sterilisieren der Instrumente. Der LI bringt Meißel und Löffel und läßt sie ins kochende Wasser fallen. Die Schneide des Meißels ist haarscharf und halbrund. Das andere Instrument sieht einem Kaffeelöffel ähnlich.

Zwei Männer legen den Kranken auf den provisorischen Operationtisch. Der Sani zurrt den Patienten mit Lederriemen fest.

„Alles klar, Herr Kaleunt", meldet der Arzt. Er hat einen blütenweißen Kittel übergestreift.

„LI — auf achtzig Meter gehen", befiehlt der Kommandant. Langsam taucht das Boot hinab in die See. Es wird eingependelt und liegt dann bewegungslos. In der Dünung der Wasseroberfläche wäre die Operation nicht möglich.

Der Arzt schrubbt sich die Hände in heißem Wasser. Sein weißer Mantel ist schon durchgeschwitzt. Die Temperatur im Boot schwankt zwischen fünfunddreißig und vierzig Grad. Oesten hat vor sich ein Tuch, auf dem die ausgekochten Instrumente ausgebreitet sind. Er assistiert bei der Operation.

Als Sani Baumgartner den rasierten Schädel mit Jod abreibt, stöhnt der Patient leise.

Beruhigend streicht ihm der Doktor über die Schulter. „Keine Angst, es ist bald vorbei." Das sagt er zu dem Kranken. Aber er sagt es auch zu sich selbst. Dann setzt er halblaut hinzu: „Narkose!"

Der Sanitäts-Gast legt die Gazemaske auf das Gesicht des Patienten und tröpfelt Äther aus der Flasche. „Nun mußt mol oan bisserl zählen." Baumgartner verfällt in seinen Heimatdialekt. Er stammt aus Niederbayern, aus Kelheim an der Donau.

„Eins, zwei, drei, vier, fünf . . ." Knolls Stimme wird leiser. Er kommt bis dreiundzwanzig. Dann schläft er tief.

Mit dem Skalpell in der Hand tritt der Arzt an den Tisch. Noch einmal wirft er einen Blick auf Oesten und den LI, dann beugt er sich über die Operationsstelle.

Zwei Zentimeter hinter dem Ohr durchtrennt er die Haut mit einem bogenförmigen Schnitt bis auf den Schädelknochen.

Oesten steht wie angenagelt. Er starrt auf die jodgelbe Haut mit dem blutigen Einschnitt.

Der Sani spreizt die Wunde mit Haken auf, und der LI läßt Tropfen um Tropfen aus der Ätherflasche auf die Gesichtsmaske fallen.

Es ist still geworden im Boot. Im Bugraum und bei den Dieseln, in der Zentrale und an der E-Maschine — überall lauschende Männer. Sie hören nichts als halblaut gesprochene Worte in der Offiziersmesse: die kurzen Befehle des Arztes. Wird er es schaffen?

Der Doktor legt das Skalpell ab und läßt sich von Oesten Meißel und Hammer reichen. Das scharfe Werkzeug setzt er auf den Warzenfortsatz des Schädelknochens hinter der Ohrmuschel. Mit dem kleinen Hammer aus der Werkzeugkiste des LI schlägt er kurz zu.

Ein metallisches Klicken. Nicht sehr laut. Und trotzdem zukken die Männer von U 861 zusammen, als hätten sie selbst einen Hieb auf den Kopf erhalten.

Vorsichtig meißelt sich der Arzt einen Zugang zum Mittelohr hin. Das heraustretende Blut verfärbt sich schmutziggelb. Die Hitze wird immer schlimmer. Der Geruch von Äther und Jod ist beinahe unerträglich. Oesten muß sich auf eine Koje setzen. Sein Gesicht ist so totenblaß wie das des Patienten. Sein Magen rebelliert. Es würgt ihm im Hals.

Der LI verfolgt jede Handbewegung des Arztes. Manchmal unterbricht er seine Arbeit mit der Ätherflasche und tupft ihm mit dem Tuch den Schweiß vom Gesicht.

„Den Löffel", sagt der Doktor und legt Hammer und Meißel beiseite.

Der LI reicht ihm das primitive Werkzeug.

Behutsam senkt der Arzt das Instrument in die Paukenhöhle, vorsichtig schabt er den Eiter aus.

Die Männer haben Angst um ihren Kameraden. Unter normalen Umständen ist eine Mittelohrvereiterung wahrhaftig nicht lebensgefährlich. Aber hier hat der Kranke zu lange geschwiegen. Nur ein winziges Mißgeschick schon kann sein Ende bedeuten . . .

Wieder ein paar halblaute Worte. Heftiges Atmen. Und immer schlechter wird die Luft.

Endlich hört das widerliche, nervenzerrende Schaben auf.

Der Arzt tamponiert die Wunde aus und verschließt sie mit Klammern. Ein Stückchen Watte läßt er herausschauen. Jeden Tag wird er davon ein wenig abzupfen.

„Fertig", sagt der Doktor, erschöpft und ausgelaugt.

„Gott sei Dank!" Oesten ist aufgesprungen. Jetzt kann er auftauchen lassen. Dieser durchdringende Geruch von Äther, Jod und Dieselöl ist nicht mehr zu ertragen.

Auf einer Tragbahre wird der Frischoperierte durch das Kugelschott in seine Koje im Heckraum geschafft. Langsam kehrt Farbe in das bleiche Gesicht des Maschinengefreiten zurück . . .

„Wird er wieder hören können?" fragt der LI.

„Bestimmt", antwortet der Arzt und seift sich die Hände ab.
Jetzt zittern sie ...

*

U 861 hat die nördliche Zufahrt zur Malakka-Straße erreicht.
„Glauben Sie, daß wir diese lausige Insel finden?" Jürgen
Oesten ist neben den Kartentisch getreten. Er ist ausgesprochen mißgelaunt. Das Wetter ist hundsmiserabel. Ein Monsun-Regen löst den anderen ab. Die Wassertropfen sind so
groß wie der Daumennagel eines ausgewachsenen Mannes.
Im Boot dröhnt ein Monster-Trommelwirbel.

„Nach meinen Berechnungen und Goetsches letztem Besteck
kann sie nur recht voraus liegen", versichert der Obersteuermann. Ein bißchen Unsicherheit schwingt aber doch im
Unterton seiner Stimme mit. Kunststück, bei diesen Bedingungen und diesen behelfsmäßigen Kartenunterlagen.
Spezialkarten haben allein die Japse. Wieso und weshalb es
bisher nicht möglich war, solche nach Old Germany zu
schaffen, um sie an die Kommandanten der nach Südostasien gehenden U-Boote zu verteilen, bleibt schleierhaft. Der
Obersteuermann tippt mit seinem peinlichst angespitzten
Bleistift auf die Position. Er verlängert den Marschweg ...
Naja, danach liegt die Insel tatsächlich voraus.

U 861 wird nämlich in Penang erwartet. Oesten hat seine
Einlaufabsichten durch FT gemeldet ... weil es höchste
Eisenbahn wird, einen Hafen anzulaufen. Die Treibölbunker
fahren fast nur noch Seewasser statt schwarzblauen Lebens-
saft für die Dieselmotoren. Das Boot steht über fünf Monate
in See. Es ist auch sonst überholungsreif. Und die Besatzung
ist es nicht minder ...

Als der Bordfunker Schürmann die Bestätigung und Antwort der deutschen Funkstelle in Penang in die Schlüssel-
maschine M drückte, saß Oesten neben ihm. So wie jedes
Wort herauskam, nahm es Oesten in sich auf. Sie sollen also
nicht sofort bis nach Penang laufen, sie müssen vielmehr im
Eingang der Malakkastraße bei der hundert Seemeilen nördlich gelegenen Insel Langkavi auf ein japanisches Geleitfahrzeug mit deutschem Lotsen an Bord warten. Das mildert
Oestens anfängliche Sorgen, sich ohne Spezialkarten und
ohne Geleitschutz in diesen Flaschenhals der Malakkastraße

hineintasten zu müssen. Wenn irgendwo gegnerische U-Boote auf Opfer lauern, dann doch nur hier und im Bereich der Insel Penang.

Nach diesem Spruch angelte die FT noch eine andere Meldung aus dem Äther. Sie stammte von U 859; Kapitänleutnant Jebsen ist der Kommandant dieses Monsun-U-Bootes. Es ist bereits vier Wochen länger unterwegs und funkte ebenfalls seine Einlaufmeldung.

Penang führt Regie:
beide Boote sollen gleichzeitig eingeholt werden.

Die Freude auf U-Oesten ist groß, das wird Jubel, Trubel, Heiterkeit geben, denn schon in den Stützpunkten Bremen, Gotenhafen und Kiel haben sie mit ihren Kameraden von U 859 manche Buddel gelenzt, manchen Bolzen ausgeheckt. Auch die Offiziere verbindet mehr als nur eine Bekanntschaft untereinander. Oesten kennt Jebsen schon aus der Zeit des Aufbaues der U-Boot-Waffe, als dieser ihn einmal als WO auf U 20 ablöste. Er registriert bei sich:

Ein guter Mann, dieser Jebsen, nur dickfellig, vielleicht zu dickfellig ... könnte eigentlich Ostfriese sein ...

Noch in der Nacht sehen sie die gesuchte Insel schemenhaft direkt voraus. Dann wieder verschluckt sie eine Regenbö. Das Besteck stimmt. Einen Händedruck für den Steuermann. Im Boot wogen die erwartungsvollen Gespräche auf und ab. Steuermann Gustav Goetsche kennt die südostasiatische Küste von früher her. Was er berichtet, geht den Lords wie Dortmunder-Union-Pils ein. Oesten tut das Seine dazu. Bis ihn die Rufe seines WO's auf die Brücke zitieren.

„WO an Kommandant, Dämmerung beginnt."

Das versprochene Geleitfahrzeug suchen sie vergeblich. Und als schließlich im Schatten der Insel ein kleiner, schnellbootähnlicher Untersatz in Sicht kommt, blicken sie sich alle auf der Brücke betroffen an. Sollte das etwa der versprochene Geleitschutz sein? Fühlen sich die Japaner so sicher in diesem Raum? Oder ist es mit der in der Heimat so verherrlichten Stärke der Flotte unter dem Sonnenbanner bereits so schlecht bestellt?

Maschinenmanöver. Das kleine Boot schert längsseit.

Ein Oberleutnant zur See Charly Militzer meldet sich bei Kapitänleutnant Oesten ,gehorsamst als Lotse an Bord'. Ihm folgen ein paar deutsche Seeleute. Sie schaffen zwei große

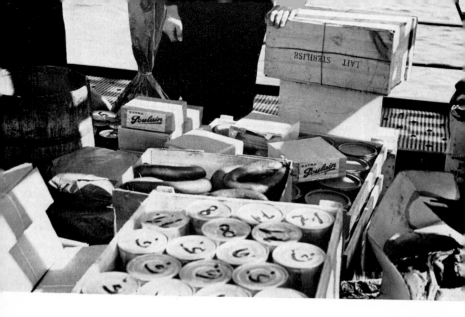

Oben: Die Ausrüstung der Monsun-U-Boote im Südostasiatischen Raum bereitete keine geringen Sorgen, vor allem die Beschaffung von Weißblech und die Konservierung. Vom qualitativen Dauerproviant hing viel für die Unternehmung ab. Auch mit diesem Problem wurde man fertig. Die Dosen tragen Nummern, denn aufgeklebte Inhaltsschilder würden sich im Mud der Bilgen oder im Schweißwasser des Druckkörpers loslösen und unlesbar werden.

Unten: Ein Boot verlegt mit wichtigen Gütern für den anderen Stützpunkt an Oberdeck von Singapore nach Batavia. Nur eine Verlegung, aber bereits ein Feindmarsch. Daher dieser so bewegte Abschied. Oft auf Nimmerwiedersehen.

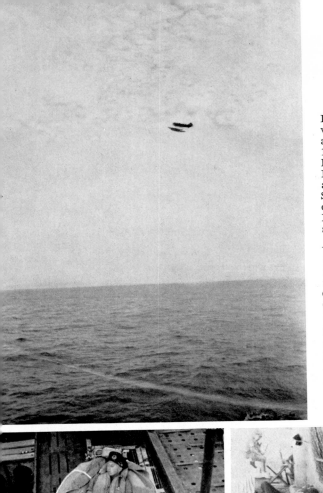

**Links:** Eine ungewöhnliche Aufnahme aus der zweiten Arado 196. Ein auf der Lauer liegendes Gegner-U-Boot schoß einen A-To auf ein zwischen den Stützpunkten verlegendes Monsun-U-Boot. Deutlich ist hier die Blasenbahn zu erkennen.

**Unten:** Kommandanten, die im Gegensatz zu von Europa einkommenden Booten diese Gefahren in Indonesiens Gewässern kannten, beließen nur das notwendigste Fahrpersonal im Boot. Alle anderen Männer wurden an Oberdeck befohlen. Was tut ein Seemann, wenn es nichts zu tun hat: er ‚torft‘, ‚ruckst‘ oder ‚nimmt ein Auge voll‘.

Körbe mit Apfelsinen, Bananen, Kokosnüssen und japanischem Bier auf das Boot.

„Nun, kommen Sie man erst mal in die Messe, Militzer. Unten wartet ein heimatliches Frühstück auf Sie", lädt Oesten den Kameraden herzlich ein.

Aber Militzer dankt. Er wehrt höflich, aber entschieden ab. Seine Augen wandern unablässig über die Reeling, über die See. Er tritt von einem Bein auf das andere. Oesten lacht. „Nicht so dienstbeflissen. Los, los. Sie werden staunen. Wir haben noch prima Hühnereier in unserer Tiefkühlanlage und auch noch frische Erdbeeren aus Old Germany. Und dann nehmen Sie das Dingsda ab."

Mit dem Dingsda meint Oesten die gelbe, aufgeblasene Schwimmweste, die Militzer beim Einsteigen in das Boot doch nur behindern wird.

Aber der Oberleutnant läßt sich nicht beruhigen. Er behält die Schwimmweste um. Er ißt unten von dem Dargebotenen, weil er keinen Ausweg sieht. Er versucht von dem Rührei, dankt aber nervös, als ihm der gemütlich grinsende Smut noch einen Schlag nachreichen will. Er kostet ausgesprochen uninteressiert die köstlichen Erdbeeren. Oesten schaut mal ihn und dann seine Offiziere an. Sie sind ein wenig ärgerlich, daß dieser Oberleutnant den herzlichen Empfang nicht zu würdigen scheint. Schließlich aber, als sie allein in der Messe sitzen, als der Smut und seine Gehilfen nicht mehr zu sehen sind, plaudert Militzer aus dem Nähkörbchen . . .

Danach sieht die Sache ernst, verdammt ernst aus. Mit der vielgerühmten japanischen Seemacht scheint es wahrhaftig nicht mehr weit her. Und wenn man, wie Charly Militzer, schon einmal durch amerikanische Torpedos absoff und noch einmal davongekommen ist, möchte man ein zweites Bad solcher Art tunlichst vermeiden. Das sieht auch Oesten ein, in dessen Ohren die Worte des Oberleutnants nachklingen . . . der Japaner Propaganda sei ja noch viel phantasievoller als die vom Lügenlord Goebbels . . . die gelben Bundesgenossen dächten sich überhaupt nichts dabei, einfach ganze Seeschlachten zu erfinden, wenn es gälte, den Mythos von der Unbesiegbarkeit der Flotte des Tennos zu stärken . . . sie hätten den Südostraum propagandistisch hermetisch, quasi luft-, staub- und schalldicht abgekapselt . . . alle Kurzwellensender hätten sie beschlagnahmt . . .

Oesten hebt die Messerunde auf. Sie verspüren auf einmal heftiges Verlangen nach frischer Luft.

„Wenn das man gut geht", sagt Militzer leise.

Welch ein sattes Grün, welch eine Augenweide ... diese tropischen Inseln an Backbord.

Nicht ablenken lassen! Nur nicht ablenken lassen!

U 861 steuert dicht unter Land und im Zickzackkurs Penang entgegen. Sie passieren dabei eine Stelle in der Seekarte, die später einmal keiner von ihnen mehr aus seiner Erinnerung bannen wird ...

Des Alten Anlegemanöver gehört für die Wochenschau gefilmt, so schneidig dreht Oesten mit Dieselmotorenkraft an den kleinen Pier des Hafens von Georgetown heran. Andere Monsun-U-Boote ruhen hier schon an den Leinen aus. Ihre Besatzungen sind an Oberdeck angetreten. Die Männer winken ... Aber unter diesen sind keine von U 859.

U-Jebsen ist also noch nicht eingelaufen ...?

Noch immer nicht?

Es stand doch voraus?

Der Stützpunkt hat wieder einen ganz großen Bahnhof arrangiert.

Die schrillen Mißtöne der japanischen Militärkapellen gehen in Banzai- und Hurrarufen unter.

Seit dem 20. Juli ist nun auch bei der Marine der ‚Deutsche Gruß' eingeführt worden. Oesten bekam den Befehl dazu durch FT auf den salzigen Ozean hinausgefunkt.

„An Bord mit erhobener Hand grüßen ...? Bei uns nicht. In dieser engen Röhre haut womöglich morgens einer dem anderen die Hand unter den Riecher." Also unterblieb dieses optische Bekenntnis an Bord.

Für die Begrüßung der Japaner vom Stützpunkt gilt es nun aber doch. Als Oesten dem Stützpunktleiter Meldung macht, fährt seine Hand prompt an den Mützenschirm. Dommes dagegen steht mit erhobenem, ausgestrecktem rechten Arm vor ihm. Der japanische Admiral zwinkert mit den Augen. Offenkundig ist bei den Deutschen einiges unklar. Als wohlerzogener Japaner ist er viel zu taktvoll, sich seine Verwunderung anmerken zu lassen oder einen der beiden Herren nach dem Wieso und Warum zu fragen. Aber er denkt sich seinen Teil. Mißtrauen wird jedem Japaner in die Wiege gelegt.

„Was gehört von Jebsen?" fragt Oestens IIWO seinen Obersteuermann.

„Gerüchte, scheußliche Gerüchte!"

„Also doch, Achmed."

Der Obersteuermann rappelt sich hoch. Mit dem Fuß tritt er
das Holzkohlenfeuer aus, auf dem die japanischen Gastgeber
Froschschenkel rösteten. Es sind nur ein paar zehn Meter bis
zum Strand. Das Tosen der Brandung übertönt die letzte
Strophe des deutschen U-Boot-Liedes. Aruizumis Männer
schreien es wieder als besondere Attraktion in die Nacht hinaus . . .

„ . . . Und wenn ein Boot nicht wiederkehrt und blieb auf
grauem Meer,

wir wissen, daß es weiterfährt und jetzt zur ewigen Front gehört . . .

Wir sind die U-Bootleute . . .

Die Grauen Wölfe auf dem Meer . . ."

\*

Außer U 863 ging von den einzelbootweise nach Punkt Paula
und Punkt Siegfried (wie Penang und Singapore aus Tarnungsgründen genannt werden) entsandten Monsunern nach
Eintritt in ihr Operationsgebiet verloren:

U 852 am 3. Mai 1944 südlich von Ras Hafun vor der Somali-
küste, gebombt von den Wellingtons T und E des RAF Sqdr.
621. 45 Mann überlebten das Ende. Unter diesen auch der
Kommandant, Kapitänleutnant Heinz-Wilhelm Eck. Dieser
wurde später, nach dem Kriege, zusammen mit seinem Ober-
stabsarzt Dr. Weispfennig, Kapitänleutnant (Ing.) Lenz,
Leutnant zur See Hoffmann und dem Matrosengefreiten
Schwender im Curio-Haus in Hamburg von einem britischen
Militärgericht des Kriegsverbrechens angeklagt. Eck, Dr.
Weispfennig und Hoffmann wurden zum Tode durch Er-
schießen, Lenz zu lebenslänglichem und Schwender zu fünfzehn Jahren Gefängnis verurteilt. Das Urteil an Eck und seinen zum Tode verurteilten Mitangeklagten wurde am 30. November auf dem Schießstand beim Borsteler Jäger bei Hamburg vollstreckt.

Eck war der Vorwurf gemacht worden, im Atlantik nach der
Versenkung des griechischen Frachters *Peleus* Schiffbrüchige

beschossen und getötet zu haben. Er argumentierte, er habe lediglich die noch treibenden, aber, wie er erkennen konnte, leeren Flöße beseitigen wollen, um seine Anwesenheit in diesem Seegebiet nicht verraten zu wissen. Angenommen, daß Eck, wie von diesem entschieden bestritten, bewußt auch Überlebende von der See als Zeugen der Anwesenheit eines deutschen U-Bootes verschwinden lassen wollte, bleibt das Todesurteil an seinen mitangeklagten Offizieren militärjuristisch interessant, wenn nicht gar strittig. Was sollten diese Eck unterstellten Offiziere tun, wenn ihr Kommandant den Befehl dazu gab? Sich weigern, um hernach wegen Befehlsverweigerung vor dem Feind selbst vor ein Kriegsgericht zu kommen oder Gefahr zu laufen, auf der Stelle erschossen zu werden? Angenommen, wenn ein Kommandant — ein französischer, englischer, deutscher oder amerikanischer — den irrsinnigen Befehl zur Tötung von Schiffbrüchigen gibt, gebietet einem Seeoffizier allein das Berufsethos, einen solchen Befehl zu verweigern. Das ist unstrittig. Der Jurist spricht von einem Befehlsnotstand. Verweigert er ihn aber, müßte er seinem Vorgesetzten auch die Befehlsgewalt entziehen. Wo nun ist hier die Grenze zwischen Berufsethos und soldatischem Gehorsam?

Weiter wurde im Indik versenkt: U 198 am 12. August 1944 nordwestlich der Seychellen durch britisch *Findhorn* und indisch *Godavari*.

Von den restlichen Monsunern liefen außer U 181, U 196 und U 861 in Penang noch U 862 ein. Nach Batavia, das als U-Stützpunkt immer mehr an Bedeutung gewinnt, wurden U 537 und U 843 befohlen. Mit Ausnahme von U 862, U 837 und U 168 sollen diese Kampfboote als Rohstoff-Transporter den Rückmarsch in die Heimat ohne Zwischenoperationen im Indik antreten.

# 6.

## DAS UNTERNEHMEN WEISSBLECH

*Um innerhalb der Stützpunkte des Südostraumes eine örtliche Spitze zu schaffen, wird der bisherige Stützpunktleiter von Penang, Korvettenkapitän Wilhelm Dommel, zum Chef im Südostraum, kurz CIS geheißen, ernannt.*

*Seine Aufgaben sind:*

*Entgegennahme der japanischen Wünsche hinsichtlich des Einsatzes der deutschen U-Boote und entsprechende Unterrichtung der Seekriegsleitung ... Information des japanischen U-Bootführers über die jeweils laufenden Absichten und Einsätze der deutschen Seekriegsleitung ... Vorbereitung der Aufnahme einlaufender Boote durch Festlegen der Einlaufhäfen und der Einlaufwege ... Bereitstellung deutscher und Anforderung japanischer Sicherheitsstreitkräfte ... Befehlsgebung an die deutschen U-Boote nach Eintritt in das Küstenvorfeld ... Aufnahme und Geleit in die Häfen ... Festlegung des Reparatur- und Versorgungsprogrammes ... Sicherung der Boote beim Verkehr zwischen den Stützpunkten und Durchführung der analog zum Einlaufen notwendigen Auslaufmaßnahmen sowie vorher die hier so wichtige und gleichermaßen schwierige Ausrüstung der Boote für eine neue, auf viele Monate zu projektierende Reise.*

*Die Befugnisse des CIS reichen nicht über das Küstenvorfeld und die Verbindungswege der Stützpunkte hinaus.*

*Für seine taktischen Aufgaben der Sicherung der ein- und auslaufenden und zwischen den Stützpunkten verkehrenden Boote stehen dem CIS an deutschen Seekriegsmitteln zwei Arados, die Überbleibsel eines Hilfskreuzers, zur Verfügung. Ihre Ausrüstung besteht aus 50 kg Bomben. Sonst ist Dommes auf die Mithilfe der japanischen Marine, das heißt auf deren Einsicht und Leistungsvermögen angewiesen.*

*Die operative Führung der Monsun-U-Boote erfolgt weiter wie bisher durch Skl. Die Boote haben während der ganzen Dauer ihres Einsatzes Heimatwellen geschaltet und gehen erst bei Eintritt in den Befehlsbereich des Chefs im Südostraum auf dessen U-Bootführungswelle.*

*Die Skl stützt sich bei der Führung im wesentlichen auf die ihr übermittelten Erfahrungsberichte eingelaufener U-Boote, gelegentlich auch auf die spärlichen Mitteilungen der Militär-Attachés und des Funkbeobachtungsdienstes der deutschen Abwehr, soweit sie überhaupt darüber informiert wird. Der Chef im Südostraum hat auf die Operationen höchstens einen beratenden Einfluß.*

*Bemerkenswert ist, daß die deutsche U-Boot-Führung und auch die maßgebenden japanischen Stellen nicht in der Lage sind, den deutschen U-Booten eingehendere Angaben über den Gegner, seine jeweilige Stärke, seine Luft- und U-Jagdstützpunkte, seine Geleitzugwege, seine Einzelfahrerrouten usw. auf Grund von Funkbeobachtungen oder Abwehrmeldungen zu vermitteln. Jedes U-Boot muß sich daher unter Zeitverlusten erst vorsichtig in sein Operationsgebiet hineinfühlen. Erschwerend tritt hinzu, daß durch die durch Wetter und geringe U-Bootzahlen bedingte Verlagerung der Schwerpunkte oft die Fühlung mit dem Gegner in einem bestimmten Gebiet verloren geht, so daß die einmal gewonnenen Erfahrungen für die nächsten Boote nicht mehr volle Gültigkeit haben. Im Gegensatz hierzu besteht auf deutscher Seite der Eindruck, daß der Gegner über eine unerklärlich gute Kenntnis der Dislokierungen, Versorgungspunkte, Ein- und Auslaufdaten sowie Bewegungen zwischen den Stützpunkten der deutschen Boote verfügt, so daß der Verdacht von Verrat naheliegt. Wenn auch der Gegner einen bemerkenswert gut funktionierenden Funkpeildienst aufgebaut hat, was sich häufig in verblüffend schnellen Reaktionen seiner Luftaufklärung bemerkbar macht, so scheint es für die Deutschen doch sehr unwahrscheinlich, daß seine Kombinationen selbst bis in Details der U-Boot-Führung zu richtigen Schlüssen kommen. Diese Überlegung gewinnt an Überzeugungskraft, da die deutschen Funkschlüsselmittel als absolut sicher gelten.*

*Wo Verratsquellen zu suchen sind, ist schwer zu beurteilen. Bei japanischen Dienststellen sind sie unwahrscheinlich. Es ist nicht abwegig, sie sogar bei Befehlsstellen des deutschen Heimatbereiches zu vermuten. Diese Überlegung dürfte den Fakten wohl am nächsten kommen.*

Es geschah zur Zeit, da der jetzt in Soerabaja sitzende Kapitänleutnant Hoppe noch Stützpunktleiter in Penang war:

Vogel und Hoppe hocken in Korbsesseln auf der Veranda ihrer Villa. Sie dösen vor sich hin. Um sie herum ist wohltuende Stille. Hin und wieder rufen sich Nachtvögel, manchmal raschelt es im Laub zu ihren Füßen. Immer, wenn einer an seiner Zigarette zieht, flutet rötlicher Schein über das Gesicht, über ernste, nachdenkliche Züge und über eine vor Sorgen umwölkte Stirn.

„Tschä, Kaleunt", sagt Vogel, „da bin ich mit meinem Latein auch erst mal zu Ende. Hier hilft nur noch Wang."

„Der chinesische Bäcker? Aber der heißt doch, na . . ."

„Nein, der Wang, den ich meine, ist eigentlich Tiän-si, zu Deutsch Himmelssohn. Die Altvorderen der Chinesen haben ihn Wang genannt."

„Also eine Art Mohammed."

„Na, das wohl nicht . . . oder doch . . . Passen Sie auf, Herr Kaleunt: An sich ist die chinesische Religion gar keine Religion. Sie ist eine Lehre vom Universismus, was bedeutet, daß sie die Grundlage der Anschauungen über Weltbild, Ethik, Staatswesen und Wissenschaften ist. Im Zentrum dieser Lehre steht das Universum mit allen seinen Teilen und Erscheinungen. Sie ist bestrebt, die Harmonie von Himmel, Erde und Mensch herbeizuführen. Sehen Sie und an der Spitze dieser Ordnung steht der chinesische Universalherrscher."

„Also Tiän-dsi."

„Eben der, aber . . . Dieser Universismus gabelte sich um 500 vor Christus in den Konfuzianismus und den Taoismus. Später trat als dritte Lehre der indische Buddhismus hinzu."

„Der sich mit den Konfuzianern wahrscheinlich nicht vertrug."

„Genau. Obwohl der Buddhismus nun von vielen Chinesen als fremde Lehre bekämpft wurde, übte er aber doch auf viele andere eine große Anziehungskraft aus. Er paßte sich der chinesischen Wesensart harmonisch an und . . ."

Vogel unterbricht sich. Er reckt den Kopf, hebt nach Seemannsart witternd die Nase in die Luft. Da ist ein feiner, spürbarer Windhauch.

Er weht durch die offenstehenden Flügeltüren aus dem Zimmer heraus. Dort erkennt Vogel eine Gestalt.

Bewegungslos, abwartend, verharrt sie dort.

„Wong Ho?"

„Ich bin's, Sir. Verzeiht einem Unwürdigen diese nächtliche Störung."

„Treten Sie doch näher", fordert Vogel, der sich jugendfrisch aus seinem Sessel herausgestemmt hat, den späten

Besucher auf. Am Tage darf es Wong Ho der japanischen Geheimpolizei wegen ja nicht wagen, die Privaträume eines der deutschen Offiziere aufzusuchen. Wenn er aber kommt, dann mit einem ganz besonderen Anliegen.

Der Chinese verneigt sich wiederholt, schüttelt immer wieder die Hände vor seinem Gesicht und beteuert erneut, er sei es nicht wert, daß ihn die großen Kapitäne auch nur eines Blikkes würdigen.

Vogel, mit den chinesischen Bräuchen vertraut, benimmt sich, wie es die Sitte fordert. Er bietet Wong Ho seinen eigenen Platz an, denn er, der Gast, sei Vertreter uralter Kultur und höchster Weisheiten, er sei ein Würdiger, ein viel, viel Würdigerer, was Wong Ho wiederum unter erneuten Verbeugungen und unter Selbstanklagen bestreitet.

Schließlich unterhalten sie sich über das Wetter, die Gesundheit und das Wohlbefinden, und Vogel erkundigt sich teilnahmsvoll nach Wong Hos Gattin, Kam-Ho, was „Köstliche Pfirsichblüte" heißt. Er fragt nach den Kindern, nach Onkeln und Tanten und Großmüttern und Großvätern. Als Wong Ho geht, wendet sich dieser noch einmal um und sagt leise: „Besuchen Sie doch einmal den Händler Tschan Li. In vierzig Kisten erwartet Sie große weiße Freude."

Als der Vorstand einer der größten chinesischen Bäckereien, die jetzt für die Deutschen arbeitet, davongeschlurft ist, wendet sich Vogel an seinen Chef: „Sie wissen, was er meinte?"

„Weißblech."

„Yes, Weißblech. Der kam gerufen wie Yen Huei, des Konfuzius Lieblingsjünger. Manchmal kommt es mir vor, als würden unsere chinesischen Freunde immer zur rechten Stunde ahnen, wenn uns der Schuh drückt."

„Aber was nun? Von diesem Weißblech weiß der Japaner ebenso nichts wie von manchen anderen Posten. Die japanische Militärbehörde einweihen, würde mit der Beschlagnahme der 40 Kisten enden."

„Als Dank bekommen wir vielleicht zehn Kisten ab", sinnt Hoppe.

„Und verderben es mit unseren chinesischen Gönnern, die uns die Tips geben. Es scheint mir so, daß dieser Tschan Li bei der Sippe Wong Ho nicht sonderlich beliebt ist."

„Beliebt oder nicht, wie kommen wir an die Bleche? Die letzte Partie, die Sie mit Unterstützung vom Konteradmiral

Graf Maida in Batavia auftrieben, war ein Tropfen auf heißem Stein. Dommes hat's mir vorgerechnet."

„Weiß, langt nicht hin, langt nicht her."

Vogel wandert mit schwankenden Schritten auf der Veranda auf und ab, als stünde er auf der Brücke eines Überseeschiffes. Dann bleibt er stehen.

„Wir müssen bluffen."

„Gewaltstreich?"

„Dachte ich auch, aber . . ."

„Nichts aber, wenn die Japse von diesem Posten Wind bekommen, wird er im Handumdrehen konfisziert. Also morgen früh: Große Uniform, Orden und Ehrenzeichen . . . Am besten ist es, Vogel, Sie verständigen gleich den Verwaltungsfeldwebel Klosseck. Der ist ja sowieso zuständig."

„Woll", sagt Vogel und macht sich auf den Weg. Dieser Klosseck, gebürtiger Schlesier, stammt vom Hilfskreuzer *Thor*. Da er sich in seinem erlernten Zivilberuf auf die Kunst des Konservierens versteht, hatte ihn Vogel von Tokio für den Stützpunkt Penang angefordert.

„Moment noch", ruft Hoppe seinem Adju nach. „Da fällt mir ein, der Klosseck, der soll doch mal bei den Japsen herumhorchen, wie hoch jetzt der offizielle Kurs für Weißbleche steht. Aber Vorsicht, daß die Brüder nichts merken."

Kapitänleutnant Hoppe und Oberleutnant Willy Vogel brausen am nächsten Morgen in blütenweißer Uniform, von zwei Obergefreiten begleitet, vor des Händlers Villa vor. Während die beiden Soldaten die Straße in diesem Bezirk, in dem nur reiche Chinesen wohnen, vor Japanern absichern, läßt sich Vogel, der chinesischen Sprache mächtig, bei Tschan Li melden. Und damit der reiche Scheinimann sich nicht etwa verleugnen läßt, folgen die beiden Herren dem Diener auf dem Fuße.

Tschan Li fällt buchstäblich aus allen Wolken, als ihn Vogel in vollendetem Nanking-Chinesisch nach den 40 Kisten mit dem Weißblech fragt. Erst will er ausweichen. Er kaut mit geschlossenem Mund auf einer noch unausgegorenen Ausrede herum. Er zupft, um Zeit zu gewinnen, an seinen Bartfäden herum. Seine Gesichtshaut hat die Farbe von Lava-Asche angenommen, so entsetzt und so bestürzt ist er. Woher kennen diese Germans sein Geheimnis, sein ganz großes Geschäft.

Doch da wandert sein Blick durch das Fenster, auf die Straße, auf der die beiden Soldaten auf und ab gehen... Was hatte der eine der beiden Offiziere durchblicken lassen: ‚Wenn die Kempetai von den Weißblechen erfährt, dann...'

Schon der bloße Gedanke an eine Begegnung mit dieser berüchtigten und gefürchteten japanischen Geheimpolizei treibt Tschan Li, so sehr er sich auch müht, Haltung zu bewahren und Gelassenheit zu spielen, dicke Schweißperlen ins Gesicht. Er sieht es ein, Leugnen hat hier keinen Sinn. Das macht die Sache nur noch Schlimmer. Außerdem: die blütenweiße Uniform, die Orden... Also scheint die Sache offiziell zu sein.

Tschan Li verneigt sich ehrerbietig. Unter dem Rascheln der kostbaren Seide seines Gewandes murmelt er eine Entschuldigung. Er habe nicht gleich verstanden, was die Herren wünschten. Aber natürlich, natürlich...

Oben, unter dem Dach, läßt Tschan Li Reisstrohmatten beiseite zerren. Darunter werden Kisten sichtbar. Es sind 42 an der Zahl.

Als Vogel den Preis nennt, den er pro Tonne zu zahlen gewillt ist, hebt der füllige Chinese beide Hände. Das sei viel zu wenig. Viel, viel zu wenig. Das bedeute seinen und seiner Sippe völligen Ruin.

„Ehrwürdiger Tschan Li", sagt Vogel höflich und leise, „nehmen Sie doch bitte Vernunft an." Das Zetern des Chinesen ignoriert er. Dieses Jammerzeremoniell gehört zur Geschäftspraxis. Wenn nur ein Prozent davon wahr ist, ist's sehr viel sogar. „Dieser Preis, mein lieber Herr Li, entspricht dem offiziellen Kurs, den man Ihnen zubilligen würde, wenn Sie diesen Posten Weißblech den japanischen Behörden angeboten hätten... von sich aus angeboten, verstehen Sie..."

Tschan Li versteht sehr gut und auch sehr schnell, was der deutsche Offizier damit sagen will: weil er die Bleche nicht anbot, könnte die Ware jetzt ohne auch nur einen Penny Entgelt beschlagnahmt werden, dieweilen er, der angesehene, vermögende, aber zu seinen eigenen Landsleuten nicht immer hilfsbereite Tschan Li, in sehr engen vier Wänden in der Gesellschaft von Ratten dann Zeit zum Überlegen haben würde, was falsch war und weshalb und wieso sein Geheimnis ans Tageslicht drang.

„Also?" bohrt Vogel. „Keinen Penny mehr, keinen weniger."

„OK. Aber nur, wenn der Japaner nichts erfährt."

„In Ordnung. Du bekommst noch einen Sack Reis dazu."

Nun nimmt das Pergamentgesicht wieder Farbe an. Tschan Li lächelt ölig. Reis ist für einen Chinesen fast noch schwerer zu beschaffen als Weißblech für die Deutschen.

Bei Nacht und Nebel läßt Willy Vogel die Kisten abfahren. Den LKW, den die Japaner dem Stützpunkt zur Verfügung gestellt haben, darf kein japanischer Posten anhalten. Das hat Hoppe durchgesetzt.

Und Sorgen, daß Tschan Li aus dem Geschäft etwa aussteigen, daß er die Kisten während des Tages etwa beseitigen lassen könnte, hat er nicht. Ein einmal abgeschlossenes Geschäft ist für einen Chinesen tabu.

„Bei Licht besehen, war's ein regelrechter Überfall", meint Hoppe hinterher.

„Man kann's auch Erpressung nennen. Scheußlich."

„Unsinn. Keiner von uns hat doch im Ernst daran gedacht, Tschan Li etwa zu melden, wenn er abgelehnt hätte. Einigen wir uns darauf, daß es nackte Notwehr war."

Und Notwehr war es, zu dieser Selbsthilfe greifen zu müssen, seitdem sich die Verproviantierung der zahlenmäßig immer stärker angewachsenen U-Bootgruppen im Südostraum zum Problem Nummer Eins entfacht hat.

Als sich die beiden Offiziere umgezogen haben, stößt Hoppe seinen Adjutanten an:

„Wissen Sie, Vogel, was mir einfällt: es waren 42 Kisten. Mit der Zahl 42 scheint es bei Ihnen eine ganz besondere Bewandtnis zu haben." Als er dies mit einem Augenzwinkern sagt, läßt er ‚Black and White' in zwei Wassergläser fließen. Ja, die Zahl 42.

*

Als um jene Zeit im Südostraum Penang als U-Boot-Stützpunkt ausgerüstet werden sollte, wurde der schon früher von Südamerika nach Japan herübergekommene deutsche Frachter *Quito*,[27] der bisher den Japanern Transporthilfe geleistet hatte, mit *Nankin*-Dosenproviant für Penang beladen. Außerdem bekam er eine Regelstelle für Torpedos eingebaut. Neben dem Beuteproviant aus der Prise des Hilfskreuzers *Thor* (zweite Reise), einem 7 131 BRT großen Passagierdampfer mit Fleisch, Obst und Gemüse auf dem Wege von Australien zur Burma-Front, hatte er aber noch andere Kostbarkeiten und Mangelware an Bord: Gekauft mit den waschechten Scheinidollars. Auf dem noch übervollen Schwarzmarkt in Shanghai. Die Japaner hatten ja keinen blassen Dunst von der dollarschweren Beute auf der Prise, als diese einkam. In marineeigenen und daher nicht kontrollierten PKW's war das Geld aus dem Hafen in die Deutsche Dienststelle gefahren worden. Ein Teil wurde von dort später per Kurier nach Shanghai gesteuert.

„Denken Sie auch daran, viel Schokolade einzukaufen", hatte einer der Herren die Aufkäufer gemahnt. „Sie kann sich im Südostraum als sehr nützlich erweisen. Die Herren der japanischen Marine mögen sie besonders gern."

Um diesen Punkt abzuschließen: das restliche Geld wurde den Japanern übergeben. Diese warfen es dann mit Flugzeugen ab, um die chinesische Währung zu entwerten.

Die Fahrt der *Quito* verlief nicht wie gewünscht. Auf der Reise von Yokohama nach Kobe, wo noch Torpedos zugeladen werden sollten, hatte das Schiff Grundberührung. Die Räume unter der Luke Eins sprangen wieder leck. Zwei Zerstörer schleppten den Frachter in eine Bucht, wo man ihn behelfsmäßig abdichtete und dann in die Werft nach Kobe schleppte.

Endlich war die *Quito* wieder klar. Sie erreichte Batavia, in dessen Hafen gerade die *Alstertor* lag. Dieser Blockadebrecher und Hilfsversorger hatte eine ganze U-Bootausrüstung,[28] zwei Ersatz-Sehrohre, Torpedos und Reserveteile für ein U-Boot an Bord. Die *Quito* übernahm diese Teile für den Stützpunkt Penang. Mit ihrem Eintreffen war U-Boot-Dauerproviant vorerst in genügender Menge vorhanden.

Aber an Frischproviant, an Kartoffeln und an Graubrot mangelte es. Die japanische Marine zeigte sich wohl sehr hilfsbereit. Sie lieferte aus eigenen Beständen, was sie nur abtreten konnte, aber über größere Frischfleischreserven verfügten sie auch nicht. Reis genügte den Japanern.

Blieb also nur der ‚freie Markt', der Schwarzmarkt in Singapore.

Kartoffeln standen in den Sternen. Die südostasiatischen Süßkartoffeln waren einfach nicht zu genießen. Grund genug für Dommes, später auf Java, auf der ehemaligen Teeplantage Tschikopo, den Anbau europäischer Kartoffeln versuchen zu lassen, was, das sei vorausgeschickt, auch glückte. Allerdings wurden diese Erdäpfel ob der ‚Inzucht‘ von Ernte zu Ernte kleiner. Aber der Krieg würde ja nicht ewig dauern, trösteten sich die seebefahrenen ‚Landwirte‘, denen einige ehemalige deutsche Plantagenbesitzer im besetzten Niederländisch-Indien beratend und tatkräftig zur Hand gingen.

Willy Vogel, der Asien von seinen früheren Fahrten her so gut kannte wie heute sein Revier um ‚Cuxendorf‘ und der auch längere Zeit in Fernost an Land tätig war, bohrte prophylaktisch und zielsicher die einzig richtige Quelle an: die Chinesen.

Mit den Scheinis hatte er bisher nur beste Erfahrungen gemacht. Auf der Suche nach einer Bäckerei für das *Nankin*-Mehl kam es dann zur Begegnung mit Wong Ho.

„Ich merkte gleich, mit dem Mann war Freundschaft zu schließen. Mit dem mußte sogar Freundschaft geschlossen werden. Dieser Chinese haßte die Japaner wie ein Chinese nur einen Japaner hassen kann. Ich konnte auch etwas für ihn tun. Er hatte eine riesengroße Familie, er brauchte Reis. Vor allem in Singapore hatten die Japaner Reisbestände gehortet. Ich versuchte es über die japanische Marine, und wenn die Navy nicht mehr konnte, dann klopfte ich beim Heer an. Ich habe auch vom Heer Reis bekommen, nur durfte das wieder die Marine nicht wissen, oder umgekehrt.

So nach und nach wurde eine echte Freundschaft aus der Bekanntschaft mit Wong Ho. Daß ich ihm mit Einverständnis des CIS auch etwas Mehl abließ, war ein Freundschaftsdienst, der sich einmal zehnfach bezahlt machen sollte. Denn eines Tages, das war ein klares Rechenexempel, würden auch die Fleischkonserven aus der Ex-*Nankin* aufgebraucht sein. Und dann?

Wong Hos Frischbrot, ein Graubrot nach unseren Rezepten, schmeckte prima. Roggenmehl hatten wir ja in Shanghai beschafft. Bezahlt mit blütenreinen *Nankin*-Dollars. Das hört sich alles so einfach an, aber welch ein mühevoller Weg, ehe Hein Seemann neben dem obligatorischen Reis täglich seine drei oder vier Scheiben Brot empfangen durfte.

Drei bis vier Scheiben! Das ist kein Druckfehler.

Zum Frischbrot besorgte Klosseck frisches Wasserbüffelfleisch. Es ist zwar nicht besonders zart und ziemlich grobfaserig, aber es war frisches Fleisch. Das war entscheidend.

Und damit begann Klossecks Wirken:

Fleisch und Brot zu konservieren.

Den Dreh herauszufinden, das Brot einzudosen, nahm Wochen in Anspruch. Wong gab sich verzweifelte Mühe. Er schuftete sogar in den Nächten. Endlich hatte er den Bogen raus: es mußte vorgebacken und dann in die Dosen hineingebacken werden, dann hielt es sich sogar eine ziemlich lange Zeit.

Mit den Dosen aber lag der dornenreiche Gang gen Canossa erst noch vor uns . . ."

Und es wurden viele draus.

Erst schaltete sich Tokio ein und beschaffte eine neue Partie, einen kleinen Posten, gerade ausreichend, um ein U-Boot mit Dauerproviant auszurüsten.

Über Wong Ho lernte Vogel einen anderen zuverlässigen Chinesen kennen, den Klempner Tai Fu. Sein erster Freundschaftsbeweis waren zwei Kisten mit Weißblech, genug für ein paar hundert Dosen.

„Da gibt es noch gutes Weißblech. Vier gebrauchte Gallontens. War Petroleum oder Schmalz drin", flüsterte Tai Fu Vogel zu. Aber diese großen, vierkanten Weißblechfässer waren, wie alle anderen Metalle, von Japanern bereits erfaßt. Vogel mobilisierte die Marine. Der Schokolade wegen sah man ihn stets gern. Aber die Kollegen von der blauen Achsenzunft bedauerten. Hier habe das Heer zu sagen. Das Heer bedauerte auch. Diese Posten seien noch nicht erfaßt, die Sache läge noch im Zuständigkeitsbereich der Geheimpolizei. Ob der vielen Zuständigkeiten bekommt Willy Vogel keine Zustände. Er fügt sich in sie mit asiatischem Gleichmut. Er lächelt und handelt. Der Chef der Kempetai hört sich Vogels Sorgen an. Das Wunder geschieht. Er besorgt die vier Gallontens und noch eine dazu, einen total verrosteten Behälter, den die Kempetai-Männer bei einem Inder ausgegraben haben.

Tai Fu stellt sieben Chinesen in seinen Betrieb ein. Sie zerlegen die vierkanten Dinger, walzen die Bleche glatt, schneiden sie in Streifen, entrosten, säubern und desinfizieren sie und handwerken am Ende blitzende Zwei-Kilodosen daraus. Welche Mühen! Welche Umwege!

CIS Dommes, immer auf der Suche, die Ausrüstung der

Boote zu verbessern, regt die Konservierung von einheimischem Obst an, denn auch diese von der *Nankin* stammenden Vorräte werden auf die Dauer nicht reichen. Außerdem mag Hein Seemann die ,Stringbeans', diese eingedosten, langen grünen Bohnen aus Australien, gar nicht so gern.

Von Erfolg gekrönte Versuche: malayische Rambutans und Mangopflaumen zu konservieren, einheimische Obstsorten, die jahraus jahrein auf den Bäumen wachsen und süß wie Zucker schmecken. Und auf Tschikopo andere: europäische Gemüse anzubauen und zu ernten, so Mohrrüben, Sellerie, Tomaten, Schnittlauch und Kohl.

Verdruß und Pech: Bei Bananen erleben die Konservenmixer eine böse Überraschung. Die mehlig-weichen Früchte werden nach der Konservierung in Dosen hart wie unreife Birnen. Tschikopo gehörte übrigens dem deutschen Plantagenverein, der auch unter holländischer Verwaltung die Treuhänderschaft behielt. Auf diesem 4400 Morgen großen Gelände, auf dem nun die Teesträucher anderen Zwecken weichen mußten, steht noch aus der Zeit des Weltkrieges Nummer Eins ein Denkmal, das an Graf Spees Geschwader erinnert. Zum militärischen Leiter der Farm hat Dommes Kapitänleutnant Tangermann von der *Brake* bestimmt. 400 Javaner stehen ihm als bezahlte Hilfskräfte zur Verfügung, willige, fleißige Eingeborene. Und ein ehemaliger Maschinist der Kaiserlichen ,KM' wird Tangermanns rechte Hand in allen technischen Fragen. Dommes: „Man ahnt ja gar nicht, was man mit ein bißchen Blech, Hammer, Nägeln, Zangen und Lötkolben alles anfangen kann."

Vogel läßt Kokosnüsse zerkleinern und schnitzeln. Sie sind ja vitaminreich, wie der Stützpunktarzt Dr. Schlenkermann versichert. Auch rein — in die Dosen, wie Ananas und jene so delikaten Bambus-Schößlinge, sonst ein Gemüse für die Gaumen ausgesprochener Gourmets. Sind die Herren Seelords etwa keine?

Eines Tages besucht Dommes die Dosenbrot-Fabrik, ein auf die Verhältnisse bezogen anmaßendes Wort. Er glaubt seinen Augen nicht zu trauen. Die hier tätigen Malayenfrauen geben sich alle Mühe, das Brot mit kleinen Hämmerchen in die Dosen zu klopfen.

„Nanu, sind die Brote zu lang geraten?"

„Nein, aber die Dosen zu kurz."

Die Weißblechstreifen der einen von den Scheinis gelieferten Partie waren zu schmal. Man hatte vergessen, Wong Ho zu verständigen.

Und als auch die letzte geheime Quelle für Wasserbüffel in Malaya endgültig versiegt, macht Vogel auf Java einen ehemaligen deutschen Schlachter aus, einen naturalisierten Holländer. Dieser schon etwas betagte Herr wohnt in Bandung, in Javas früherer Hauptstadt. Hier betreibt er wieder seine kleine Fleischwarenfabrik, nachdem sie ihm die Japaner unter deutschem Druck zurückgegeben haben. Er und sein Assistent, ein deutscher Chemiker mit einem für Konservierungsversuche gut geeigneten Waschküchenlabor, beschaffen Wasserbüffel in jeder Menge. Im Gegensatz zum ausgelaugten Malaya fließt im Paradies Java noch immer Milch und Honig.

Vogel brummt mit einer Arado nach Java. Auf den Geschmack komme es an, auf den deutschen Geschmack. Nur das allein ist der Zweck der Gespräche und der Proben. Man sieht, auch in diesem Punkt läßt es Vogel nicht an gebotener Gründlichkeit fehlen, die einem Grand-Hotel-Generaldirektor zur Ehre gereichen würde.

Die Sache mit der Fleischkonservenfabrikation in Bandung kommt prächtig in Schwung: Goulasch à la Czikos, Rouladen à la Schlicktown ... Eingedost. Numeriert. Verladefertig für die Grauen Wölfe ...

Sie türmen sich zu Bergen.

*

Und wieder schmilzt der Vorrat an Weißblech zusammen. Und wieder stehen Willy Vogels Sterne günstig. In der Nacht klopft es an der Tür der Villa, in der Willy Vogel wohnt. Es ist ein zaghaftes, aber drängendes Klopfen. Tai Fu ist völlig aufgelöst, verzweifelt. Sein Schwager, Oberhaupt einer großen chinesischen Familie, sei von den Japanern einberufen worden, denn die Japaner kassieren alles, was von den Chinesen und Malayen einen Spaten, einen Pickel, eine Schaufel bewegen kann, um Straßen an der Burmafront zu bauen.

„Wo steckt er denn?"

„Er sein noch in Kaserne in Penang, wartet auf Abruf zur Zwangsarbeit."[29]

Vogel weiß, wie groß die Chinesen das Wort ‚Sippe‘ schreiben, wie eng die Familienbande sind, wie sehr sie ihre Alten verehren und ihnen sprichwörtlich dienen, im Gegensatz zu Europa, wo man Alte, die zu keiner Arbeit mehr fähig sind, zum alten Eisen tut.

Haben Chinesen nicht allen Grund, wenn sie die Europäer Barbaren nennen...?

„Ich will's versuchen, Tai Fu."

Lautlos, wie er kam, verschwindet der Chinese.

Morgens fährt Vogel mit dem Stützpunktdolmetscher zum Kempetai-Chef, in die Höhle des Löwen. Der Dolmetscher übersetzt:

„Ich brauche diesen Mann für unsere Proviantherstellung."

„Wir ihn zum Straßenbau."

„Er ist aber Spezialist."

„Beweisen Sie es."

„Sie verlangen etwas, was Sie selbst nicht gutheißen, würde man es von Ihnen fordern, weil Ihre Versicherung gilt."

Der Kempetai-Boß lächelt, hebt den Hörer des Telefons und spricht mit dieser, dann mit jener Dienststelle. Die Uhr gongt zehn, als der Dolmetscher übersetzt:

„Herr Oberleutnant Vogel-San, Sie können über diesen Mann verfügen. Er ist frei."

In der nächsten Nacht klopft es wieder, wohl zaghaft, aber nicht mehr drängend und ängstlich. Tai Fu und sein Schwager Yang Ho sind es. Es kostet Vogel viel Mühe, sich ihrer Dankesbezeugungen zu erwehren.

„Wir lassen Sie nie im Stich. Nie."

Die Befreiung des Sippenchefs Yang Ho vom Arbeitseinsatz wird zum Schlüssel für jede weitere Beschaffungsaktion.

Schlagartig hören alle Blechsorgen auf. Woher Yang Ho und seine vielen, vielen Familienuntertanen diese Raritäten beschaffen... über Dschungelpfade... über Dschunken, die heimlich und auf nur den Eingeborenen bekannten Küstengewässern zwischen Singapore, Sumatra, Borneo, Saigon oder Hongkong verkehren... das erfahren sie im Stützpunkt nicht. Wenn Vogel feststellt: „Wir brauchen mindestens eine Tonne", türmen sich schon bald zwei Tonnen auf Lager.

Schlagartig gibt es auch keine Proviantsorgen mehr. Zu jedem gewünschten Termin schleppen Yang Hos Sippenmitglieder an Verpflegung heran, was der U-Boot-Stützpunkt braucht.

Die Nöte, genügend Stoffe für die Zivilsachen und Ausgehuniformen der neuen U-Boot-Besatzungen zu erhalten, weil diese rationierten Spinnstoffwaren auch bei den Japanern seit langem knapper und knapper werden, sind wie weggeweht. Willy Vogel bekommt über die dunklen Kanäle der Sippe Yang Ho, was er braucht — und mehr als das. Und eine chinesische Schuhfabrik, der Teufel soll's holen, wenn deren Besitzer nicht auch einer von der Sippe Yang Hos ist, liefert Schuhe nach Bedarf. Feldwebel Klosseck braucht bloß die Größen anzugeben. Nachher haben sie sogar 100 Paar Schuhe zu viel. Und da die Deutschen in Japan schon lange auf immer dünner werdenden Sohlen laufen, kann Penang sogar aushelfen. Ein U-Boot, das zum Batteriewechsel nach Japan fährt, nimmt die Schuhe mit.

Und alles, auch die Schuhe, zu normalen Preisen. Und ohne viele Worte.

Bloß die Sache mit der Seewasserseife wird nachgerade zu einer Doktorarbeit. Kokosöle und Fette sind zu bekommen. Seifenstein dagegen nicht. Vogel bekommt eine deutsche Firma in Siam vermittelt und von dieser zwei Fässer mit Ätznatron-Soda-Gemisch.

Das Rezept für die Seewasserseife funkt die Heimat. Aber es kommt, da als chemische Formel aufgegeben, nur unvollständig an. Mit Hilfe der Scheinis zaubern sie dann aber doch ein brauchbares Produkt, das in Salzwasser schäumt.

Dommes bestellt Vogel zu sich. „Morgen wird wieder ein Boot erwartet. Schön wär's ja, wenn wir den Jungens ein delikates Festmahl bieten könnten."

Als Willy Vogel nichts sagt und seinen Zeigefinger gegen die Tischplatte bohrt, meint Dommes noch: „Ich weiß, es wird von Tag zu Tag schwerer."

„Ich will's versuchen. Es hat ja bisher immer geklappt."

Bloß wie, das darf der CIS von Amts wegen nicht wissen. Tai Fu bekommt Nachricht, daß man ein Festessen plane ...

Am nächsten Morgen liegen Hühner, Enten und herrliche Früchte in der Kombüse.

„Ich wette, die sind wieder geklaut, nicht mal auf dem blackmarket gibt's ja so was in solchen Mengen."

„Sie brauchen Urlaub, Klosseck", knurrt Vogel. „So etwas träumt man nicht einmal, statt es zu sagen."

*

In Singapore hat Stützpunktleiter Ehrhardt inzwischen einen anderen Weg beschritten. Er hat einer großen Konservenfabrik in schweizer Besitz Auftrag erteilt, Dosen aus heimischem Zinn herzustellen. Er schlägt so zwei Fliegen mit einer Klappe:

a) die U-Booten bekommen ihren Dauerproviant,

b) nach Gebrauch können die leeren Dosen plattgewalzt und auf den Flurplatten als wertvoller Mangelrohstoff in die Heimat mitgenommen werden.

An Zinn mangelt es nicht. Konsul Schneewind, Vater des Ex-Komandanten von U 511, hatte als Verantwortlicher für den Einkauf für die nun abgeschriebenen Überwasser-Blockadebrecher gründlich vorgesorgt. Zinn, Wolframerze, Opium und Gummi lagern in riesigen Schuppen. Später, als die U-Boote in Asien, statt zu kämpfen, nur noch als Rohstofftransporter vorgesehen werden, gibt es ziemlichen Ärger. Der Rohkautschuk ist zusammengeklebt.

Wie erinnert sich heute Kapitän zur See Ehrhardt: „Der ganze Gummi war ein einziger klebriger Berg. Da heranzukommen, war grausam. Das war eine Sauarbeit. Da haben uns noch Männer von Boses Freiheitsarmee tüchtig geholfen, das Zeug wieder auseinander zu zerren.

Das aber war nur eine von den örtlich bedingten Schwierigkeiten . . .

Wenn ich nur an die A-Tos denke. Diese Torpedos liefen ja außer mit Preßluft noch mit einem Hochdruck-Heißdampfgemisch. Um dafür das Öl mit den richtigen Verbrennungswerten zu bekommen, konnte man graue Haare wachsen sehen. War der Druck zu hoch, lief der Aal vorn vorbei, war er zu niedrig, ging er achtern daneben. Wir hatten anfangs keine Station, um die Viskosität dieser Öle selbst zu untersuchen. Bis ich auf dem Hilfsversorger Bogota einen Ingenieur entdeckte, der sich in solchen Untersuchungen auskannte. Der hat sich in Singapore ein Labor eingerichtet und die Öle an Ort und Stelle untersucht.

Aber vorher . . . Es graust einen heute noch, wenn man daran denkt ... vorher mußten wir eine solche Ölprobe immer erst nach Tokio schicken. Wenn man Glück hatte, stand in dem zurückkehrenden Urteil: OK.

Oft aber hatte man Pech. Dann wurde gesagt, schickt uns eine andere Probe, dieses Öl taugt nicht für diese Zwecke. Also schickten wir eine neue Probe ... bis wir endlich das richtige Öl vom Japaner erhalten hatten. Aber ... schon wieder ein Aber: Keineswegs war nun sicher, daß das Öl, was für die Torpedos vorgesehen war, dann auch aus dem gleichen Faß kam, aus dem die Probe stammte."[30]

## 7.

### „AN LAND", SPRACH DER KAPITÄN ...

Apropos Menschliches, Allzumenschliches: Jeder Kommandant warnt seine Männer. Die Stützpunktoffiziere halten Vorträge, und der Stützpunktarzt warnt, warnt, warnt. Das Thema Gesundheit findet auf der Seite sieben des kleinen Büchleins, das jeder, der mit einem U-Boot Singapore besucht und im ‚Union Building' vor der Yamato Sambashi*) ausgehändigt bekommt, breiteste Behandlung:

*„Das tropische Klima birgt große Gefahren für die Gesundheit. Wer zum erstenmal in die Tropen kommt, muß sich besonders in acht nehmen. Daher Vorsicht beim Essen und Trinken und vor Erkältungen. Die kleinste Unvorsichtigkeit hat schwerste Folgen. Am gefährlichsten sind Darmerkrankungen (Dysentrie, Typhus, Cholera) und Geschlechtskrankheiten. Genuß von ungekochtem Wasser, von Speiseeis ist strengstens verboten. Das Essen von Waren der Straßenstände und in unbekannten Restaurants ist ebenfalls untersagt. Obst muß vor dem Genuß unter allen Umständen gewaschen werden. Zwecks Vermeidung von Ansteckungsgefahr Hände waschen vor jeder Mahlzeit. Der hier verkaufte Alkohol enthält Methylalkohol und ist außerordentlich gesundheitsschädigend. Er wirkt besonders auf Gehirn und Augen. In schlimmen Fällen tritt Erblindung ein.*

---

*) Pier vom Innenhafen

*Durch die weite Verbreitung der Prostitution, den Mangel an Medikamenten und fehlende Kontrolle ist jedes Mädchen krankheitsverdächtig!!!*

*Die bisherigen Kommandos hatten 10% Geschlechtskrankheiten!"*

„Was tun, spricht Zeus", sorgt sich der Stützpunktchef. Die Japaner haben ihre Geisha-Häuser . . .

Als der deutsche Boß von Singapore endlich Ähnliches eingerichtet hat, haben die Herren Seelords gar keine Meinung, solchem Angebot zu folgen. Erst, als sich die Stützpunktführung ‚opfert‘, ist der Bann gebrochen.

\*

Dienstausscheiden in Penang. Sie bummeln die breite Strand Road herunter, an Traumvillen vorbei, unter im Monsunwind sich wiegenden Palmen entlang, von der machtvollen Melodie der Brandung begleitet. Sie folgen denen, die es brandeilig hatten, die ihre Rikschakulis zu höchster Marschfahrt antrieben. „Hälloh boy, w'oann Dollar more", . . . in einen gepflegten parkähnlichen Garten hinein . . . auf ein pompöses Bauwerk zu . . . mehr Schloß als Villa . . . einst der Privatbesitz eines millionenschweren Chinesen . . . jetzt das Freizeitheim für die deutschen Unteroffiziere und Mannschaften vom Stützpunkt und aus den U-Booten im Hafen. In den Akten wird es offiziell als ‚Shanghai-Hotel‘ geführt, die Lords aber nennen es:

‚Das Haus der Tausend Freuden.‘

Als Kuddel Hollenkamp, Obermaat Schorsch Körber und Hein Gummi mit einigen anderen Kumpels von den Booten und vom Stützpunkt die breite Freitreppe hinaufsteigen und durch das weite Portal ins Dämmerlicht der Halle treten, bricht die Musik ruckartig ab. Die Hawayen Boys, angelernt und betreut vom Funkobergefreiten Osterfeld, haben die Gesichter der Neuen erspäht. Sie stimmen den Begrüßungssong an:

‚Eine Insel zum Träumen geboren.‘

„Na, habe ich zuviel versprochen?" stößt Hollenkamp Körber an. „Alles nach eigenen Ideen eingerichtet und ausgebaut."

„Das sieht man", lacht Körber. Er zeigt auf die Wände mit den Zeichnungen. Sie stellen dar, was das Haus zu bieten hat.

An einer bleibt die ausgestreckte Hand des Maschinenkumpels hängen.

Man sieht darauf einen Seemann, der Holz hackt, daß die Splitter fliegen.

„Nun weiß ich auch, warum es die Makkers auf der Strand Road so eilig hatten", fällt es Körber ein.

Just im gleichen Augenblick drängt sich eine filigranzarte Chinesin an dem Maschinen-Obermaaten vorbei. Sie trägt einen straffen Anzug, der wie ein Schlafanzug aussieht, und sie hat zierliche, leuchtend bunt bestickte Pantöffelchen an den Füßen. Schorsch Körber schlägt das Herz im Halse bei dieser blutvollen Tuchfühlung.

„Mann, Kuddel."

„Du mußt nur Obacht geben, daß sie eine große rote Plakette tragen. Von der, die keine hat: ‚Hands off, sailor.'"

„Verstehe", nickt Schorsch Körber. Dann sagt er: „Hübsch sind sie ja, die Scheini-Mädchen. Aber hinten nix, vorne nix. Die scheinen alle in Mönchen-Gladbach auf die Welt gekommen zu sein."

„Davon verstehst du nichts. Platt wie ein Waschbrett ist das chinesische Schönheitsideal. Sei unbesorgt, es gibt auch andere ... Malayinnen, Inderinnen, Burmesinnen und Mischlinge. Vertreterinnen aller Rassen und aller Schattierungen. Cocktails, hübsch zum Niederknien. Da, guck dir das an, da kommt Tong Sui aus Thailand. Und hinter ihr, kannst du sie sehen, das ist der ‚Blaue Diamant' ... Na?!"

Maschinenmaat Körber holt tief Atem. Dann fährt es ihm heraus: „Donnerwetter, das allerdings sind Realitäten."

Doch bevor sie in den großen Saal eintreten, müssen sie am Unteroffizier vom Dienst vorbei.

Der UvD ist Reservist und im Zivilberuf Verkäufer in einem Damenmoden-Geschäft.

„Was darf's sein, die Herren?" schnurrt er los. „Bitte in den Räumen von jeder Barzahlung Abstand zu nehmen. Tickets aller Art sind bei mir zu haben."

„Sind wir die ersten?" fragt Hollenkamp.

„Genau, die Herren. Und nun wählen Sie bitte: Grüne Tickets: Ringelpietz, zwanzig Cents; Kühles Blondes: gelb, einen Dollar; Rapportwasser: blau, achtzig Cents; und die Krönung von allem: diese zartrosa Tickets, die kosten nur acht Dollar das Stück. Greifen Sie zu, meine Herren!"

Hein Gummi grinst. „Deinen Jabbell möcht ick haben."

„Ihr Lob ehrt mich, mein Herr. Und nun weise ich pflichtgemäß auf die Hausordnung hin." Der UvD zeigt auf die Tafel neben der Tür. „Ich hab's nicht gern, wenn nachher Klagen kommen."

Hein Gummi zieht Hollenkamp weiter.

„Nu komm schon, ick habe Durscht."

Als Hein Gummi und Hollenkamp den Tanzsaal betreten, greifen die Musikanten hastig nach ihren Instrumenten. Es ertönt eine vertraute Melodie: „Heimat, deine Sterne."

Ein wenig seltsam, des Reichswehmutssängers Stimme aus dem Berliner Wunschkonzert hier zu hören — 16 000 Seemeilen von der Heimat entfernt...

Wie sagte Kaleunt Oesten doch...

„Die Sehnsucht nach der Heimat wächst mit dem Quadrat der Entfernung. Je weiter man sich entfernt, um so näher kommt sie auf einen zu."

„Zwei doppelte Whisky", bestellt Hein Gummi und läßt sich nahe der Terrassentür in einen Korbsessel fallen.

Von hier aus sieht man zwischen Palmenwipfeln das Meer.

Der Seemann unter der Palme am Fenster läßt sein Glas unberührt.

„Wat is, Makker", stößt Gummi-Briesicke ihn an. „Komm... ex. Sitz nich da wie ein ausrangiertes Seezeichen."

Der Angesprochene, ein junger Funker, knapp 18 Jahre alt, schüttelt nur den Kopf und sagt:

„Wenn mein Alter diese T 5 doch noch an Bord gehabt hätte..."

„Wieso noch?" drängt Briesicke, das Glas am Mund und vergißt das Trinken. „Ick denke, du bist hier bei Seefliegers? Wat soll dat denn? Wat habt ihr denn mit Zaunkönigen zu tun? Jibt's ooch Lufttorpedos davon?"

---

Ein Originalprogramm für eine Veranstaltung in Singapore, das die Japaner in Shonan-to umbenannt hatten. Die Hakenkreuze durften natürlich nicht fehlen. Sie wären harmlos, würden ihre Zacken nach links weisen ... dann wären sie ‚Swastikas'. Ein Swastika ist in Indien das Sonnensymbol. Eine der großen indischen Reedereien führt dieses ‚andere' Hakenkreuz in ihrer Kontorflagge. Aber, bitte studieren Sie das Programm. Es lohnt sich bestimmt. Man tat an Land schon etwas für die Kriegsmarine.

183

# Sonderveranstaltung Fuer Die Deutsche Kriegsmarine

## Programm

1. MARSCH aus "TANNHAEUSER" — Richard Wagner
2. Zinnsoldatenparade, - - getanzt von Katinka Gerentser
3. Geschichten aus dem Wiener Wald - Strauss
4. Abdullah und Jantan - Tanz - eine Strassenszene in Shonan - - getanzt von Rosie und Louisa
5. Moderner Waltzer - - getanzt von Frau Gerentser und Frl. Vicky
6. Lied "Ai! Ai! Ai!" - - gesungen von Rose
7. Wiener Lieder - - - Drescher
8. Alladin und seine Prinzessin-Tanz - Rosie und Mavis
9. Lied "Bel Ami" - - gesungen von Rose
10. "Bolero"-Tanz - - - Frau Gerentser und Frau Bain u. Frl. Vicky

## Pause

11. "Shanghai-Traeume" - - zusammengestellt von D. Mailinger
12. "Katinka und ihr Husar" — Tanz — Frau Gerentser und Frau Bain
13. "Mama Yo Quero"—Lied - Rose
14. Shanghai Phantasie—Tanz - Frau Gerentser, Frau Bain und Frl. Vicky
15. Deutsche Trinklieder - - Rhode
16. Tiroler Duett—Tanz - - Frau Gerentser und Frau Bain
17. Orientalischer Tanz - - Rose
18. Toreador und Andalousè—Tanz - Shonan-Orchester-Gruppe
19. Deutsche Marine—Lieder - - zusammengestellt von D Mailinger

---

Musikalische Leitung: - - D. Mailinger (am Fluegel)
Vorbereitung und Gesamtleitung: - G. Gerentser
Erster Geiger: - - - W. Reimann

## SHONAN-ORCHESTER UND TANZGRUPPE

„I wo, gibt keine T 5 als Lufttorpedos. Stimmt, bin hier Funker bei der Seefliegerei, in Oberleutnant zur See Horns Arado. Vorher aber war ich Funker auf U 1062. Und dieses Boot antwortet seit dem 30. September nicht mehr. Wir haben, wie ihr wohl wißt, aus Kiel Torpedonachschub an Bord gehabt. Zehn der Aale waren Zaunkönige. Als wir kurz vor Penang standen, befahl der BdU, diese Vögel vor unseren asiatischen Bundesgenossen geheimzuhalten, kurzum: sie zu versenken. Ein paar Wochen später haben sie ja in Berlin ihre Meinung um 180 Grad gedreht."

„Erstens ist noch gar nicht erwiesen, ob dein altes Boot wirklich verloren gegangen ist, zweitens, wenn es so ist, werden die verdammten Bienen die Ursache dafür gewesen sein. Also hätten die Zaunkönige auch nichts genutzt", meint einer.

Da schaltet sich Obermaat Hollenkamp ein. „Nein, nix Bienen bei U 1062. Unsere LI unterhielt sich neulich mit dem CIS. Ich stand gerade in der Nähe. ‚Nach amerikanischen Meldungen', so sagte Dommes, ‚sei das Boot südwestlich der Kapverden von einem amerikanischen U-Jäger mit Hedgehogs und Wabos versenkt worden. Angeblich keine Überlebenden.'"

„Also doch", sagt der Funkgefreite Franke leise. „Er hat's geahnt. Eigentlich wollte ich ja da gar nicht weg. Wir wohnten in Singapore im Lager Pasir Panjang, im Sack-Lager... Grinst nicht... Heißt so, weil diese Baracken von Oma und Papa Sack, ehemalige Farmerfamilie auf Malaya, betreut werden.

Ist nicht so schön dort gewesen wie hier, bis auf das verrückte Tigerhaus, gleich in der Nähe... mußten ja sonst immer mit dem Bus in die Stadt fahren. Linie 23, weiß ich noch ganz genau. Oder mit Taxis zu Überpreisen. Durften als Lords in Shonan, meine Singapore, auch nicht in alle Lokale rein, gab welche nur für Offiziere: Das schietvornehme Nanto-Hotel, das Minami-Sukiyaki-Restaurant, dann welche nur für Of's und dann ein paar für uns."

„Und die Tanzhallen? Von denen redeste nicht, was?" mischt sich ein Seemann ein, der mit seinem Boot schon in Singapore war. „Ich war in Shonan. Denk mal ans Daisekai, wie die Japse zum Vergnügungspark Great World sagen, oder ans ‚Great East Asia-Cabaret'. Dürfen nur in Zivil betreten werden. Aber Klasse — gibt's nicht in Europa, sowas..."

185

„Du kommst vom Kurs ab", mahnt Hollenkamp Franke.
„Wieso hast du was geahnt, daß es schief gehen wird?"

„Ach so, was ich sagen wollte ... Bei einem Stützpunktfest
hier in Penang saß der Fliegerfeldwebel Karl Schreiber neben mir. Und der sagte mir, daß im Stützpunkt eine eigene
Marinefliegerei aufgestellt werden würde. Für die beiden
Arados würden sie noch Funker brauchen. Die müßten dann
auch noch in der Navigation ausgebildet werden. Ob ich
keine Lust daran hätte. Lust schon, hatte ich ihm gesagt ...
‚aber Sie wissen ja, wen die U-Bootwaffe einmal in der
Zange hat, den läßt sie nicht wieder los ...‘ Habe dann nichts
mehr davon gehört. Eines Tages, ich seh's noch genau, jumpte
Oberleutnant zur See Horn bei uns an Bord, wollte unseren
Alten sprechen. Als Horn gegangen war, zitierte mich der
Kommandant zu sich. Er machte grausamen Krach. Habe nur
die Hälfte verstanden.

Aber soviel hörte ich doch heraus, daß er mir vorwarf, wie
ich dazu käme, mich ohne sein Wissen und Einverständnis
von Bord weg zu melden. So schnell ginge das nicht. Das
letzte Wort würde er sprechen. Ich versuchte ihm zu erklären, daß ich mich ja gar nicht weggemeldet, sondern nur
Interesse gezeigt hätte ... Aber er war einfach außer sich.
Als ich dann abkommandiert wurde und ich mich abmeldete,
war er aber sehr ruhig. ‚Hoffentlich bereuen Sie das nicht,
daß Sie Ihrem Boot, mir und Ihren Kameraden untreu werden.‘ Dann drehte er sich um. Die Hand gab er mir nicht.
Ach so, er blieb noch mal stehen und rief mir zu ‚Außerdem
wissen Sie nun nicht, wie Sie von hier wieder nach Hause
kommen.‘ Er hat dabei die Augen zusammengekniffen. Das
tat er immer, wenn ihn irgendwelche Ahnungen beschäftig-
ten."

„Und du meinst, nun ist eingetroffen, was er ahnte: ‚wenn
ich den Franke nicht an Bord habe, geht's schief.‘"

„So ungefähr, Herr Obermaat, ich war für ihn sozusagen
bester Mann am GHG. Nicht nur das: das gleichsam freiwil-
lige Aussteigen eines Besatzungsmitgliedes belastete seinen
Aberglauben. Es ließ vor seinen geistigen Augen die Vernichtung des Bootes visionär wie über eine Filmleinwand
abrollen. Daher seine Erregung, als er mir Vorhalte machte."

„Kenne den Oberleutnant zur See Albrecht übrigens. Fuhr
doch schon im ersten Weltkrieg U-Boot."

„Stimmt, als Steuermannsmaat, und als der zweite ausbrach, als Obersteuermann. Als er Leutnant zur See wurde, bekam er dieses Transport-U-Boot vom Typ VII F als Kommandant. LI war ebenfalls ein Leutnant, der Arzt aber ein Stabsarzt im Kapitänleutnantsrang. War eine sonderbare Mischung von Dienstgraden zuerst. Glänzender Nautiker, dieser Alte. Sah aber immer ein wenig verbissen aus. War verschlossen, schweigsam. Wir haben ihn selten lachen sehen. Eigentlich war er, obwohl still, doch immer unruhig und wahnsinnig nervös."

„Ich weiß", nickt Hollenkamp. „Überbetonte, fast unerträgliche Distanz zwischen Offizieren, den OF"s, der Mannschaft und dem Alten."

„War aber ein prima Seemann. Muß man lassen. Immer erster Mann. Hat nie von anderen verlangt, was er selbst nicht leistete. Aber wie gesagt, furchtbar nervös und immer gleich entsetzlich aufgebracht... und nur einmal abergläubisch. Unten, im Südatlantik, setzte sich einmal ein Albatros auf's Heck. Er ließ das Boot stoppen. Dann ist er persönlich an Deck geklettert, hat den Vogel angepackt, ganz behutsam, als sei er aus Porzellan und hat ihn auf die See aufgesetzt. Durch das Glas hat er ihn noch lange beobachtet. Erst als er aufflog, wurde er ruhiger. Das war eines der wenigen Male, daß wir ihn lächeln sahen, so ein befreiendes, richtig glückliches Lächeln. Nachher hat mir einer von den Fahrensleuten von der Christlichen gesagt, es bringe jedem Schiff Unglück, wenn sich ein Albatros auf seinen Planken niederlasse. Der Leutnant Kalau, unser junger IIWO, 19 Jahre alt, der hat den Alten hinterher noch angeunkt: ein U-Bootdeck sei ja kein Musikdampferdeck aus Teakholzplanken. Also gelte das überhaupt nicht. Aber da kam er bei Albrecht schön an. Der fuhr ihn böse an, gerade er habe Grund genug, sich mit solchen Bemerkungen zurückzuhalten."

„Konnten die beiden sich nicht besehen?"

„Ach, das schon. Dienstlich und auch sonst kamen sie miteinander prima aus. Aber da war in Kiel so eine Sache. Kalau, damals noch Oberfähnrich, hatte einem hübschen Mädchen, das er seine Braut nannte, das Boot von innen gezeigt. Ich glaube, das war eine von den Marinehelferinnen. Wie sonst hätte sie in den U-Boothafen kommen können. Na, da waren die Puppen wegen dieser Dame aber am Tanzen, als Albrecht hinterher erfuhr, eine Langhaarige habe sein Boot betreten. Das bringe Unglück, so hat er den Oberfähnrich böse angenommen. Das war einer der größten Krawalle, die ich an Bord und bei der Marine überhaupt erlebt habe. Ja, und als wir dann auch noch an einem Freitag aus Kiel auslaufen sollten, hat er sich strikt geweigert. Aber die Stellen an Land nahmen keine Rücksicht auf solche seemännischen Gefühle. Das sei doch alles Unsinn."

„Jeder Seemann hätte Albrechts Wunsch respektiert", knurrt Hollenkamp.

„Wollen Sie etwa sagen, daß die Heimreise anders verlaufen wäre, Herr Obermaat, wenn wir nicht an einem Freitag ausgelaufen wären...? Das glauben Sie doch wohl selber nicht!"

„Mein akademisch gebildeter älterer Bruder würde sagen: das seien Imponderabilien, Unwägbarkeiten. Aber wenn jemand, wie euer Albrecht, so sensibel und abergläubisch ist, wenn einer so fanatisch an solche seemännischen Regeln glaubt, dann kann es vielleicht im entscheidenden Augenblick einen Kurzschluß geben. Verstehst du mich, so einen Gedanken in der Sekunde höchster Gefahr: ‚Das ist das Ende...' Und wenn einer sowas denkt, gibt er sich und das Boot auf und wenn er noch so tüchtig ist."

Der Funkobergefreite Franke nippt an seinem Glas.

Er denkt an die Fahrt mit U 1062, an Tage, an denen sie zwanzig Mal auftauchten und wegen der Ortungen immer wieder in den Keller mußten. Elende Strapazen. Er hört ganz deutlich in seinen Ohren, wie der BÜ das Wörtchen Ortung aus dem Horchraum weitergab, wie Albrecht auf der Brücke ‚tauchen' in die Zentrale rief. Wieder mal. Er sieht die beiden Zentralemaaten vor sich. Der eine aus Bochum, groß und immer ein wenig ängstlich und nervös, der andere, ein Schwabe, den nichts aus der Ruhe bringen konnte. Er denkt an den Oberfunkmaaten, den sie auf der Fahrt von Kiel nach Norwegen verloren. Er, Franke, lag gerade in der Koje, als ihn Geräusche weckten, als ob tausend Piassavabesen über das Deck schrabten. Waren aber keine Besen, waren MG-Garben aus britischen Flugzeugen. Die Sirene für den Fliegeralarm hatte er gar nicht gehört, so fertig war auch er von den vielen Fliegeralarmen in den letzten Wochen. Bei diesem Angriff wurde der Oberfunkmaat, der als Brückengast gerade eine

Zigarette rauchte, als die sechs Maschinen angriffen, tödlich getroffen. Eins der 1,3-cm-Geschosse durchschlug den leicht gepanzerten Bunker in der Brückenverkleidung. Das Explosivgeschoß krepierte im Leib des Obermaaten.

Oberleutnant zur See Albrecht hatte ihn, Franke, aufgefordert, zusammen mit dem Obergefreiten Goldbeck die Privatsachen des Gefallenen zusammenzupacken. Dabei fanden sie dann den Ausweis von der Gestapo. Er, Franke, hat dieses Papier dem Kommandanten übergeben. Der drehte es hin und her, blaß im Gesicht, wie eine frisch gekalkte Wand. Dann hatte er ihn aufgefordert, zu niemandem an Bord darüber zu sprechen. Dieser Obermaat war alter Minensuchfahrer, hatte aus dieser Zeit das EK II, hatte die Nachrichtenschule in Aurich besucht. Komische Sache ... Und nun hat es U 1062 also doch erwischt. Genauso, wie es Albrecht immer fürchtete.

„Komm her, nimm einen Dreistöckigen, Kumpel", muntert Hein Gummi den vor sich hinstierenden Ex-U-Bootfunker auf. „Bist ja davongekommen."

„Das ist es ja eben. Wenn ich an Bord geblieben wäre, wär's vielleicht nicht passiert."

„Du bildest dir aber gar nischt ein ..."

„Doch, da ist schon was dran", sagt der Obermaschinist von Hollenkamps Boot, der unbemerkt hinter die debattierende Tischrunde getreten ist. „Ein anderer Mann an Bord ist bei einem Angriff ein anderer Wert in der Formel der Wahrscheinlichkeitsrechnung."

So geht es weiter mit ‚Wißt ihr noch?' und ‚Damals ...'

Nur Hollenkamp sitzt jetzt wie ein Trauerkloß da.

„Wat haste denn bloß?" fragt Hein Gummi. „Biste blau?"

„Nee, aber ich hab genug von dem Laden."

„Vastehe." Hein Gummi wuchtet sich hoch. „Dann komm."

Am nächsten Morgen finden die malayischen Feudelfrauen unter dem Tisch der Sitzecke ein paar zusammengeknüllte Tickets.

Sie sind von zartrosa Farbe.

*

„Dies hier ist der Mister Tschu Ling, Kuddel", stellt Hein Gummi seinen chinesischen Begleiter am nächsten Tage

Obermaat Hollenkamp vor. „Damit du's weißt, er gehört zum Untenehmen Weißblech."

Der Hauptgefreite Briesicke erklärt noch kurz, was es mit diesem Unternehmen auf sich hat.

„Und warum verbieten die Japse den Schwarzen Markt nicht einfach?"

„Du Ahnungsloser, wenn sie das tun, ist es ganz aus. Dann verschwindet alles in unterirdischen Kanälen, auch das, was die Japaner selber brauchen."

„Ach so, verstehe. Und nun?"

„Tschu Ling hat uns eingeladen. Nicht wahr?"

Tschu Ling blinzelt geheimnisvoll und bewegt den Kopf ein paarmal nach vorn.

„Big game", sagt er nur.

Dann gehen sie.

„Etwa da rein?" will Hollenkamp von dem Scheini wissen, als sie die Gambling Farm, Penangs Vergnügungsplatz am Tonga-Park, erreicht haben.

„No, nix gutt for you", grinst Tschu Ling.

„Nee, Kuddel, dat is man nix für unsere Ohren. Das ist eines der vielen chinesischen Theater. Solch eine Schau kannst du nur verdauen, wenn du völkerkundliche Ambitionen hast oder total blau bist."

„Woher weißt du denn das so genau?"

„Ich kenne einen Kumpel von einem U-Boot. Er genießt hier in Penang allerorts höchstes Ansehen als ‚der Mann ohne Nerven'. Er hat nämlich mal, wenn auch voll wie hunderttausend Mann, so einem chinesischen Theaterstück in der vordersten Reihe beigewohnt. Seitdem grüßen ihn die Scheinis schon von weitem."

Tschu Ling schlängelt sich zwischen zwei Tanzhallen hindurch. Er hebt die Hand und gibt Zeichen, ihm zu folgen.

Tschu Ling hat sie in eine Spielhölle geführt. Auf dem Tisch, den Malayen und mehr noch Chinesen aus allen Gesellschaftsschichten, satte Kaufleute neben ausgezehrten Rikscha-Kulis, Arme und Reiche säumen, liegen die blauen Zehndollarscheine zu Bündeln. Zinngewichte beschweren das Geld.

„Rien ne va plus." Der Bankhalter, ein in Rohseide gekleideter, eleganter Mischling, sagt es tonlos. Und auf dem Tisch hebt eine junge Chinesin mit geschickten Händen mit unwahrscheinlich langen, aber bewundernswert gepflegten Fingernägeln die Porzellanschale, die sie vorher hin und her bewegte, auf. Drei lange Würfel aus Elfenbein werden sichtbar. Die Zahlen, die sie oben zeigen, macht die hübsche Chinesin nun lässig lächelnd im großen für alle bekannt. Sie dreht die drei großen Würfel neben sich in die gleiche Konstellation. Bis dahin herrschte die Ruhe der Spannung. Nun bricht taifunartiger Lärm los. Der Bankhalter streicht die Einsätze ein. Der Gong verkündet lärmend den ganz großen Wurf:

Dreimal die Eins.

Keiner hatte auf sie gesetzt. Wenn, er hätte das Einhundertsechzigfache seines Einsatzes herausbekommen.

Hier rollt keine Kugel wie in Monte Carlo. Würfel ersetzen sie. Unter der Porzellanschale geschüttelt, bleiben sie bis zum „Rien ne va plus" den Augen der Spieler verborgen.

Die Chancen scheinen nicht gering. Man kann seinen Einsatz schon verdoppeln, wenn man nur richtig rät, ob die Summe der drei Zahlen gerade oder ungerade ist, ob groß oder klein. Man kann aber auch auf's Ganze gehen, eben auf die drei Einsen oder die drei Sechsen. Auf einer Tafel im Hintergrund zeigen große Kreidezahlen die bisherigen Würfe des Abends an. Es sind bis jetzt auch noch keine Dreien gefallen.

Briesicke wirft einen Zehndollarschein auf den Tisch. Er tippt auf die Neun.

„Spezial?" fragt der Bankhalter.

Hein Gummi nickt. Er wettet auf dreimal die Drei. Ihn reitet der Teufel. Dieser Wurf kommt oft den ganzen Abend nicht vor. Tschu Ling sagt nichts. Was er denkt, ist ihm nicht anzusehen. Er hat nur auf neun gesetzt. Aber auf Zahl. Auf die Quersumme also.

Die Würfel sind gefallen. Sie zeigen die Eins, die Zwei und die Sechs. Es ist keine Drei dabei. Aber die Quersumme ist neun.

Tschu Ling streicht das Fünfzehnfache seines Einsatzes ein.

Jetzt riskiert auch Hollenkamp eine Neun. Was gut war, kommt wieder. Mit Mathematik und Wahrscheinlichkeitsrechnung ist hier nichts zu wollen. Er folgt seinem Gefühl. Was auch seinem Naturell entspricht. Er geht aber zur Sicherheit auf Centre. Also nicht auf Zahl.

Hein Gummi aber bleibt stur. Er will die drei Dreien sehen.

Die lächelnde Chinesin bewegt die Porzellanschale immer noch hin und her. Als das „Rien ne va plus" fällt, als ihre langen Finger mit den langen Nägeln die weiße Schale vorsichtig und, um die Spannung zu erhöhen, sehr langsam, sehr behutsam abheben, geht eine Bewegung durch die Zuschauer auf der Seite, wo die Deutschen mit ihrem Chinesen stehen. Eine Hand zerteilt die Menge, eine gelbe, spinnige dürre Hand. Sie fährt auf Tschu Ling zu. Dann sehen sie auch das Gesicht. Es ist das eines alten Chinesen. Er drängt sich an Tschu Ling heran.

Der nickt.

„Was ist?" fragt Hollenkamp.

„Was ist?" will Hein Gummi wissen.

Sie überhören das fürchterliche Dröhnen der Gongs. Die wilden Ausrufe des Erstaunens und der Begeisterung.

„Deutsche Soldaten alle sofort zurück. Alarm. Großer Alarm", sagt Tschu Ling. Als Kuddel Hollenkamp und Hein Gummi davonstürzen wollen, hält Tschu Ling den Hauptgefreiten am Hemdsärmel fest.

„Aber das Geld nimm mit. Du dreimal die Drei."

Hein Gummi flucht.

„Keine Freude ist hier ohne Tränen. Keine Rose ohne Dornen, in diesem verdammten Paradies."

*

Noch ein paar Streiflichter zum Thema Japaner und Deutsche, Weiße und Gelbe:

Im Hafen Tanjok Priok von Batavia liegt U 510. Einer von Kapitänleutnant Eicks Unteroffizieren, ausgerechnet jener, gegen den der nervöse LI bei einem kritischen Tauchmanöver mit einer Ohrfeige handgreiflich geworden war, versucht in der Nacht per Anhalter ins ferne U-Bootlager zu gelangen. Er winkt. Ein PKW stoppt. Heraus springt ein japanischer Oberleutnant vom Heer, einer von denen, die von der Burmafront kommen und hier ihren Urlaub verbringen, weil eine Reise ins Mutterland Japan weder zeitlich noch technisch durchführbar ist. Der Japaner brüllt, er zieht sein Samuraischwert und schlägt es dem Unteroffizier mit der flachen Klinge um die Ohren. Dann packt er den völlig Verblüfften, zerrt ihn ins Auto und liefert ihn bei der Kempetai ab. Die Kokarde

Oben: Festlicher Empfang nach dem Einlaufen eines Monsun-U-Boote im Paradies. Sie sind höfliche, aber immer mißtrauische Gastgeber, diese gelben Verbündeten

Unten links: Frisches Obst entbehrten die ,Monsuner' viele, viele Monate, kein Wunder daß es auf den Gartenfesten groß angekündigt wird... und im Zeichen der Waffenbrüderschaft gleich in beiden Sprachen

Vorseitig: Sung und andere Schönheiten auf einem der Gartenfeste, von japanischen und deutschen Seeleuten umschwärmt und bewundert an seinem weißen Polohemd nutzt ihm nichts. Dieses handfeste Völkchen fesselt den protestierenden, sich wehrenden Maaten an einen Baum. Der Heeres-Oberleutnant von der fernen Burma-Front wie auch die Kempetai-Herren sind überzeugt, daß es sich hier nur um einen entflohenen weißen Kriegsgefangenen handeln kann. Erst am frühen Morgen, als auch der Kempetai-Chef von der Sache erfährt, als der Stützpunkt alle Stellen durchtelefoniert, den Maschinenmaaten zu suchen, gelingt es, den deutschen Seemann zu befreien.

*

Auf den holländischen Inseln fanden die Japaner auf den Besitzungen viele deutsche Frauen, die mit Holländern verheiratet waren. Die Holländer, soweit sie fliehen konnten, wiegten sich in der Annahme, daß diesen Frauen nichts passieren würde, weil Deutschland ja ein Verbündeter Japans sei. Als die Japaner kamen, kassierten sie viele dieser Frauen ein. Sie steckten sie in ihre Offiziersmessen: zum Arbeiten. So sagten sie. Viele schickten sie in einem Sammeltransport an die Burmafront, zum Dienst in gewissen Häusern. Als die Deutschen später bei den Japanern protestierten, meinten diese lächelnd: „Was wollt ihr denn? Die haben sich doch mit euren, also auch mit unseren Feinden schon viel früher eingelassen."

*

Daß die Japaner ähnliches wie die Nürnberger Gesetze kannten, wer weiß das schon... Alle Jüdinnen, alle Semiten... müssen ähnlich dem Judenstern in Deutschland gelbe, grüne oder violette Bänder tragen. Neu eintreffende deutsche Soldaten wissen das natürlich nicht. Man kann sich ja nicht in allen Sitten und Gebräuchen fremder Länder sofort auskennen, abgesehen davon, daß Hein Seemann, wie schon anderswo bemerkt, nicht viel oder genauer gesagt, gar nichts von Rassenproblemen hält. In der Marine findet solch ein Gedankengut keinen Nährboden.

# 8.

## HAIE CONTRA HAIE

*Die beiden italienischen U-Boote UIT 24 und UIT 25 werden, wie die beiden Tanker B o g a t a und Q u i t o , im Verkehr zwischen dem japanischen Mutterland, beziehungsweise zwischen den Öl-häfen auf Borneo eingesetzt. Der Einsatz dieser Fahrzeuge bedeu-tet auch für die japanische Marine eine nicht unwesentliche Hilfe. Der zunehmende Tonnageschwund auf dem Wege vom Mutter-land nach dem südostasiatischen Raum bringt alle Wehrmacht-teile der Japaner in eine immer kritischere Lage. So ist es natür-lich, daß gern auf verfügbaren deutschen Laderaum zurückgegrif-fen wird. Es erweist sich als sehr nützlich, daß die deutschen Dienststellen den Japanern hier wie auch sonst im Rahmen ihrer Kraft behilflich sein können.*

*In diesem Zusammenhang scheint eine gründliche Betrachtung des jetzigen Standes der Zusammenarbeit recht angebracht.*

*Die Japaner sind sich ihrer zunehmenden Unzulänglichkeit sicher-lich bewußt. Vergleiche zwischen den Erfolgen ihrer eigenen und denen der deutschen U-Boote drängen sich auf. Die Tat-sache, daß aus dem europäischen Raum auch weiterhin neu er-baute Boote mit immer moderneren Waffen und Geräten in den Indischen Ozean entsandt werden, während Japans Kampfkraft sich ohne harte Gegenschläge sichtbar verringert und mit der modernen Entwicklung nicht im entferntesten Schritt halten kann, zeigt jedem Einsichtigen die eigenen Schwächen. Die anfängliche Überheblichkeit über die weiße Rasse weicht ganz allgemein. In zunehmendem Maße macht sie zumindest einer Anerkennung und Tolerierung des deutschen Bundesgenossen Platz. Damit tritt aber wieder der eigene Minderwertigkeitskomplex und das noto-rische Mißtrauen des Asiaten in Erscheinung.*

*So bleibt eine Kluft, die von den sorgfältig auf Haltung und Tar-nung jeden Gefühls achtenden Japanern höchstens unter Ein-fluß von Alkohol überbrückt wird. Es gelingt keinem Deutschen, zu einem Japaner ein derart persönliches Verhältnis herzustellen, das einen freien und offenen Meinungsaustausch möglich macht. Mitbestimmend hierfür mag sein, daß nur wenige japanische Offi-ziere in Erscheinung treten, die internationale Erfahrung haben*

*und deren Auftreten europäischen Maßstäben entspricht. Aber
auch sie vermögen nicht die ihnen durch Sitten und Tradition
ihres Landes gesetzten Schranken im persönlichen Verkehr zu
durchbrechen. So beschränkt sich die Fühlung mit den Japanern
auch weiterhin auf die dienstlich notwendigen Besprechungen
und terminmäßige, konventionelle Einladungen.*

*Das Eigenleben, das die deutschen Dienststellen führen, wäre
wohl noch abgeschiedener gewesen, wenn sich nicht bei den Japanern die Erkenntnis durchgesetzt hätte, daß sie bei jedem Meinungsaustausch die Gewinner sind. Von deutscher Seite wird ja
nicht die geringste Zurückhaltung in der Übermittlung aller Erfahrungen geübt.*

*Der anfängliche Wunsch der Japaner, daß die Angehörigen der
deutschen Dienststellen außerhalb ihrer Häuser in Zivil in Erscheinung treten sollten, ist so lange respektiert worden, bis die
deutsche Leistung in der gemeinsamen Kriegführung das Auftreten der deutschen Soldaten in der Öffentlichkeit zur Selbstverständlichkeit macht. Hierbei ist es das Streben aller Deutschen,
durch ihre Haltung alles zu vermeiden, was dem früheren Ansehen des weißen Mannes in diesem Raum abträglich sein kann.
Es wird unzweifelhaft erreicht, daß die Sympathien der eingeborenen Bevölkerung, die die Japaner bei ihrem Einmarsch
jubelnd begrüßt hatten, in hohem Maße wiedergewonnen werden.*

*Lenken wir in Verbindung mit dem Verlust von UIT 23 noch
einmal die Aufmerksamkeit auf Gefahren durch gegnerische U-
Boote im Südostraum.*

*So operieren nach einem Vortrag des japanischen Generals Arisne
bei mehrstündiger Lagebesprechung in Tokio im März 1944
,... zwischen dem japanischen Mutterland und den Südgebieten
laufend mindestens 35 amerikanische U-Boote. Die japanische
Abwehr sei unzulänglich, die Schiffsverluste seien daher erheblich und eine schwere Belastung für Führung und Truppe.'*

*Ganz allgemein betragen die monatlichen Tonnageverluste 140 000
BRT[31], denen nur — höchstens — 80 000 BRT Neubauten gegen-
überstehen. Die Abwehr ist nicht nur unzulänglich, es herrscht
Mangel an Flugzeugen und Bewachern. Die Ortungstechnik ist
unvollkommen, und die Befehlsorganisation scheint nach Ansicht
des deutschen Wehrmachts-Attachés zudem fehlerhaft zu sein.*

*Wie schon dargestellt, erlaubt die wachsende Beanspruchung der
restlichen japanischen Flotte eine großzügige und gründliche Sicherung der U-Boot-gefährdeten Gebiete und Straßen im Bereich
der China-See in immer geringerem Umfang.*

*Bei den großen Entfernungen zwischen den Stützpunkten wird
daher auch jede Verlegung eines deutschen U-Bootes zu einer
regelrechten Unternehmung, von den Reisen nach Japan, die*

*verschiedene Boote zum Auswechseln ihrer Batterien antreten müssen, ganz zu schweigen.*

*Fregattenkapitän Junker entging nur durch glücklichen Zufall und eine blitzschnelle Reaktion dem Schicksal hier torpedierter Kameradenboote.*

Es war am 15. Mai 1944, als der in Singapore weilende CIS, Korvettenkapitän Dommes, Fregattenkapitän Junker in Penang anrief.

„Am 18. ist Chance zum Eindocken in Selatar. Sie müssen also spätestens übermorgen, am 16., nach Singapore auslaufen."

„Das ist unmöglich. Mein Boot ist noch nicht tauchklar. Die Maschinen sind nicht voll leistungsfähig, und die Dreikommasieben ist auch noch nicht überholt."

„Es geht nicht anders. Wir verlieren unser Gesicht, wenn wir den Termin nicht ausnutzen. Konteradmiral Watanabe*) hat erreicht, daß uns das eine Dock ab 18. Mai extra freigemacht wird."

„Wenn ich hier aber noch nicht fertig bin, können Sie doch von mir nicht erwarten, daß ich früher in See gehe."

„Sie bekommen einen Lotsen mit und können mit dessen Hilfe auf der Zehnmeter-Linie entlanglaufen. In diesen flachen Küstengewässern halten sich keine Feind-U-Boote auf. Wenn Sie es für notwendig erachten, fordern Sie doch noch Luftaufklärung an."

Junker ist dennoch nicht einverstanden. Aber Dommes redet ihm immer wieder gut zu. Der Marsch von Penang nach Singapore sei doch eigentlich nichts weiter als ein Verholen von Hafen zu Hafen. Man merkt seiner Stimme an, daß er selbst nicht davon überzeugt ist. Denn eine Fahrt, die in der Heimat einem Weg von Kiel bis nach Memel gleichkommt, als ein Verholen von Hafen zu Hafen zu bezeichnen, ist wohl ein wenig reichlich untertrieben.

„Na schön", sagt Junker schließlich, „wenn wir unser Gesicht verlieren, dann ist das natürlich auch schlecht."

„Und ob das schlecht ist."

„Wenn wir aber ein Boot verlieren, ist es noch schlechter."

Junker erinnert sich, als er am 2. Januar 1944 zum ersten

---

*) der japanische Marine-Attaché in Singapore

Male zum Rückmarsch in die Heimat aus Penang auslief. Es war nachmittags, und abends entdeckte seine Nummer Eins, der Bootsmann Mittendorf, an der Kimm einen U-Bootturm.

Junker dazu heute: „Ich lief eine Viertelstunde drauf zu, bis ich erkannte, daß es ein Gegner-U-Boot war, dann habe ich einen Haken nach Süden gemacht. Ich konnte noch nicht tauchen, weil ich wegen der mit Treiböl gefüllten Regelbunker Übergewicht hatte. Drei Stunden später hing dieses U-Boot noch immer hinter uns. Auf 2000 Meter Distanz. Ich habe mich da auf nichts eingelassen. Ich sagte mir: ‚Ein Duell U-Boot gegen U-Boot ist völlig witzlos. Da kann ich ebenso dran sein wie er. Zeig die Hacken.' Ich habe äußerste Kraft gefahren und den Verfolger dann auch schließlich abgeschüttelt. Auf ein Artilleriegefecht konnte ich mich auch nicht einlassen. Ich hatte außer meiner 3,7 keine Kanone mehr, dieweilen der Gegner über eine 10,5 verfügte. Warum er nicht von sich aus damit das Feuer eröffnete, ist mir heute noch schleierhaft. Ich bin jedenfalls nie irgendwelche Risiken eingegangen, die von vornherein wenig sinnvoll schienen. Wo sie sein mußten und wo sie erfolgversprechend waren, gut, da wurde alles bis zum Letzten eingesetzt, nicht aber in derart zweifelhaften Situationen."

Als U 532 an diesem 17. Mai im frühen Morgen, kurz nach sechs Uhr, seeklar macht, als der Kommandant seiner Besatzung wieder einmal eingeschärft hat, daß eine Feindfahrt bereits mit dem Loswerfen der letzten Leine beginnt, weil schon im Hafen oder in den Vorgewässern Grundminen liegen können, stoppt ein Wagen auf dem Pier. Ihm entsteigt der japanische Admiral Ischioka. Er ist eigens zur Verabschiedung heruntergekommen, und wie persönlich er diese Geste wertet, mag daran zu erkennen sein, daß er nicht einmal seinen Adjutanten bei sich hat.

Fregattenkapitän Junker befiehlt alle, die im Boot nicht für den Fahrbetrieb benötigt werden, an Oberdeck. Schwimmwesten umgetan, aufgeblasen. Er selbst fühlt sich durch eine ihm unerklärliche innere Stimme beunruhigt. Er hat sich vorgenommen, die Brücke während der ganzen Überfahrt weder während der Mahlzeiten noch in der Nacht zu verlassen. Er beteiligt sich am Ausguck. Seine Männer sehen ihn, wie er mit dem Rücken zum Bug auf dem Schanzkleid Vorkante Turm sitzt. Unaufhörlich beobachtet er den hinteren

Sektor an der Steuerbordseite, mal durch das Glas, mal wieder mit bloßen Augen.

Es ist Junker bekannt, daß die englischen und amerikanischen U-Boote entgegen der deutschen Taktik nicht von vorn, sondern von der Seite, und wenn möglich, sogar ein wenig achterlich angreifen, wohl, weil sich deren Kommandanten sagen: hier ist die Aufmerksamkeit der Ausguckposten nicht so groß. Sie nehmen damit den taktischen Nachteil der bei vorlichen Angriffen viel kürzeren Laufzeiten der Torpedos in Kauf. Aus der achterlichen Position geschossen, müssen die Aale wegen ihres geringen Geschwindigkeitsüberschusses ihrem Ziel ja nachlaufen.

Die Zeit geht dahin. U 532 hält sich auf der Zehnmeter-Linie. Die tropisch bewaldete, bergige Küste an Backbordseite ist drei bis vier Seemeilen entfernt. Dennoch ist die Navigation wegen Fehlens jeglicher Landmarken gar nicht so einfach. Ein Glück, daß Junker einen hier eingefahrenen Offizier vom Stützpunkt an Bord hat. Der kennt die Wasserverhältnisse so genau, daß er nicht einmal die Karte einzusehen braucht.

„So gegen 18.00 Uhr werden wir die innere Malakka-Straße erreicht haben", sagt er um die Mittagsstunde. „Dort ist kaum noch mit gegnerischen U-Booten zu rechnen, wenn, dann jetzt." Um zwölf tauchen japanische Flugzeuge zur Sicherung auf. Eine halbe Stunde später sind sie wieder verschwunden. Gegen 16.00 Uhr fliegt die eine der beiden Arados 196 an. Sie brummt auf und ab. Aber die Unruhe, die an Junkers Nerven zerrt, läßt sich auch durch diese Sicherung nicht abschütteln.

Obermaat Wörle, Freiwächter der technischen Division, hat gerade Uhrzeit genommen — es war genau 17.38 Uhr — als er hört, wie sein Kommandant ruft: „Na bitte, da kommen sie ja...“

Dann geht alles sehr schnell.

Kommandos und Manöver folgen Schlag auf Schlag.

Das ging voraus.

Fregattenkapitän Junker hatte nach wie vor hauptsächlich den achteren, seewärtsliegenden Sektor beobachtet. Es herrschte Seegang 2 - 3, für einen Unterwasserangriff eines feindlichen U-Bootes also ideale Verhältnisse.

Plötzlich sah es so aus, als würden die Wellen an einer Stelle besonders stark hochgekämmt.

Junker überlegte, sofort U-Bootalarm zu geben, unterläßt es aber noch einmal, um Unruhe unter seinen Männern vorzubeugen. Er setzte sein schweres Doppelglas für Sekunden ab, dann preßte er es nach wiedergewonnener Ruhe, ohne sichtliche nervöse Bewegung erneut an die Augen und erkannte jetzt deutlich mehrere, dicht nebeneinanderliegende Torpedolaufbahnen, Abstand noch knapp 1500 Meter . . .

Sie marschieren an Steuerbordseite aus etwa zwo Strich achterlicher als dwars auf U 532 zu, das zu dieser Zeit Generalkurs ca. 170° steuert.

Die Befehle:

„Hart Backbord" vom Kommandanten, und:

„Beide Maschinen Äußerste Kraft voraus" auf Sichtzeichen von ihm an den IIWO, folgen in Bruchteilen von Sekunden. Da die Engländer, wie Junker als Torpedofachmann aus seiner Zeit bei der TEK weiß, die Angewohnheit haben, Fächer sehr eng zu streuen, blickt er, als die Bahnen noch 400—500 m entfernt sind, nochmals durchs Doppelglas. Auch diesmal bestätigt sich diese Praxis. Und außerdem ist zu erkennen, daß die Torpedos sehr flach eingestellt sind, wie es beim Einsatz gegen U-Boote üblich ist. Sie schieben nämlich eine mehr oder weniger kleine Bugwelle vor sich her. Der eine oder andere „schrammt" gelegentlich sogar die Wasseroberfläche.

Rechtzeitig mußte das Ruder gestützt werden, um zu vermeiden, daß das Boot durch ein zu langes Abdrehmanöver in Gefahr kommt, von den Torpedos an Backbord getroffen zu werden.

Das Boot mußte, das ist Junker klar, also möglichst parallel zum Torpedokurs gebracht werden.

Gerade — und das alles im Verlauf von Sekunden — hatten sich die hierfür erforderlichen Befehle und Maßnahmen ausgewirkt, als der gesamte Fächer — aus fünf Torpedos bestehend — von achtern an der Backbordseite des Bootes entlangläuft.

Der am nächsten liegende Aal ist keine 5 Meter von der Bordwand entfernt.

Mit tiefem Aufatmen hat Junker quittiert, daß der Fächer

zum Glück „einseitig" gelegen und „U 532" nicht zwischen der Torpedogarbe gestanden hatte.

Mit dieser Feststellung hat der Kommandant seine alte Ruhe und die Gewißheit wiedergewonnen, daß Boot und Besatzung trotz der über einmonatigen Liegezeit in Penang und des kaum 12-stündigen Ausgelaufenseins fest in seiner Hand sind und daß — wie bisher — auch alle weiteren Gefahren überstanden werden würden.

Denn noch ist der unbequeme, unsichtbare Gegner nicht abgeschüttelt.

Es ist bekannt, daß einige englische U-Bootstypen 6 Bugrohre haben.

Es sind bisher aber nur fünf Torpedos geschossen worden.

Folglich fehlt noch ein eventueller „Nachzügler", wenn man unberücksichtigt läßt, daß der Feind womöglich im „Schnell-Ladeverfahren" einen weiteren Fächer vorbereitet, selbst wenn die Erfolgsaussichten für einen Angriff aus weitachterlicher Position dann nur noch sehr gering sein werden.

Wenig später sind alle Überlegungen illusorisch, als an Steuerbord aus weit achterlicher Lage ein einzelner Aal in mehreren hundert Metern Abstand mit spitzem Schneidungswinkel aufkommt, nachdem U 532 wieder auf einen ursprünglichen Kurs von ca. 170° gegangen war.

U-Bootangriff auf U 532 am 17. Mai 1944 in der Malakka-Straße

Um ganz sicher zu gehen und nicht einem Zufallstreffer zum Opfer zu fallen, dreht der Kommandant nochmals vorübergehend um einige Dez nach Backbord auf Land zu, solange, bis das Boot außer Reichweite auch dieses unliebsamen Weggenossen gekommen ist.

„Nun fehlt bloß noch, daß der Kerl auftaucht und uns mit seiner Kanone beharkt", sorgt sich der IIWO. Auch Junker fürchtet es, denn die 10,5 cm haben sie in Penang ja ausgebaut. Aber die 50-Kilo-Bomben, die von der Arado mehr zur Abschreckung als in der Hoffnung auf einen gezielten Treffer geworfen werden, halten den Angreifer vorerst in Schach und unter Wasser. Endlich, genau 18.00 Uhr, schwimmt U 532 im engen Fahrwasser, das eine Insel zwischen Malaya und die Malakka-Straße bildet. Drei Stunden später haben sie den Schlauch hinter sich. Es wird wieder tiefer, bis an die 30 Meter. Auch die Nacht über bleibt Junker oben. Er hat sich den Kommandantenstuhl heraufbringen lassen, nimmt darin sitzend hin und wieder ein Auge voll, ist aber immer wieder hellwach, wenn ein Seemann vom Ausguck nur eine noch so leise, aber plötzliche Bewegung macht. Wichtig ist ihm: ‚Wenn du nach unten gehst, und es ist etwas los, bist du blind, wenn du hochkommst. Dann brauchst du erst eine Zeit, um die Augen an die Dunkelheit zu gewöhnen.'

Am nächsten Mittag, 12.30 Uhr, macht U 532 in Singapore fest. Wie sagt Junker heute:

„Ich legte an und meldete dem CIS: ‚Boot eingelaufen'." Dommes ist richtig ein Stein vom Herzen gefallen. Das mit dem Angriff, das hätte er nun wirklich nicht gedacht. Er wollte nun etwas gutmachen, als er sagte: „Ich bekenne, daß ich Ihnen einen Befehl gegeben habe, mit dem ich innerlich selbst nicht ganz einverstanden war."

Ein solches Bekenntnis war so wohltuend anständig, daß es mit der ausgestandenen Angst um mein Boot fast versöhnte. Natürlich, was sollte er auch machen, wenn ihm die Marine — endlich — nach langem Bitten ein Dock anbot?

Ablehnen . . .?

Unmöglich.

Also blieb nur das Risiko.

„Daß wir überhaupt gut weggekommen sind, verdanken wir eigentlich nur meiner Unruhe. Ich bin weder vorher noch später beim Auslaufen wieder derart nervös gewesen."

Junker ahnt noch nicht, daß es ein Jahr später im englischen Hafen zu einer Begegnung mit dem LI des Angreiferbootes kommen soll ... an dem Tage, als eine Kommission alliierter Offiziere — Engländer, Franzosen, Amerikaner und ein Russe — U 532 besichtigen ... als ein englischer Ingenieur Junkers LI anspricht: „Wo waren Sie denn im Einsatz?"

„In Ostasien."

„So, da bin ich auch mal gewesen. Da hatten wir in der Malakka-Straße zwischen Penang und Singapore einen Angriff auf ein deutsches U-Boot gefahren. Wir wollten einen Fächer von sechs Torpedos schießen. Beim Aal Nummer Sechs versagte die Abfeuerungsanlage. Den haben wir dann fünf Minuten später hinterhergejagt. Auch ohne Erfolg. Die Detonationen, die wir hörten, stammten von Flugzeugbomben ... Wie dem auch sei, die Kameraden von der anderen coté dürfen noch heute ihren zweiten Geburtstag feiern. Wenn die Abfeuerungsanlage nicht versagt hätte, dann ... Aber wahrscheinlich hat es auch dieses Boot bei einer anderen Gelegenheit erwischt."

„Das ist nett, daß Sie mit den beinahe Betroffenen so viel Mitgefühl haben", lächelt LI Buggisch dünn. Ihm fröstelt aber bei dem Gedanken an das Damals. Aber er verschweigt, daß sie es waren, denen der Sechserfächer galt.

*

Ungünstig dagegen stehen für U 168 die Sterne, als es am 5. Oktober 1944 aus dem Hafen von Batavia, Tanjok Priok, mit Kurs nach Soerabaja verholt. Hier soll es für die gemeinsame Australienoperation mit U 537 und 862 ausgerüstet werden. Außerdem soll U-Pich dort von U-Schrewe eine neue Schraube erhalten, die U 537 auf FT-Anforderung mit an Bord hat. Das Boot hält sich dicht unter Land. Auch während der Nacht.

Helmuth Pich, Kapitänleutnant und Kommandant von U 168, hat sich in der kleinen, bedrückend engen Offiziersmesse hinter die festgeschraubte Back des kleinen Holztisches geschoben. Es ist kurz vor acht Uhr morgens. Die Wachen lösen wieder ab. Die Offiziere haben sich bereits abgemeldet.

Pich ist in aufgeräumter Stimmung.

Er war während der kritischen Zeit, der Stunde des Sonnenaufgangs, wie üblich auf dem Turm. Die Ausguckposten hatten keine Sichtung. Pich hatte selbst den Wasserstreifen voraus unter Land beobachtet. Er hatte nichts Verdächtiges entdecken können. Auch das Horchgerät meldete keine Schraubengeräusche. Als er über die schmale Eisenleiter in die Zentrale gestiegen war, hatte er mit geübtem Blick die Position in der Seekarte erfaßt.

U 168 steht jetzt beinahe querab von Samarang. Endlich, nach vielen vorausgegangenen Komplikationen, schwimmt es wieder. Die Bombennahtreffer bei der Rettungsaktion der *Brake*-Überlebenden hatten zur Folge gehabt, daß eine Batterie vollends zum Teufel gegangen war. Die darin befindliche Säure war in die Bilge gelaufen und hatte im Laufe der Zeit dort, wo sie sich staute, ein Loch in den Druckkörper gefressen.

In der Heimat wäre das kein Problem gewesen, auch nicht in den U-Boot-Stützpunkten in Frankreich. Der LI hätte seine Liste bei der Werft abgeliefert. Basta.

Hier aber ... Ach, du ahnst es nicht. Als sie endlich ein Schweißgerät aufgetrieben hatten, fehlte der Schweißer. In Penang saß einer, ein Japaner.

„Na schickt ihn doch mit dem Flugzeug", schlug Pich vor.

„Geht nicht. Der Mann darf nicht fliegen. Wir schicken ihn mit einem Dampfer", ist der Japaner Antwort.

Warum der Kerl nicht fliegen durfte, verrieten die asiatischen Bundesgenossen weder Pich noch dem deutschen Stützpunktleiter in Batavia.

Also warteten sie.

Als der Mann Wochen später mit seinen Schweißarbeiten endlich anfing, versammelte sich alles, was Rang und Namen hatte. Der Kerl wurde wie eine Rarität bestaunt.

Ja, und dann kam U-Junker mit einer vom Seewasser völlig zerfransten Backbord-Schraube herein.[32] Für Junker war schon eine Schraube auf einem anderen Südostasien-Boot unterwegs. Aber sie war noch nicht da. Das Boot, das vor Tagen einlief, hatte, wie das teuflische Spiel es will, die verkehrte an Bord. Pichs Boot mußte, da noch nicht voll einsatzklar, also wieder ins Dock. Junkers Boot bekam die Schraube von U-Pich.

Und U 168 mußte wieder warten. Warten. Warten. Es kommt alles zu dem, der warten kann.

Doch nun fahren sie wieder zur See.

Sonne, tropische Landschaft, glutäugige Mädchen... alles sehr schön. Aber die Heimat zieht. Sie zieht und zerrt wie ein riesiger Magnet.

„Besondere Wünsche, Herr Kaleunt?"

Der Smut, ein schmächtiger junger Seemann, ist vor Pich hingeteten. Der Kommandant hat den Koch gar nicht kommen hören. Er war in Gedanken vertieft. Und der Lärm im Boot, das laute Hämmern der Diesel und das Arbeiten der Lüfter verschluckt jeden Schritt auf den Flurplatten.

„Daß Sie das nicht lassen können... Ich esse das, was die anderen auch bekommen."

„Naja, Herr Kaleunt, ich dachte ja nur... Sie haben doch kaum ein Auge dichtgemacht. Die anderen hatten doch wenigstens ihre Ruhe während der Wachen. Ein handfestes Frühstück könnte da nur guttun."

„Na schön, was haste denn anzubieten?"

„Prima Hühnereier, ganz frisch, Herr Kaleunt. Beinahe noch morswarm an Bord gekommen. Die Indonesier überschlagen sich ja, wenn sie uns helfen und eine Freude machen können."

„Also gut, mach mir ein Brot mit Spiegelei, Smut."

„Woll, Herr Kaleunt."

Diese Indonesier? Sind sie alle ehrlichen Herzens uns Deutschen zugetan? Sind unter ihnen nicht doch Spione? Verräter? Vielleicht sind diese weniger unter den reinen Javanern und Malayen als mehr unter den Halben zu suchen. Unter den Cocktails, wie die Lords sie nennen.

Pich erinnert sich an die heftige Debatte zweier seiner Männer im Bugraum. Bevor er auf den Turm stieg, hatte er das Boot von achtern bis vorn inspiziert. Dabei wurde er Zeuge dieses Streitgesprächs. Da ging es um irgendeinen Einheimischen. Um was und um wen genau, wollten die Männer nicht sagen. Ganz so harmlos, wie sie taten, schien die Sache gar nicht.

Sie hätten ihre Beobachtung vielleicht sogar melden müssen.

Das war es, was die Männer bewegte: einer von der Steuerei hatte einen Indonesier und dessen Frau in Abwesenheit von Pich und den Offizieren das noch in der Werft liegende Boot kurz vor dem Auslaufen gezeigt. Er war mit dem freundlich lächelnden Braunen von vorn bis nach achtern durch das Boot gegangen. In der Zentrale hatten sie sich länger aufgehalten. Der Farbige war, so sprach es sich an Bord bei den Seelords herum, Lehrer an der Seefahrtsschule in Batavia ...

„Da ist das Frühstück, Herr Kaleunt!"

Der Smut schiebt Pich den Teller mit dem dampfenden Ei drauf hin. In diesem Augenblick taucht der Bordarzt auf.

„Mensch, Doktor, haben Sie mich erschreckt!"

„Sorgen, Herr Kaleunt?"

„Ich habe nur nachgedacht — wie lange wir wohl in Soerabaja liegen werden, über unsere Marschroute und ... ob wir gestern aus Tanjok Priok gut rausgekommen sind?"

„Meinen Sie, die Tommies könnten Wind bekommen haben? Oder die Amerikaner?"

Pich zuckt mit den Schultern. „Sie wissen ja, was so geredet wird. Nach menschlichem Ermessen ist der Auslauftermin aber geheim geblieben."

Er lädt den Stabsarzt mit einer Handbewegung zum Sitzen ein. „Sie sind ja klatschnaß, Doktor ..."

„Ich war eben mal im Dieselraum", sagt der Arzt. „Irrsinnshitze. Sechzig Grad an den Abgasklappen. Wie die Männer das bloß aushalten!"

„Ist das alles, was Sie auf dem Herzen haben?"

„Einen Tag vorm Auslaufen hatte ich einen Alptraum — scheußlich! Unser Boot war abgesoffen. Torpediert. Und irgendwo saßen Oberleutnant Stenger und unser Wetterfrosch, der Doktor Bahlke, drin. Eingeklemmt. Ich wollte sie rauszerren ..."

„Und?"

„Ich hab's nicht geschafft. Ich wurde immer gestört. Einer hat dauernd gegen das verriegelte Kugelschott gepocht ... Es muß jemand im Bugraum sein ... Wann werden wir in Soerabaja festmachen?"

„Schätze, daß es Nachmittag wird."

„Wenn nichts dazwischenkommt ..."

„Wir haben das Schlimmste hinter uns: die Nacht und die Dämmerung. Außerdem stehen wir zu dicht unter Land."

Der Smutje schiebt die Teller mit Brot und Ei über den kleinen Tisch.

Pich will gerade ins Brot beißen, da wird er von einem fürchterlichen Stoß hochgeschleudert. Er kracht mit den Beinen gegen die Unterkante des festgeschraubten Tisches. Die Teller zerklirren auf den Flurplatten.

Dem Stoß folgt eine Druckwelle. Pich springt durch das Kugelschott in die Zentrale. Er spürt, daß sich das Boot nach vorn neigt. Von Sekunde zu Sekunde mehr.

Torpedotreffer im Vorschiff!

Entsetzensschreie aus dem Bugraum. Luft faucht durch die Schotten. Wasser sprudelt ins Vorschiff. Armdicke Fontänen zischen durch die zerrissenen Stahlplatten. Das elektrische Licht flackert.

Mit hämmernden Motoren jagt U 168 in die Tiefe.

Vier Männer erklimmen in panischer Angst die eiserne Leiter im Turm. Sie wollen raus aus dem absaufenden Boot. Durch das offene Turmluk stürzt ihnen tonnenweise Wasser entgegen. Trotzdem kommen die vier noch hinaus. Der letzte tritt das Luk hinter sich zu. Aber außenbords reißt sie der Sog mit hinab ...

Die Neigung des Bootes ist so stark, daß sich in der Zentrale niemand mehr auf den Beinen halten kann.

Das Vorschiff läuft voll. Mit dumpfem Knall schlägt das Schott zu. Vom Bugraum aus kann es nicht geöffnet werden ...

Gurgelnd dringt immer mehr Wasser in die Zentrale. Schwappend umspült es die Füße der Männer, steigt an ihren Beinen hoch. Und dann geht das Licht aus. In völliger Finsternis fahren die Überlebenden der Besatzung mit U 168 in die Tiefe ...

Wieder ein Stoß. Die Neigung läßt nach, das Boot kippt nach achtern zurück. U 168 legt sich waagrecht, zwanzig Grad nach Backbord geneigt.

„Boot liegt auf Grund, Herr Kaleunt!"

Die Stimme des LI klingt heiser.

Einer patscht tastend im Wasser herum.

„Was suchen Sie denn?" fragt Pich.

„'ne Stablaterne. Irgendwo muß hier eine sein."

Es ist der Zentrale-Maat.

Endlich flammt Licht auf, huscht über wachsbleiche Gesichter, über weit aufgerissene Augen, über Hände, die sich an Rohrleitungen, Handrädern und Ventilen festkrallen.

„Wo ist Oberleutnant Stenger, und wo ist der Wetterfrosch?" fragt der LI.

„Im Oberfeldwebelraum", antwortet einer. „Hatten sich schlafen gelegt."

Der Oberfeldwebelraum befindet sich hinter dem geschlossenen Kugelschott. Hoffnungslos... längst vollgelaufen.

Pich denkt an den Traum des Stabsarztes. Er nimmt dem Zentralemaaten die Lampe aus der Hand und leuchtet auf einen der beiden Tiefenmesser. Der Zeiger der Skala ist auf 45 Meter stehengeblieben.

Dann überspült öliges Wasser die Manometer über dem Tiefenruderstand.

Noch einmal gleitet der Lichtstrahl über die Gesichter. Zwölf Männer sind übriggeblieben...

Als die Ölbrühe die Schultern der Männer erreicht, befiehlt der Kommandant: „Klarmachen zum Aussteigen!"

Ein paar Herzschläge lang ist es totenstill. Dann fragt aus der Finsternis eine Stimme: „Aus fünfundvierzig Meter, Herr Kaleunt?"

„Und? Wollen Sie drinbleiben?"

„Aber wer ohne Tauchretter aus mehr als fünfundzwanzig Meter Tiefe aussteigt, dem zerreißt es die Lungen", ruft der kleine Obergefreite mit zitternder Stimme. „Der Tauchlehrer in Gotenhafen hat gesagt..."

„Red' nicht kariert", unterbricht ihn Obermaschinist Meier. „Spar lieber die Luft!" Daß der Meier vom Maschinenpersonal überhaupt in der Zentrale ist, verdankt er seinem Raucherhunger. Er hatte sich gerade ablösen lassen, um im Turm eine Zigarette ‚zu stoßen'. Nicht immer haben die Ärzte recht, Rauchen sei schädlich.

Stille. Lähmende Stille.

Allen ist bekannt, daß die Tauchretter keinen Sauerstoff mehr haben. Der wurde verbraucht, als U 168 die *Brake*-Besatzung aufgefischt hatte. Ersatz gab's in Batavia nicht.

Jetzt ist deutlich das schwere Atmen der Männer zu hören.

Das Wasser steigt nicht mehr.

Der LI meldet: „Druckausgleich."

Druckausgleich... Alle wissen, was das bedeutet. Das Wasser hat die Luft im Boot so zusammengepreßt, daß ein Druck von über vier Atmosphären entstanden ist. Vier Atmosphären hat nun jeder von ihnen in der Lunge . . .

„Aussteigen", befiehlt Pich. „LI, Sie machen den Anfang."
Sie hören seine Tritte auf der Eisenleiter im Turm: eins, zwei, drei, vier . . . jetzt muß er bald oben sein.

Ein Knall! Das Turmluk öffnet sich. Mit schrillem Fauchen schießt die zusammengepreßte Luft hinaus. Wasser stürzt in den Turm. Er läuft voll. Aber in der Zentrale verändert sich der Wasserspiegel nicht. Er kann sich nicht verändern, weil der Turmschacht so weit in die Zentrale herunterragt, daß ein Luftpolster zum Atmen bleibt. Nur der Sauerstoff verbraucht sich rasch.

Obermaschinist Meier überlegt, ob der LI wohl schon auf der Wasseroberfläche angekommen ist. Gesund? Oder mit zerrissener Lunge?

„Mund aufmachen beim Hochschwimmen und ausatmen", sagt der Kommandant leise.

„Und die Haie?" fragt der kleine Obergefreite.

„Bleib im Ölfleck, dann tun sie dir nichts." Obermaschinist Meier schlägt ihm auf die Schulter.

Sie hören, wie der Obergefreite noch einmal tief Luft holt. Es plätschert, als er unter dem Süll, dem überhängenden Rand des Turmschachts, hindurchtaucht.

Jetzt ist er drin, denkt der Obermaschinist. Hoffentlich kommt er gut durch das Luk, hoffentlich bleibt er nicht hängen! Sonst ist es vorbei. Sonst kommt von uns keiner mehr hier raus . . .

Der nächste, der das Süll untertaucht und im Turm verschwindet, ist der Stabsarzt. Wenn das Luk blockiert ist, kann er nicht mal Bescheid geben.

Pich knipst einen Moment die Lampe an. „Meier, jetzt steigen Sie mit dem Zentrale-Gasten aus", sagt er. Der Zentrale-Gast — das ist der junge Matrose, dessen unterdrücktes Schluchzen sie fast verrückt macht.

„Los", sagt Meier und packt die Hand des Matrosen. „Halt dich fest. Es ist gleich vorbei."

Das Wasser gluckst, plätschert. Dann herrscht wieder Stille.

„Der Nächste . . . Ab! Mund auf. Langsam nach oben schwimmen!"

208

# *Souvenir* of the arrival at Liverpool of the surrendered German Submarine "U.532"

Photograph taken on U.532's arrival in the Mersey 17th May, 1945

**(By courtesy of *Liverpool Evening Express*)**

Letzter Hafen: Liverpool. Mit Rohstoffen beladen hatte U 532 am 13. Janua (ausgerechnet an einem 13.) von Batavia aus den Marsch in die Heimat ange treten. Im nördlichen Nordatlantik wurde es von der Kapitulation überrascht Laut BdU-Befehl kapitulierte das Boot. Es lief am 17. Mai 1945 Liverpool ar bestaunt und bewundert von der alliierten Marine. Jeder, der dieses Monsun U-Boot besichtigte, erhielt eine kleine Broschüre zur Erinnerung. Das Bild obe zeigt den Titel dieses ‚Souvenirs', auf dem man auch den Zensurstempel sieht

Vorseitig: Einige der im Buch genannten Monsun-U-Boot-Komman danten (immer von links nach rechts, von oben nach unten): Kapitänleutnan Kentrat, Stützpunktleiter Kobe (ex U 196); Fregattenkapitän Dommes, Chef ir Südraum (ex U 178); Kapitänleutnant Oesten (U 861); Kapitänleutnant Timn ‚Tüte' genannt (U 862); Kapitän zur See Kurt Freiwald (U 181); Kapitänleut nant Helmuth Pich (U 168); Kapitänleutnant Herwartz, Bully genannt (U 84: und Kapitänleutnant Jebsen, gefallen (U 859).      (Fotos: Privataufnahmer

Pich gibt dem Zentrale-Maaten das Zeichen.

Dann dem Mechaniker-Maaten.

Der fühlt sein Herz klopfen. In wenigen Sekunden wird es sich entscheiden, denkt er. In wenigen Sekunden bin ich aus diesem Sarg heraus oder tot... Er pumpt sich noch einmal die Lunge mit Luft voll, taucht ins ölige Wasser, dann unter dem Süll hindurch. Als er die Augen öffnet, sieht er über sich, am oberen Ende des Turms, eine kreisrunde dunkelgrüne Öffnung...

Vier Meter werden's bis zum offenen Turmluk sein, denkt er. Und dann nochmals vierzig Meter...

Und dann ist die dunkelgrüne Öffnung plötzlich vorbei. Das Dunkelgrün wird rosafarben. Und alles ist so leicht und vollkommen schwerelos... Und er ist so müde. So furchtbar müde.

Er rudert ein wenig mit den Armen und gleitet weiter aufwärts. Aber er hat das Gefühl, als ginge es in unendliche Tiefen. In Blasen kommt die Luft aus seinem weit geöffneten Mund.

Wie ein hochschnellender Korken bricht er durch die Wasseroberfläche. Grelle Sonne blendet ihn. Sein Schädel platzt beinahe. Seine Ohren sind taub.

Plötzlich hört er etwas.

Stimmen?

„Hier sind wir!" ruft der IIWO. „Hier — dreh dich doch um!" Ja, da sind sie. Lauter ölverschmierte Gesichter. Wie schwarze Bälle tanzen sie in der Dünung auf und ab.

Neben dem Mechaniker-Maaten schießt einer bis zur Gürtellinie aus dem Wasser heraus:

Der Kommandant.

„Alles klar, Herr Kaleunt", rufen die Männer durcheinander. „Alles klar!"

Der IIWO schwimmt heran. Er war auf der Brücke, als der Torpedo traf. Und mit ihm waren fünfzehn andere an Oberdeck.

„Gott sei Dank, Herr Kaleunt. Wir dachten schon, es kommt niemand nach oben! Es hat so lange gedauert..."

Dann starrt der junge Leutnant wieder auf das Wasser, als warte er darauf, daß noch jemand auftaucht. Doch plötzlich fällt ihm ein: Der Kommandant muß ja wohl der letzte sein.

Er zählt die Köpfe, die in den Wellen wippen. Achtundzwanzig. Die Hälfte der Besatzung. Die anderen sind tot ...
„Zusammenbleiben", keucht Kapitänleutnant Pich. „Legt euch auf den Rücken. Kräfte sparen!"

Das Dieselöl auf dem Wasser entwickelt unter der stehenden Sonne betäubende, stinkende Gase. Je länger sich die Überlebenden von U 168 in dem großen Ölfleck aufhalten, desto matter werden ihre Schwimmbewegungen. Und wenn ihnen das Öl in Mund oder Nase gerät, würgt sie der Brechreiz.

Einer schreit plötzlich auf. Er treibt gerade auf dem Kamm der Dünung. Aber keiner kann ihn verstehen. Dann versinkt er wieder in einem Wellental ... taucht wieder auf. Wieder hören sie ihn schreien ...

„U-Boot voraus!"

Wie der Kopf eines vorzeitlichen Ungeheuers bricht der Turm des Bootes aus der See. Gleißend sprüht die weiße Gischt in der Sonne.

Auf der Brücke des Bootes erscheinen Köpfe. Die Flagge geht hoch. Rot-Weiß-Blau. Ein Holländer ...

Das Boot dreht und hält auf die Männer im Wasser zu. Der scharfe Bug wächst steil aus der See.

Gerettet! denkt der Obergefreite. Und wie er denken alle in diesem Augenblick. Der Holländer kommt rasch näher. Mit schäumender Bugwelle. 200 Meter, 150 Meter, 100 Meter ...

„Die überkarren uns!" schreit einer auf.

Er wirft sich entsetzt zur Seite, er rudert wie ein Wahnsinniger, um dem Unheil zu entgehen.

Das gibt's doch nicht, durchfährt es den Mechaniker-Maaten. Das kann doch nicht sein!

Aber dann sieht er den messerscharfen Bug und die kochende See zu beiden Seiten.

„Nein!" brüllt er und streckt seine Arme abwehrend dem Boot entgegen ...

*

Über den Palmen der Terrasse der Stützpunktunterkunft von Soerabaja, im berühmten Oranje-Boulevard gelegen, klettert ein quittegelber, pausbackiger Mond den dunkelblauen Samt des Nachthimmels bergan. Leise murmelt der Abendwind in den breiten Blättern der Bananen. Er streicht von der Javasee herüber, er schmeckt würzig nach Salz, Tang, Fisch und Ewigkeit. Das Silberlicht, das die Palmblätter scharf gegen den mit diamantenen Tupfen und mit Sternmyriaden übersäten Tropenhimmel meißelt, fällt auf eine Gruppe weißgekleideter Männer. Sie sitzen in aus Bambus gefertigten Sesseln, die Füße weit von sich gestreckt. In den Händen halten sie eisgekühlte Getränke, von lautlos und sich geschmeidig bewegenden Javanern serviert. Und immer wieder nachgefüllt. Erst Soda mit Whisky, dann Whisky mit Soda.

Nun nur noch Whisky.

Aus dem Halbdunkel der Mondlichtnacht glühen brennende Zigaretten heraus. Bei jedem Zug leuchten sie stärker auf. Viel zu oft, viel zu stark. Hastig und nervös.

Kapitänleutnant Hoppe wirft seine eben erst angezündete Zigarre, made in Sumatra und daher first class, auf den Boden. Er springt auf und tritt sie aus. Mit langen Schritten geht er auf dem kurz geschnittenen englischen Rasen, hinter der einst einem reichen Kolonialholländer gehörenden Prunkvilla, auf und ab. Er wie seine Offiziere warten schon seit den Mittagsstunden auf U 168. Für Hoppe und einen Teil seiner Offiziere ist U 168 ja nicht irgend ein Boot. Oberleutnant (Ing.) Kazsmarek, nach seiner dramatischen Rettung von Bord der sinkenden *Brake* durch U-Pich in Batavia ärztlich betreut und genesen, ist einer von ihnen. Hoppe zwingt sich ein dünnes Lächeln ab, wenn er an U-Pichs Einlaufen in Batavia denkt... Stützpunktleiter Korvettenkapitän Kandler, Reservist und Dr. jur. im Zivilberuf, hatte sich gewißlich viel Mühe gegeben, um U 168 mit all den *Brake*-Überlebenden feierlich zu empfangen... aber daß die deutschblütigen, mit derzeit von Japanern eingesperrten Holländern verheirateten Damen Pich, seinen ausgedörrten Männern und den *Brake*-Überlebenden Milchreis mit Zimt zur Begrüßung vorsetzten... dieser Kinderpaps hat die Seeleute ziemlich durcheinandergebracht. Sie kamen total erschöpft vom Boot herunter... Sie waren elend durchgefroren, weil sie die letzte Strecke dicht an dicht an Oberdeck gestanden hatten. Während der Fahrt durch die des berüchtigten Krakataus wegen berühmte Sundastraße... während dem Weitermarsch durch das Gebiet der Tausend Glücklichen Inseln hatte der Kommandant alle Mann nach oben befohlen. Nur das Fahrpersonal blieb in der Röhre. Und von diesem auch nur die allernotwendigsten ... zwischen den Tausend Inseln pflegten die alliierten Stahlhaie auf Beute zu lauern ...

Kazsmarek ist soeben aus dem Hafen zurückgekehrt. Die Herren auf der japanischen Kommandantur hätten bedauert, nichts von U 168 zu wissen. Man würde schon rechtzeitig genug erfahren, ob oder ob nicht.

„That's all."

Sie setzen sich wieder. Kazsmarek versteht sich auf die Gabe, die sorgenschweren Gedanken der Kameraden in andere Bahnen zu lenken. Er berichtet über seine Arbeiten an U 537, dem ersten U-Boot, das unter Kapitänleutnant Schrewe den neuen Stützpunkt anlief.

„Müller, wenn wir Sie nicht hätten. Wo haben Sie denn nun bloß wieder diese Ersatzteile aufgetrieben?"

Leutnant zur See der Reserve Müller, Ex-Handelsschiffer, ist für Soerabaja das, was Willy Vogel für Penang darstellt. Nur mit dem Unterschied, daß der hiesige Schwarzmarkt im Gegensatz zu dem in Penang und Singapore noch alles bietet: vom Insektenpulver angefangen bis zu Geldschränken jeder Größenordnung und Qualität. Müller dankt mit einer leichten Verbeugung, aber er schweigt.

„Na", schaltet sich Hoppe ein, „brauchen kein Geheimnis draus zu machen, daß sie meine Bekannte eingeschaltet haben."

Nicht nur die Deutschen, auch die Japaner wissen hier oft nicht weiter. Wohl aber ist es unausgesprochenes Geheimnis, daß dieser oder jener Chinese helfen könnte. Und wie in Malaya wollen die Scheinis auch hier nichts von den ihnen verhaßten Japanern wissen. Außerdem fürchten sie, daß ihre Warenlager eines Tages ausgehoben oder daß sie übervorteilt werden könnten.

Hier nun hat sich Soerabajas Damenwelt vermittelnd eingeschaltet: nämlich alle jene weißblütigen holländischen Frauen, deren Wiege auf javanischem Boden stand, denn die anderen haben die Japaner mit sämtlichen weißen Männern, einzig und allein die Deutschen ausgenommen, in Konzentrationslager gesperrt. Niemand weiß, wo überall die Japaner solche KZ's auf der Paradiesinsel eingerichtet haben, auch die deutschen Marineangehörigen nicht. Erst als auch die Japaner kapitulierten, wurden Einzelheiten bekannt, grauenhafte Details ...

... daß die weißen KZ-Insassen — Frauen wie Männer jeder Altersklasse — zu schwerster Feldarbeit gezwungen wurden. Sie sollten sich ihre Verpflegung, Gemüse und Kartoffeln, selbst erarbeiten. Das unter Bedingungen, die selbst für Eingeborene dem Selbstmord gleichkamen ...

... daß Tausende und Abertausende, der schweren Arbeit ungewohnt, unter den klimatischen Verhältnissen starben ...

... daß Epidemien — Typhus, Beri-Beri oder Ruhr — Ungezählte hinwegrafften, weil es an Medikamenten und an sanitärem Hilfspersonal fehlte ...

... daß Tausende und Abertausende verhungerten ...

... daß nur jene überlebten, die es über sich brachten, Ratten, Schnecken, Gewürm und anderes ekelerregendes Getier zu essen ...

... daß sich die farbigen japanischen Hilfsstreitkräfte, die als Bewacher der KZ's eingesetzt worden waren, noch fanatischer als ihre Auftraggeber gebärdeten ...

... daß viele, ja alle eingesperrten weißen Frauen mißbraucht und mißhandelt wurden ...

Von den ganz wenigen, denen noch während der Kriegszeit die Flucht gelang, hörte man im Lande, was in diesen KZ's geschah. Was Wunder, wenn alle weißblütigen Frauen holländischer Nationalität in ständiger Angst vor Razzien leben. Wer von ihnen helle Augen hat, ist schon verdächtig. Frauen mit grünen oder blauen Augen sind Feinde der neuen Ordnung, also Feinde der japanischen Befreier. Jeder patriotische Tenno-Vertreter ist nicht nur berechtigt, er ist auch verpflichtet, eine solche Frau bei Verdacht festzunehmen. Wehe, wenn aus den Geburtsakten nicht hervorgeht, daß sie schon so und so viele Generationen in Java wohnt, daß sie nicht in direkter Linie einen Holländer zum Vater oder zur Mutter hat ...

Während die deutschen Frauen mit ihren Kinder in der in den Bergen gelegenen deutschen Kolonie des Kurortes Serang leben und betreut werden —, ihre Männer haben die Holländer nach dem Krieg mit Deutschland nach Indien ins Lager Dehra Dun geschafft[33] — versuchen sich die anderen über derartige Vermittlungsgeschäfte über Wasser zu halten. Sie leben nicht einmal schlecht dabei. Zehn Prozent Provision sind der unterste Satz. Und da viele Waren von Hand zu Hand weitergereicht werden, sind sie am Ende entsetzlich teuer ...

Doch der lebenslustige Leutnant Müller schafft das auf seine Art. Geschickt, gewandt und prompt, wenn der Stützpunkt irgend etwas benötigt ...

In der Tür zu den Büroräumen des Stützpunktes taucht die graziele Gestalt des Mädchens Joice auf. Joice, eine Eingeborene, die mit dem Chef der japanischen Zivilverwaltung für Soerabaja befreundet ist und neben ihrer Muttersprache sonst noch — angeblich — ein wenig das Japanische beherrscht, versieht den Telefondienst im Stützpunktgebäude. Diese Fünfzehnjährige, aber bereits reife, kluge und verständige Javanerin von der berückenden Anmut ihrer Landesschwestern, hat Hoppe gleichsam gegen zwei funkelnagelneue PKW's aus den japanischen Beutebeständen kompensiert. Nach dem auch den Japanern nicht unbekannten Sprichwort: „Eine Krähe wäscht die andere", bat der hohe Herr Zivilverwalter darum, seine Freundin in deutsche Dienste zu nehmen. ,Damit sie sich ein wenig verdienen könne, denn die Deutschen zahlen ja gut', war seine Erklärung. Hoppe sagte nicht nein. Eine eingeborene Hilfskraft, mit ein paar japanischen Sprachkenntnissen war ihm schon willkommen. Schließlich konnte er nicht seinen wertvollen Dolmetscher Dr. Schreiber als Telefonisten in der Telefonzentrale festnageln. Daß der Ziviljapaner einen guten Draht zur Kempetai hat, weiß Hoppe. Also kennt er auch den tieferen Hintergrund dieses Tauschgeschäftes. Oh, diese ewig mißtrauischen, aber ewig lächelnden Japaner!

Nun, eine Gefahr, die man kennt, ist keine mehr. Oder nur noch eine halbe.

Oh, die verwunderten Gesichter beim japanischen Marinekommando, als die Deutschen statt mit ihrem klapprigen PKW, aus dessen Verdeck schon die Isolierwolle herauswehte, eines Tages mit einem blitzenden Opel-Admiral und einer fast neuen Mercedes-Limousine 170 V vorfuhren.

Das sei doch bestimmt nicht in Ordnung, machten sie dem deutschen Leutnant Karotki klar. Aber Karotki, alter Funkmeister, war auf Draht. Er fand die passende Antwort.

Aber bleiben wir bei des Zivilchefs Freundin ...

Joice hat Befehl, die Namen oder Telefonnummern der Anrufer mit Kreide auf eine Tafel zu schreiben. Als ‚Fräulein Nummer' geht sie so ins KTB des Stützpunktes ein. Als ‚Fräulein Nummer' ist diese Joice damit amtlich und ein Stück Kriegsgeschichte geworden.

Als sie jetzt erscheint, strahlend lachend wie eine Märchenprinzessin aus Tausend und einer Nacht, hält sie die Tafel mit vier Zahlen hoch. Es ist die Nummer der japanischen Hafenkommandantur.

„Na endlich, stellt das Bier und den Whisky wieder kalt! Sie kommen . . .“

Hoppe indessen eilt, begleitet von Dr. Schreiber, ans Telefon. Der Dolmetscher übersetzt und erklärt, was der japanische Offizier mit tonlos sachlicher Stimme aus dem Hafen berichtet.

In der Nähe von Taju habe die für diesen Küstenabschnitt zuständige Kempetai weiße Männer festgenommen und eingesperrt. Diese würden behaupten, Überlebende von einem versenkten deutschen U-Boot zu sein. Es wären an die zwanzig Mann. Der Verdacht, es könnte sich auch um Männer eines britischen Sabotagetrupps oder um Spione handeln, sei naheliegend. Die Leute würden kein Englisch sprechen, hätte die Kempetaistation von Taju noch ergänzend gemeldet. Aber das besage ja noch gar nichts.

Hoppe ahnt, wer diese Männer sind. Seine Gefühle haben ihn nicht betrogen. Aus Joice, der Überbringerin einer so sehnsüchtig erwarteten Botschaft, ist eine Botin des Unheils geworden.

Joice, ahnungslos und unbeschwert, lacht noch immer. Wenn sie aber wirklich Deutsch versteht, spielt sie ihre Rolle als Agentin der Kempetai hervorragend.

„Wir müssen hin“, reagiert Hoppe.

Dr. Schreiber nickt. „Natürlich, aber wie? Wir brauchen dafür einen japanischen Wagen und eine Sondergenehmigung vom zuständigen Befehlshaber des Heeres.“

„Ich weiß“, sagt Hoppe und nimmt eine Zigarette aus Schreibers Silberetui, einem Geschenk des Tenno. „Da kann nur einer helfen; Fudjy.“

Mit Kapitän zur See Fudjy, Chef des japanischen U-Boot-Stützpunktes, wichtigster Mann für Hoppe und seine Aufgaben, verbindet die Deutschen über den dienstlichen Kontakt hinaus eine echte und daher ungewöhnliche Freundschaft zwischen einem Europäer und einem Japaner. Jeden Tag fährt Hoppe mit ihm zum Golfspiel hinaus. Weder der für einen Japaner selten große Fudjy, noch der schlanke Kapitänleutnant Hoppe haben vom Golf sehr viel Ahnung. Doch jeder meint, damit dem anderen einen Gefallen zu erweisen. So kam man sich näher und näher.

Man sah Fudjy immer häufiger als Gast bei den Deutschen. Was ihm gefiel, betrachtete er selbstredend als Geschenk, und wenn er etwas trank, fühlte er sich selbstverständlich eingeladen. Daran nahm keiner Anstoß, wissen doch alle, daß die japanischen Offiziere nicht mit Reichtümern gesegnet sind. Und Fudjy hat keine geheimen Einkünfte, wie sie bei japanischen Zivilangestellten üblich sind. Fudjy ist korrekt. Er ist sich und seinen Ahnen treu geblieben. Auch der Krieg hat ihn nicht wankend werden lassen.

Das macht ihn nur noch sympathischer.

Sie wählen Fudjys Nummer. Ein japanischer Soldat meldet sich. Der Herr Kapitän sei nicht da. Wohin er gegangen sei, habe er nicht hinterlassen.

Der Funkmaat vom Stützpunkt bekommt Befehl, mit AK ins ‚Taifun' zu radeln.

„Welch ein Glanz in unserer Hütte", begrüßt ihn der UvD vom Taifun-Hotel. „Mann, du bist ja schweißüberströmt, mußt ja ein Mordstempo drauf gehabt haben ... Durst oder?"

Der Funkmaat geht auf den scherzhaften Ton des ihm befreundeten Boots-Maaten nicht ein. „Komm, laß ...", wehrt er ab. Er schiebt das Päckchen Tanz-Marken und die großzügig zugeteilten Tickets für harte Getränke zurück.

„Ich suche Fudjy."

Der Bootsmaat kneift die Augen unter seinen buschigen Brauen ein wenig zusammen. Er mustert den Kameraden so mißtrauisch wie ein Nervenarzt seinen Patienten.

„Der war mal hier", sagt er schließlich, wendet sich unvermittelt ab und vertieft sich in seine Listen. Zu deutlich, daß er sich nicht näher äußern will. Kapitän Fudjy ist auch bei den deutschen Unteroffizieren und Mannschaften tabu. Wer nur den Versuch macht, sich über ihn abfällig zu äußern, darf sich von vornherein als lazarettreif betrachten ...

Der Funkmaat tritt dicht neben den UvD hin.

„Ich gebe dir den dienstlichen Befehl, mir zu sagen, wo Kapitän zur See Fudjy ist."

Der Bootsmann lacht schallend. Er stemmt die Hände in die Seiten. „Hast wohl nicht alle Tassen im Schrank. Es ist 23.00 Uhr. Klar?"

Der andere geht auf den seemännischen Ton nicht ein. Er sagt ruhig: „Es handelt sich um U 168. Wir brauchen ihn."

„Oh", fährt der UvD zusammen. „Wenn Fudjy im Taifun-Hotel gestört werden muß, dann ist eine ganz große Schweinerei passiert." Er zeigt nach oben, zur Decke hin.

„Zimmer Dreizehn, in dem mit der aufgemalten kupferfarbenen Chrysantheme auf der Tür. Er ruht sich aus."

Der Funkmaat durchquert den Tanzsaal, stürzt an der Bar einen doppelten Gin herunter, bevor er sich auf den Weg nach oben macht.

Er kennt sich im Taifun-Hotel bestens aus. Er hat es mit einrichten helfen, als Stützpunktleiter Hoppe einsah, daß seinen Soldaten mit den von den Japanern zur Verfügung gestellten „Häusern" nicht gedient war. Diese Art organisierter Geselligkeit und uhrzeitlich geregelter Freude schmeckte den Lords, die wie die japanischen Soldaten nachmittags zu den Häusern hin und abends mit Einbruch der Dunkelheit zurückgefahren wurden, ganz und gar nicht. Heimgekehrt jumpten sie über den Bambuszaun. Die Wachen, die der Stützpunktleiter dann einrichten ließ, steckten mit ihren Kumpels unter einer Decke. Sie meldeten keinen. Sie verrieten keinen. Schlimmer noch als diese Wachvergehen waren die anderen Folgen. Der Stützpunktarzt bekam viel Arbeit.

So hatte Hoppe dann zusammen mit dem in Soerabaja lebenden deutschen Innenarchitekten Weiß die Traumvilla eines von den Japanern eingesperrten Kolonialhändlers in ein Soldatenheim nach deutschem Geschmack ausbauen lassen: Wunderbare Bar, Tischtennisraum und Billardsäle.

Den Namen Taifun wählten sie, weil dieser Wirbelwind auf japanisch Taifuso heißt, also ähnlich klingt und für beide Teile verständlich ist. Und taifunhaft mochte es ruhig zugehen. Seeleute sind keine Heilsarmisten.

Einer der Stammgäste wurde mit dem Tage der Eröffnung Kapitän zur See Fudjy. Er setzte sich gern zu den Lords und ließ sich von diesen einladen. Als Kapitänleutnant Hoppe davon erfuhr, gab er Anweisung, Kapitän zur See Fudjy sei Gast der Deutschen Marine. Er dürfe ohne Berechnung essen und trinken. So viel und was er auch wolle.

217

Ärger und Verdruß gab es nur mit den Tanzdamen, die Fudjy trotz seiner 58 Jahre pausenlos in Bewegung hielt, ohne ihnen jedoch die Tanzkarten zu bezahlen. Das nahmen ihm die Hübschen übel, denn schließlich wollten sie Geld verdienen. Da sie aber beinahe wirkliche Damen waren, sprachen sie nicht darüber. So ging eine geraume Zeit ins Land bis Hoppe über ihren Seelenschmerz ob Fudjys Tanzpraktiken erfuhr. Beim Golfspielen ließ es sich ab nun taktvoll einrichten, Kapitän zur See Fudjy nun auch mit gültigen Tanzmarken zu versorgen ...

Der Funkmaat vom Stützpunkt tritt in den mit weichen Teppichen belegten Gang. Wie an Bord, so sind die geraden Zahlen links, an Backbord, und die ungeraden Zahlen rechts, an Steuerbord. Er klopft an die Tür mit der aufgemalten kupferroten Chrysantheme.

Einmal, zweimal. Noch einmal. Keine Antwort.

Schließlich hämmert er mit der Faust auf die Chrysantheme.

Die Tür wird aufgerissen. Im Rahmen steht Kapitän Fudjy. Die Spitzen seines dünnen, aber gepflegten Kaiser-Wilhelm-Bartes, auf den er so stolz ist, zittern.

Als er den Funkmaat vom Stützpunkt erkennt, wird sein Gesicht freundlicher. Er verbeugt sich und sagt höflich in gebrochenem Deutsch: „Ich sein traurig, nicht können bitten Sie in meine Zimmer."

Der Funkmaat verneigt sich ebenfalls. „Ich bitte sehr um Entschuldigung, Herr Kapitän, aber Sie müssen uns helfen. In der Kempetai-Station von Taju sollen Überlebende von U 168 sein. Kapitänleutnant Hoppe braucht einen japanischen Wagen und eine Genehmigung, um nach Taju zu fahren."

Fudjys Gesicht wird ernst und auch ein wenig traurig. „Ich hier keine Vollmacht. Nicht für Auto, nicht für Nachtfahrt."

Fudjy greift in die Taschen seines Uniformrockes, der an der Tür hängt. Dann verändert sich sein Gesichtsausdruck schlagartig. Er lächelt. „Sie haben zufällig Tanzmarken in Tasche?"

Der Deutsche sucht nervös in seinen Hosentaschen. Tanzmarken ...? Was will er denn ausgerechnet jetzt mit Tanzmarken? Er findet ein paar Tickets. Er drückt sie Fudjy in die Hand und drängt: „Aber wir müssen doch nach Taju, Herr Kapitän! Wenn es wirklich Gerettete von U 168 sind, dann ..."

„Es sein besser, ich wissen von nichts. Sein Sache von Kempetai." Fudjy drückt dem Funkmaat die Hand, dann schließt er schnell die Tür vom Zimmer mit der Chrysantheme.

Der Stützpunktfunker spürt Kühles in seiner Rechten, etwas Hartes: Es ist ein Autoschlüssel. Es ist der Schlüssel für Fudjys PKW! Und das hat japanische Kennzeichen... Es führt die rote Flagge eines Stabsoffiziers.[34]

Was sagt der heute in Duisburg lebende Konrad Hoppe darüber, wie es weiterging:

„Ich konnte auch Kapitänleutnant Schrewe nicht mehr erreichen. Der war irgendwo unterwegs. Müller war gleich auf Draht. Obwohl wir strengstes Verbot hatten, selbst mit dem Wagen zu fahren — ich war schon im Stützpunkt bei den Japanern — ist er dann sofort hinter mir hergebraust. Die eingeborenen Chauffeure hatte er bereits angelüftet und mitgenommen. Er sagte schlicht und militärisch: ‚Unsere Fahrzeuge sind klar', und fügte hinzu: ‚Wenn wir von den Japanern keine bekommen, dann fahren wir alleine los.'

Soweit war also alles in Ordnung. Schließlich stieg auch der japanische Chef des Stabes, Korvettenkapitän Hatschimodo, zu."

Kapitän zur See Fudjys Wagen brauchen sie nun nicht mehr. Los, mit AK.

Dort, wo die Straße nach dem kleinen Küstenort abzweigen muß, hat Kapitänleutnant Hoppe halten lassen. Er steigt aus. Der Schein seiner Stablampe beleuchtet ein verwittertes Schild aus Königlich-Holländischer Kolonialzeit, da Java ein riesiger paradiesischer Garten war. ‚Taju' kann Hoppe entziffern. Stimmt.

Hier also geht der Weg ab.

Er gleicht einem Tunnel, einer dunklen Schlucht, aus der sich ihnen eine modrig-feuchte Luft entgegenwälzt. Die Kronen der wildwuchernden Tropenbäume sind so ineinandergewachsen, daß das Auge keine Handbreit vom Nachthimmel mehr erspäht.

Millionen Zikaden ticken. Die Ochsenfrösche quaken. Und hin und wieder erschallt der wilde Ruf eines Ziegenmelkers. Als sich Hoppe zum Wagen zurückbewegt, kreischt in unmittelbarer Nähe ein Brainfevervogel. Warnt er vor Menschen? Oder vor einem Panther?

Immer, wenn Hoppe an einen Panther denkt, verschmilzt das Bild vor seinen Augen mit den Gestalten der Kempetai...

Die Dienststelle der gefürchteten und berüchtigten japanischen Geheimpolizei in Taju zu finden, fällt nicht schwer. Der ganze Ort ist in Aufruhr.

Vor dem Hause mit dem Sonnenbanner am Flaggenmast drängen sich in respektvoller Zurückhaltung die eingeborenen Bewohner Tajus wie unter den Schwingen eines Raubvogels aufgescheuchte Hühner. Sie lauern und beobachten im Schutz der Bäume und der Umfassungsmauern dieses luxuriösen Bungalows, einst der Privatbesitz eines holländischen Kaufmannes auf Java.

Daß die Weißen, die der javanische Fischer angelandet hatte, Deutsche sein sollen, hat sich inzwischen in Taju herumgesprochen. Auch, daß die Japaner die Deutschen seit Stunden verhören, statt sie zu verpflegen, zu betreuen und ausruhen zu lassen.

Als dem PKW deutsche Offiziere entsteigen, erwarten die Bewohner von Taju, gar nicht zu Unrecht, eine Sensation.

Sie kennen den Chef dieser Kempetai-Station. Sie hassen ihn, weil er zerstört, was sie von den Japanern erhofften:

„Die Erfüllung ihres Traumes von der Freiheit Indonesiens."

Hoppe schiebt die japanischen Posten zur Seite. Im Gang aber vertritt ihm ein kleiner, in Zivil gekleideter Japaner den Weg. Hinter ihm warten andere in drohender Haltung.

Durch die geöffneten Türen entdeckt der deutsche Kapitänleutnant ein paar Mann von U 168. Sie hocken auf dem Boden. Also hat es doch U-Pich erwischt...

Hoppe wendet sich an den Japaner vor ihm, an einen unheimlichen Kerl, dessen Gesicht und Hände aus faltigem Ochsenleder scheinen, dessen Mund aus ein paar Kinnladen besteht, die an das Quermaul eines Tigerhaies erinnern. Und dann diese brennenden Augen.

„Diese Männer sind deutsche U-Bootseeleute", läßt Hoppe Dr. Schreiber übersetzen. „Ich bin der Leiter des U-Boot-Stützpunktes Soerabaja. Und Sie sind, so vermute ich, der Chef der Kempetai-Station."

Ehe der Japaner antwortet, zieht er saugend die Luft durch die Nase ein. Dann nennt er seinen Namen. Mehr sagt er nicht.

Als Hoppe an ihm vorbeigehen will, vertritt er diesem erneut den Weg.

„Meine Untersuchungen sind noch nicht abgeschlossen", fährt er Hoppe an. „Sie haben meine Entscheidung abzuwarten."

„Ich wüßte nicht, was es für Sie zu untersuchen gibt", sagt Hoppe sanft, wenn auch bereits mit dem Unterton von Erregung und Verärgerung in seiner Stimme.

„Doch", zischt der Japaner. Seine Schlitzaugen werden zum Strich. „Zunächst weisen Sie sich aus. Erklären Sie, was Sie hier wollen. Beweisen Sie Ihr Recht, mit diesen Leuten zu sprechen. Erst wenn ich diese Kerle freilasse, dann dürfen Sie zu ihnen. Vorher nicht."

„Mein Herr", antwortet Hoppe mühsam beherrscht. „Ich habe Ihnen doch eben erklärt: Wir wollen, und so scheint es, wir müssen uns um die Überlebenden von U 168 kümmern."

Mit dem Wort Überlebende ist für den Japaner das Stichwort gefallen.

„Mit Verrätern, wollten Sie sagen, Hoppe-San."

Der Japaner hat diese Worte in höchster Erregung aus sich herausgepreßt. Erschöpft macht er eine Pause, verwundert, da Hoppe und seine Begleitung schweigen.

Wie aus der Tiefe eines gärenden Vulkans bricht es erneut aus ihm heraus.

„Meine Verhöre und Untersuchungen haben ergeben, daß sich die Offiziere des versenkten deutschen U-Bootes auf das feindliche Boot gerettet haben. Sie werden dort verraten, was sie wissen. Und wenn diese hier", der Japs macht eine ausholende Handbewegung nach den Türen hin, in denen sich immer mehr ausgezehrte stoppelige Gesichter zeigen, „nicht hier, sondern an einer feindlichen Küste gelandet worden wären, dann wären auch sie zu Verrätern geworden. Kein japanischer Seeoffizier, kein japanischer Seemann, kein Japaner überhaupt setzt sich den Gefahren einer Gefangennahme aus. Ein japanischer Soldat wählt den Tod nach der Niederlage."

Die Stimmung ist zum Zerreißen gespannt, als der Japaner endet.

Der Kapitänleutnant tritt ganz nahe an den Japaner heran, so nahe, daß er fast nur zu flüstern braucht, um von Dr. Schreiber und dem Japaner verstanden zu werden.

„Erstens sind diese Männer keine Japaner, mein Herr. Sie sind Deutsche. Und als solche sind sie vom Tenno, erschrecken Sie nicht, wenn ich den Sohn des Himmels erwähne, mit all den anders gearteten Lebens- und Kampfauffassungen anerkannte Verbündete."

Hoppe zündet sich während des Sprechens eine Dr. Schreibers Etui entnommene Zigarette an. Seine Bewegungen zeigen weder überstürzte Hast, noch seine Erregung an. Dann sagt er weiter, so leise wie zuvor:

„Zweitens, und das beachten Sie bitte sehr genau, wenn Sie nicht sofort den Weg zu meinen überlebenden Kameraden freigeben, zwingen Sie mich zu etwas. Ich werde Sie dann in der Praxis daran erinnern müssen, aus welchem Holz die Grauen Wölfe geschnitzt sind. Sie werden sich über die Folgen wundern — wenn Sie überhaupt noch dazu kommen —, wenn nur einer dieser U-Bootfahrer von mir erfährt, wessen Sie diese Männer beschuldigen."

Hoppe zieht an seiner Zigarette. Er wundert sich über sich selbst, wie ruhig er dabei seine Hand hält. Dann sagt er noch mit tonloser, aber kalter Stimme: „Im übrigen lehne ich es ab, mich mit Ihnen noch zu unterhalten. Das Weitere werden Sie später hören. Und Sie werden sich auch noch entschuldigen."

Der Japaner ist so bleich und elendsgrau wie die vom Staub verschmutzte Wand im Foyer. Er kocht. Seine Zähne mahlen aufeinander, daß es knirscht, als würden Knochen gebrochen.

Aber es passiert nichts, als sich Hoppe mit sanfter Gewalt und einem verbindlichen, wenn auch gezwungenen Lächeln, an ihm vorbeischiebt. Der Kempetai-Chef wird dabei an die Wand gedrückt.

Draußen vor der Tür drängen sich Kopf an Kopf, Schulter an Schulter die eingeborenen, männlichen Bewohner von Taju.

Ihre Blicke funkeln böse. In die Freudenrufe der Begrüßung mischen sich die Flüche und die Verwünschungen des hinter Hoppe hertobenden Kempetai-Chefs.

*

Zur gleichen Zeit spielt sich in Soerabaja ein anderes Drama ab.

Kapitänleutnant Peter Schrewe hat, zum Stützpunkt zurückgekehrt, inzwischen die Gründe für Hoppes und seiner Offiziere überstürzte Nachtfahrt erfahren. Sein IWO war zugegen, als der Anruf kam.

„Wieviel Überlebende, sagten Sie, hat der Küstensegler an Land gesetzt?"

„Nach dem Kempetai-Bericht aus Taju sollen es über 20 Mann gewesen sein."

„Über zwanzig Mann...? Und 54 hat Pich normal an Bord. Kommen Sie."

Sie nehmen die Fahrräder, von denen Hoppe 150 Stück durch die zartgliedrigen Hände eingeborener weißer und farbiger Frauen bei den Chinesen für die Freizeitgestaltung besorgen ließ. Ab zum Hafen. Schrewes erster Weg gilt seinem eigenen Boot. In der Seekarte von Ostjava findet er mit kundigem Blick dieses Taju. Die hier und im weiteren Bereich unter der Küste angegebenen Wassertiefen lassen erkennen, daß die Vorgewässer überall verhältnismäßig geringe Tiefen haben ... 20 Meter, 30 Meter, 40 Meter, 35 Meter.

Dem Kempetai-Bericht zufolge, sei das U-Boot, es ist kein anderes als das von Pich, in Sichtweite der Küste, ja ziemlich dicht unter Land torpediert und gesunken.

Die Seekarte unter dem Arm, verlassen Schrewe und sein IWO das Boot.

Im Stützpunkt der japanischen Marine treffen sie den Offizier vom Nachtdienst an, einen schmächtigen Korvettenkapitän. Mit angeborener und durch die Schule der Marine vollendeten Höflichkeit bietet der lächelnde Japaner den beiden Deutschen einen Stuhl an.

Doch Schrewe verzichtet. Er steigt gleich in die Sache ein. Ein Dolmetscher übersetzt.

„Sie haben von dem Absaufen von U 168 gehört?"

Der Japaner nickt. Auch er tritt an die Lagekarte. Sein nikotingebräunter gelber Zeigefinger tippt auf einen Punkt.

„Hier", sagt er. „Hier ist es gewesen, auf sechs Grad und 20 Minuten Süd und 111 Grad und 28 Minuten Ost."

„Wir brauchen Hebeschiffe." Schrewe steuert vierkant auf sein Ziel zu.

Der Dolmetscher übersetzt.

„Wie sagten Sie?" fragt der Kapitän.

223

„Es muß etwas geschehen. Wir müssen mit Wachschiffen, mit Hebefahrzeugen und Spezialtauchern an die Absaufstelle ... die rausholen, die im Boot noch lebend eingeschlossen sind."

„Ich verstehe immer noch nicht", sagt der Japaner. Seine Augen werden zu einem Schlitz. Aber er ist noch immer die vollendete Liebenswürdigkeit in Person.

Jetzt aber wird Kapitänleutnant Schrewe ungemütlich, er tut etwas, was ein Japaner auch in der größten Erregung und seelischer Not nicht tut.

Er schlägt mit der flachen Hand auf die Karte.

„Rausholen ... Retten müssen wir die, die noch im Boot sind. Es sind doch nur die davongekommen, die an Deck standen."

„Das ist noch nicht erwiesen", gibt der Japaner zurück. Er begreift sehr wohl, was der Deutsche will.

„Das ist doch völlig wurscht, zum Donnerwetter. Und wenn auch welche aus der Zentrale ausgestiegen sind, es können noch immer Überlebende vorn oder achtern im Bootskörper sein ... Sie haben doch Hebeschiffe ... Sie haben doch Tieftaucher in Ihrem Stützpunkt ... Geben Sie doch einen Befehl. Seid doch nicht so langweilig. Hier ist doch jede Minute kostbar. Helft."

Das Gesicht des japanischen Korvettenkapitäns ist kühle Ablehnung.

Je mehr Schrewe sich erregt, um so mehr erstarren die Züge des Japaners. Wenn bei der Flotte unter dem Sonnenbanner in Kriegszeiten ein Schiff versinkt, gehört die Mannschaft dazu, denn Schiff und Besatzung sind ein Ganzes. Auch wer die Katastrophe überlebt, hat keine Lebensberechtigung mehr.

So deutlich drückt der Kapitän aber nicht aus, was er denkt ... daß die Besatzung von U 168 nach japanischem Kodex kein Anrecht auf nur einen Versuch der Rettung mehr hat. Ausweichend erklärt er dem deutschen Kommandanten:

„Das Risiko, auch noch die Hebeschiffe und Wachboote bei einer solchen Rettungsaktion zu verlieren, ist größer als die Chance, auch nur einen Mann aus der Tiefe lebend herauf zu holen."

Schrewe ist außer sich.

Die eiskalte Höflichkeit des japanischen Korvettenkapitäns, diese offenkundige Ablehnung erbittert ihn immer mehr.

„Sie wollen also nicht?"

„Ich kann nicht, Kapitänleutnant Schrewe-San."

Er kann wirklich nicht. Er würde mehr verlieren, als im ungünstigten Fall die Hebeschiffe:

Sein Gesicht.

Die Tür fällt ins Schloß.

Peter Schrewe alarmiert alle möglichen und unmöglichen Stellen. Auch den inzwischen in sein Haus heimgekehrten Kapitän zur See Fudjy. Auch den japanischen Admiral in der Dwarsburg-Straat.

Überall stößt er auf das gleiche Bild: Erst höfliche Ablehnung, dann aber, wenn Schrewe an die Waffenbrüderschaft appelliert, die so selbstverständliche Kameradschaft auf See beschwört, versteinern die Gesichter.

Was noch zu tun übrig bleibt, sind jede Menge Entschuldigungsbesuche, die Kapitänleutnant Hoppe als Stützpunktleiter für später harren.

*

Der japanische Fahrer tritt mit aller Kraft auf die Bremse. Der neben ihm mehr eingequetschte als sitzende Matrosengefreite hat blitzschnell die Handbremse gezogen. Der PKW, in dem Stützpunktleiter Hoppe und, soweit nur irgendwie Platz, einige Überlebende von U-Pich dicht nebeneinander gezwängt hocken, schleudert auf dem von faulenden Blättern glitschigen Boden wild hin und her. Dicht hinter der Kurve hatten sie bei hoher Fahrt im Dämmerlicht des Blätterdoms die quer über die Fahrbahn liegenden Bäume entdeckt, eben noch frühzeitig genug, um den Wagen zum Stehen zu bringen. Die Natur war es nicht, die diese Baumriesen zum Stürzen brachte. Sie erkennen es mit einem Blick. Die Axthiebe an den Wurzeln, die Lage der Bäume sprechen Bände. Sie steigen aus. Nichts rührt sich. Der unter der Tageshitze dumpf dahin brütende Tropenwald schweigt und dampft. Ein paar Vögel, von Affen gehetzt, kreischen. Ein paar Mal knackt es. Erst in unmittelbarer Nähe, dann weiter entfernt. Es hört sich an, als ob Menschen oder Tiere davonschleichen.

Diese Baumsperre galt Japanern. Unzweifelhaft. Die Unzufriedenheit mit den ‚Befreiern vom kolonialen Joch der Holländer' wird von Tag zu Tag größer.

Tabu allein sind die Deutschen. Für die Masse der Javaner jedenfalls, denn es gibt nun einmal keine Regel ohne Ausnahme. Solche Ausnahmen sind nicht selten die Halben, die Cocktails, die nicht wissen, zu wem sie nun eigentlich gehören...

Durch nichts behindert, räumen die Männer mit PKW-Kraft die Bäume zur Seite. Sie schaffen einen schmalen Durchlaß und brausen weiter, Soerabaja entgegen.

In Taju, das hinter ihnen liegt, hat Kapitänleutnant Hoppe für die vorerst zurückbleibenden Überlebenden alles Notwendige veranlaßt.

Die Besitzerin eines ehemals holländischen Luxushotels am Strande der hier besonders traumhaft schönen Küste, eine gebürtige Deutsche, deren Mann von den Japanern interniert wurde, hat die Betreuung der Geretteten von U-Pich übernommen. Alles Weitere wird der herbeigeeilte Leiter des Stützpunktes Batavia, Korvettenkapitän Kandler, als Dienstgradältester besorgen.

Ein Teil der Überlebenden, so wurde es noch abgesprochen, soll mit der Bahn nach Soerabaja geschafft werden, andere sind für den Stützpunkt Batavia ausersehen.

Das faltenreiche, so bösartige Gesicht des Chefs der Kempetai am Ort hatte nach der Lektion durch den deutschen Kapitänleutnant niemand mehr zu Gesicht bekommen. Sein Vertreter, den der von Hoppe höflich aber sehr bestimmt zurechtgewiesene Kempetai-Boß dann sandte, zerfloß vor Höflichkeit. Wie Butter unter tropischer Sonne.

Hier, im PKW, läßt sich Hoppe das Ende von U 168, das Aussteigen der Überlebenden und deren Rettung noch einmal in allen Einzelheiten erzählen. Und wie schon in Taju, so bewegt ihn auch jetzt noch die quälende Frage, ob in dem aufgeschlitzten Stahlsarg in 45 Meter Wassertiefe vielleicht nicht doch noch ein paar Männer in einer Luftblase leben.

„Das ist wirklich hoffnungslos, Herr Kapitänleutnant", versichert der ausgestiegene Obermaschinist Meier. „Wir brauchen uns da keine Sorgen zu machen. Nur wer in der Zentrale war oder bis zu ihr kam, hatte noch eine Chance. Weder vorn, noch achtern im Boot lebt ein Mann.

Jener scheußliche Traum, den Stabsarzt Dr. Wenzel vor dem Auslaufen hatte und aus dem er schweißgebadet mitten während der Nacht erwachte, hat sich nun doch erfüllt: Den

IWO und den Wetterfrosch Dr. Bahlke fraß die See. Zusammen mit ihren Kameraden. Genau wie dieser unheimliche Traum es dem Bordarzt vorgegaukelt hatte.

Später, als er zur Ruhe gekommen ist, rollen die verschiedensten Szenen wie Filmbilder vor seinen Augen ab: Viele der Seeleute hatten es in den letzten Tagen an Land einfach toll getrieben. Sie hatten Unsinn und Dummheiten gemacht wie Ausgelassene ... Sie hatten wild wie im Trancezustand getanzt ... dabei waren gerade diese Jungs sonst nüchterne, völlig normale Kerle ... Irgend etwas müssen sie doch gespürt haben ... Er erinnert sich des Zustandes, als einer an Bord ein Lied sang, als ihn seine Kameraden anfuhren: „Das darfst du auf See nicht singen. Das bringt Unglück."

Ja, und der, den seine Kumpels beim Singen unterbrachen, ist nun auch da unten im Boot drin geblieben ...

Eines aber erfüllte sich nicht:

Die gräßliche Todesangst vor einem zweiten Fall *Van Imhoff*.

Der Gegner, der U 168 in Sichtweite der Ansteuerungstonne von Soerabaja aufgelauert hatte, das holländische U-Boot *Zwaardvisch* war aufgetaucht, um die Überlebenden zu retten. Der Holländer stoppte kurz vor den Pulks im Wasser. Seine Schiffsführung und Besatzung machten gut, was die von der *Van Imhoff* dem guten Ruf holländischer Fairness und an sich so selbstverständlicher seemännischer Ritterlichkeit so schwer geschadet hatten.

Sie taten noch mehr. Obwohl es wegen der zu starken Eigengefährdung und auch wegen der Unmöglichkeit der Unterbringung nicht üblich war, daß U-Boote Überlebende torpedierter Schiffe aufnahmen, Kommandanten und LI's von Fall zu Fall ausgenommen, zerrten die Holländer die im Wasser treibenden deutschen Seeleute zu sich an Oberdeck. Ein freudiger Ausruf eines Seemanns von U-Pich wurde seinem Kommandanten allerdings zum Verhängnis. Als der Matrose, schon gerettet auf den Grätings des Oberdecks stehend, Kapitänleutnant Pich im Ölfleck des Wassers schwimmend sah, brach es vor Freude laut aus ihm heraus.

„Guckt, da ist ja auch unser Alter."

Und den Alten, den eben suchten die Holländer ... Ihn und seine überlebenden Offiziere gedachten sie trotz der Raumnot an Bord als lebende Trophäe einer versenkten Naziröhre mit in ihren Stützpunkthafen in Perth in Australien mitzunehmen.

So kam es, daß Kapitänleutnant Helmut Pich, sein LI, sein IIWO, der Stabsarzt und der ziemlich bös verletzte Seemann Hannes Feiertag von den anderen abgesondert, erst auf den Turm und dann ins Boot geschafft wurden. Hannes Feiertag wohl nur, weil die Holländer ihm, der als Ausguck noch sein Glas um den Hals zu hängen hatte, einfach nicht glaubten, nur ein kleiner Mannschaftsdienstgrad zu sein.

Die anderen 23 Überlebenden wurden zunächst an Oberdeck versorgt. Sie erhielten Seewasserseife, um sich von dem Ölfilm zu säubern, man versorgte sie, die fast ohne Bekleidung aus dem Boot herauskamen, mit frischem Zeug, mit Kaffee und Zigaretten. Schließlich rief der Kommandant der *Zwaardvisch*, Luitenant ter zee der 1e klasse (Korvettenkapitän zu deutsch) H. A. W. Goosens, zwei Küstensegler heran. Diesen übergab er die Geretteten mit der Weisung, sie auf dem kürzesten und schnellsten Wege an der javanischen Küste abzusetzen.

Damit die deutschen Seeleute nicht ganz wehrlos waren, ließ van Goosens jedem dieser Männer ein Bordmesser verausgaben.

„Alles andere, Herr Kaleunt", so endet der Bericht von Obermaschinist Meier, „wissen Sie aus Ihren eigenen Beobachtungen."

Der Verfasser hat auch mit dem bei der Bundesmarine tätigen, heutigen Fregattenkapitän Pich ein Gespräch geführt. Es ging um die vermutlichen Ursachen, die zum Verrat des Auslauftermins geführt haben können und über den weiteren Aufenthalt der Geretteten an Bord der *Zwaardvisch*.

Autor: „Sagten Sie nicht, daß vorher ein Mädchen an Bord gewesen sei?"

Pich: „Ja, das ist nur die Story nebenbei. Ich hörte es von einem anderen, daß da ein Indonesier an Bord gewesen sein soll mit so einer Frau. Und das hätte also das Unglück gebracht..."

Autor: „Also hat Spionage eine Rolle gespielt."

Pich: „Spionage war es zweifelsohne. Die Gegner waren über uns genau im Bilde und bestens unterrichtet. Als ich auf die Brücke kam, fragte der holländische IWO, van Ravenstein, gerade die Leute aus, ob es schön in Batavia war. Die wußten genau, woher wir kamen. Auch die Mädchen kannten sie. Die eine war eine Cousine von ihm. Die war da wohl auch durchgegangen. Die Aufnahme auf dem Boot aber war hervorragend. Nachdem wir uns einen Tag berochen hatten und sie uns erst die Augen auskratzen wollten, waren wir schon ab nächsten Tag die besten Kameraden. Als Feinde mochten sie uns erst gar nicht. Der LI, der hätte uns lieber tot als lebendig gesehen."

Autor: „Hat der sich denn nicht wenigstens in der Fachsprache mit dem deutschen Leitenden verstanden?"

Pich: „Das war gar nicht nötig. Der war am nächsten Tag schon ein Herz und eine Sele mit uns."

Autor: „Wie war denn die Stimmung, die kann sich doch nicht so schnell wie eine Buchseite umwenden."

Pich: „Das hat mit Krieg und Ideologie gar nichts mehr zu tun. Wir saßen wieder in einem Boot, waren aufeinander angewiesen, und da ist es nämlich gleich, ob man Deutscher, Holländer, Engländer ist oder sonstwer."

Autor: „Aber irgend etwas muß doch das Eis zum Schmelzen gebracht haben."

Pich: „Weiß der Teufel. Wir waren am 2. und 3. Tag schon mitten in der Politik drinnen, bekamen uns fürchterlich in die Wolle. Und dann sagte der Kommandant: ‚Über Politik wird hier nicht mehr gesprochen.' Und dann verging ein Tag ohne Politik. Am nächsten sprach man wieder darüber. Wir hielten natürlich zu unserem und die zu ihrem Standpunkt. Auf diesem kleinen Raum konnte man sich ja nun nicht schlagen oder versohlen."

Autor: „Die holländischen Offiziere waren zu Dritt?"

Pich: „Nein, zu Viert, da war noch ein Engländer. Mit dem haben wir kein Wort geredet. Der sprach nie mit uns."

Autor: „Was war das für ein Engländer?"

Pich: „Das weiß ich nicht, wahrscheinlich ein Oberleutnant. Der gehörte zu dem Radargerät, das da an Bord war. Vermutlich handelte es sich um einen technischen Verbindungsoffizier."

Autor: „Und Sie haben wo geschlafen?"

Pich: „In der Offiziersmesse. Wir haben mit denen auch zusammen gegessen. Die hatten da auch einen Indonesier an

Bord, als Jonas, als Messejungen. Dem sagte ich am 2. Tag auf malayisch meine Wünsche, und da war der derartig nett zu uns und paßte auf, daß wir alles schön hatten und alles nach unserem Wunsch ging. Ein Herz und eine Seele war das da an Bord."

Autor: „Und das Boot ist wohin gefahren?"

Pich: „Erst sind wir mit denen noch auf Unternehmung gewesen. Der schoß dabei noch einen japanischen Zerstörer an. Und dann schoß der wieder. Tod und Teufel war das. Und dann sind sie durchgegangen durch die Timorsee."

Autor: „Haben Sie da noch Ratschläge gegeben?"

Pich: „Nein, gar nicht, da bekamen wir noch Wasserbomben, und das war für uns gar nicht so angenehm. Und auf einmal kam der holländische LI angeschossen: ‚Alles klar. Wir sind durch‘."

Autor: „Der deutsche LI war ja auch dabei."

Pich: „Pustekuchen, wir saßen in der Messe und schauten auf den Tiefenanzeiger, der auf 50 Meter stand. Tiefer konnten die gar nicht gehen, weil es nicht ging."

Autor: „Also Sie haben dann da an Bord ‚Mensch ärgere dich nicht‘ gespielt."

Pich: „Ja, bis zur Vergasung. Wir mußten uns doch unterhalten. Der LI kam und spielte mit uns. Dann suchten sie Bücher heraus, und ich bekam ‚Faust Erster und Zweiter Teil‘. Da hatte ich wenigstens noch einmal Zeit, den Faust das zweite Mal in Ruhe zu lesen. Von A bis Z. Und dann kamen wir nach drei Wochen nach Freemantle in Australien. Uns wurden die Augen verbunden und schön ‚Aufwiedersehen‘ gesagt. Da kam Hannes noch an. Unseren Seemann Hannes Feiertag wollten sie nämlich an Bord behalten. Sie hatten schon eine Eingabe gemacht, daß der zur Besatzung kommen sollte, so beliebt war der an Bord, so hatte der sich überall nützlich gemacht. Das ging natürlich nicht, abgesehen davon, daß der ja auch gar nicht wollte."

# 9.

## U 862 VOR SYDNEY UND NEUSEELAND

*U 168 ist also für die Australien-Operation ausgefallen. Es bleiben nur noch U 537 und U 837, die inzwischen für diese Unternehmung klargemacht werden. Erwähnenswert dürfte sein, daß der Kommandant von U 837, Kapitänleutnant Timm, der mit seinem Boot in Singapore ausgerüstet wird, nichts über U-Pich's Ende erfährt und dann später, bei der Unternehmung, der Annahme ist, daß sie zu Dritt in ein für deutsche U-Boote jungfräuliches Seegebiet vorstoßen. Da CIS Dommes keine operative Befehlsgewalt zusteht, sind die ‚Australischen U-Bootkommandanten', wenn diese hier so apostrophiert werden dürfen, gezwungen, ihre Vorschläge direkt dem BdU zu unterbreiten. So ließ U 837 an die Heimat funken: „Timm Absicht Unternehmung südlich und südöstlich Australiens."*

*Des BdU Antwort lautete: „Einverstanden."*

*Alle anderen Kampfboote werden als Rohstofftransporter eingesetzt. Eigentlich mehr zu Defensivzwecken laden sie zwei oder drei Torpedos in die Rohre. Die Beschaffung der für die Mitnahme in die Heimat bestimmten Rohmaterialien wird von Tokio aus geleitet. Sie liegt dort in den Händen von Staatsrat Wohltat, der zu diesem Zwecke eine eigene Organisation in Anlehnung an die deutschen militärischen Dienststellen aufgezogen hat. Dieses Unternehmen, das sich ROGES nennt, was soviel wie Rohstoffgesellschaft bedeutete, hatte bereits die Beladung der Blockadebrecher durchgeführt; es sorgt nun auch in kleinem Maße für die Bereitstellung der U-Bootladungen.*

*Die Unterbringung im Boot erfolgt auf verschiedene Art:*

*Der Rohgummi wird fast ausschließlich in freiflutenden Tauchbunkern und unter Oberdeck in eigens gefertigten Racks sowie in den Oberdeckstuben untergebracht; das Zinn wird zu Barren verschiedenen Formats gegossen und sowohl im Kiel als auch im Bootsinnern verstaut; die übrigen Rohstoffe, wie Wolframerze und Molybdän, werden in zu diesem Zweck gefertigten Zinnbehältern eingelötet und im Boot gelagert; Chinin wird bereits in wasserdichten und tropenfesten Packungen geliefert.*

*Der Stauplan im Bootsinneren sieht hauptsächlich die Ausnut-*

*zung der Bilgen, der Bug- und Heckräume und der leeren Torpe-*
*dorohre vor.*
*Die Gesamtladung eines Bootes des Typ IX D2 umfaßt:*
*Zinn 120 t, Molybdän ca. 15 t, Gummi ca. 80 t, Chinin ca. 1 t,*
*Opium 0,20 t.*
*Diese Beladung ist nur möglich auf Kosten des Brennstoffvor-*
*rates, der für wirtschaftlichste Fahrtstufen nur wenige Reserven*
*enthält, und auf Kosten der Torpedobewaffnung.*
*Die Ladung eines IX C-Bootes beträgt: Zinn 115 t (100 im Kiel),*
*Molybdän ca. 10 t, Wolfram ca. 9 t, Gummi 10 t, Chinin 0,5 t,*
*Opium 0,2 t, sonstige 0,3 t, das heißt insgesamt ca. 145 t.*
*Die Beladungsmöglichkeit der U-Transporter ist größer.*
*Praktisch ist sie jedoch nicht erprobt worden.*
*In diesem Zusammenhang sei noch einmal vermerkt, daß für*
*den Transport bestimmter Rohstoffe, die nur im japanischen Mut-*
*terland zu beschaffen sind, mangels Schiffsraum[35] die restlichen*
*ex-italienischen U-Boote Verwendung finden.*

Kommandant eines dieser beiden Boote, des UIT 25, ist der
aus den Reihen der Christlichen stammende Oberleutnant
zur See der Reserve Alfred Meyer. Seit seinem 16. Jahre Seemann und später Nautiker, hat er heute wegen Verlust seiner
Seeschärfe seinen Beruf verloren, ein schweres Los für einen
so hervorragenden Mann und Organisator. Während des
Krieges fuhr Meyer erst auf U-Jägern, später als IWO auf
U 183. Als er dieses verließ, um UIT 25 zu übernehmen, lief
das Gerücht um: „Wenn Meyer aussteigt, geht das Boot verloren."
Das Gerücht blieb kein Gerücht, es wurde bitterste Wahrheit.
Schwierigstes Problem war bei der Übernahme der italienischen Boote die Besatzung. Meyer hatte von U 183 zehn Mann
als Fachkräfte mitbekommen, ferner wurden ihm weitere
zwanzig Besatzungsmitglieder ehemaliger deutscher Hilfskreuzer zugewiesen. Ausgezeichnete Seeleute, aber keine U-
Boot-Männer. So blieb es nicht aus, daß diese fachlichen
Trennungen zu Spannungen an Bord führten. So sah denn
Kommandant Alfred Meyer seine erste und wichtigste Aufgabe darin, erst einmal für ein gutes, kameradschaftliches
Bordklima zu sorgen. Erst mußte die Crew zusammenge-
schweißt werden. Sie hat homogen zu sein, ehe überhaupt
mit der Schulung an den Geräten begonnen werden kann.
Meyer löste diese Probleme. Wer befahren ist, wird sie zu
werten wissen.

Bei den ersten taktischen Tauchübungen ergaben sich größte Schwierigkeiten. Sämtliche Tauch- und Schnelltauchanlagen auf dem Italiener waren völlig anders angelegt als auf den deutschen U-Booten, dergestalt, daß auch die bewährten U-Boot-Fachkräfte von U 183 sich erst einarbeiten mußten. Sämtliche Ventile, die Gestänge, die Rohrleitungen, die Pumpen, die E-Anlagen befanden sich an anderen Plätzen. Die Beschriftungen der Armaturen waren italienisch.

In der ersten Zeit gab es manche Fälle bei Tauchübungen, bei denen sie nur wenig Hoffnung hatten, die Oberfläche jemals wieder zu durchbrechen. Es funktionierte anfangs überall und rundherum nichts, gar nichts.

Aber der Eifer der neuen Crew war riesengroß und zusammen mit den wenigen eingeschifften, mussolinitreuen Italienern behoben sie die technischen Pannen und Probleme und wurden deren schnell Herr, wenn sie wieder auftraten. Sie schwitzten, fluchten und lachten, und sie durchstanden in Tiefen von 50 bis 60 Metern eine Angstpartie um die andere.

Aber in drei Monaten hatte Meyer UIT 25 voll KB, fürwahr eine Leistung, wenn man berücksichtigt, daß die U-Boot-Ausbildung in der Heimat normalerweise ein Jahr und eine Schnellausbildung mindestens ein halbes Jahr beansprucht. Not und Eifer aller machten diese Ausnahme möglich. Und auf dem Ex-Italiener kehrte echter deutscher U-Boot-Geist ein.

Nach dieser in Kobe, Japan, durchgeführten Ausbildung begann der Einsatz zur Versorgung des Stützpunktes Penang mit Ladungen für heimatgehende deutsche Kampf-U-Boote. UIT 25 brachte vornehmlich Molybdän und Wolfram nach dort, während es für die Rückfahrt nach Japan von den aus Frankreich eingetroffenen deutschen U-Booten mitgebrachte Güter nach Japan fuhr. Außer den schon erwähnten ‚Geschenken' militärischer Art befanden sich unter dieser Fracht vor allem auch Sulfonamide und Medikamente vom Tropen-Institut Hamburg.

Eine Fahrt von Penang nach Japan dauerte im Schnitt acht Tage. Da UIT 25 nun überhaupt keine Kampfaufgabe mehr hatte, entwarf der humorvolle Kommandant Alfred Meyer als taktisches Zeichen einen Kuli mit typisch flacher, breitrandiger Kopfbedeckung. Dieser dahinschreitende Chinese, der am Tragestock ein Colli und einen Rettungsring schleppte, wurde in fröhlich leuchtenden Farben beiderseitig an den Turm des Bootes gemalt. Später hat ein japanischer Künstler dieses taktische Zeichen als Flachrelief in Messing gearbeitet. Jedes Besatzungsmitglied erhielt es zur Erinnerung an eine U-Boot-Zeit, die zwar keine Erfolge, wohl aber Strapazen ganz besonderer Art mit sich brachte.

Für das andere Boot, UIT 24, das, wie bekannt, schon auf dem Wege nach Europa stand und nach der Versenkung der *Brake* durch U 532 versorgt wurde, bevor es nach Penang zurück-marschierte, wurde ein Batteriewechsel dringend. Es trat den Marsch nach Japan am 15. Januar 1944 an. Diese Reise verlief insofern äußerst dramatisch, als sie durch das Kampfgebiet bei den Okinawas hindurchführte. Dennoch erreichte UIT 24 Kobe. Repariert wurde es indessen nie.

*Da die Rückführung von Rohstoffen durch Kampf-U-Boote dem dringenden Mangel auch nicht annähernd abzuhelfen vermag, sind inzwischen von der Seekriegsleitung weitere reguläre Trans-port-U-Boote in die südostasiatischen Stützpunkte in Marsch gesetzt worden, bzw. befinden sich zu diesem Zeitpunkt noch in der Ausrüstung. Es handelt sich hier um:*

*U 180, umgebauter Typ IX D, Oberleutnant Rolf Riesen (vorher, wie eingangs behandelt, Korvettenkapitän Musenberg), am 20. August 1944 aus Bordeaux;*

*U 195, umgebauter Typ IX D1, Schwesterboot von U 180 (ein Typ, von dem nur zwei Boote in Dienst gestellt wurden), Ober-leutnant Steinfeld;*

*U 219, Typ X, Korvettenkapitän z. V. Walter Burghagen (mit 54 Jahren ältester U-Boot-Kommandant, fuhr schon im Weltkrieg Eins auf U-Booten);*

*U 234, Typ X, Kapitänleutnant Johann Heinrich Fehler;*

*U 490, Typ XIV, Oberleutnant W. Gerlach;*

*U 864, Korvettenkapitän Rolf Raimar Wolfram;*

*U 1059, Typ VII F, Oberleutnant Günter Leupold;*

*U 1060, Typ VII F, Oberleutnant Herbert Brammer.*

*Von diesen Booten gingen durch Feindeinwirkung verloren:*

*U 180 am 22. August 1944 durch Minentreffer in der Biscaya, Totalverlust;*

*U 490 am 11. Juni 1944 im Nordatlantik in der Mitte zwischen den Azoren und Neufundland durch Fli-Bos der Trägermaschinen des USS C r o a t a n und durch USS F r o s t , I n c h und H u s e , 60 Überlebende;*

*U 1059 am 19. März 1944 im Mittelatlantik südwestlich der Kap*

*Verden durch zwei Flugzeuge des VC Sqdr. 6 des USS B l o c k
I s l a n d , drei Überlebende (?);*

*U 1060 am 27. Oktober 1944 vor Norwegen, durch NAA Sqdr. 1771
der brit. I m p l a c a b l e Halifaxes D und T, RAF Sqdr. 502 und
tschech. Liberators Y und H, RAF Sqdr. 311, Überlebende (bemerkenswert ist hier der massierte Einsatz der alliierten Luftstreitkräfte in der U-Boot-Jagd).*

*U 864, das Anfang Februar 1945 ausläuft und (nach Aussagen des
Hafenlotsen) den japanischen Militärattaché und sechs weitere
„Gäste" an Bord hatte, am 9. Februar 1945 westlich von Bergen
durch das britische U-Boot V e n t u r e r . An Bord befanden sich
auch die Pläne für die deutschen V-Waffen.*

*Lediglich U 219 und U 195 erreichen ihren Bestimmungshafen.
Sie laufen um die Jahreswende in Batavia ein. Zu einer Beladung
mit Rohstoffen dieser beiden Boote kommt es jedoch nicht, da die
Grundüberholung in der noch zur Verfügung stehenden Zeit nicht
zu Ende durchgeführt werden kann.*

*Lediglich U 195 wird, wie später noch dargestellt wird, für einen
Kurzeinsatz in den Indischen Ozean auf Versorgungsposition südlich von Madagaskar in See geschickt.*

\*

Hier nun sei ein Sprung in die Jetztzeit erlaubt.

Im Jahre 1958.

In einer Bar in Liverpool.

„Cheerio." Der Kapitän eines der großen Empress-Liner hebt
sein Glas. Er trinkt einem deutschen Marineoffizier zu, mit
dem er, auf dem Barschemel hockend, ins Gespräch gekommen ist. Der Deutsche, der Fregattenkapitän Timm, der mit
einigen Kameraden von der Bundesmarine in Liverpool
weilt, um der Bundesmarine überlassene britische Fregatten
nach Deutschland zu überführen, dankt und leert sein Glas
in einem Zuge. Immer, wenn Seeleute dieser beiden ehemals
befeindeten Nationen ins Gespräch kommen, kommen sie
auch, ob sie es wollen oder nicht, auf den letzten Krieg zu
sprechen, diesen so unsinnigen, so verdammenswerten Krieg.

„Stellen Sie sich vor, lag da 1944 ausgerechnet während der
Weihnachtstage wieder einmal in Sydney. Drittschönster
Hafen der Welt, you know. Sollte Truppen für die Burma-
front übernehmen und nach Kalkutta fahren. Schießt doch
da, ausgerechnet am Heiligen Abend, eine von diesen ver-
fluchten Naziröhren einen Torpedo auf einen Tanker. Direkt

querab von Sydney. Und da das Schiff nicht gleich versank, sondern waidwund geschossen umherkurvte und funkte, hat ihm dieser Kerl von Dönitz-Apostel vor Beginn der Morgendämmerung noch den Fangschuß verpaßt. Riesenknall. Eine Fontäne, so groß und steil wie eine Kathedrale stand auf der See. Für Sekunden nur, dann fiel sie in sich zusammen. Von der Besatzung nur ein paar gerettet. Kannte den Kapitän. Sehr guter Freund von mir. Er meinte, schon über die Runden zu sein. Hatte vordem im Nordatlantik gefahren. Und nun ... ausgerechnet hier ... das ... komm, Jonny, füll unsere Gläser noch mal nach. Voll, aber ohne Soda ..."

Fregattenkapitän Timm zögert, er spürt, in des Briten Worten schwingt Trauer mit um einen Freund, den es kurz vor Toresschluß noch erwischte.

„So ein Schuft", knurrt der Empress-Liner-Master und schiebt Timm den Whisky zu. Aber der Deutsche legt zwar die Hand um das Glas, hebt es aber nicht. Er neigt sich ein wenig vor und sagt: „Der Kommandant dieses deutschen U-Bootes war ich."

Unten, im Hafen von Liverpool, kommt es, wie es die Duplizität der Zufälle will, zu einer zweiten Begegnung.

Timm hat mit jenem Engländer zu tun, der in den letzten Kriegsjahren der Hafenkapitän von Sydney war. Dieser Brite sieht die deutsche Aktion objektiver, für ihn ist sie nicht mit dem Verlust eines guten Freundes überschattet.

„Wir fielen aus allen Wolken. Deutsche U-Boote vor Sydney ...! Wir dachten an Hitlers Geheimwaffen ...! Wir hatten Angst, der schon zu 90 Prozent gewonnene Krieg könnte für uns doch noch mit einer bitteren Überraschung enden ... By jove, was haben wir damals alles auf die Beine gestellt, um den bösen Mann in der Naziröhre zu jagen ... Zerstörer, Fregatten, Hilfsfahrzeuge und Flugzeuge. Viele Flugzeuge ... Aber sie haben ihn nicht gekriegt ... Natürlich nicht." Er macht eine Pause. Ehe er weiterspricht, lacht er bitter. „Sie wären ja sonst nicht hier. War 'ne fürchterliche Aufregung in Sydney. Direkt vor unserer Haustür einen Tanker aufzublowen. Das gab einen Wirbel. Sehe ich Sie heute abend? Darf ich Sie bitten, mein Gast zu sein ..."

Ja, wie war das mit dieser im U-Bootkrieg einmaligen Unternehmung unter Kapitänleutnant Timm ...

Unter sich nannten sie ihn ‚Tüte' Timm, und der Besatzung von U 862 wird dieser Name nicht bloß wegen des weitesten Vorstoßes in östliche, pazifische Seegebiete in den Ohren klingen, nicht minder auch dessen Hobbys wegen: Tüte Timm liebte nur klassische Musik... abgöttisch und mit professoraler Interpretation Symphonien... Sonaten... Klavierkonzerte... Hein Seemann ist im allgemeinen recht musikalisch. Er singt sogar sehr gern: über seine Arbeit, über die Stürme auf See und an Land, über seine Sehnsucht, wieder heimzukehren... über St. Pauli... die Reeperbahn... und den guten alten Michel...

Aber Symphonien...?

Und das in einem U-Boot...!

Da war die tropische Hitze noch Balsam für die Gemüter...

Aber ein echter Seemann gewöhnt sich an alles.

Auch an Beethoven, Chopin und den damals in der Heimat verbotenen Mendelssohn-Bartholdy.

U 862, statt mit 30 Torpedos nur mit zwölf ausgerüstet, lief im November 1944 von Singapore mit Kurs Sundastraße aus.

Timm ist bekannt, daß sich die ‚anderen Boote' — es ist ja nur noch eins mit von der Partie — nördlich, westlich und südwestlich Australiens Beute erhoffen. Er selbst hat sich von vornherein die südöstlichen und östlichen Seegebiete vorgenommen. Er hat Seekarten und Segelhandbücher an Bord, und wo der Verkehr laufen muß, fällt bei Betrachtung der Unterlagen gar nicht so schwer.

Er sollte sich dennoch täuschen.

Timms Hoffnung, von den Japanern über die Routen und Verkehrsbündelungen zu erfahren, war wie eine Seifenblase zerplatzt. Er war eigens von Singapore über Batavia nach Soerabaja geflogen.

„Ich flog mit einer japanischen Verkehrsmaschine nach dort. Aber erfahren habe ich bei der dortigen Flotte nichts. Die Japaner erzählen sowieso nicht gerne etwas. Sie lächeln. Sie waren überaus freundlich, aber sie schwiegen. Und dann war da noch ein Kapitän zur See Fudjy, mit einem Bart, wie ihn Wilhelm II. trug. Der war furchtbar nett. Er lud uns ein zum Bier und wir mußten die ganze Zeche nachher bezahlen..."

Wie befürchtet, vor Cap Leeuwin an der Südwestküste Australiens, zeigt das FuMB starke Ortungen an. Timm weicht tief nach Süden aus und stößt erst in Höhe von Adelaide wieder nach Norden herauf. Sie stehen einige Tage und Nächte vor diesem so wichtigen Hafen und den Känguruh-Inseln auf und ab, dort, wo der Verkehr durchlaufen muß. Kein Schiff, keine Mastspitze, keine Horchpeilung.

U 862 fährt ganz dicht unter der Südküste Tasmaniens entlang. Aus der tintenschwarzen Nacht fischt die Hundewache einen Tanker heraus. Als sie sich zum Angriff vorsetzen wollen, verbündet sich der Himmel mit dem noch ahnungslosen Wild, er schickt ein märchenhaftes Meeresleuchten. Wie eine leuchtende Neonreklame steht die Bugwelle als riesiges V auf der See. Der Tanker dreht ab, und gleichzeitig ist auch ein Flugzeug da. Wie Timm meint, von den Leuten an Land, die das U-Boot unter der Küste beobachteten, alarmiert. Es greift aber nicht an, es blinkt und verlangt ES. Wo, zum Teufel, sollen denn hier des Dönitz' Graue Wölfe herkommen? Als alter Atlantikfahrer verzieht sich Timm in die Tiefe. Den Tanker findet er aber später nicht wieder.

Aber dann: bei Cape Howe sichten sie, als sie abends auftauchen, 20 bis 30 Mastspitzen.

Timm in sein KTB: „Das hätte zu einem Paukenschlag wie vor Amerikas Küste geführt, wenn wir nur mehr Boote gewesen wären. Aber CIS Dommes hatte ja keine operativen Vollmachten, nicht einmal für den Befehl, uns drei Australienboote für eine solche Operation zusammenzufassen."

U 862 sucht sich einen nach Nord laufenden Tanker heraus und greift diesen an. Erst ein zweiter Torpedo bringt ihn zum Sinken. Wegen der plötzlich einsetzenden vielen Ortungen zerschlägt sich Timms Plan, vorerst vor Sydney zu bleiben.

U 862 setzt sich etwas ab und erwischt bei gröber gewordener See dann noch einen stark zackenden Dampfer.

Weil nun auch hier Flugzeuge auftauchen, sucht sich U 862 eine neue Weide:

Kurs Neuseeland.

Und weil sie am Heiligen Abend den Angriff fuhren, feiern sie auf dieser Überfahrt Weihnachten und Silvester zusammen. Die Heizer haben aus dem Kupferdraht des in Singapore explodierten japanischen Munitionsdampfers ein Tannenbaumgerippe gebastelt, die Seeleute haben Segeltuch ge-

zupft und diese ‚Nadeln' grün gepönt. Mit Taschenlampen-
birnen beleuchtet wirkt das Bäumchen beinahe echt.

Es steht vorn im Bugraum. Es brennt Tag und Nacht. Das ist
gut so, denn zuerst hatte Wehmut und Sehnsucht allen den
Mund vernagelt. So aber wird langsam Gewöhnung draus.

Timm umfährt das Nordkap Neuseelands. Er stößt dabei
über den 174. Längengrad Ost vor, dann dreht das Boot die
Schnauze nach Süden. Es lauert vor dem Hauraki-Golf, der
Zufahrt nach Aukland, auf Beute. Nichts, rein gar nichts.

U 862 ackert weiter nach Süden, die blauvioletten Kaima-
nawa-Berge zur Rechten. Sie drehen in die Hawke-Bay.
Timm schleicht sich in der Nacht bis vor die Hafeneinfahrt
von Napier heran. Am Kai sind verschiedene Küstenfrachter
vertäut. Das Boot steht auf und ab. Etwas nördlicher scheint
ein Badeort zu liegen. Die Hotels und Gaststätten sind strahlend hell erleuchtet. Auf den Terrassen sehen sie aus einer
Entfernung von einer halben Seemeile, also aus weniger als
tausend Meter, unter bunten Lampions sich im Tanz drehen-
de Paare, und der ablandige Wind trägt Musik zu ihnen herüber, andere Musik ... Das Staccato in Deutschland ungewohnter und verbotener Jazzrhythmen. Timm läßt seine
Männer gruppenweise an Deck, dieses Wunder des Friedens
zu bestaunen.

Einer von den Frachtern im Hafen von Napier geht noch in
derselben Nacht in See. Er nähert sich U 862 mit gesetzten
Seitenlaternen.

Ein besseres, sichereres Ziel bietet sich selten.

„Laufen lassen", entscheidet Timm. „Der ist, wie die anderen da drin, keine tausend Tonnen groß."

‚Da muß man sich ja schämen, für solch eine Pütz einen Aal
zu opfern', denkt er bei sich. Schon vorher, auf der Höhe von
Aukland haben sie einen dieser kleinen Küstenfrachter laufen lassen. Dann also auf nach Wellington. In der Cook-
Straße, die Nord-Neuseeland von Süd-Neuseeland trennt, ist
Wellington, der größte Hafen, gelegen. Der Obersteuermann
hat gerade mit Kursdreieck, Lineal und Zirkel unter routine-
mäßiger Einbeziehung von Deklination und Deviation den
weiteren Marschweg eingezeichnet.

Genau auf der Höhe von Whakataki geht ein FT aus Singapore ein. CIS Dommes ruft U 862 zurück.

Timm dreht den Funkspruch hin und her. Weder er noch seine Offiziere begreifen warum und weshalb.

„Sofort Rückmarsch antreten", lautet der Text.

Der heutige Fregattenkapitän Timm dazu:

„Wenn's geheißen hätte, Rückmarsch antreten, dann hätte ich mir ja noch ein bißchen Zeit gelassen, aber das ‚sofort' zwang mich doch, es gleich zu tun.

Nun, gespannt war die Lage überall. Ich wußte nicht, was ist da los. Deshalb sagte ich mir, da kommst du nicht gegen an. Du mußt also kehrt machen. Ich ging dann südlich runter und lief gegen die grobe See, gegen die Roaring Forties, an."

Wochen später macht U-Timm in Batavia fest, nachdem es auf dem Rückmarsch auf der Höhe 250 Seemeilen vor Perth noch einen Dampfer vor die Rohre bekam...

„Der kam von achtern auf, hatte offensichtlich Kurs Indien. Wir kriegten ihn in der Morgendämmerung, es war eigentlich schon vormittags. Wir setzten uns wieder vor, griffen nachts an, und er bekam seinen Torpedo. Der riß ihm aber nur das Vorschiff ab. Das ganze Achterschiff schwamm weiter. Und nun wollte ich ihm mit der Granate der 10,5 cm ein paar Luftlöcher in den Rumpf stanzen. Aber das funktionierte nicht. Der Verschluß war festgerostet. So bin ich dann ganz dicht herangefahren und habe mit der Zwozentimeter noch ein paar Löcher in die Bordwand geschossen und ihn dann treiben lassen. Bei dem Strom, der da oben herrschte, konnte das Schiff bestimmt nicht mehr gerettet werden. Ein zweiter Torpedo war mir zu schade. Man wußte ja auch nicht, was noch ist und was noch kommt."

*Als U 862 nach kurzem Aufenthalt in Batavia nach Singapore weiterfährt, klärt sich hier der so plötzliche Rücklaufbefehl. Die Japaner rechneten mit einer Landung auf der Malaya-Halbinsel durch Mountbatten's Truppen. Außerdem drücken von der Burmafront starke alliierte Streitkräfte in Richtung Süden. Die japanischen Truppen, die zusammen mit der unter dem Befehl von Subhas Chandra Bose stehenden „Indischen Nationalarmee"[36] die indische Grenze bis Imphal überschritten, stehen in schweren Rückzugskämpfen. Die Japaner haben die Kraft der Bose-Bewegung im indischen Mutterland überschätzt und die Stärke des Gegners, insbesondere seiner Nachschubmöglichkeiten aus der Luft unterschätzt.*

*Wenn aber Singapore[37] fiel, dann hätte, so argumentierte CIS Dommes, U 862 ohne Funkverbindung mit dem Stützpunkt in der Luft gehangen.*

*Erst hier erfährt Kapitänleutnant Timm, daß U 168 überhaupt nicht mehr zur australischen Unternehmung auslaufen konnte und weiter, daß auch U 537 nicht mehr existiert.*

*Kapitänleutnant Schrewe, wie Pich und Hoppe, ehemaliger Seeflieger, lief am 9. November aus Soerabaja aus. Seitdem meldete er nicht mehr. Er wurde, wie wir heute wissen, am gleichen Tage auf 07 13 S 115 17 O durch das amerikanische U-Boot F l o u n d e r torpediert. Es gab nur einen Überlebenden, der von den Amerikanern an Bord genommen wurde. Ebenfalls durch ein amerikanisches U-Boot geht zwei Monate später das von Japan vom Batteriewechsel kommende U 183 verloren. Das Boot, das Kapitänleutnant Fr. Schneewind führt, wird am 23. April auf 04 57 S 112 52 O durch U S S B e s u g o versenkt.*

*Verloren geht in diesem Raum auch U 196, das mit Rohstoffen für die Heimat beladene Boot, das vormals unter dem Befehl von Kentrat stand. U 196, das unter Oberleutnant zur See H. W. Striegler am 30. November aus Batavia zur Heimat ausgelaufen war, ist vermutlich in der Sundastraße verloren gegangen. Dieser Verlust ist einer der wenigen ungeklärten Fälle, weil eine Feindeinwirkung nicht zu beweisen ist.*

## 10.

## U 181 — U 510 — U 532 — U 843 — U 861:
## KURS HEIMAT

*Zur gleichen Zeit, als U-Timm nach den in der deutschen U-Boot-geschichte einmaligen Operationen von Australien und Neuseeland zurückkehrte, stehen die Heimkehrer-Boote, U 181 ausgenommen, bereits tief im Atlantik ...*

Daß U 532 an einem Dreizehnten, am 13. Januar 1945, den Rückmarsch, genau genommen den zweiten, antrat, hat sich bis jetzt nicht nachteilig ausgewirkt. Junkers Offiziere haben immer noch den entsetzten Ausruf des Stützpunktleiters von Batavia, Korvettenkapitän Kandler, in den Ohren:

„Sie wollen wirklich an einem solchen Tage ... Herr Kapitän!"

„Warum nicht. Ich bin nicht abergläubisch."

Nein, abergläubisch ist er nicht, hatten einige der bei dieser Besprechung im Stützpunkt anwesenden Offiziere gedacht. Er ist viel zu religiös. Selbst hier in Asien regt er seine Besatzung zum Kirchgang an. Und sie gehen, die Männer. Was doch ein gutes Wort, was doch eine echte Autorität vermag. Und einige andere überkam es fröstelnd bei anderen Gedanken: daß dieser Junker so gar kein Verehrer des Dritten Reiches ist, daß er nicht einmal ein Hehl daraus macht. Seine Bemerkungen über ‚gewisse Auswüchse' könnten ihm, würden sie einem Parteifanatiker oder einem Mitglied des Sicherheitsdienstes zu Ohren kommen, schweren, sehr schweren Kummer bereiten. Gewiß, hier in ihren Reihen darf er sie äußern ...

„Außerdem", hatte Junker Kandler zu bedenken gegeben, „ist dieser 13. ein Sonntag. Ich rechne, daß der Gegner an einem solchen Tage weniger aufmerksam ist."

Fregattenkapitän Junkers Bilanz ging auf. Unbehelligt erreicht er den freien Indischen Ozean und tritt so seine letzte und fünfte Feindfahrt während dieser Unternehmung an. Die zweite schilderten wir schon. Die dritte und vierte führte nach Japan, wo die Batterie ausgetauscht wurde, was die Japaner, um Junkers Worte zu gebrauchen, nicht nur so gut wie in der Heimat, sondern, das ist seine Ansicht, noch besser als die Techniker daheim erledigten. Die Japaner hatten nämlich die Batterieanlagen aus dem ihnen von Hitler geschenkten U 511 gründlich untersucht und nachgebaut. Das Ergebnis dieser Nachbauten war, vermutlich wegen der besseren Rohstoffe, besser als das Original.

Das heißt, so ohne weiteres und von sich aus war Junker nicht nach Japan gefahren, als ihm sein LI meldete, daß die Batterie nur noch 38 Prozent ihrer Kapazität habe. „Lassen Sie den BdU entscheiden, was geschehen soll. Sie wissen, die Heimat braucht die Rohstoffe dringend, und wenn wir jetzt entdecken, daß wir vorher erst noch nach Japan müssen, könnte es ja so aussehen, als ob ..."

Der BdU entschied: „Sofort Japan gehen."

Am 15. September 1944 liefen sie dann aus Batavia aus, und am 23. Dezember waren sie wieder zurück.

Junker nutzte die Gelegenheit, in Balikpapan auf Borneo Treiböl zu bunkern, weil dieses hier von viel besserer Qualität als das in den Stützpunkten ist. Die Fahrt nach Kobe führte über 4500 Seemeilen und durch U-Boot-gefährdete Gebiete. Sie kam also schon dem Einsatz einer dritten Feindfahrt gleich. Und als sie nach dem Batteriewechsel auf dem Rückmarsch standen, gerieten sie in einen ausgewachsenen Orkan, wie er an Heftigkeit und Gewalt nur in der chinesischen See erlebt werden kann, wenn man mit seinem armen Schiff ein derartiges Furioso überhaupt übersteht. Zwar ist ein U-Boot ein außerordentlich seetüchtiges Fahrzeug, zur Not kann es wegtauchen und in größeren, ruhigeren Tiefen Schutz suchen. Aber U 532 hatte an diesem Tage nur 30 Meter Wasser unterm Kiel . . . Und das in einem tropischen Wirbelsturm, den die Chinesen Taifun, zu deutsch ‚großer Wind‘, nennen.

Kommentar überflüssig.

„Es war gar nicht schön, als es nach der tönernen Stille im Zentrum dann wieder aus allen vier Himmelsrichtungen zu blasen begann . . .“ schrieb Junker in sein Tagebuch.

Bis auf den Obermaschinisten, der gegen einen Obermaaten von der *Brake* ausgetauscht wurde, ist noch immer die gleiche Besatzung an Bord, mit der das Boot vor zwei Jahren aus Frankreich auslief. Vor nunmehr zwei Jahren . . . welch eine Zeit. U 532 darf in der Geschichte der U-Boote des zweiten Weltkrieges a u c h einen Rekord für sich in Anspruch nehmen:

Es hat die längste Gesamt-Unternehmung gefahren.

Die Abkommandierung des Obermaschinisten dürfte von grundsätzlichem Interesse sein. Der Kommandant hatte sich, typisch für ihn, mit der ihm eigenen Gründlichkeit damit befaßt — als Soldat, als Mensch und als Kommandant. Er sagt: „Er hatte acht oder neun Feindfahrten, bevor er bei mir einstieg. Aber ich mußte ihn einfach in Penang aufgeben. Einerseits war er zu nervös geworden, andererseits ertrug er auf Grund seiner ausgesuchten, ja hervorragenden Fähigkeiten die Unterordnung unter den jungen, erst knapp 23 Jahre alten LI nicht mehr. Ich habe noch einmal den Arzt zu Rate gezogen, um die Sache wieder ins Lot zu bringen. Es ging einfach nicht mehr . . .

Für mich bedeutet der Ausfall dieses Spezialisten einen schweren Schlag. Er war mein Praktiker am Diesel. Der Ersatz war ein E-Fachmann. So hatte ich jetzt zwei E-Maschinen-Spezialisten an Bord, und der eine Dieselmaat war nun aufgerückt. Er tat, was er konnte. Aber den alten Obermaschinisten ersetzte er noch lange nicht.

Ich wußte, daß sich der Obermaschinist in Penang über mich abfällig geäußert hatte. Ich nahm ihm nicht einmal übel, wenn er mir nachsagt, ich hätte ihn mutwillig von Bord haben wollen. Im Gegenteil. Mit ihm fiel ja 50 Prozent meiner möglichen Einsatzfähigkeit aus. Aber Autorität und Disziplin gingen vor. Ich konnte es nicht riskieren, daß es auf dem Atlantik-Rückmarsch zwischen LI und dem Obermaschinisten zu einer offenen Feindschaft kam. Schon mit Rücksicht auf die Autorität meines LI's mußte ich mich schweren Herzens von diesem so ausgezeichneten Praktiker trennen, und auch mit Rücksicht auf uns alle ... Was denn, wenn sich die beiden in einem Notfall — und wir hatten im Atlantik mit vielem zu rechnen — mißverstehen?"

Die vom BdU südöstlich von Madagaskar eingeplante Versorgung für U 532 klappte. U 195, Steinfeld, eigens in Batavia für diesen Zweck ausgerüstet und mit Öl vollgepumpt, war am 6. Februar zur Stelle. Auch U-Oesten lief vorher schon aus und danach U-Eick, dem wenigstens Junker noch mit zehn Kubik aushelfen konnte, weil dessen Boot mehr verbraucht hatte, als vorher berechnet worden war.

Daß südlich von Kapstadt wieder eine Laufbuchse zum Teufel ging, war schon eine bitterböse Sache. Der LI hatte Junker schon den Vorschlag gemacht, nach Batavia zurückzumarschieren.

„Unsere Ersatzlaufbuchsen haben wir schon eingebaut, weitere haben wir nicht mehr. Mit dem jetzigen Schaden können wir zwar noch laufen, aber was, wenn weitere Ausfälle folgen ...! Dann schafft das Boot nicht mehr seine Höchstgeschwindigkeit, dann werden wir nicht mehr in notwendig kurzer Zeit aufladen können, wenn wir erst im Nordatlantik stehen ..."

„Sehe ich alles ein, LI. Aber wenn wir jetzt kehrtmachen, dann legt man uns das zu Hause als Kneifen aus. Daß der Krieg in diesem Jahr, ich behaupte in einigen Monaten, zu Ende geht, das sieht auch ein Blinder. Wir können nur beten, daß wir von weiteren Pannen dieser Art verschont bleiben."

Und der liebe Gott erhörte sie. Aber nicht gleich. Erst ging noch die dritte, die vierte, die fünfte und dann auch noch die sechste Laufbuchse in die Knie. Sie waren sich an Bord darüber klar: ‚Wenn das so weitergeht, können wir einpacken. Dann müssen wir das Boot irgendwo in Afrika oder in Brasilien auf Strand setzen und in die Luft jagen, denn Hilfe gibt es nun weit und breit keine mehr.‘

Aber das Wunder geschieht. Von da an tritt kein weiterer Laufbuchsen-Defekt mehr auf.

U 532 hat drei Torpedos in den Rohren. Zwei A-Tos und einen E-To, jenen, den sie in Kobe auseinandergenommen hatten, um seine Batterie zu überholen. Dabei rutschte der wichtigste Teil dem Mixer aus der Hand. Beim Herausschieben fiel der Batterie-Trog auf die Flurplatten. Sie haben ihn dann zurechtgebogen, zurechtgeflickt und in den Aal wieder hineingeschoben. Ob der jemals und überhaupt noch funktioniert? Der Mixer versichert es immer wieder. Er hätte auch mit seinen japanischen Kollegen darüber gesprochen, die gleicher Ansicht seien.

Als sie zwischen der Fernando de Noronha und den St. Pauls Felsen in den Abendstunden einen 7000 BRT Tanker in Sicht bekommen, läßt Junker sicherheitshalber die beiden A-Tos feuern, dem E-To traut er nicht. Sie trafen, und sie beobachten noch das Absaufen des Frachters. Es dauert ganze 15 Minuten. Um die Überlebenden kümmern sie sich nicht. Sie dürfen es auch laut BdU-Befehl: ‚Triton Null‘ nicht mehr.[38]

Alles ist auf Sicherheit abgestellt. Nur kein unnötiges Risiko eingehen. Die Hauptaufgabe lautet: Das Boot mit den wertvollen Rohstoffen und vor allem mit einer gesunden Besatzung nach Hause zu fahren.

Es ist Ende März, als U 532, ohne auch nur einmal auf die Taste zu drücken, die Höhe der Kap Verden erreicht hat. Der Obersteuermann, sonst verantwortlich für die Mittelwache, ist krank geworden. Damit die beiden WO's wenigstens einmal länger als vier Stunden durchschlafen können, vertritt ihn der Kommandant. Auch in dieser Nacht vom 26. zum 27. März. Der Smut hat soeben die Kanne mit dem Mittelwächter*) nachfüllen lassen, wie immer kurz vor 2.00 Uhr, da zuckt die seemännische Nummer Drei, bestes Nachtauge auf U 532, zusammen. Was der Bootsmaat seinem Kommandanten zeigt, als dieser durch sein Nachtglas endlich in der gewiesenen Richtung etwas achterlicher als querab etwas zu

---

*) besonders starker Bohnenkaffee für die Mittelwache in der Nacht

erkennen glaubt, ist ein Schatten von ungewöhnlichen großen Ausmaßen.

Ein Tanker, mindestens 18 000 BRT groß.*)

Es sind während der Unternehmungen der ‚Monsuner' und auch sonst so viele Schiffe versenkt, daß es sich eigentlich erübrigen dürfte, hier näher darauf einzugehen, wenn nicht die Tatsache für diesen Kommandanten und dessen blutjunge Besatzung spräche, daß dieses Boot dennoch einen Angriff fährt ...

Obwohl es als Rohstofftransporter eingesetzt worden ist ...

... obwohl jeder an Bord der felsenfesten Überzeugung ist, daß der Orlog so oder so zu Ende gehen wird ...

... trotz der allen bekannten, für die Grauen Wölfe so prekären, für die Boote der alten Typen nachgerade tödlichen Situation im Atlantik.

Es ist eine wundervolle Vollmondnacht. Die See, auf der das Mondlicht spinnige Lichtwürfe zaubert, ist kaum bewegt. Sie atmet in Stärken zwischen zwei bis drei.

‚Den über Wasser abzunehmen ... bei diesem Licht ... ausgeschlossen', überlegt Junker. Er hebt die Hand. Das Signal zum Alarmtauchen. Die Bedingungen für einen Unterwasserangriff dagegen sind ungewöhnlich günstig. Nur muß alles sehr schnell gehen. Das auflaufende Gegnerschiff — es ist tief beladen — hat Kurs auf Gibraltar. In genau 23 Minuten marschiert es in den Vorhaltewinkel der Schußentfernung ein.

‚Der ist ja viel schneller, als ich annahm ... der macht ja seine 14 Knoten ...' Junker will den Angriff schon zurückpfeifen, aber das wäre das dritte Mal auf dieser Reise, daß seine Männer das Boot umsonst schußklar gemacht hätten. Er meint, das vielsagende Grinsen seiner Seeleute zu sehen: ... Naja, der alte Alte, schön, schön ... sie haben sich an ihn gewöhnt, sie respektieren, sie achten ihn, sie verdanken seiner blitzschnellen Reaktionsfähigkeit sogar ihr Leben. Aber es ist nun einmal ein entschuldbarer Charakterzug der Jugend, auch einmal draufgängerisch, unüberlegt handeln zu dürfen. In einer Situation wie dieser würden sie ihren Kommandanten wahrscheinlich nicht verstehen, wenn er den Angriff ‚auf Null machen' läßt.

---

*) lt. Aussage Kommandant

Also raus mit dem E-To. Zwei Minuten, drei Minuten vergehen. Drei Minuten sind eine sehr lange Zeit für 56 klopfende Herzen. Und drei Minuten bedeuten bei elektrischen Torpedos das Ende der Laufstrecke, einer ordnungsgemäß geregelten Laufstrecke jedenfalls. Aber dieser Aal ist im Sinne des TEK[39] eigentlich gar nicht mehr ordnungsgemäß geregelt. Er hat außerdem diesen Puff bekommen ... damals in Kobe.

Unten aus der Zentrale rief es schon vor Sekunden der IIWO in den Turm hinauf:

„Zeit ist um."

Nun sagt auch Junker auf seinem Sehrohrbock, die Augen an das Okular gepreßt, leise, aber ohne Resignation: „Der ist vorbei." Gerade schickt er sich an, aufzustehen. Er will seinem IWO Platz machen, der soll sich den davonstampfenden Riesenburschen auch einmal ansehen. Da hören sie eine fürchterliche Detonation.

Als der Kommandant durch das Sehrohr blickt, steht das Tankerheck bereits in hellen Flammen.

Junker läßt auftauchen.

Das FuMB meldet prompt ‚Nachtluft', wahrscheinlich Trägerflugzeuge.

Der Tanker funkt noch immer, er alarmiert, was nur irgendwie in der Nähe ist.

Aber im Boot wollen sie das Absaufen abwarten. Sie wollen die Bestätigung mit nach Hause nehmen ...

Vom Achterschiff, wo der Torpedo eben noch traf, fressen sich die Brände nach vorn. Von Zelle zu Zelle. Jede Viertelstunde läßt eine neue Detonation die Nacht erbeben, immer, wenn sich der Inhalt einer weiteren Zelle entzündet. Im Umkreis von mehreren Meilen brennt das aus dem aufgerissenen Achterschiff ausgelaufene Öl. Zwei, oder sind es drei Rettungsboote versuchen, der sich rasend schnell ausbreitenden Feuerwand zu entrinnen. Ein gräßliches Schauspiel, dem sie tatenlos zusehen müssen, gebannt, entsetzt, aber doch hilflos. Denn helfen hieße, mit dem U-Boot in diese brennende Fläche hineinzulaufen. Das würde notwendig machen, Männer an Deck zu schicken. Und das ist gleichbedeutend damit, die Tauchbereitschaft des Bootes zu vermindern. Und diese darf auch nicht um eine Zehntelsekunde geschmälert werden.

Gerade, als Junker den Befehl geben will, wegen der bevorstehenden Dämmerung auf Tiefe zu gehen — es ist inzwischen eine Viertelstunde vor 04.00 Uhr geworden — werden zwei Flugzeuge mit Infrarot-Scheinwerfer beobachtet. Der IWO, der den Luftausguck versieht, meldet es jedenfalls so. Sonderbarerweise schwenken aber beide Maschinen wieder ab. Offenbar haben sie, geblendet von dem rotgelben Flammenmeer, das U-Boot nicht gesehen. Es läuft zudem mit sieben Knoten Fahrt. Die Schraube wirbelt kein verräterisches Heckwasser auf.

Als sie tauchen, schwimmt der Tanker zwar immer noch. Aber er brennt nun von vorn bis achtern.

Er treibt mit schon ziemlicher Schlagseite auf einem riesigen Teller gühender Lohe.

Er wird ausbrennen.

Die Außenhautvernietungen werden unter der Glut aufbrechen.

Das Schiff wird leck werden, absaufen.

Und die Besatzung?

Nicht daran denken, nur nicht daran denken . . .

Für Junker gilt jetzt nur eins:

Dem alarmierten Gegner, der auch im Mittelatlantik geradezu jeden Quadratmeter der See mit seinen Flugzeugen und ,Submarine-Killer-Groups' kontrolliert, in den nächsten Tagen keine, aber auch nicht die geringsten Anhaltspunkte für die Anwesenheit eines U-Bootes zu geben.

Spüren die Aliierten eine dieser Naziröhren aus der Luft und auf See erst auf, gibt es kein Entrinnen mehr. Sie werden sie hetzen und jagen. Und wenn sie das U-Boot nicht mit Flibos oder Wabos vernichten . . . es wird auftauchen müssen, wenn die Batteriekapazität aufgebraucht . . . oder wenn der Sauerstoff an Bord verbraucht ist.

Aber sie erwischen den Angreifer nicht.

So gründlich und massiert sie auch im Bereich der Tanker-Katastrophe suchen und orten.

Junker hat sich einfach unter Wasser treiben lassen.

Sechs Tage lang.

Er hat keine Maschine angerührt.

Er ist nur von den zweiten Nacht an eine Stunde vor Hellwerden aufgetaucht, für zehn bis fünfzehn Minuten, nur, um das Boot durchzulüften. Dann ist er wieder in den Keller gefahren, hat die Maschinen wieder stoppen lassen, wohlbemerkt, vollends stoppen lassen, damit er überhaupt keinen Verbrauch an Batteriesaft hat.

Und U 532 hat Glück, sehr viel Glück. Das Boot, das der LI auf ungefähr 100 m eingesteuert hat, treibt zwischen Wasserschichten auf einem in nördlicher Richtung versetzenden Strom.

Bereits in der dritten Nacht, als der Kommandant während des kurzen Auftauchens bei klarer Sicht ein Besteck nehmen kann, wissen sie es, daß sie nach Norden geschoben werden. Junker dazu heute:

„Hier hat sich die an Bord befindliche Stromkarte, nachträglich gesehen, bestätigt. Wir sind während dieser sechs Tage 300 Seemeilen nach Norden getrieben. Bei unserem ‚Schwebemarsch' kam es ja gar nicht darauf an, ob das Boot einmal auf 120 m durchsackte oder wieder auf 90 m stieg. Das war egal. Ein getauchtes U-Boot verhält sich ja im Grunde im Wasser wie ein wasserschwerer Balken. Und da wir nun sowieso in einer Gegend standen, in der man normalerweise nur in der Nacht zum Aufladen über Wasser marschierte und sonst getaucht fuhr, spielte unser Schweben ohnehin keine wesentliche Rolle mehr für ein schnelleres oder langsameres Vorwärtskommen."

*

Auf U-Oesten, das, mit nur zwei Torpedos ausgerüstet, mit höherer Marschfahrt als U-Junker der Heimat entgegenackert, fehlen zwei Mann von der Stammbesatzung. Oh, nein, ihnen ist nichts Arges zugestoßen. Weil so sonnenklar war, daß beim Auslaufen von U-Pich Verrat im Spiele war, hatte Stützpunktleiter Hoppe, wie vorher mit U-Schrewe, von dessen Versenkung sie im Stützpunkt zur Stunde noch nichts wußten, die Auslauftermine immer wieder fingiert. Man schickte auch von U 861 einen Teil auf Urlaub, rief sie plötzlich zurück. Und dann passierte gar nichts. Die Männer bekamen wieder Urlaub, wurden erneut zurückgeholt. Auf diesem Klavier spielten sie so lange, bis es wirklich ernst mit dem Inseegehen war und zwei Mann nicht mehr gewahrschaut werden konnten. Dennoch muß Oestens Auslaufen sofort verraten worden sein. Auf U 861 warteten in der Straße zwischen Bali und Lombock zwei amerikanische U-Boote. Nach dem Kriege hat Oesten in Belfast einen der amerikanischen Offiziere von einem der beiden Boote gesprochen. Ein japanischer Zerstörer hatte U 861 bis in die Straße geleitet. Hier aber hatte Oesten einen Tieftauchversuch gemacht und den Zerstörer vorher entlassen. Er tauchte aber nicht wieder auf. Er blieb still in der Tiefe. Erst in der Nacht ließ Oesten anblasen und fuhr das Boot auf AK hoch ... gefolgt von einem der amerikanischen U-Boote.

„Es hat mich auf dem Wege in den Indischen Ozean noch drei Tage gesucht. Es hätte mich normalerweise auch gefunden, wenn ich nicht aus verschiedenen Gründen sehr hart nach Süden abgelaufen wäre. Ein Teil meiner Besatzung litt unter Dengö-Fieber. Besser als jede Medizin helfen hier, wie von unseren Ärzten im Stützpunkt und an Bord erprobt, klimatisch günstigere, also kältere Wetterverhältnisse. Das, nur das, war der Grund für den ungewöhnlichen Südkurs ..."

Und U-Oestens Rettung.

*

Das Millimeterpapier, in das der IIIWO und Obersteuermann Limbach nun schon seit 25 Stunden den Kurs und die Zacks des von U 181 beschatteten und verfolgten Tankers einträgt, ist schon so lang wie eine Rolle Toilettenpapier. Und noch immer müssen neue Streifen angeklebt werden.

Fregattenkapitän Freiwald hält den Zeitpunkt für einen Angriff noch nicht für gekommen. Nach seiner und auch des Obersteuermanns Rechnung werden sie bei des Gegners Marschfahrt erst in 30 oder 32 Stunden in günstiger Position stehen.

U 181, das am 19. Oktober als drittes Kampf-U-Boot als Rohstofftransporter in See gegangen war, hatte am 2. November auf dem Marsch in Richtung Kapstadt auf der Linie zwischen Aden und Australien nach einem der üblichen Prüfungstauchen einen Tanker in Sicht bekommen. Das Schiff hat Kurs auf Australien, es macht seine 18 Knoten.

Um den Gegner auszudampfen, muß sich U 181 schließlich in einem riesigen Bogen vorzusetzen versuchen. Dabei kontrollieren sie aus gehörigem Sicherheitsabstand des anderen

Zackbewegungen. Diese, des Gegners und den Eigenkurs, zeichnet Limbach in feinen, hauchdünnen Linien auf das Spezialpapier. Die Zahlen der Uhrzeiten sind so akkurat, daß man meinen möchte, sie seien gedruckt. Dabei arbeitet und rüttelt und rumort das Boot in der See und unter dem Stampfen der vollaufgedrehten Dieselmotoren. Die E-Maschine ist zusätzlich auf die Welle geschaltet. Der Stabsobermaschinist legt den Rechenschieber nicht aus der Hand.

Noch ein bißchen mehr, noch einen hundertstel Knoten mehr Fahrt, ist sein Sehnen und Trachten. Hin und wieder steckt der LI den Kopf in den Maschinenraum.

„Geht's noch?"

„Muß, Herr Kaleu. Wenn der Alte noch die Kumpels mit den großen Ohren auf die Back schicken würde..."

„Ich weiß, zum Segeln...", lacht der LI. „Das sagen Sie ihm lieber selbst. Sie wollen ja auch, daß wir den Burschen erwischen."

„Schon, schon, aber..."

An einem der Diesel bricht eine Brennstoffzufuhrleitung. Öl spritzt in den Motorenraum. Zwei Dieselheizer legen eine Manschette um die Bruchstelle. Aber das Öl spritzt noch immer heraus. Die beiden umwickeln die Stelle mit Lappen und Werg und pressen das Dichtungsmaterial mit den Händen fest. Jetzt sichert das Öl nur noch tropfenweise durch. So stehen beide Stunden um Stunden mit nacktem ölverschmiertem Oberkörper. Ihre fettig glänzenden Gesichter sind braunschwarz, das Weiße der Augen leuchtet gespenstisch heraus.

Der Obergefreite Trenn springt inzwischen von Lager zu Lager. Er mißt die Temperaturen, meldet diese dem Stabsmaschinisten, und dieser unterrichtet wieder den LI! Die Temperatur bewegt sich nun schon seit 25, nein jetzt seit 30 Stunden an der Grenze des äußerst Zumutbaren. Und meist ein bißchen darüber.

Oben stampft ein, wie sie schnell geschätzt haben, mindestens 10 000 BRT großer Tanker durch die See. Sein Kapitän wird sich zur Ruhe gelegt haben. Vielleicht sitzt er aber auch in seinem getäfelten Salon und schreibt einen Brief an seine Familie, dieweilen draußen der Zweite die Wache versieht. Wenn der Kapitän das Licht löscht, kann er den

Zweiten von Backbord nach Steuerbord pendeln sehen. Er beobachtet, wie er die Ausguckposten kontrolliert, wie er ab und an selbst sein Glas in die Hand nimmt und die See absucht.

Nach der letzten, gegißten Position, die er, der auf den Meeren der Welt grau gewordene Kapitän prüfte, sind sie eigentlich schon lange aus dem Gefahrenbereich heraus. Deutsche U-Boote...? Aber woher... Hier unten ist schon mit gar keinem mehr zu rechnen. Aber besser ist besser, und Vorsicht ist auch bei einem britischen Seemann die Mutter der Porzellankiste.

Der Rudersmann hat Befehl, nach der Tafel 38 zu steuern, das heißt, der Generalkurs des Tankers wird durch minutiös festgelegte Zacks unterbrochen. Der Kapitän im Salon spürt es, wenn das Schiff nach Backbord oder Steuerbord abdreht. Er blickt auf seine Armbanduhr, dann in die Tafel. Stimmt ... Stimmt ganz genau. Es ist alles in Ordnung, in allerbester Ordnung. Er zieht die Verdunkelung wieder vor, knipst das Licht an und beugt sich wieder über das Briefpapier... Wo war ich doch gleich stehengeblieben...

Ex-Zentrale-Heizer Trenn stößt seinen Makker Fritz Ulbing, waschechter Schlesier aus Glatz, in die Rippen: „Du, wann meinst du, daß..."

„Wie üblich, denke ich."

In der Tat, alle bisherigen Schiffe hat ihr Kommandant abends nach Dunkelheit angegriffen, wohl, so sind sie sich einig, weil die neue Wache noch verschlafen und nicht ganz da und die andere schon müde und unlustig ist. Welcher Seemann hat es gern, vom rosafarbenen Himmel seiner Urlaubsträume gerissen zu werden.

In der Zentrale ist die Rolle Millimeterpapier jetzt so dick geworden, daß Witze nicht ausbleiben. Gut, dieser Flachs, er möbelt ein bißchen auf. Limbach sind die Knie schon butterweich, den anderen nicht minder. In der Kombüse kocht der Smut eine Kanne „Extra-Stark" nach der anderen.

Die Ruhe selbst ist Freiwald. Er ist seit dem Auftauchen auf dem Turm, hin und wieder zwängt er sich ins Boot, bespricht sich mit dem LI, unterhält sich mit dem Obersteuermann. Wenn sie sich über das Millimeterpapier neigen, sind die Rücken der beiden wie Stahlfedern gespannt. Überall im Boot ist diese übermenschliche Anstrengung fühlbar. Auch in den Motoren.

Gegen neun Uhr abends läßt Freiwald den Tanker auf sich zulaufen. Vom Turm kommt an die Zentrale und für alle im Boot: „Anlauf beginnt."

Jeder weiß, jetzt dauert es noch drei, vier Minuten, dann . . . Jetzt, jetzt fährt der Ahnungslose noch zwei Minuten auf altem Kurs, dann wird er nach den inzwischen ermittelten Zackunterlagen drehen.

Genau in die Schußposition hinein.

Es läuft ab wie ein Uhrwerk. Der Torpedo trifft. Der Tanker stoppt, aber er sinkt nicht. U 181 umschleicht ihn in Abstand wie eine Katze einen heißen Brei, denn Freiwald will den anderen, den letzten der beiden Aale, die er an Bord hat, nicht opfern. Aber die Zehnkommafünf ist nicht mehr an Bord, und die Dreikommasieben wird nach dem zehnten Schuß die obligatorische Ladehemmung haben. Es mit den Zwozentimeter-Zwillingen versuchen . . .? Witzlos. Die da drüben sind armiert wie ein Hilfskreuzer. Vorn eine Fünfzehner, achtern ein ähnliches Kaliber.

Schließlich muß der letzte Aal vollenden, was der erste nicht schaffte. Den gestoppten Gegner zu treffen, ist keine Kunst. Er schwimmt wie auf einem Präsentierteller. Freiwald kümmert sich um die Rettungsboote. Die Auskünfte der Überlebenden sind unklar und widersprechend. Erst später erfahren sie, daß es sich um den 10 198 BRT großen amerikanischen Turbinentanker *Fort Lee* gehandelt hat.

Später hören sie auch, daß eines der Rettungsboote nach einer Fahrt von 84 Tagen an der Ostküste Javas angetrieben sei. Der eine der Insassen starb nach der Bergung, der andere kam nach langer Leidenszeit durch.

\*

Unmittelbar nach dieser nervenzehrenden Jagd meldet der Oberstabsmaschinist seinem LI den ersten Lagerschaden. Ein weiterer tritt hinzu. Es werden immer mehr. Auf der Höhe von Kapstadt geht U 181 auf Gegenkurs, in Höhe der Kokosinseln versorgen sie U 843 mit dem nun überschüssigen Öl. Die Versorgung endet genau am Heiligen Abend. Die Ölabgabe aber bedingt, daß das ganze Boot umgetrimmt werden muß. Die Barren aus Wolfram und Molybdän ruhen in den Bilgen im Schlick und Ölwasser. Jeder dieser Klötze wiegt gut einen halben Zentner. Ihn herauszuheben heißt, erst einmal die Fingerspitzen unter das Metall schieben, um ihn ein wenig anzulüften. Die Flüche der Männer stehen nicht im Duden, nicht einmal im Seemannswörterbuch.

Also zurück denn nach Singapore.


## 11.

### HEIMKEHR KURZ VOR TORESSCHLUSS

*Den Maschinenschaden auf U 181 zu beheben, wird Wochen dauern. U 862, Timms Boot, muß ebenfalls überholt werden. Es soll dann, wenn alles gut geht, Mitte Mai als Rohstoffboot in die Heimat gehen. Hier kommt es wohl zur einzigen engeren, wenn auch nur geplanten militärischen Schulter-an-Schulter-Zusammenarbeit zwischen Gelb und Weiß.*

*Auf Bitten der Japaner soll U 862 an Madras vorbeischeren und japanische Agenten absetzen. Das Schlauchboot für diesen gefährlichen Ausflug bekommt U-Timm lange vorher an Bord. Es ist ein großes Boot, das sogar eine Beseglung führt und unter der Brücke verstaut wird. Die Agenten selbst sollen erst kurz vor dem Auslaufen, in der Mainacht, an Bord geschleust werden...*

Nordwärts, immer nordwärts, den Passat im Rücken, pflügen die anderen Rohstoff-Boote der Heimat entgegen. Oft, wenn sie unter Wasser stehen, hören sie Donnergrollen, manchmal nah, manchmal fern.

Der ganze Atlantik ist ein Schlachtfeld.

Nur wer auch Glück, wer viel Glück hat, entwischt.

U 861, Oestens Boot, bleibt Fortuna auch weiterhin treu. Sie rammen zwar einen Eisberg, als sie sich dicht unter Grönland entlangtasten, aber die Schäden sind unerheblich.

Mit nur einem Kubikmeter Öl in den Treibstofftanks läuft U-Oesten in Drontheim ein...

Durch die orkanüberbrauste Dänemarkstraße und das Eismeer hat auch U 843 unter Kapitänleutnant Herwartz, den sie Bully nennen, am 2. April Norwegen erreicht. Für jeden Seemann Blumen und für jeden einen Kuß von Schwestern des Roten Kreuzes. Heringe mit Pellkartoffeln sind der Besatzung Begrüßungsmahl im Hafen von Bergen. Es war der Wunsch von allen.

Sie haben sich dann über Stavanger bis nach Christiansand durchgeschlagen, und sie sind am 8. April dann auf die letzte Strecke der 16 000 Seemeilen langen Reise gegangen, auf die allerletzte für die meisten der Besatzung.

Im Kattegat, nordöstlich von Fredrikshaven ...

Das Wasser unter dem Kiel, mit den Wolframerz- und Zinnbarren als Ballast, ist hier im minenfreien Weg nicht tief genug, um sich bei Fliegersichtung in die schützende Tiefe zu verholen, vorausgesetzt, die Bienen werden rechtzeitig erkannt. Aber dafür sorgen die Männer der Brückenwache schon. Sie halten ihre gummibeschlagenen Gläser ohne Handschuhe in den Händen. So warm ist ihnen bei dem Gedanken an Deutschland, an Kiel, an die Mutti, an die Eltern ...

Genau 16.15 fegt aus der grauen Wolkendecke eine Moskito heraus. Der WO schreit: „Alarm!" Die Flak schießt aus allen Rohren. Aber der Tommy fällt nicht. Aus seinen Tragflächen zucken Mündungsfeuer. Um das U-Boot brechen kleine Fontänen wie Perlschnüre aus der See. Dazwischen dröhnt es wenn sie Stahlfetzen aus der Brückenverkleidung herausstanzen. Die Moskito braust ab, dreht. Sie wagt einen neuen Anflug. Tief, eben über die See hüpfend, jagt sie heran, direkt in den Feuerwirbel der U-Bootflak hinein.

Und keine Granate trifft tödlich. Was ist los? Sind die Männer in ihrer Vorfreude auf die Heimat durchgedreht?

In dem gleichen Augenblick, da aus dem Turm für den Kommandanten ein FT gemeldet wird, wendet sich der Brite endgültig ab.

Das eingekommene FT warnt Herwartz vor Moskitos im Oslofjord. Mit einer von diesen 45 hatten sie sich soeben herumgeschlagen. Es fielen keine Bomben, aber die Granaten hinterließen Schäden.

Die Meldungen gehen Schlag auf Schlag ein.

Alles Hiobsbotschaften:

Heckraum macht Wasser ... Rudermaschine ausgefallen ... E-Maschine brennt ...

Herwartz läßt den Heckraum räumen. Den Brand in der E-Maschine löscht der LI mit seinen Männern. Aber auf das Handruder reagiert das Boot nicht. Das Heck hängt tief in der See. Vielleicht liegt es daran. Herwartz gibt Befehl, den Heckraum durch Preßluft zu lenzen. Voraus, aber schon hoch über der Kimm, ist ein kleiner Geleitzug in Sicht gekommen. Ein Vorpostenboot sichert einen kleinen Tanker.

„Nimm mal Signalverkehr mit dem VP-Boot auf", sagt Herwartz zu dem Obergefreiten hinter sich. Die anderen auf der Brücke atmen auf. Verdammter Mist, daß das Ruder ausfallen mußte, aber wir sind ja nicht allein hier, da sind Kameraden, die uns helfen.

Wie gesagt, sie standen im minenfreien Weg, als die Biene angriff. Sie haben bei dem Abwehrfeuer Manöver gefahren. Der Obersteuermann hat jede Kursänderung in die Karte eingetragen, in eine Seekarte mit wieder vertrauten Namen und Zeichen. Aufpassen ... nicht zu nahe an die Teufelseier unter der Wasseroberfläche heran ...

Genau in diesem Augenblick knickt es den Männern auf dem Turm und dem Wintergarten die Knie ein. Sie werden gegen das Schanzkleid und die Reeling geschleudert. Sie verlieren den Boden unter den Füßen. Sie sehen den schwarzgrauen Bug ihres Bootes steil in den Himmel ragen.

Für Sekunden.

Dann ist er weg.[40]

Zwölf Mann treiben auf ihren Schwimmwesten dort auf, wo Öl und Luftblasen aus der See heraufblubbern. Kein einziger Mann aus dem Bootsinnern ist dabei. Die, die überlebten, fischt das Vorpostenboot heraus.

In Kiel bedrängt Kapitän Herwartz Konteradmiral Godt, Chef der Operationsabteilung beim BdU, doch Hebefahrzeuge herauszuschicken.

„Von den 46 Mann müssen noch welche leben, Herr Admiral. Das Boot liegt auf flachem Wasser."

„Bedaure, Herwartz. Bei dieser Kriegslage ausgeschlossen."

*

In Christiansand hatte Oskar Herwartz übrigens noch mit dem Kommandanten des für den Südostraum auslaufklaren Transport-U-Bootes U 234 gesprochen. Er und Johann-Heinrich Fehler sind Crew-Kameraden, aber den Jagdschutz, den U 234 gegen die alliierten Bienen auf seinem Auslaufweg braucht, den kann ihm auch der General der Flieger Kessler nicht beschaffen. Kessler ist mit seinem Stab bei Fehler eingestiegen. Er hat einen Sonderauftrag in Japan zu erfüllen. Mit dem General sind noch zwei Offiziere vom OKM, zwei Ingenieure von Messerschmidt und zwei japanische Schiffbauoffiziere Gast auf U 234. Es sind die beiden Japaner, Tomonaga und Tetsuchiro Emi, die Musenberg 1943 im Indischen Ozean auf U 180 übernahm. Vollgestopft mit deutschen Erfahrungen, mit den geheimsten deutschen Plänen und Methoden schwimmen sie nun, in den ersten Maitagen, auf U 234 im nördlichen Atlantik ihrer so fernen Heimat entgegen.

Das Stichwort „Regenbogen" macht auch diese Hoffnung brutal zunichte. Auch Fehler hat Befehl, eine schwarze Flagge zu setzen und Kurs auf den nächsten alliierten Hafen zu nehmen. Er funkt seine Position.

Der Schiffbau-Korvettenkapitän Tomonaga bittet um eine Unterredung.

Er ist ernst. Sein Gesicht ist grau wie der Frühjahrshimmel über dem Atlantischen Ozean.

Der deutsche U-Boot-Kommandant möchte doch bitte den Hafen eines neutralen Landes anlaufen, etwa den einer portugiesischen Insel hier im Atlantik.

„Es ist des Tennos unumstößlicher Befehl für uns, niemals lebend in die Hände der Feinde zu fallen."

Des Japaners Worte kommen tonlos von seinen Lippen. Er sagt weiter:

„Sie verstehen, Japan ist noch im Krieg mit Amerika und England."

Fehler bedauert. Seine Offiziere versuchen, die beiden japanischen Gäste zu beruhigen.

Die Meinungen unter der Besatzung sind gespalten, denn die Azoren sind nicht weit.

Schließlich sind die Japaner noch immer Bundesgenossen. Noch ist die deutsche Kapitulation nicht ausgesprochen.

Bevor U 234 am 16. Mai in den englischen Hafen Portsmouth einlaufen kann, haben sie auf dem Boot noch eine traurige Pflicht zu erfüllen:

Sie müssen die sterblichen Überreste der beiden japanischen Kapitäne der mitleidlosen See übergeben. Niemand auf U 234 konnte die blitzschnellen Bewegungen des Harakiri der beiden verhindern.

Tomonaga und Tetsuchiro Emi entleibten sich selbst.

Sie bettelten nicht, als Fehler bedauerte.

Sie baten aber auch kein zweites Mal.

*

Über die Heimfahrt von U 510 lassen wir den Kommandanten, den heutigen Wirtschaftsprüfer und Dipl.-Kaufmann Alfred Eick in Bielefeld selbst erzählen:

„Da ich keinen Schnorchel besaß, hatte es mir der BdU freigestellt, einen französischen Hafen anzusteuern. Kurz vor dem Einlaufen geriet ich in die schweren Angriffe auf die Festung Gironde-Nord. Es war ein fürchterliches Dröhnen und Rumoren an diesen Tagen. Ich habe mich in die Bucht von Bilbao verholt und tagsüber auf Grund gelegt. Wir haben erst mal ausgeschlafen. Nachts sind wir in der Bucht dicht unter Land umhergefahren und haben es uns gemütlich gemacht, bis wir über Funk erfuhren, daß sich die Lage um die Festung nun wieder beruhigt habe. Wir hörten es auch, das heißt, wir hörten nichts mehr, was uns vorher so beunruhigte.

Die Fahrt entlang der spanischen Küste war für uns U-Bootfahrer, wenn man von See kam, stets ein besonderes Erlebnis. Es roch hier immer nach Kastanien, und es duftete nach spanischen Frauen. Genauso wehmütig und sehnsüchtig stimmte es, wenn man in der Nacht am schillernden Lichtermeer von San Sebastian vorbeifuhr.

Ja, ich bin dann also eingelaufen in St. Nazaire, und wir sind dort sogar friedensmäßig empfangen worden. Die alten Mädchen waren auch noch da. Die Verpflegung war gut, die Unterbringung war gut. Nur ging die Sache dann sehr schnell zu Ende. Am 10. Mai wurden wir von den Franzosen in Empfang genommen. Am Anfang war die Behandlung sehr gut, was aber dann folgte ... Schwamm darüber.

Auch die Franzosen sind keine Engel.

Ach ja, vor Gibraltar bekam ich noch ein paar Dampfer vor die Rohre, genau so, wie es sich ein U-Boot-Kommandant immer erträumt. Der Mond ging hinter den Frachtern auf, und ich selber stand im dunklen Sektor. Ich brauchte nur zu sagen „Torpedo los". Schon wär's passiert gewesen. Aber ich hatte keine Aale mehr. Die beiden alten Vögel, die man mir für den Rückmarsch an Bord gab, die habe ich schon vor Kapstadt verschossen. Da habe ich noch einen Einzelfahrer versenkt.

Vielleicht war es ganz gut so, daß ich keine Torpedos mehr hatte.

Der Krieg war ja praktisch zu Ende."

*

Liverpool, am 17. Mai 1945.

Auf dem Mersey.

Der britische Admiral schüttelt den Kopf. Er, der bedeutend größer ist als der kleine, schmächtige U-Boot-Kommandant, muß auf den Deutschen hinabsehen. Sein Blick ruht forschend auf dem bärtigen, von Anstrengungen und Verantwortung gemeißelten Gesicht des deutschen Fregattenkapitäns.

„Sagen Sie, Captain Junker, Sie wollen also allen Ernstes aus Batavia kommen? Sie haben den Indischen Ozean und dann den Atlantik ohne eine einzige Feindberührung passiert? Das ist doch unmöglich. Das gibt es nicht."

„Da müßte ich Sie fragen, wie es möglich war, daß Ihre Abwehr mich nicht geortet hat. Ich bin jedenfalls da. Und das ist für mich und meine Männer die Hauptsache."

„Und Sie erhielten keine Wasserbomben? Sie nahmen nirgendwo einen Schaden?"

„Nein. Allerdings verlor ich einen Mann. Fünf Stunden vor Liverpool hob ihn eine besonders schwere See von der Brücke. Wir fanden ihn nicht wieder."

Das ist der einzige Mann überhaupt, den Junker je verlor.

Der Engländer steigt, von seinen Stabsoffizieren gefolgt, in U 532 ein. Er muß sich überzeugen lassen; dieser Kapitän sagt die Wahrheit.

„Und wo haben Sie Ihren Schnorchel?" möchte ein älterer Stabsoffizier wissen.

„Ich sagte Ihnen ja, ich bin vor zwei Jahren nach Asien ausgelaufen, da gab es noch keinen Schnorchel."

Der britische Kapitän will und kann es immer noch nicht begreifen, eher schon, daß dieser deutsche U-Boot-Kommandant noch auf See alle Geheimunterlagen, alle Schlüsselmittel und auch das Maschinenlogbuch vor der Übergabe vernichten ließ.

„Und wo standen Sie am Tage der Kapitulation?"

„Nördlich von Schottland. Ungefähr 500 Seemeilen vor Norwegen."

U 532 sollte gemäß BdU-Befehl Drontheim anlaufen. Als Junker aus der Heimat das FT erhielt, jegliche Kampfhandlungen einzustellen und das Boot dem ehemaligen Gegner in betriebsklarem Zustand zu übergeben, haben sie wohl in der Messe darüber nach Möglichkeiten gesucht, das Boot verschwinden zu lassen ... es vor der Küste eines neutralen Landes zu versenken. Aber wo war in dieser Nähe neutrales Land?

Ottoheinrich Junker erinnert sich:

„Das Risiko, bei einem solchen Versuch einen Teil oder alle Besatzungsmitglieder zu verlieren, schien mir zu groß. Unsere Schwimmwesten waren durch den zweijährigen Aufenthalt in den Tropen praktisch keine Rettungsmittel mehr. ‚Nein', sagte ich mir, ‚das ist die Sache nicht wert.' Und der Makel, daß ein Kommandant sein Boot oder Schiff nicht übergibt, ist ja im Endeffekt durch die Auslieferung der Kaiserlichen Flotte nach Scapa Flow illusorisch geworden. Mir schien klar, daß dieser Übergabebefehl unter gewissem Feinddruck gestanden haben mag. Auf der anderen Seite aber war ausdrücklich erwähnt — und das war entscheidend — daß bei Zuwiderhandlungen mit Repressalien gegen die deutsche Zivilbevölkerung gerechnet werden mußte, ein Druckmittel, gegen das kein anderes Argument ankam."

Gezögert hat der Kommandant von U 532 allerdings ...

Als sie Anfang Mai in das Seegebiet des berüchtigten Rosengartens einliefen, in eine unheimliche Landschaft, die von Hunderten und aber Hunderten, vom Gegner prophylaktisch geworfenen Wasserbomben erdröhnte ..., als sie Tag und Nacht, Stunde für Stunde, in dieser an den Nerven zehrenden Akustik schwebten, hatten sie das Stichwort „Regenbogen" empfangen. Am 8. Mai, 06.00 Uhr, sei die Stichstunde.

Junker richtete sich noch nicht danach. Er wartete bis zum

10. Er wollte ganz sichergehen, denn der Gegner, so überlegte er, könnte ja auch mit einem Bluff aufwarten.

Als am 8. Mai, Punkt 06.00 Uhr MEZ, diese makabre Wabo-Geräuschkulisse erstarb und als am 10. detaillierte Weisungen über das weitere Verhalten noch in See stehender U-Boote eingingen, war sich der Kommandant vom Monsun-U-Boot U 532 darüber klar:

‚Das Ende war wirklich da.'

Und als Trost verblieb ihm die Erkenntnis:

‚Du hast zwar keinen deutschen Hafen mehr erreicht, du hast aber dein Boot und deine Männer heil über diesen schrecklichen Krieg hinweggebracht.'

Tage später wird Fregattenkapitän Junker in das Verhörlager Wildenpark gebracht. Er soll über die japanischen Verhältnisse im Südostraum aussagen.

Die Engländer eröffnen das Gespräch:

„Wir haben Sie hierher geholt, weil auch ein Teil Ihrer Besatzung hier ist. Diese Männer erklären: sie sagen nichts. Der Kommandant, also Sie, hätte ihnen das verboten."

„Das freut mich. Daß eine U-Boot-Besatzung auch nach der Kapitulation soldatisch korrekten Befehlen folgt, ist doch Erklärung genug."

„Aber der Krieg ist doch nun zu Ende . . ."

Was die Verhöroffiziere wissen wollen, ist verständlich: Alles über die japanischen Befestigungen des Uferlandes von Südmalaya, Java und Sumatra, über die Truppenstärken, Flugplätze, Hafenbelegungen . . ."

„Meine Herren, damit Sie klarsehen, ich weiß gar nichts. Ich habe vergessen, was für Sie von Interesse sein könnte. An eines aber erinnere ich mich genau, daran, daß bereits nach dem Ersten Weltkrieg alle jene deutschen U-Boot-Kommandanten auf der schwarzen Liste standen, denen man nachweisen zu können glaubte, nach der Kapitulation noch gegen die Interessen der Siegermächte gehandelt zu haben. Denen, derer Sie habhaft werden konnten, denen haben Sie doch den Prozeß gemacht. Nicht wahr?"

Schweigen als Antwort.

„Und sehen Sie mal", so fährt Junker fort. „Wenn ich nun Ihre mir so verständlichen Wünsche dennoch erfülle, so bleibt doch die Möglichkeit drin, daß sich inzwischen im Raum

Singapore und Java einiges verändert hat. Nachher marschiert Ihre stolze Grand Fleet auf ein von den noch kämpfenden Japanern später gelegtes, mir aber nicht bekanntes Minenfeld drauf. Ich werde einen Kopf kürzer gemacht — und kann nicht mal was dafür."

Die britischen Verhöroffiziere lächeln. Sie sind aber nicht mehr so frostig. Der eine springt plötzlich auf und tritt vor Junker hin.

„Sie sind doch aber mit Deutschlands Kapitulation von der Schweigepflicht entbunden."

„Aber für die Japaner ist der Krieg eben noch nicht aus. Sie können von mir nicht erwarten, daß ich von unseren ehemaligen Kriegsgenossen jetzt einfach sage: Laß sehen, wie sie weiterkommen. Das geht gegen meine Einstellung. Sie würden nicht anders handeln."

„Trotzdem. Warum aber machen Sie sich den Weg in die weitere Zukunft nicht leichter. Ausgerechnet Sie, Captain Junker."

Vom Schreibtisch nimmt der Sprecher einen Aktenhefter auf. Er enthält alles, was die Britische Admiralität über den Seeoffizier Ottoheinrich Junker, geboren am 12. Juli 1905 in Freiburg im Breisgau, Crew 24, zusammentragen ließ. Und das ist sehr viel, wie der Umfang vermuten läßt.

Das ‚ausgerechnet Sie' spielte ja darauf an.

Also wissen sie auch, daß Junker kein Freund des NS-Regimes gewesen ist. Gerade für ihn bieten sich also alle Möglichkeiten an.

... schnell nach Deutschland zu kommen ...

.. als Unbelasteter eingestuft zu werden ...

... womöglich noch die Unterstützung der Militärregierung als Feind der Nazis in Anspruch nehmen zu dürfen ...

Er braucht nur zuzugreifen.

Es sind gar nicht wenige, die sich in der Gefangenschaft auf diesen Dreh glänzend verstehen, die ihre Fahnen sehr schnell in den anderen Wind gehängt haben. Sie treten mit Füßen, was sie gestern noch angebetet haben, am lautesten jene, die vorher am lautesten schrien.

Für Junker aber ist diese seine Haltung letztlich auch eine Frage seiner Erziehung als Seeoffizier und — des Anstandes. Die Engländer respektieren dies.

Sie lieben den Verrat, aber nie den Verräter.
Als Junker geht, bieten sie ihm die Hand.


## 12.

### DAS SONNENBANNER
### AUF DEUTSCHEN U-BOOTEN


Und was geschah im Südostraum um diese Zeit, als in Europa endlich der Krieg verblutete . . .

Nach einem Spiegeleierfrühstück und säubernden Bad hat sich Willy Rinkel, Dieselheizer auf U 219, in der U-Boot-unterkunft Telepetong in Batavia auf seine Koje hingehauen.

Jetzt, während der Vormittagsstunden, sind die anderen Kumpels von der seemännischen Fakultät an der Arbeit, um U 219, das einzige U-Boot in Batavia, noch seeklar zu machen.

Korvettenkapitän z. V. Walter Burghagen sieht die Lage Ende April 1945 glasklar: „Leute, wir sitzen hier in einer Mausefalle. Laßt sehen, daß wir hier rauskommen. Lieber in einer zertrümmerten Heimat als im Paradies hinter Stacheldraht."

Für alle Fälle haben sie die Kanonen auf Land zu gerichtet, die Handfeuerwaffen klargelegt und an den Hauptflutventilen Sprengladungen angebracht. „Aber nur für alle Fälle! Für den letzten Fall! Macht keinen Mist, wir wollen ansonsten mit den Schlitzaugen keinen Krach kriegen", hat Burghagen gewarnt.

Seit diesem Tage bleiben Tag und Nacht Männer von der Geschützbedienung an Bord.

Seit Wochen schuften sie in drei Schichten. Bei 50 Grad Hitze in der Röhre, nur mit der Badehose bekleidet. Einer nach dem anderen kippt um. Aber sie bekommen bei allem Eifer ihr Boot dennoch nicht klar.

Die Japaner versprechen, lächeln.

Aber sie liefern nicht.

Komisch, geht es Rinkel noch kurz vor dem Einschlafen durch

den Kopf, was wollte denn der IWO heute schon so früh? Es war doch stockdunkel, als er gegen drei Uhr morgens auf dem Boot auftauchte. Und nach ihm stapfte sogar der Alte, vom IIWO gefolgt, über das Fallreep hinweg.

Sonderbar, sehr sonderbar. Dann schläft der Dieselheizer Willy Rinkel ohne Übergang ein. Bis er im Unterbewußtsein Schritte, Stimmen und Rufe hört. Wilder Lärm macht ihn vollends wach. Es ist zehn Uhr. Die Besatzung schon zurück? Da stimmt doch was nicht...? Was schimpfen die denn da...? „Warum hat der Alte den Japsen nicht einen Schuß vor den Bug gesetzt... Bis hierher und nicht weiter... Weshalb hat er den Laden nicht hochgehen lassen...?"

Jetzt hellwach, tritt Rinkel zwischen seine fluchenden Kameraden. „Sei froh, daß du nicht dabei warst... diese hinterlistigen Brüder..."

Das war geschehen:

Burghagen hatte seine Besatzung plötzlich aus dem Boot befohlen. „Alles hochkommen. Auf dem Pier antreten. Es ist soweit."

Als die Männer aus ihrer Röhre herauskrochen, sahen sie eine Kompanie japanischer Soldaten unter Gewehr angetreten. Vor der Front stand der japanische Konteradmiral Graf Maida. Dr. Hupfer, ein schon älterer ,aus der großen Seestadt' an der Pleiße, aus Leipzig, stammender Junggeselle, bis zum Kriegsbeginn Dozent an der Universität in Tokio, jetzt von der deutschen Marine als Dolmetscher in die Uniform eines ,Silberlings' gesteckt, übersetzte, was der stets deutschfreundliche Maida den Deutschen zurief...

Die Deutsche Wehrmacht habe kapituliert. Es bestehe eine Abmachung, wenn eine der beiden Nationen weiterkämpfe, müsse die andere ihr Kriegsmaterial übergeben...

Der Admiral versicherte, daß er wisse, welche Gefühle Seeleute bewegen, wenn sie ihr Schiff, ihre zweite Heimat, verlassen müßten, er hätte das im Ersten Weltkrieg als U-Boot-Kommandant in Port Arthur am eigenen Leibe erlebt. U 219 würde nun von der japanischen Marine übernommen...

Burghagen hielt keine Gegenrede. Er ließ seine Männer stillstehen. Dann gab er den Befehl:

„Hol nieder Flagge."

Die Japaner präsentierten ihre Gewehre. Der Admiral und der Korvettenkapitän grüßten.

Seinen Kommandantenwimpel hakte Burghagen mit eigenen Händen ab.

Japanische Kommandos.

Das Sonnenbanner kletterte am Flaggenstock empor.

Die Übergabe war vollzogen.

Ja, bis dahin war alles einigermaßen erträglich für die Männer von U 219 gewesen. Es war hart, aber immerhin ehrenvoll.

Was aber dann kam, begriffen sie erst nicht und gottlob für die Japse viel zu spät. Sie mußten auf Lastwagen klettern, kaum waren sie oben, warfen die Japaner Netze über sie hinweg und brausten ab. Vier Soldaten mit aufgepflanztem Bajonett besorgten auf jedem LKW die Bewachung. Bis vor Minuten noch freundlich lächelnde Bundesgenossen, jetzt Männer mit steinernen, ausdruckslosen Gesichtern, die rechte Hand am Abzug ihrer Gewehre.

„Sieh raus, Willy Rinkel, da siehst du sie. Sie haben unseren Stützpunkt umstellt. Wir dürfen ihn nicht mehr verlassen."

„Und unser Alter...? Ich meine, hat Kapitän Burghagen denn keinen Befehl gegeben, das Boot zu versenken?"

„Hat er eben nicht. Wer weiß, wozu das gut ist. Ist auch egal. Scheiße, wie kommen wir nun nach Hause?"

Daß diese scheinbar gewaltsame Übernahme der deutschen U-Boote in Südostasien vorher in Tokio zwischen der japanischen und der deutschen Marine abgesprochen worden war, darüber hatte Admiral Maida befehlsgemäß ausschließlich nur den Kommandanten unterrichtet.

*

In Singapore bittet in den ersten Tagen des Mai 1945 der japanische Flottenchef, Admiral Fukodome, den deutschen Chef im Südostraum und seine verantwortlichen Offiziere in den Flottenstützpunkt Seletar. Er macht die deutschen Offiziere mit der bevorstehenden Internierung vertraut. Seine Worte sind ohne Groll.

In Penang verabschiedet sich der japanische Stützpunktchef, Konteradmiral Ischioka, von den deutschen Offizieren. Er versichert, Japan würde den Krieg am Ende doch gewinnen. Es würde den tapferen deutschen U-Boot-Besatzungen im

Südostraum die ferne Heimat von den verhaßten Amerikanern und Briten wieder zurückerobern.

Als er dies versichert, stockt der Admiral.

Er vermag nicht weiterzusprechen.

Er verliert die Fassung, und seine Augen füllen sich mit Tränen.

Er bemüht sich nicht mehr, seine innere Regung zu verbergen.

Das ist für einen Japaner, von Kind auf erzogen, nie und in keiner Situation sein Gesicht zu verlieren, nie eine innere Regung zu zeigen, ein erschütterndes und dramatisches Bekenntnis wahrer Freundschaft und Achtung.

An Fregattenkapitän Dommes, Chef im Südostraum, schreibt der japanische BdU, Vizeadmiral Uozumi.

„Begehen Sie, mein Freund, keine Unbesonnenheit. Es kommt nur darauf an, daß die geistigen Grundlagen erhalten bleiben."

Keiner ahnt, welch eine grundlegende Wandlung Deutschen wie Japanern bevorsteht.

Daß der japanische Flottenchef in Seletar in den Tagen der deutschen Kapitulation einigen deutschen Offizieren, die er in ritterlichster Weise unmittelbar vor ihrer beabsichtigten Internierung zu sich gebeten hatte und im Beisein hoher japanischer Offiziere in ehrlichem Ernst die Wiedereroberung Deutschlands durch die japanische Wehrmacht in Aussicht stellte, berührt eigenartig. Es läßt erkennen, in welchem Maße selbst in diesen Kreisen Illusionen, Unterschätzung des Gegners und vollkommene Verkennung des Kräfteverhältnisses zu einer nahezu grotesken Fehlbeurteilung der politischen und militärischen Lage geführt haben.

*

Und in Japan? Hier ist der Bericht des Kapitänleutnants Kentrat, der nach Wiederherstellung seiner Gesundheit auf Betreiben von Admiral Wennecker den U-Boot-Stützpunkt in Kobe übernommen hat:

„Und dann geht das letzte FT vom BdU ein: ‚Stichwort Regenbogen'."

Es ist ein Schlag für uns alle. Wir können es nicht fassen. Wir treffen uns mit allen Kommandanten und beratschlagen.

Übergabe oder Versenkung? Wir entscheiden uns einmütig: Die Boote sollen weiterkämpfen!

Also Übergabe.

Um in dieser Sache zu verhandeln, fahre ich mit dem Marine-befehlshaber von Kobe, einem Konteradmiral, zu dem für uns zuständigen Vizeadmiral in Osaka. Erschwerend ist, daß zwischen diesen beiden Offizieren obendrein ein äußerst gespanntes Verhältnis herrscht.[41] Der Konteradmiral aus Kobe ist ausgesprochen deutschfreundlich, der Kollege in Osaka denkt anders. Jedenfalls werde ich zu ihm sofort ins Zimmer gebeten, während der Konteradmiral draußen, auf dem Vorplatz, auf einer kleinen Bank Platz nehmen muß. Um wegen der in Japan lebenden Russen diplomatische Schwierigkeiten auszuschalten, verabredeten wir, die japanische Marine solle die ‚Übergabe‘ mit ‚Gewalt‘ vornehmen.

Unsere Besatzungen werden noch am späten Abend unterrichtet. Am nächsten Morgen erscheinen schwerbewaffnete Japaner an Bord der Boote. Sie führen jeden Mann unter Doppelbewachung in die Unterkünfte, die ebenfalls, wie verabredet, für drei Tage unter strengster Bewachung stehen. Daß unsere Männer diese Aktion mit seemännischem Humor genossen, sei am Rande vermerkt.

Nach Ablauf der Dreitagefrist werden diese Posten aber nicht eingezogen. Vorsprachen bei den örtlichen Stellen werden mit asiatischem Gleichmut abgetan. Was liegt denn nun an? Der Männer Humor ist wie weggeblasen.

Ich telefoniere mit dem deutschfreundlichen Konteradmiral. Wir fahren wieder nach Osaka. Die Begrüßung ist noch frostiger, dieweilen der Konteradmiral aus Kobe wieder auf der harten Bank vor dem Zimmer warten muß.

„Herr Admiral, warum wurden die Posten nach drei Tagen nicht eingezogen?"

„Weil sie stehen bleiben sollen!"

„Das entspricht nicht unseren Verabredungen!"

„Deutschland hat seine Verabredungen auch nicht erfüllt!"

„Darf ich dann wenigstens mit Admiral Wennecker telefonieren?"

„Das ist zwecklos!"

Nichts hilft, alles prallt an seinem unbeweglichen Gesicht ab! Unverrichteter Dinge müssen wir abziehen.

Jetzt aber kommt eine Überraschung für mich: Der Konteradmiral aus Kobe, der sonst stets auf der Vorzimmerbank saß, erwacht zu ungeahnter Aktivität. In Kobe fährt er mit mir von Unterkunft zu Unterkunft, von Hotel zu Hotel — überall dorthin, wo unsere Leute wohnen und bewacht werden. Er tritt auf jeden einzelnen Posten zu, spricht ein paar knappe, mir unverständliche Worte. Die Soldaten salutieren, sie nehmen ihr Gewehr und verschwinden. Ich befürchte das Schlimmste. Aber nichts, gar nichts geschieht nach der eigenmächtigen Handlung unseres Freundes.

Dieses Asien hat viele Gesichter ...

Nach der deutsche Kapitulation haben wir versucht, die Unterkünfte unserer Männer auf den klimatisch besseren Rokko, einen in den Bergen gelegenen Erholungsplatz, zu verlegen, vor allem, um den schweren Luftangriffen der B 47-Geschwader auf Kobe-Osaka zu entgehen. Wozu sollen wir uns, für die der Krieg aus ist, noch Gefahren aussetzen? Die Verlegung scheitert, weil die Japaner Spionage befürchten.

Wenn wir selbst auch nicht der Spionage verdächtigt werden, so gab es, wie wir später erfahren sollen, in Kobe tatsächlich eine sehr aktive deutsche Agentengruppe. Sie stand unter der Führung eines deutschen Kaufmannes. Über ihre Tätigkeit ist im Gegensatz zu dem hinreichend bekannt gewordenen ,Fall Dr. Sorge' noch nirgendwo berichtet worden ...

Die Mitglieder dieser Gruppe luden auch unsere Männer gern und oft ein, um sie auszuhorchen. Ob mit Erfolg — oder nicht, wer weiß das heute zu sagen. Es ist aber ziemlich sicher, daß diese Gruppe auch den größten japanischen Flugzeugträgerneubau auf dem Gewissen hat. Dieser 50 000 Tonnenkoloß war damals gerade fertig. Er lag in Kobe, vollkommen ausgerüstet, klar zur Indienststellung. Die Besatzung sollte erst am Tage danach einsteigen. Über einen Geheimsender ist der Termin der Indienststellung an die Amerikaner verraten worden. Am gleichen Tage erschienen Sturzbomber, sie versenkten diesen Riesen. Es war das letzte Werk dieser deutschen Agenten, wenig später wurden sie verhaftet und vor Gericht gestellt. Jeden Tag wurden dann auch unsere Männer beim Verhör dieser Gruppe als Zeugen geladen.

Die Mitglieder dieses Spionageringes wurden später zum Tode verurteilt. Fast unmittelbar nach diesem Prozeß kapitulierten die Japaner. Das Urteil wurde nicht mehr vollstreckt.

Doch soweit ist es noch nicht. Als der Agentenring jedenfalls erst einmal aufgeflogen war, versuche ich erneut, den Vizeadmiral in Osaka umzustimmen. Wie üblich, muß der mich begleitende Konteradmiral aus Kobe im Vorraum Platz nehmen. Der Vizeadmiral lehnt erneut ab, verspricht aber, sich die Sache noch einmal zu überlegen. Mir ist klar, daß er uns abschieben will, denn ein paar Tage später erhalten wir die Einladung, ein hinter dem Rokko im flachen Hinterland gelegenes Dorf zu besichtigen. Wir werden hier fürstlich empfangen und uns zu Ehren veranstaltet man ein großes Hibatschi-Essen, gewürzt mit Unmengen Reiswein. Ich merke gleich, wohin der Hase laufen soll. Am nächsten Tage bin ich wieder in Osaka.

„Herr Admiral, es ist sicher, daß Sie diesen Krieg gewinnen werden. Aber er wird noch Jahre dauern. Wollen Sie uns nun zumuten, daß wir Europäer jahrelang in diesen japanischen, für uns unbequemen Unterkünften leben sollen?"

„Herr Kentrat, ich glaube, Sie sind japanfeindlich!"

Jetzt wird es ernst. Ich versuche ein letztes Mittel:

„Herr Admiral, Sie verstoßen gegen das Völkerrecht!"

Davon möchten die Japaner nun gar nicht gern etwas hören.

„Wer verstößt gegen das Völkerrecht? Hat Deutschland nicht seinen Vertrag mit uns gebrochen? Ist es nicht von seinen Verpflichtungen uns gegenüber zurückgetreten?"

„Herr Admiral, Sie beleidigen uns U-Boot-Männer. Wir haben unsere Pflicht, auch für Japan, getreu erfüllt."

„Warten Sie einen Augenblick!"

Mit diesen Worten verläßt der Vizeadmiral den Raum, um bald danach mit einem Schriftstück zurückzukommen:

„Ich mache Sie hiermit mit einem Geheimbefehl des Tenno bekannt, der seinen ehemaligen Verbündeten anheim stellt, an der Seite Japans bis zum Endsieg weiterzukämpfen! Wie ist es damit?"

Ich verzichte natürlich. Soweit mir bekannt ist, hat sich in unserem Abschnitt kein deutscher Soldat für die japanische Truppe verpflichten lassen.

Auf den Rokko kommen wir aber doch noch. Und zwar nach einem schweren Angriff auf Kobe, bei dem wir alles verloren, was wir besaßen. Ich sagte dem Vizeadmiral nun kurzerhand, wir hätten eine Genehmigung des Marineministeriums. Kein Wort war daran wahr. Aber der Bluff gelang. Es blieb mir keine andere Wahl, unsere Männer aus dem Gefahrenbereich herauszuschleusen, in dem sie der wenig deutschfreundliche Vizeadmiral belassen wollte.

Kurz nach dem Einmarsch der amerikanischen Streitkräfte erhalte ich Besuch durch den CIC:

„Warum haben Sie Ihre Leute bei der Vernehmung der deutschen Agenten als Zeugen abgestellt?"

Da platzt mir der Kragen!

„Wir U-Bootfahrer haben während des ganzen Krieges unter allergrößten Entbehrungen unsere Pflicht getan. Und was diese Spionage-Sache anbelangt, so waren diese Männer Agenten und daher Verräter. Sie sind nach den Gesetzen dieses Landes zum Tode verurteilt worden. Auch in Ihrem Lande werden Verräter und Agenten, wenn man sie erwischt, nach den dort gültigen Gesetzen bestraft. Was ist daran ungerecht? Was ist falsch? An meiner Stelle hätten Sie als Soldat und Offizier und als Amerikaner nicht anders gehandelt. Im übrigen habe ich jetzt keine Zeit mehr. Ich muß mich bei meinem deutschen Admiral melden. Würden Sie mich bitte entlassen?"

Er tut es sofort.

Er bringt mich sogar mit seinem Wagen zum Admiral Wennecker hin."

# VIERTER TEIL

## DIE DEUTSCHEN U-BOOT-OPERATIONEN IN SÜDOSTASIEN

Eine kritische Untersuchung
über die Planung, Bedeutung und Erfolge.

*Mit dem Stichwort „Regenbogen", dem Kapitulationsbefehl des BdU für die U-Boote im Mai 1945, endeten auch die deutschen U-Boot-Operationen in Ostasien. Historisch betrachtet, sind die Ergebnisse der Monsun-U-Boote, gemessen an den Rückschlägen*

270

*an den anderen, bisherigen Fronten des U-Boot-Krieges, noch als befriedigend zu bezeichnen.*

*Nach den Meldungen der ,Monsuner' wurden etwa 170 Schiffe mit rund 1 000 000 BRT versenkt. Die Haupterfolge wurden in der ersten Phase der Operationen errungen.*

*Die Verluste waren hoch, zu hoch. Von den teilweise in mehreren Unternehmungen von Europa aus eingesetzten 45 deutschen U-Booten gingen bis zum Tage der Kapitulation 34 Boote = 76 Prozent verloren, vier wurden in den ostasiatischen Stützpunkten von den Japanern interniert, vier erreichten wieder die Heimatstützpunkte und drei kapitulierten in See bzw. in einem westfranzösischen Hafen.*

*Von den versenkten Booten konnten nur in acht Fällen Teile der Besatzungen gerettet werden.*

*Ganz allgemein lassen die abnehmenden Erfolge im U-Boot-Krieg und die zunehmenden Verluste erkennen, wie die totale U-Boot-Bekämpfung des Gegners im Nord- und Mittelatlantik nun auch in den neuen Schwerpunktgebieten des deutschen U-Boot-Einsatzes mit zunehmendem Erfolg betrieben worden ist, also erst im Kap-Gebiet und dann im Indischen Ozean. Wesentlichen Anteil hatte die Verwendung des neuen Radar-Gerätes in den zur U-Boot-Jagd von den Landbasen und Trägern angesetzten Flugzeugen. Weiter die vollautomatische Funküberwachung, mit denen auch Kurzsignale eingepeilt und ausgewertet wurden.*

*Während der U-Boot-Einsatz im Raum von Kapstadt noch im Winter 1942 und im Sommer 1943 pro Boot ein Erfolgsergebnis von ca. 35 000 BRT brachte, sank dieses Ergebnis bei der 1. Monsun-Gruppe auf ca. 15 000 BRT, bei der 2. Monsun-Gruppe auf 14 000 BRT und lag beim Einzelbooteinsatz im letzten Kriegsjahr bei ca. 11 000 BRT.*

*Umgekehrt stieg die Verlustziffer. Während ein Versenkungsergebnis von 100 000 BRT mit einem halben eigenen U-Boot-Verlust im Kapstadt-Einsatz erzielt wurde, stieg die Verlustzahl bei der ersten Monsun-Gruppe auf fünf Boote und bei der zweiten Monsun-Gruppe und dem letzten Einsatz auf sieben Boote. Das zeigt, daß das Risiko, bezogen auf den gleichen Erfolg, sich mehr als verzehnfacht hatte.*

*Diese eindrucksvollen Zahlen dürfen nicht etwa zum Schluß führen, daß die Qualität der Kommandanten, deren Besatzungen und des Bootsmaterials gegen Ende des Krieges in diesem Seegebiet geringer gewesen wären. Es muß im Gegenteil darauf hingewiesen werden, daß gerade für den Einsatz im Indischen Ozean gleichbleibende, immer gut ausgebildete Boote abgestellt wurden. Die gegenseitige Abgrenzung zwischen deutschen und japanischen U-Boot-Operationsgebieten hat, um auch diesen Punkt zu untersuchen, zu keinen Schwierigkeiten geführt. Sie entfiel ab Herbst*

*1944 vollends, nachdem die wenigen, im Indischen Ozean einge-*
*setzten japanischen Boote verlorengegangen oder zur Abwehr*
*der amerikanischen Offensive in den Pazifischen Ozean verlegt*
*worden waren.*
*Es muß aber betont werden, daß die Zusammenarbeit mit dem*
*japanischen U-Boot-Führer im Südostraum,Vizeadmiral Uozumi*
*in Penang, auf allen Gebieten des U-Boot-Einsatzes gut und ver-*
*ständnisvoll war und blieb, daß aber durch die geringe Zahl ein-*
*gesetzter japanischer Boote und den Mangel an Ergebnissen von*
*Fernaufklärung und Funkbeobachtung die operative Unterstüt-*
*zung viel zu gering gewesen ist.*
*Es blieb noch die Frage zu prüfen, ob es nicht zweckmäßiger*
*gewesen wäre, die operative Führung der im Indischen Ozean*
*eingesetzten Boote nach Schaffung der dortigen Stützpunkte*
*einem in Ostasien stationierten deutschen U-Boot-Führer zu*
*übertragen. Dafür sprachen:*

1. *Auf den Kriegsschauplätzen Nordmeer, Mittelmeer und*
   *Schwarzes Meer, wo taktische und operative Zusammenarbeit*
   *mit einer verbündeten Macht oder einer anderen deutschen*
   *Marine-Führungsstelle notwendig war, hatte sich die Ein-*
   *setzung eines FdU bewährt.*
2. *Die Skl war bei ihren Führungsaufgaben im wesentlichen nur*
   *auf übermittelte Informationen, weniger auf persönliche Vor-*
   *träge eingelaufener U-Boot-Kommandanten angewiesen.*
   *Die Praxis hatte gezeigt, daß nur drei Kommandanten der*
   *Heimat über ihre Erfahrung in Ostasien Bericht erstattet*
   *haben, während in Penang die frischen Eindrücke von 14*
   *Kommandanten ausgewertet und die japanischen Erfahrun-*
   *gen im Meinungsaustausch vollständig erfragt werden konn-*
   *ten.*
3. *Die Skl war durch die Konzentrierung auf die Abwehr der*
   *Invasion, die Bereitstellung neuer Typen und den Krieg um*
   *England viel zu stark absorbiert.*
4. *Ein deutscher U-Boot-Führer stellte ein starkes Gegenge-*
   *wicht gegen die mit Admiralen besetzten korrespondierenden*
   *japanischen Dienststellen dar.*

*Für die Beibehaltung der bisherigen Führungs-Organisation in-*
*dessen sprachen:*

1. *Die Skl blieb in ihren Entschlüssen unabhängiger als ein U-*
   *Boot-Führer, der japanischen Wünschen und der japanischen*
   *Mentalität im Interesse der Zusammenarbeit mehr Rechnung*
   *tragen mußte.*
2. *Die Befehlsgebung an die Boote in Ostasien hätte zudem*
   *verstärkter Funkmittel und Vermehrung des Funkpersonals*
   *bedurft, eine zur Stunde außerordentlich problematische Auf-*
   *gabe.*

Oben: Straßenbild in Singapore, zur Erinnerung an die Zeit im Paradies aufgenommen... Moderne Bauten und Vertreter aller Rassen: Chinesen, Inder, Eurasier, Malayen. Viele Fahrräder und wenig Autos, denn viele PKW hatten die schlauen, geschäftstüchtigen Chinesen auseinandergenommen und schon versteckt, bevor die japanischen ‚Befreier' in die Festung Singapore kamen.

Unten: Ein seltenes Dokument: ‚Der Marsch durch Singapore.' Die Straßen sind leergefegt. Polizei trieb die Eingeborenen zurück, denn was in dieser häßlichen Zeit verständlichen Hasses mancher Sieger über die Besiegten hier eine Demütigung sein sollte, wurde zum Triumph für die Deutschen. Die ‚Grauen Wölfe' verloren auch hier ‚ihr Gesicht' nicht. Sie hielten durch.

Wieder im Nordatlantik
... wieder in der Hölle
der massierten Jagd auf
des deutschen Großad-
mirals stählerne Haie.
Boote der alten Typen
haben ja kaum noch
Chancen, den Flibos und
den Wabos der ‚Submа-
rine Killer Groups' zu
entgehen, geschweige
denn, daß sie hier An-
griffe fahren konnten ...

L i n k s :  Wabos fal-
len ... Die Gesichter der
bärtigen U-Boot-Män-
ner sprechen Bände

U n t e n : Alarm! Tau-
chen! Der Dieselheizer
zeigt klar, daß er die
beiden Diesel stoppt

Zweifellos, das darf zusammenfassend gesagt werden, standen unter den erfahrenen U-Boot-Kommandanten der Kapstadt-Gruppe für die Aufgaben eines Chefs im Südostraum ältere Seeoffiziere zur Verfügung. Darüber hinaus wäre es möglich gewesen, einen älteren Offizier, nach Möglichkeit einen Admiral, mit einem U-Boot aus der Heimat in den Südostraum zu detachieren. Mit der Ernennung von Korvettenkapitän Dommes als Chef im Südostraum ergab sich, wenn wir dem tatsächlichen Geschehen folgen, diese Lage:

Obwohl Dommes auch in den Augen der Japaner den Ruf eines außerordentlich tüchtigen und erfolgreichen Seeoffiziers und U-Boot-Kommandanten genoß, und er als ehemaliger A 6er auch über Erfahrungen verfügte, die aktiven Seeoffizieren zwangsläufig fehlten, erwies sich diese Ernennung mit ihren eingeschränkten operativen Befugnissen bei aller Achtung vor Dommes gegenüber der japanischen Mentalität als ein Fehler. Der Japaner ist in allen Fragen der Etikette, des Dienstgrades, der Dienststellung und vor allem des Dienstalters sehr genau und empfindlich. Er kennt auch kein Springersystem. So blieb es nicht aus, daß er einem Offizier, der bisher als der jüngste Stabsoffizier der drei Dienststellen bekannt war, in dieser neuen, wichtigen Stellung seine volle Anerkennung und damit volle Unterstützung vorerst versagte. Diese Einstellung schlug sogar zeitweise in Ablehnung um, als seine vorzeitige Beförderung zum Fregattenkapitän erfolgte, und sie ging so weit, daß die japanischen Gegenspieler der vermeintlich übergangenen deutschen Dienststellenleiter deren nunmehrige Beförderung betrieben und diesbezügliche Anfragen sogar bis nach Berlin gerichtet haben.

Ebenso verständnislos standen die Japaner der Tatsache gegenüber, daß im Dienstgrad ältere und höhere U-Boot-Kommandanten dem neu ernannten Chef im Südostraum unterstellt wurden.

Die Ernennung dieses Offiziers zum CIS löste jedenfalls zunächst latente Spannungen aus.

Aber die vorstehend gemachten Überlegungen — welch ein anderer Weg hätte beschritten werden können oder gar müssen — sind Konditionale mit allem gebotenem Für und Wider, denn

1. ist gar nicht erwiesen, ob ein älterer Seeoffizier und höherer Dienstgrad das Gleiche oder mehr als Dommes erreicht haben würde;

2. wissen wir gar nicht, ob ein Admiral, hätte der BdU bei besseren und gründlicheren Informationen über die Lage im Südostraum einen solchen zur Verfügung gehabt, mit einem U-Boot das Ziel Penang überhaupt erreicht haben würde, denn die Bootsverluste waren ungeheuerlich;

3. ist allerdings auch denkbar, daß diese und ähnliche Frik-

*tionen durch die Kriegsentwicklung beeinflußt wurden. Die deutsche Niederlage war nicht mehr zu leugnen. Es wurde aber auch allen kritischen Beobachtern klar, daß auch der japanische Sieg von Tag zu Tag mehr in Frage stand. Die japanische Wehrmacht vermochte dem massierten Angriff der Alliierten auf dem südostasiatischen Raum kaum noch nennenswerten Widerstand entgegenzusetzen. Es fehlte an modernem Material, und es bestand der Eindruck, daß die Kampfmoral der japanischen Truppen unter dem Einfluß der Tropen, des im Mutterland ungewohnten Wohllebens und der Länge des Krieges immer mehr absank.*

*Jedenfalls holte Dommes, das sei abschließend vermerkt, nach Überwindung anfänglicher Schwierigkeiten und gewisser Resignation, vor allem beim Heer, das Möglichste aus seiner, wenn auch eingeengten Position heraus, man darf wohl sagen, sogar noch mehr, als anfangs zu erwarten und zu hoffen war. Ob ein deutscher Admiral oder älterer Seeoffizier und FdU in dieser Phase des Krieges mehr erreicht haben würde? Vielleicht reibungsloser, manches gewiß. Aber auch ein Flaggoffizier hätte die U-Boote nicht einsatzklar ausrüsten können, wenn er über keinen geeigneten Proviant in Weißblechdosen verfügen konnte. Natürlich, auch einem Admiral hätte der Helfer in der höchsten Not zur Verfügung gestanden: Oberleutnant zur See d. R. Willy Vogel, Handelsschiffskapitän und Ex-Prisenoffizier auf Hilfskreuzer T h o r , ein Genie der Organisation und ein Meister in seinem Fach, hinter den Rücken der mißtrauischen Japaner Fäden zu spinnen und zu knüpfen, die auch stärksten Zerreißproben widerstanden. Ob ein so hoher Seeoffizier davon hätte wissen dürfen, wie Willy Vogel, der heute als Lotse in Cuxhaven wohnt und auf der Außenelbe einem schweren entsagungsreichen Dienst nachgeht, es machte und schaffte ...?*

*Da sich in hohen Auszeichnungen Leistungen und Erfolge widerspiegeln, seien die ausgezeichneten Monsun-U-Boot-Seeleute der Reihe nach aufgeführt, soweit das Ritterkreuz während dieser Aktion und nicht schon vorher verliehen wurde:*

*Am 11. Februar 1944: Kapitänleutnant Lüdden (Siegfried), Kommandant U 188.*

*Am 31. März 1944: Kapitänleutnant Eick (Alfred), Kommandant U 510 (nach Geleitzugangriff).*

*Am 22. Mai 1944: Kapitänleutnant (Ing.) Wiebe (Karl-Heinz), LI auf U 178.*

*Am 17. September 1944: Korvettenkapitän Timm (Heinrich), Kommandant U 862.*

*Am 6. Februar 1945, Leutnant zur See Limbach (Johann), IIIWO auf U 181.*

274

*Die Aktion, U-Boote als Kautschuk-Transporter einzusetzen, führte, da nach dem Zusammenbruch der Überwasser-Blockade- brecher-Fahrten reguläre Transport-U-Boote nicht oder bis dato noch nicht zur Verfügung standen, praktisch zu keinem nennens- werten Erfolg. Auch die tatkräftige Unterstützung des japani- schen Bundesgenossen, der einige der großen U-Kreuzer als Roh- stofftransporter nach Europa schickte, führte zu keinem befrie- digenden Ergebnis. Auf der anderen Seite waren selbst die mengenmäßig wenigen Überführungen an Wolfram, Molybdän und Chinin von nicht unerheblichem Nutzen.*

*Zusammenfassend darf man über den deutschen U-Boot-Krieg in asiatischen Gewässern wohl doch zu der Schlußfolgerung kom- men:*

*Gemessen an den Schwierigkeiten in den Stützpunkten, die zu Improvisationen zwangen, und an der Neuheit und Fremdartig- keit des Milieus, in das die U-Boot-Seeleute in den tropischen Gewässern und in den asiatischen Häfen ohne irgendeine Erfah- rung hineingestellt wurden ...*

*... gemessen an gewissen personellen und technischen Unzuläng- lichkeiten und an den Fehlern, die trotz besten Willens und Kön- nens auch hier nicht auszuschalten waren,*

*... im Endergebnis nicht weniger erreicht und geleistet worden, als erwartet werden durfte, eher m e h r .*

*Dennoch kommt man um eine Einschränkung nicht umhin. Sie hat an sich nichts mit den Erfolgen der Kampf-U-Boote zu tun. Wenn die erwähnten Rohstoffe für die Heimat w i r k l i c h so ‚k r i e g s e n t s c h e i d e n d‘ waren, drängen sich die Fragen auf:*

1. *Warum ließ dann die Heimat nach dem Ausfall der Über- wasser-Blockadebrecher ihr einziges, noch funktionierendes Transportmittel über See nicht direkt zum Südostraum fah- ren?*

2. *Weshalb wurden diese Kampf-U-Boote, die später die Über- wasser-Rohstofftransporter ersetzen sollten, im Indik bis an den Rand ihrer Einsatzfähigkeit manövriert? Erst, wenn diese Boote materialmäßig wie personell dem Zusammen- bruch nahe waren (es sei an die Batterien erinnert), liefen sie in die Stützpunkte im Südostraum ein. Nun aber bedurfte es Wochen und Monate, ehe sie überhaupt wieder einsatzklar waren.*

3. *Waren die Versenkungen einiger Frachtschiffe wie auch die strategischen Auswirkungen der Monsun-U-Boote für den Fortgang des Krieges in Europa entscheidender, als es die Transporte der so kriegswichtigen Rohstoffe gewesen sind?*

Diesen Fragenkomplex zu untersuchen, bedürfte eines gesonderten Studiums, für das in erster Linie der wirkliche Rohstoffbedarf und die Produktionskapazität der Heimatindustrie belegt werden müßte.

Nach Dr. Rohwer\*) wurden in den Südafrikanischen Gewässern und im Indischen Ozean (ohne Südatlantik) versenkt:

|  | Zahl der Schiffe / Größen in BRT |
|---|---|
| **1942** | |
| Oktober | 24/161 372 BRT |
| November | 21/118 010 BRT |
| Dezember | 4/ 17 369 BRT |
| | |
| **1943** | 0/0 BRT |
| Januar | 5/ 31 264 BRT |
| Februar | 10/ 58 834 BRT |
| März | 3/ 20 308 BRT |
| April | 7/ 36 015 BRT |
| Mai | 5/ 23 453 BRT |
| Juni | 14/ 76 941 BRT |
| Juli | 7/ 46 400 BRT |
| August | 4/ 27 144 BRT |
| September | 8/ 10 050 BRT |
| Oktober | 0/0 BRT |
| November | 1/ 7 244 BRT |
| Dezember | |
| | |
| **1944** | 6/38 751 BRT |
| Januar | 11/39 234 BRT |
| Februar | 5/17 035 BRT |
| März | 1/ 5 277 BRT |
| April | 0/0 BRT |
| Mai | 3/15 645 BRT |
| Juni | 4/23 000 BRT |
| Juli | 9/57 732 BRT |
| August | 1/ 5 670 BRT |
| September | 0/0 BRT |
| Oktober | 1/10 198 BRT |
| November | 1/ 7 180 BRT |
| Dezember | |
| | |
| **1945** | 0/0 BRT |
| Januar | 1/ 7 176 BRT |
| Februar | 0/0 BRT |
| März | 0/0 BRT |
| April | 0/0 BRT |
| Mai | |

*Total: 156/861 662 (ohne Kriegsschiffe, aber mit allen nach BRT vermessenen Hilfskriegsschiffen)*

*Verloren gingen im Indik und den Gewässern vor und um Südafrika:*

*12 U-Boote, davon allein 6 zwischen dem Juni 1944 bis Mai 1945.\*)*

## FÜNFTER TEIL

### 1.

### ZWISCHEN DEN KAPITULATIONEN

*Die im Südostraum und in Japan verbliebenen deutschen und ex-italienischen U-Boote wurden von den Japanern übernommen und in Dienst gestellt. In Singapore: U 181 (Freiwald) als I 501; U 862 (Timm) als I 502; in Batavia: U 219 (Burghagen) als I 505; in Soerabaja: U 195 (Steinfeld) als I 506; in Japan UIT 24 (Pahls) als RO 503 und UIT 25 (Meyer, Friedrich) als RO 504. Daß die Boote noch unter dem Sonnenbanner des Tenno zum Einsatz kamen, ist hier nicht bekannt.*

*Die deutschen Marinesoldaten in Singapore und Penang, mehr als 250 Mann, unter diesen auch die Besatzung der von den Japanern übernommenen U 181 und U 862, sind bis auf ein Restkommando bereits in mehreren Transporten in das Innere Malayas geschafft worden. Die Japaner haben ihnen in dem kleinen Dschungelstädtchen Batu Bahat das bisher von japanischen Offizieren und Soldaten bewohnte Europäerviertel zugewiesen.*

Der Matrosengefreite Briesicke gehört zu den letzten zehn Mann, die das Restkommando von Penang bilden. Zusammen mit den auf verschiedenen Waggons verteilten gesamten Möbeln, Proviantkisten, Mehlsäcken und Medikamenten rollen sie mit einem japanischen Transportzug Batu Bahat entgegen. Elftes Mitglied des Restkommandos ist Hexe, der Ex-Bordhund von *HSK Michel.*

Hinter Ipoh, der ersten größeren Stadt im Dschungel, bekommen sie die ersten Partisanen zu spüren. In der Nacht fallen Schüsse. Und links und rechts liegen zertrümmerte,

---

\*) U-Boote, eine Chronik in Bildern. Herausgegeben von Jürgen Rohwer. Stalling, Oldenburg/Hamburg 1962.

ausgebrannte Waggons und zerstörte Lokomotiven neben den Gleisen. Hier und dort sind auch ganze Dörfer dem Erdboden gleichgemacht worden.

Die Eingeborenen hatten sich geweigert, die Partisanen zu unterstützen.

Der Dschungel ist so grausam, wie die Natur nur mitleidlos sein kann.

Japaner, die der chinesischen Widerstandsbewegung in die Hände fallen, werden barbarisch niedergemacht. Umgekehrt machen die Japaner mit den Widerstandskämpfern kurzen Prozeß.

Sie fesseln ihnen die Hände . . . sie zwingen sie in die Knie . . . Kopf nach vorn gebeugt . . . durch die Luft zischt das Schwert des japanischen Soldaten.

Die deutschen Seeleute erlebten mehrfach solche grauenvollen Schauspiele ‚der Abschreckung' auf offener Straße.

Je näher die zehn Mann vom Restkommando Batu Bahat kommen, um so deutlicher die Spuren der Partisanen. Durch Schutzwände aus Mehlsäcken haben sie sich in ihren Waggons gegen den Beschuß aus dem Hinterhalt des tropischen Dschungels heraus gesichert, und als gleich hinter Ipoh die Lokomotive aus aufgerissenen Gleisen herausspringt, klappt vorzüglich, was sie sich vorgenommen haben. Sie sind mit einem blitzschnellen Satz aus den Wagen heraus und in eine Deckung gesprungen.

Der Güterzug schnauft durch die schwüle Hitze. Der stinkende Qualm der Lok weht in die offenen Schiebetüren der Waggons. Zu beiden Seiten des Bahnkörpers der tropische Wald wie eine undurchdringliche grüne Mauer. Ganze Kompanien von Partisanen können sich darin verstecken und ungesehen die Waggons unter Feuer nehmen. Gleich hinter der Lok und am Ende des Zuges laufen offene Loren. Auf den Plattformen sind Zwillings-MG's montiert. Japanische Soldaten hocken daneben.

„Batu Bahat soll doch ein hübsches Städtchen mitten zwischen Gummiplantagen sein", meint der junge Mattes zum Hauptgefreiten Briesicke. „Und unser Lager besteht angeblich aus Bungalows."

„Et kommt nich darauf an, wie't aussieht, Junge. Wenn die Luft eisenhaltig is, kann det schönste Paradies zur Hölle werden. Und hier machen die Partisanen den Fahrplan . . ."

Langsam poltert der Zug über eine Notbrücke. Dann hält er auf einer einsamen Dschungelstation.

Während die Lok Wasser nimmt, vertreten sich die deutschen Seeleute die Füße. Die Japaner bleiben stur hinter ihren Maschinengewehren sitzen.

Der malayische Stationsvorsteher warnt vor Partisanen, die die Nachschublinien zur Burma-Front unsicher machen.

„Ach was", wehrt Mattes ab, „uns tun die nichts."

„Sie nix tun Deutschen. Ihr Deutsche uns oft geholfen, wir auch helfen. Aber Japaner sein auf Zug. Und in Nacht sein alles schwarz und grau. Nix unterscheiden gelb und weiß."

„Uns ist bis jetzt nichts passiert", meint Mattes. „Warum sollen wir uns ausgerechnet nach Kriegsende noch Sorgen machen? Unkraut vergeht nicht."

Die Lok pfeift. Der Zug fährt weiter.

Die Sonne ist hinter den Baumwipfeln verschwunden.

Der Zug fährt durch eine Kurve in ein enges Teil hinein und wird dabei immer schneller. Die Seeleute stehen an den offenen Waggontüren und blicken in den farbenprächtigen Abendhimmel.

Der Hauptgefreite Briesicke hat den Oberkörper weit hinausgelehnt und läßt den kühlenden Fahrtwind um sich wehen.

Plötzlich geht ein Ruck durch die Wagenschlange, der sie alle durcheinanderwirft.

Briesicke sieht, wie Heizer und Lokführer von der Maschine springen. Dann kippt die Lokomotive aus den Schienen und stürzt mit ohrenbetäubendem Krachen die Böschung hinunter

„Raus!" schreit Briesicke. Er macht einen Satz aus der Tür, schlägt hart auf und rollt ins Gestrüpp am Fuß der Böschung.

Die Waggons schieben sich mit donnerndem Getöse ineinander und ballen sich zu einem Gewirr von Holz und Eisen zusammen.

Gerade noch rechtzeitig sind auch der Bootsmann und die anderen abgesprungen. Selbst der Hund hat sich instinktiv nach draußen gerettet. Schnüffelnd läuft er an der Böschung entlang.

Schüsse knallen in der Dunkelheit.

Eines der beiden japanischen Zwillings-MG's rattert wild.

Das andere schweigt...

In der grünen Wand des Dschungels blitzt es auf. Geschosse treffen auf Eisen und jaulen als Querschläger in die Gegend. Am hinteren Plattform-Wagen explodiert eine geballte Ladung. Nun schießt auch das zweite Zwillings-MG nicht mehr ...

Die Deutschen gehen zwischen den Trümmern der Güterwagen in Deckung. Aus Konservenkisten bauen sie einen Kugelfang. Dann bergen sie ihre verwundeten Kameraden. Zwei bluten aus Fleischwunden, zwei andere haben Rippenbrüche, einer ist besinnungslos.

„Jetzt fehlt bloß noch Mattes", stellt Briesicke fest. „Der hat's ja nich geglaubt, det hier wat passieren kann."

Der Hund läuft suchend zwischen den zerstörten Waggons herum. Schließlich kommt er zurück und bleibt vor Briesicke stehen.

„Dann werden wir mal den Mattes suchen", sagt ein Mechanikermaat. „Vielleicht ist er irgendwo eingeklemmt. Komm Briesicke. Such, Hexe!"

Der Hund läuft los. Die beiden Männer folgen ihm vorsichtig. Sie wollen sich weder in dem Gewirr von Holz und Eisen die Knochen brechen, noch einem der Freischärler in die Schußbahn laufen.

Immer noch peitschen vereinzelte Schüsse aus dem Dschungel. Das Sicherheitsventil der umgestürzten Lok zischt. Kochendes Wasser brodelt aus dem Kessel.

Plötzlich bleibt der Hund stehen. Er stemmt beide Vorderbeine wütend auf. Die Nackenhaare sträuben sich. Und dann knurrt er böse.

Hein Briesicke und der Maat drücken sich eng an den Boden eines umgestürzten Güterwagens ...

„Da ist wer", flüstert Briesicke.

Und tatsächlich sehen sie einen Mann auf sich zukommen. Er hat zwar eine Maschinenpistole über der Schulter hängen, schwenkt aber friedlich seine Mütze.

Briesicke hält den Hund fest und tritt mit dem Maat aus der Deckung heraus. Sie warten, bis der andere vor ihnen steht. Es ist ein Chinese. In der Uniform der Partisanen. Er verbeugt sich höflich und sagt in fließendem Englisch:

„Wir wußten nicht, daß Deutsche im Zug sind. Hätte man uns das rechtzeitig gemeldet, wäre Ihnen nichts passiert. Es tut uns sehr leid. Bitte, verzeihen Sie."

Wieder verbeugt er sich und verschwindet, ohne eine Antwort abzuwarten, in der Nacht.

„Merkwürdige Burschen!" Briesicke schüttelt den Kopf. „Erst alles übern Haufen knallen und dann entschuldigen sie sich, uns ham'se jarnicht jemeint..." Er läßt den Hund wieder los. „Such, Hexe!"

Endlich finden sie den jungen Mattes. Tot. Er muß beim Sprung aus dem fahrenden Zug umgekommen sein. Sie tragen ihn zu den Kameraden zurück, die hinter Proviantkisten Schutz gesucht haben.

Und dann hocken sie wieder hinter ihren Kisten und warten. Die vier Unverletzten lösen sich bei der Wache ab.

Keine Menschenseele ist mehr zu sehen. Nur ein paar Tote liegen neben den Geleisen. Kein Geräusch, außer den fremden, unheimlichen Lauten des Urwaldes.

Und die Sonne glüht immer mörderischer vom wolkenlosen Himmel herab.

Am späten Vormittag trifft ein japanischer Hilfszug an der Unglücksstelle ein. Die Strecke wird geräumt und ausgebessert. Das dauert Stunden. Die Partisanen lassen sich zum Glück nicht sehen.

Dann dampft der Hilfszug weiter. Er bringt die Deutschen nach Labis, der nächsten kleinen Station.

Aber es ist unmöglich, von dort aus Batu Bahat telefonisch zu erreichen, obwohl es nur fünfzig Kilometer südlich von Labis liegt.

„Unsere Leitungen sind gestört", sagen die Japaner. „Sobald wie möglich werden wir Ihre Vorgesetzten unterrichten."

In einer Eingeborenenhütte beziehen die Deutschen provisorisches Quartier. Da ist wenigstens Schatten. Auch Wasser gibt es in der Nähe. Und wieder heißt es warten.

Am Nachmittag hält ein japanischer Lazarettzug kurz auf der Station. Er kommt von der Burma-Front. Die Ärzte versorgen die deutschen Verwundeten, lehnen es aber ab, sie nach Singapore mitzunehmen.

„In Singapore habt ihr Deutschen nichts mehr zu suchen. Später vielleicht wieder. Wenn wir den Krieg gewonnen haben."

So warten die neun weiter.

„Sie werden uns in Batu Bahat vermissen und holen", ist des Obermaaten feste Überzeugung. Er sollte die richtige

Nase haben. In der Tat sind dem deutschen Lagerkommandanten, dem im April zum Kapitän zur See beförderten Ex-Kommandanten von U 181, Kurt Freiwald, Nachrichten über den Überfall bei Labis zugespielt worden. Die Japaner teilten es nach 48 Stunden offiziell durch ihren Dolmetscher Nishikawa mit, erklärten sich jedoch außerstande, die Verwundeten zu bergen, da ihre Kräfte in Batu Bahat und Umgebung nicht ausreichen würden, zu dem ca. 30 Meilen entfernten Labis durchzustoßen. Der Andrang der Freiwilligen zur Teilnahme an dem Rotkreuzunternehmen ist überwältigend.

Der erste mit Maschinenpistolen und Gewehren bewaffnete Trupp, der sich unter Korvettenkapitän Timm, Ex-Kommandant von U 852, auf LKW's auf den Weg macht, muß wieder umkehren. Eine von Partisanen angesteckte und in hellen Flammen stehende Holzbrücke über einen auf anderen Wegen nicht zu überquerenden Fluß stoppt die Männer.

Aber der zweite Stoßtrupp, den am nächsten Morgen Kapitänleutnant Grützmacher anführt, kommt unangefochten von Partisanen bis nach Labis durch. Zu der Gruppe gehört auch der Oberassistenzartz Dr. Buchholz.

Die Freude ist groß, denn die letzte Nacht war gar nicht schön . . .

Die neun vom Restkommando hatten sich um ihre Unterkunft wieder aus Kisten und Mehlsäcken einen Kugelfang errichtet. Sie waren gerade fertig damit, als der Feuerzauber über Labis hereinbrach.

Die chinesischen Partisanen sind glänzend ausgerüstet. Sie schossen mit MG's und Gewehrgranaten. Ihr Ziel war das Bahnhofsgebäude mit der japanischen Wache und die malayische Polizeistation. Die ganze Nacht über war die Hölle los.

Aber keine Granate, keine Kugel traf die Hütte mit den Deutschen. Sie lag wie eine Insel im reißenden Strom.

In seinem Handgepäck führte einer der neun eine Teedose aus Blech mit sich. Sie enthält die Asche des jungen Mattes, den sie nach der Eingeborenen Art am Bahnhof in Labis verbrannten. Der deutsche Seemann will das, was von dem jungen Kameraden übrigblieb, mit in die Heimat nehmen.

Welch ein schöner und edler Gedanke in Stunden, in der sie sich selbst in Not befanden.

Batu Bahat ist eine der vielen kleinen Ortschaften im Gebiet der malayischen Gummiplantagen. Die 3000 Einwohner zählende Stadt hat ihr Europäerviertel, in dem einmal die Pflanzer und die Verwalter gewohnt haben, ein typisch windschiefes, typisch eng bebautes Malayenviertel mit vielen schreienden Kindern auf den holprigen Straßen und — nicht zu vergessen — jenen Stadtteil, in dem nur die geschäftstüchtigen Chinesen und Inder wohnen.

Kapitän Freiwald hat sich mit seinen Offizieren und Männern im Südteil der Stadt, im Europäerviertel, einquartiert. Sie haben eine große, moderne Schule und acht Bungalows zur Verfügung. Ein Fußballplatz ist in der Nähe und das umliegende Land bietet sich an, landwirtschaftlich genutzt zu werden.

Die Japaner haben den Deutschen einen Dolmetscher und einen Offizier mit sechs Unteroffizieren und Mannschaften beigegeben, dies aber wohl mehr der Form halber, denn die Bewacher bewachen die Deutschen nicht.

Die Lords können gehen, wohin sie wollen, in die Stadt oder tagsüber in die nähere Umgebung. Die Waffen, die Freiwald vorsichtshalber nicht abgeben ließ, zeigt man zwar nicht offen, aber die Japaner, die darum wissen, verlangen sie nicht. In die Rundfunkgeräte, die man den Deutschen überließ, haben die cleveren Funker die Kurzwellenteile wieder eingebaut. Man weiß daher, was anliegt, denn die Japaner schweigen sich über die Kriegslage aus. Wahrscheinlich werden selbst ihnen die wahren Lageberichte verschwiegen.

„Wichtig ist in unserer Situation, uns das Wohlwollen der eingeborenen Bevölkerung zu sichern", ist Freiwalds erstes Gebot. Das läßt sich um so leichter an, als in der Stadt Techniker fehlen, um die streikenden Dieselmotoren des Elektrizitätswerkes zu reparieren.

Die U-Bootsspezialisten sind froh, wieder einen Motor zwischen die Finger zu bekommen. Die Reparatur ist kein Problem. Diese nicht und viele andere nicht. Die deutschen Ärzte helfen auch im Krankenhaus aus. Hatten sie im Anfang einen guten Namen, so vertieft sich dieser Ruf nur noch mehr.

Am 6. August detoniert über Hiroshima die erste Atombombe der Welt, am 9. fällt eine zweite auf Nagasaki. Im Lager von Batu Bahat hören sie die alliierten Nachrichten über die Wirkung der neuen Bomben und deren entsetzliche Wirkung im Kurzwellenfunk.

Den straff organisierten Partisanen geben diese neuen fürchterlichen Kampfmittel der Amerikaner ungeheuren Auftrieb. Einige Tage später schon ist Batu Bahat von den chinesischen Widerstandskämpfern eingeschlossen.

Es ist schon dunkel, als der Hauptgefreite Briesicke noch einen Bummel durch das Lager ohne Stacheldraht macht. Neben einem abgelegenen Haus glaubt er eine dürre Gestalt zu erkennen. Sie sieht ihm sehr nach einem Scheinimann aus. Hein Gummi macht einen Umweg um die Häuser, und als er sich dem Bungalow von achtern nähert, erkennt er Kapitänleutnant Meckmann mit einem Chinesen im Gespräch. In Meckmanns Begleitung befindet sich der deutsche Kaufmann Ahrens aus Singapore.

„Ich habe mit Kapitän Freiwald gesprochen", sagt Meckmann. „Er ist bereit, sich mit dem Führer der chinesischen Widerstandskämpfer zu unterhalten. Dieser möchte aber bitte hierher in das Lager kommen."

„Das wird Oberst Wung Fu von der Resistance Army nicht tun. Wir sind keine Partisanen, wir sind reguläre Truppen. Wir mißtrauen den Deutschen nicht. Aber es gibt gewisse Zufälle."

„Ich verstehe."

„Was wird geschehen, wenn wir die Japaner und die malayischen Polizeistationen angreifen? Werden sich die Deutschen ruhig verhalten? Wir wissen, daß die Deutschen bewaffnet sind."

„Ich glaube schon", sagt Meckmann, „daß von unserer Seite nichts geschieht."

„Fragen Sie Ihren Kapitän. Ich komme morgen um die gleiche Stunde wieder."

Am nächsten Abend ist der Chinese pünktlich zur Stelle. Mit ihm auch Hein Gummi, den Meckmann nicht verjagt. Es erscheint ihm sogar gut, daß ein deutscher Seemann in der Nähe weilt.

„Kapitän Freiwald verlangt nur eines: daß die deutschen Soldaten aus jedweder Kampfhandlung herausgehalten werden, kurzum, daß die Chinesen die Deutschen zufrieden lassen, und daß deren Lager, seine Insassen und Bestände unberührt bleiben."

„Das kann ich im Namen von Oberst Wung Fu versprechen.

Aber nur, wenn die Deutschen nachher ihre Waffen abgeben."

Freiwald geht auch auf diese Forderung ein. Er und seine Männer sind Angehörige einer Wehrmacht, die kapituliert hat, die eigentlich gar keine Waffen mehr in Besitz haben darf. Die Frage ob und welche Waffen abgegeben werden, läßt sich später immer noch im einzelnen klären.

In den nächsten Tagen ist der Teufel los. Mord und Brand verheeren das Land. Es herrscht eine totale Whooling. Die Malayen wüten gegen die Chinesen. Die Chinesen gegen die Malayen. Die Japaner gegen beide. Und Chinesen und Malayen zusammen wieder gegen die Japaner.

Die malayische Polizei, die im japanischen Auftrage für Ruhe und Ordnung sorgen soll, bringt die schwersten Opfer. Die Polizeistationen gehen in Flammen auf. Die Polizisten werden umgebracht. Geschäfte werden geplündert.

Die Japaner ziehen Verstärkung heran. Aber sie greifen kaum ein. Die Lage ist äußerst kritisch, wenn man auch im deutschen Lager keine Übergriffe der Partisanen auf Deutsche befürchtet.

In diesen Tagen geht für die Deutschen im Inneren Malayas der Rückruf nach Singapore ein. Der Befehl kommt — noch — von der japanische Marine. Kapitän zur See Freiwald setzt sich mit seinen Offizieren zusammen.

„Sollen wir oder sollen wir nicht?"

„Eigentlich sollten wir nicht", meint einer.

„Ja", sagt Freiwald. „Wir müssen mit Verlusten rechnen. Eigentlich sollten wir wirklich nicht. Aber . . . ich werde mir selbst ein Bild von der Lage machen."

Freiwald braust mit Kaufmann Ahrens und einem seiner U-Bootseeleute nach Singapore. Vorn auf dem Kühler haben sie eine Rotekreuzflagge ausgebreitet. Hinten hockt ein Obergefreiter mit schußbereiter MP.

Verbrannte Dörfer. Eingeäscherte Bahnstationen. Überall Spuren grausamer Kämpfe im Dschungel. Manchmal fahren sie ganz dicht an Partisanengruppen vorbei, an einheitlich uniformierten Chinesen. Die Gelben tragen graugrüne Hemden. Sie haben Tropenmützen aus gleicher Farbe auf dem Kopf. Die Mützen schmückt vorn ein fünfzackiger Stern. Der Stern ist von blutroter Farbe.

Es sind gelbe Rote.

Die automatischen Waffen stammen aus den USA.

Die Partisanen lassen den PKW ungeschoren. Sie grüßen sogar umgänglich freundlich.

Für sie sind diese Insassen Weiße.

Ihr Kampf gilt den Japanern.

Die Japaner in Singapore lassen sich auf nichts ein. Die dem kämpfenden Heer attachierte japanische Admiralität antwortet nicht einmal auf die deutschen Bedenken. Sie teilt nur in lakonischer Kürze mit:

„An zwei hintereinander folgenden Tagen treffen je fünfzig LKW's in Batu Bahat ein. Diese werden die deutschen Soldaten und ihre Sachen abholen."

Am übernächsten Tage beginnt der Rücktransport.

Den größten Teil des Proviants können sie mitnehmen. Freiwald stattet dem malayischen Bürgermeister von Batu Bahat einen Besuch ab. Er übergibt ihm das Depot mit den Resten des Proviants. Für die Armen der Stadt. Die Übergabe wird zu einem feierlichen Akt.

Eine Stunde später, nachdem die Deutschen mit den japanischen LKW's abgebraust sind, werden die Depots geplündert. Die Polizei plündert mit.

*

Die Rückfahrt ist so verrückt, wie es das ganze Durcheinander ist. Die einzigen Verluste, die auftreten, haben die Japaner. Während die Deutschen auf den Wagen sitzen, die Beine herunter baumeln lassen und die aus dem Proviantlager freigegebenen Kognakbuddeln schwenken, knallen die Japaner Schreckschüsse in die grünen Mauern des Dschungels zu beiden Seiten hinein. Die Sonnensöhne sind reichlich durch den Wind. Sie achten nicht darauf, wann die LKW's die Serpentinen hinabfahren oder hinaufkeuchen. Sie knallen weiter. In ihrem Eifer beschießen sie in den Kurven ihre eigenen Leute.

Der Dschungel tritt zurück. Die Ebene liegt vor ihnen.

Niedergebrannte Dörfer.

Verödete Gummiplantagen.

Brachliegende Felder.

286

In Johore, der letzten Stadt vor Singapore, kommt es zu turbulenten Szenen. Die malayischen, chinesischen und indischen Bewohner jubeln den Deutschen begeistert zu. Sie schwenken Fahnen: englische, russische, chinesische und amerikanische. Die Deutschen werden von den Eingeborenen für Alliierte gehalten. Daß sie es nicht sind, spielt keine Rolle. Sie sind Weiße. Das genügt!

Die deutschen Lords winken jovial zurück, sie schwenken die Buddeln. So haben sie sich alle einmal das Kriegsende vorgestellt.

Bejubelt, begrüßt, gefeiert ...

Die Japaner sind die einzigen, denen böse Blicke gelten. Dabei sind sie de facto noch immer die Herren im Lande. Ihre Waffen zeigen sie nicht.

Kapitänleutnant Rasner ist abgesprungen. Er spricht malayisch.

„Für wen kämpft ihr eigentlich?"

„Für wen ...?" kommt es zurück. „Gegen die Japaner."

Das wenigstens scheint klar zu sein.

In Pasir Pandjang endet die Fahrt, hier in der alten, jetzt kahlen Unterkunft. Was die deutschen Seeleute vor drei Wochen hier zurückließen, haben sich die Eingeborenen unter den Nagel gerissen. Daß die Germans zurückkommen, daran dachte keiner von ihnen auch nur im Traum.

Ein paar Tage später sind die Sachen wieder da. Die Chinesen, die Malayen und auch die Inder der Umgebung verstehen plötzlich Deutsch, als sie nur von weitem die Suchkommandos sehen.

Und noch etwas taucht auf: PKW's aller Klassen und Größenordnungen. In ihnen sitzen Scheinis, als seien sie da hineingeboren. Die Chinesen, das schlaueste Volk aller Völker, hatten eigene und andere Kraftwagen auseinandergenommen, bevor die Japaner das Land besetzten. Ein Rad versteckten sie bei der Großmutter, das andere beim Großvater, den Motor bei der Tante ... Nun, da die Herrschaft der Japaner endgültig gebrochen und die Kapitulation nur noch eine Frage von Tagen ist, finden die Wagenteile wieder zueinander. Später, als die Engländer kommen, sind die Scheinis allerbestens motorisiert. Und da die Chinesen der Briten Bundesgenossen sind, gibt es auch keine Handhaben, an diese fahrbaren Untersätze heranzukommen. Es sei denn, man ist bereit, zu zahlen, was gefordert wird. Und diese Preise sind chinesisch...

Kein Japaner bewacht jedenfalls das Lager mit den Deutschen.

Die ‚Preußen Ostasiens' haben jetzt mit sich selbst genug zu tun. Sie bereiten sich auf das unausweichliche, bittere Ende vor. Als in jenen Tagen vor Malaya ein alliiertes Geschwader gesichtet wird, das zwar wieder abdreht und nicht, wie erwartet, die Invasion einleitet, kommt es überall in Singapore zu feierlichen Kundgebungen. Auf allen öffentlichen Plätzen versammeln sich, getrennt voneinander, japanische Zivilisten und Soldaten. Zu ihnen spricht der Oberkommandierende von Malaya und Singapore:

„Brüder! Es ist so weit. Nehmt Abschied von den irdischen Gütern. Wappnet euch..."

## 2.

## ALS DAS SONNENBANNER UNTERGING

An dem Tage, als Japan kapituliert, am 15. August 1945,[36] entbindet der Tenno seine Soldaten vom Harakiri-Tod. Nur einige finden sich nicht damit ab. Sie stürzen sich aber nicht in das Samurai-Schwert. Total betrunken, sprengen sie sich mit Handgranaten in die Luft.

Kein Zweifel, daß die Soldaten bis zum letzten Atemzuge gekämpft haben, daß alle Japaner Harakiri begangen haben würden, hätte ihnen Kaiser Hirohito nicht befohlen:

„Legt die Waffen nieder. Kämpft nicht mehr weiter. Ergebt euch."

Die Deutschen im Lager Pasir Pandjang läßt man vorerst in Ruhe.

In Singapore ziehen inzwischen wieder Engländer ein. Aber noch immer geschieht nichts bei den deutschen Seeleuten. Proviant ist noch genügend vorhanden. Nun, man hat hier in Fernost das Warten gelernt...

O b e n : Geschafft. Mit
seiner strategisch so wertvollen Ladung an Bord
hat U 861 durch die Dä-
nemarkstraße auch die
letzte, schwerste Strecke
der Reise durchgestan-
den. Mit fast leeren Bun-
kern lief es in den Ha-
fen von Drontheim ein.

U n t e n  r e c h t s : Der
Kommandant von U 861,
Kapitänleutnant Oesten,
bei der Begrüßung der
Besatzung im Gespräch
mit dem Flotillenchef.
Auch hier sagen beide
Gesichter mehr aus, als
viele Worte es vermögen.

Links oben: Der einzige überlebende Offizier von U-Jebsen, Leutnant (Ing.) Horst Klatten als Oberfähnrich. — Rechts oben: Klatt (zweiter von rechts) in der Offiziermesse des Angreiferbootes, HMS *Trenchant*. — Unten: Die Überlebenden von U 859 verlassen mit verbundenen Augen das britische U-Boot, das sie unter Eigengefährdung rettete. Sie werden zunächst auf einen in Colombo liegenden Transporter geschafft und später an Land transportiert.

Hein Gummi kehrt eines frühen Morgens von einem Rendezvous am Stadtrand zurück, denn in der Nacht sind alle Katzen grau. Ein Weißer ist tabu. In Singapore kann ein Weißer jetzt nur ein Brite sein. Müde von dem langen Fußmarsch bummelt er, die Hände in den Hosentaschen, über den Vorplatz hin.

Da hört er hinter sich Motorenlärm.

Es sind LKW's.

Die, die von den Wagen herabspringen, sind Weiße. Magere, ausgezehrte Gesalten, die sich lärmend und laut rufend auf die deutschen Unterkünfte stürzen. Die Weißen sind jene Engländer und Australier, die bei den Japanern in Gefangenschaft geraten waren.

Sie kommen, um den deutschen Seeleuten Dank zu sagen. Dank für die Zigaretten und die Lebensmittel, die ihnen die Seelords an bestimmten Plätzen, wo sie für die Japaner schwere körperliche Arbeiten verrichten mußten, für sie versteckt hatten.

Einen von den Deutschen umringen die Australier mit besonders heftigem Lärm. Ihm donnern ihre Hände auf die Schultern.

Hein Briesicke, noch immer nicht ganz da, schiebt sich durch das Gedränge heran. Er befürchtet Schlimmes. Aber dann hört er die Stimme seines Kameraden:

„Prima, ihr alten Säcke, daß ich euch noch mal wiedersehe. Ihr habt ja direkt wieder Saft in den Knochen!"

Jetzt erst fällt der Groschen beim Marinehauptgefreiten aus Berlin-Moabit, gerade in dem Augenblick, als er die Fäuste ballt, um Reinschiff zu machen. Der, den die Australier umjubeln, ist ein Obermaat von Freiwalds Boot.

Damals: Er war mit einer Gruppe Kameraden von U 181 im Hafen von Singapore unterwegs. Hier trafen sie gefangene Weiße. Ehemalige australische Soldaten unter japanischer Bewachung. Da passierte es, daß einer der Wachposten einem der Gefangenen einen Fußtritt gab. Das war zuviel für den Obermaaten. Ein Pfiff — und die japanischen Wachsoldaten kannten sich nachher nicht wieder. Sie hatten Köpfe wie Poller auf der Holtenauer Schleuse. Sie sahen auch nichts mehr. Nicht einmal mehr ihre Waffen. Die allerdings konnten sie auch nicht mehr sehen, die lagen im Bach.

Es kam nichts nach, nach dieser handfesten Belehrung. Die weißen Gefangenen aber vergaßen sie nicht. Australier wie Engländer sind sich einig in der Versicherung: „Wenn ihr uns braucht, nennt unsere Namen. In Europa geht man mit deutschen Soldaten gar nicht sanft um. Denkt daran, daß ihr an uns Freunde habt!"

Der überraschende Besuch der befreiten Gefangenen hat im deutschen Lager die Erinnerungen belebt.

Ja, es war eigentlich eine schöne Zeit in Singapore.

Und auch eine sonderbare Zeit.

Abends beim Whisky, den die Ex-Gefangenen der Japaner den Deutschen schenkten ...

Ex-Dieselheizer Ganzer hebt das Glas. „Oh, wenn ich an den Tiger-Club denke ... Prost, Makkers."

Ja, ja, der Tiger-Palast, dieses sonderbare Machwerk eines chinesischen Multimillionärs. Der Scheinimann hatte mit seinem Tigerbalsam, gut für alles und gegen alles, gut für Kopfweh und Durchfall, gut gegen Rheuma und Bauchweh, mit diesem scheußlich schmeckenden Pulver Millionen gemacht. Von diesem Geld entstand eines der sonderbarsten Bauwerke der Erde, mehr Tempel als Palast. Er hat keine einzige Ecke. Alles ist rund an und in diesem Gebäude, Tiger aus Bronze schmücken die Räume. Verrückt dieser Palast, erstanden aus der religiösen Verpflichtung reicher Chinesen, einen Teil des erworbenen Geldes für Bauten anzulegen. Und aus dem Aberglauben heraus, solange am Leben zu bleiben, so lange man nur weiterbaut.

Die Anfahrt zum Tiger-Palast ist von zehntausend Glühbirnen beleuchtet. In dem riesigen Park sind nur ein paar Palmen echt. Alle anderen Bäume sind künstlich. In guten Zeiten ließ sie der Tiger-Balsam-Boß in jedem Frühjahr grün anstreichen.

Und dann diese sonderbaren Felsen aus Pappmaché und Zement ...

Die Japaner hatten damals nichts einzuwenden, daß sich die Deutschen hier ein Marineheim einrichteten. Nur eine Bedingung verbanden sie damit: ein paar der Barmädchen stellen zu dürfen. Die Damen sprachen ausgezeichnet malayisch, holländisch und englisch. Sie sprachen gewißlich auch deutsch, um die Deutschen für die Japaner zu bespitzeln. Aber das verschwiegen sie tunlichst.

Nur die Dritte der drei Damen, die holten sie wieder ab. Sie war zu hübsch, sie lief zu große Gefahr, aus dem Ruder zu laufen. Und das war gar nicht im Sinne der Japaner. Von morgens neun bis zwölf hatten diese Hübschen nichts weiter zu tun, als Eier zu schlagen. Zu diesen Eiern goß Barchef, Kapitänleutnant Hein Rasner, dann Whisky und Süßwein zu . . .

Nun ist der Tiger-Palast verwaist. Kein Mädchenlachen hallt mehr durch seine Räume, kein Rees an Backbord bricht sich mehr an den Wänden.

„Was stimmt denn nun daran, daß es da unterirdische Gänge gibt, in denen der chinesische Multimillionär seine Schätze vergraben haben soll", wirft ein Obermaat wieder die alte Frage auf.

„Ist doch alles Unsinn. Wir haben unten alles durchsucht. Es gibt keine Geheimtresors, keine unterirdischen Gänge."

„Aber irgend etwas ist doch dran."

„Natürlich ist was dran, denkt mal nach, wenn ihr euren Wehrsold bekommt", grinst Hein Briesicke.

Keiner sagt etwas.

„Unser Boß, der Kapitän Ehrhard", erklärt einer, „der hat, als die Sache mit dem Endsieg schiefzugehen drohte, in diesem Park unser Stützpunktgeld versteckt. Auch das Gold, das wir für Opium eingehandelt haben."

So also ist das.[43]

„Hat einer von euch mal wieder was von unserem Barkeeper gehört?" fragt einer.

„Ach so, von dem . . .?, das war ja auch so'n Ding von den Japsen."

Dieser Barkeeper, ein Mischling deutscher Abstammung, der eigentlich mehr eine Art Hausverwalter für den Stützpunkt war, mußte abends immer hinter sein Haus gehen und in einen Reservebehälter Wasser hineinpumpen.

„Ihr kennt doch die Portugiesin . . ."

„Die Halbe da . . . halb Chinesin, halb Weiße?"

„Genau die meine ich, dieselbe, die eingeweihte Kreise auch die Mata Hari des Ostens nennen. Die arbeitete im Auftrag der Japse. Und die hat den Japanern berichtet, der Barkeeper habe hinter seinem Hause eine Funkstation. Bums, eines Abends holten sie das arme Schwein ab."

„Und hängten ihn auf."

„Eben nicht. Er lebt. Er lebt wieder, sozusagen. Sie haben ihn wahnsinnig gequält. Eines Tages ist er, halb irrsinnig vor Schmerzen, aus dem Fenster des dritten Stocks herausgesprungen."

„Natürlich tot..."

„Nee, ihr werdet lachen, er ist auf einen Misthaufen gefallen."

„In der Gerichtsverhandlung klärte sich dann die Sache mit der Funkstation auf. Das war den Japanern sehr peinlich."

„Darauf laßt uns..."

Die Flaschen leeren sich. Aber die australischen und englischen Freunde haben für Vorräte gesorgt. Alle paar Tage schicken sie einen Wagen mit Drinks in Buddeln vorbei. Als Ex-Gefangene bekommen sie in Singapore, was sie nur wünschen.

In diesen Tagen wird der ehemalige Stützpunktleiter von Singapore, Korvettenkapitän Ehrhardt, von einem englischen Offizier und schwerbewaffneten Soldaten aus seinem Haus, das er noch immer wie ein Herr mit einer Schar eingeborener Bediensteter bewohnt, abgeholt.

Abends wissen sie es alle im Lager:

Ehrhardt ist in das Zuchthaus von Singapore eingesperrt worden. Er sei ein Kriegsverbrecher.

Die Seelords begreifen die Welt nicht mehr... Wieso denn Ehrhardt? Ausgerechnet der?

Die Überraschungen reißen nicht ab.

Derselbe britische Major, der in diesen Tagen einen Wagen bei den Deutschen beschlagnahmte, fährt wieder vor dem Lager vor...

3.

DIE LETZTEN TAGE IM PARADIES

*Auf Befehl der britischen Offiziere werden die 255 Deutschen vom Lager Pasir Pandjang zu dem 35 Kilometer entfernten Zuchthaus Changi Jail verlegt. Es kommt zu jenem in Südostasien berühmt gewordenen Marsch durch Singapore. Für die des Marschierens ungewohnten Seeleute wird er zu einem Triumphmarsch.*

*Fast um die gleiche Zeit werden von den in Buitenzorg, Javas ehemaliger Hauptstadt, liegenden britischen Truppen die auf Anraten der Japaner in der in den Bergen liegenden Teeplantage untergebrachten 350 Marineangehörigen von den Engländern zur Hilfeleistung gebeten. Die Sieger haben in dem ehemaligen holländischen Kasernenbereich Stellung bezogen und hier ein riesiges Camp für europäische Flüchtlinge eingerichtet, das jetzt von eingeborenen Rebellen in ihrem Kampf gegen die Weißen bedroht wird. Während in Europa Zehntausende deutscher Soldaten in Gefangenenlagern zugrunde gehen, werden die deutschen Seeleute der Stützpunkte Batavia und Soerabaja in Buitenzorg als Bundesgenossen behandelt. Sie werden bewaffnet, und der deutsche Chef, der de facto eigentlich nur noch ein demokratisch anerkannter Vorsitzender der Deutschen ist, wird wieder Befehlshaber und Kommandeur. Er nimmt, Orden und Ehrenzeichen angetan, an den täglichen Lagebesprechungen beim britischen Brigadegeneral teil. Es kommt zu ziemlich ernsten Schießereien mit den Rebellen, bei denen sich die Deutschen auszeichnen und in dem ihnen zugewiesenen Sektor Ruhe und Sicherheit für das Camp schaffen. Als die britischen Truppen nach Monaten Verstärkung erhalten, wird den Deutschen freigestellt, auf die Teeplantage zurückzukehren oder auf einer kleinen Insel vor Batavia auf ihre bevorstehende Rückführung zu warten. Daß es sich hier um die ‚Gefängnisinsel' handelt, erfahren die Männer erst, als sie das Eiland betreten. Dessen ungeachtet ist die Behandlung durch die holländischen Wachmannschaften, gemessen an der Behandlung Kriegsgefangener in England und Rußland nicht gerade schlecht.\*)*

*Bis zu ihrem Rücktransport erleben aber auch die Deutschen in Singapore noch Dinge, die der Erwähnung wert sind, besonders was das Schicksal des eingesperrten Korvettenkapitäns Ehrhardt oder des der Spionage verdächtigten Kapitänleutnants Rasner betrifft.*

In Singapore haben die 255 also Changi Jail erreicht.
Erst am nächsten Mittag gibt es aus der Zuchthausküche zu essen. Gleichzeitig erscheint ein englischer Oberstleutnant von der 8. Indischen Division.
Freiwald protestiert gegen die am zurückliegenden Tage empfangene Behandlung. Er schildert den völkerrechtswidrigen Marsch durch die Stadt.

---

\*) Alle diese Geschehen können und dürfen aber nur aus der damaligen Sicht gewertet werden, weil sich in Kriegszeiten menschliche Leidenschaften ins Maßlose steigern können, hier und dort, hier mehr, dort weniger.

Dessen Antwort ist purer Hohn.

Sie lautet: „Splendid."

Freiwald wendet sich um. Er läßt den britischen Offizier stehen.

Bemerkenswert ist das völlig andere Verhalten jener britischen Offiziere, die auf europäischem Kriegsschauplatz gekämpft haben. Sie treten den deutschen Offizieren stets höflich, respektvoll und häufig kameradschaftlich entgegen.

Leider bleibt ihr Einfluß nur gering.

Oberfähnrich Dechow in sein Tagebuch:

„Es sind zehn Reihen langer Baracken mit vorspringendem Dach, feste Steinbauten, in denen wir deutschen Seeleute wohnen. In jeder Reihe sind 12 kleine Wohnungen ..."

„Bei Licht besehen, gar nicht so schlecht. Vor allem muß erst mal Wasser her", meint Maschinenmaat Hauffe von U 862.

Die findigen Seeleute bringen auch das schnell in Ordnung.

Aus Sträuchern werden Besen gefertigt. Dann beginnt das große Reinschiff. Überall sind die Männer am Wirken. Jede ‚Wohnung', die aus einem großen Raum, Küche, Bad und Toilette besteht, wird mit zwei oder drei Mann belegt. Bald ist der größte Schmutz beseitigt. Corned-Beef wird verteilt. Der LKW holt es aus Pasir Pandjang. In dauernden Fahrten wird sämtlicher Proviant von dort herübergeschafft. Dazu das ganze private Eigentum. So gut es geht auch alle Einrichtungsgegenstände.

Schon nach wenigen Tagen herrscht einigermaßen Ordnung. Überall läuft das Wasser, teilweise brennen bereits die Lampen. Erstaunlich, wie und wo die Lords das alles organisiert haben.

„Farbe und Gardinen müssen wir noch irgendwie besorgen."

Ein britischer Fallschirmjäger-Oberst kann sich ein Kompliment nicht verkneifen.

„Euch Deutsche kann man auch nackt in einen leeren Kleiderschrank stecken. Ihr kommt tadellos angezogen wieder heraus."

Langsam spielt sich das Leben im neuen Lager ein. Auch hier sind die Deutschen wieder völlig ohne Bewachung. Sie können tun und lassen, was sie wollen. Niemand kümmert sich um sie. Verantwortlich für sie ist der britische Zuchthausdirektor.

Schon längst ist ein Weg zum nahen Strand entdeckt, und zu jeder Zeit trifft man dort badende Deutsche an.

Es ist fast wie in einem Sanatorium.

Schließlich fordert der Zuchthausdirektor technisches Personal an. Die gesamten elektrischen Anlagen sollen wieder in Betrieb genommen werden. Auch deutsches Verwaltungspersonal wird eingesetzt. Die meisten Seeleute sprechen sehr gut englisch. Die Bewirtschaftung des großen Gartens innerhalb der Mauern hat der ehemalige Chef im Südostraum, Fregattenkapitän Dommes, übernommen. Obwohl er seine Laufbahn in der Handelsmarine begann, ist er mit landwirtschaftlichen Arbeiten bestens vertraut. In Deutschland hat er einen Bauernhof. Einige Deutsche und Japaner stehen ihm dabei zur Seite.

Weit über tausend japanische Kriegsverbrecher sitzen bereits im Changi Jail.

Die deutschen Seeleute verkehren dort nur besuchsweise. Sie können nach Belieben ein- und ausgehen.

„Erinnere mich bloß nicht daran."

Der Hauptgefreite Briesicke schüttelt sich. Er saugt mit kurzen hastigen Zügen an seiner Gold Flake, made in England. Er denkt an die Elendsgestalten, die jetzt Tag für Tag hinter dem eisenbeschlagenen Haupttor auf dem düsteren Innenhof von den LKWs abgeladen und in die Zellen getrieben werden ...

Menschliche Wracks. Nur noch Haut und Knochen.

Aber alle in aufrechter Haltung, wie körperlose Schemen. Wesen ohne Schmerzen und Empfindungen.

Die englischen Wachen gehen hart mit ihnen um. Alle Gefangenen müssen schwer arbeiten, dabei sind sie so schwach, daß sie keine Konservendose mit Sand aufheben können.

Eingesperrt sind auch, Bose ausgenommen, alle Offiziere der ,Indischen Legion'. Die Engländer scheinen wild entschlossen, diese Inder aufzuknüpfen. In ihren Augen sind diese Leute Deserteure, Männer, die dem britischen Vizekönig in Indien und damit der britischen Krone die Treue gebrochen und den Gehorsam verweigert haben ... Alle diese Inder aber werden, das spricht bereits für die Kräfte der Erneuerung Indiens, später freigelassen. Auf ihre Bestrafung wird verzichtet. Im eigenen Interesse ... der Zukunft wegen.

Die meisten der festgenommenen Japaner gehören der berüchtigten Kempetai und den dieser Organisation unterstellten Bewachungsmannschaften der KZs und Gefangenenlager in den von des Tennos Heerscharen einst eroberten Gebieten an. Es sind aber auch Offiziere von Heer und von der Luftwaffe darunter, ausnahmslos Stabsoffiziere. Und hin und wieder ist auch ein Verantwortlicher von der Kaiserlichen Marine dabei. Nur einer fehlt, einer, den sie trotz Großfahndung noch nicht erwischt haben ... den ehemaligen U-Boot-Kommandanten und späteren Chef des Stabes des japanischen U-Boot-Stützpunktes in Penang: Korvettenkapitän Aruizumi. Daß die Engländer dessen Auswüchse und andere, ähnliche Fälle kennen, erfährt, wie schon erwähnt, Kapitän zur See Freiwald, als er vom Intelligence Service verhört wird. Wobei den ausgezeichnet deutsch sprechenden britischen Offizieren bei der Überprüfung von Freiwalds Personalpapieren sonderbarerweise nicht einmal auffällt, daß er viele Jahre Adjutant der beiden Großadmirale war.

Ist der Intelligence Service wirklich nicht so intelligent, oder ist er noch intelligenter, es sich nicht merken zu lassen?

Das ist eine Frage, die allenfalls von den Verhöroffizieren von damals Beantwortung finden könnte.

Die Geschehen auf Aruizumis und anderen japanischen U-Booten werden den deutschen Seeleuten im Lager hier zum ersten Male bekannt.

Die Männer sind entsetzt und einfach fassungslos.

„Dieser liebenswürdige, stets lächelnde Aruizumi ... das ist doch einfach nicht zu glauben."

„Hört endlich auf damit", sagt ein E-Maschinenmaat. „Wie steht es mit dancing heute abend?"

„Dumme Frage. Klarer Fall. Treffpunkt Apollo-Bar."

„Das fällt auch anderen auf. Schon gesehen und gelesen?"

Der E-Maat zerrt eine zusammengefaltete Zeitung aus seiner Hosentasche und sagt: „Sie ist schon einige Tage alt. Der Chinese Wung Lee von der rotchinesischen Gruppe läßt sich darin bitterböse über das freizeitliche Treiben der Deutschen aus. In seinem Artikel stellt er die Frage, wieso denn die englischen Truppen nur ihre Kampfpäckchen anzuziehen hätten, die deutschen Seeleute aber die am besten angezogenen Europäer in Singapore wären.

In den Tanzpavillons würden wir den Tommies die Chancen verderben.
Das ginge doch wohl zu weit ..."

„Was heißt hier Chancen vermasseln?" fährt Briesicke hoch. „Erstens kennen wir die meisten der Ladies etwas länger, haben also, juristisch ausgedrückt, die besseren Gewere ..."

Der E-Maat unterbricht seinen Makker: „Was redst da für 'nen Stuß von besseren Jewehren. Der Krieg ist aus. Es wird nicht mehr geknallt. Wir haben ihn verloren, damit du endlich klar siehst ..."

„Halt'n Jabbel, E-Maat. Dieses Gewer ist keine Flinte. Dieses Gewer schreibt sich ohne h, knallt also nicht. Ist 'nen altdeutscher Rechtsbegriff über Besitz und Rechte. Klar. So, nun mach nicht so'n Gesicht wie 'n Gerichtsvollzieher nach fruchtloser Pfändung. Hein Gummi tut bloß, als sei er doof ... Aber höre zu ... wir also haben erstens ältere Rechte und zweitens, das wollte ich noch sagen, sind unsere Tommies vollendete sportsmen."

„Weiß Gott, das sind sie. Faire boys. Hast du für heute abend schon 'ne Vertretung?"

„Macht bei mir wieder der australische Sergeant Duncer aus dem britischen Camp nebenan. Der liest und bastelt lieber."

„Mann, gleich 'nen Sergeanten shanghait, das kostet aber was."

Briesicke pafft unwillig ein paar Wolken in die Luft. „Det kostet eben nischt. Genauso wenig wie die anderen Fallschirmjäger dafür was nehmen."

„Wenn das der britische Oberst erfährt, ist Rabatz im Kettenkasten."

„Hat er schon. Duncer erzählt es mir. Hat den britischen Offizieren und Unteroffizieren 'nen gehörigen Marsch geblasen."

„Und die Tommies dazu ...?" will der E-Maat wissen.

„Die kümmern sich einen feuchten Schmutz darum. Siehst es doch. Jeden Abend stimmt unsere Zahl beim Abendappell. Jeden Abend treten für unsere an Land geschossenen Kumpels australische Fallschirmjäger in die Reihen. Jeden Abend fahren auch unsere Offiziere mit englischen Offizieren in deren Wagen in die City."

„Na, denn laß uns mal weitermachen, damit wir unseren neuen Brötchengeber, den Herrn Zuchhausdirektor und britischen Captain, nicht enttäuschen. Was gibt's denn heute zu futtern. Halben Schlag?"

„Mann, 'ne Idee. Ich peile mal in die Zuchthauskombüse. Der Smut von U-Freiwald ist jetzt auch dabei. Unsere Frikadellenschmiede bekommt bei der täglichen Mehr-Belegung dieses finsteren ‚Hotels' ja immer mehr zu tun. Für uns und für die hinter Gittern . . ."

In ein paar Minuten ist Hein Gummi wieder zurück. Er schnauft. Er ist völlig außer Atem. Keiner seiner Kumpels hat ihn je so erregt gesehen.

„Du, komm mal mit."

Der Hauptgefreite zerrt den E-Maaten mit sich. Über den Flur zu dem Vorplatz der Etage hin. Und dort an das vergitterte Fenster heran. Da unten auf dem Hof wird gearbeitet. Mit Sägen, Äxten, Beilen und Hämmern. Ein riesiger Galgen wird gebaut.

„Verdammt. Die haben aber ein Programm. Drei Fallklappen auf einmal . . . Gib mal 'ne Zigarette, Hein."

Weder er noch Hein Briesicke ahnen, daß seit diesem Morgen in einer Einzelzelle auch einer ihrer Offiziere eingesperrt worden ist . . .

Der Kapitänleutnant Heinrich Rasner, der von Batavia nach Singapore kommandiert wurde. Er sollte als IWO bei ‚Tüte' Timm einsteigen. Aber daraus wurde ja nichts, weil U-Timm nicht mehr überholt werden konnte.

*

Es begann so harmlos wie bei verschiedenen anderen deutschen Offizieren. Kapitänleutnant Rasner mußte sich im Dienstanzug: ‚weiße Uniform mit Orden und Ehrenzeichen' beim britischen Verhöroffizier melden. Der äußerlich dienstgradlose Mister Sullivan spricht wohl ein ausreichendes Deutsch, mit Rasner aber unterhält er sich nur englisch. Von morgens neun Uhr bis in die späten Nachmittagsstunden. Das Mittagessen nehmen sie, von ehemaligen italienischen Soldaten bedient, gemeinsam in beinahe freundschaftlicher Atmosphäre im Garten im Schatten der Bäume ein. Wie sie auf Java gelebt hätten . . . wie sie mit den Indonesiern ausgekommen wären . . . was er, Rasner, über die japanischen Verhältnisse denken würde . . . will Sullivan während der Unterhaltung wissen.

Dann aber kommt die entscheidende Frage:

„Und wieviel japanische, chinesische und javanische Agenten haben Sie auf Java unter sich gehabt?"

„Was sagen Sie? Agenten? Keine. Für was denn Agenten?"

„Sie waren auf dem Hilfskreuzer FTO, also Funkoffizier. Sie haben dort gleichzeitig für den B-Dienst verantwortlich gezeichnet. Und Sie haben diesen B-Dienst auch in Batavia unter sich gehabt?!"

„Gewiß", sagt Rasner.

„Na also", atmet Sullivan auf. „Das ist vernünftig, daß Sie nicht leugnen, Chef einer Spionagegruppe gewesen zu sein."

Rasner glaubt nicht recht zu hören. „Ich hatte den B-Dienst unter mir. Unser B-Dienst war ein Funkbeobachtungsdienst. Verstehen Sie ... wir haben die gegnerischen Funksprüche aus dem Äther gefischt, untersucht und dechiffriert, soweit wir dies konnten ... Das hat nichts mit Spionage zu tun. Dafür braucht man auch keine Agenten."

„Verstehe", nickt der Engländer, hinter den auf einmal Major Wilson getreten ist, derselbe, der den Marsch durch Singapore inszenierte.

Rasner ahnte nicht, daß es einer von den gleichen Italienern ist, die jetzt hier im Garten bedienen und die früher Küchen- und Kellnerdienste bei den Deutschen versahen, die den britischen Intelligence Service auf ihn aufmerksam gemacht haben. Dabei bliebe noch die Frage zu klären, ob der Italiener nicht von einem Rasner nicht wohlgesonnenen Deutschen dazu angestiftet wurde.

„Sie verstehen eben nicht. Zwischen B-Dienst und Abwehr, zu deutsch Spionage, besteht bei uns ein gewaltiger Unterschied, bei Ihrem Intelligence Service aber nicht ..."

„So, so", sagt Sullivan nur. „Also keine Agenten ...?"

„Na, dann werde ich Ihnen einige vorlesen", faucht Wilson plötzlich los. Aus seiner Tasche zerrt er eine Akte heraus. Er liest von einer Liste 50 Namen vor: Indonesier, Chinesen, Malayen, Inder ... Alles Händler, bei denen Rasner als Menageoffizier des Stützpunktes Batavia einkaufen ließ und denen er einen ordnungsgemäßen Beleg ausgestellt hat.

Und die soll er nun nicht nur als Agenten, sondern auch militärisch ausgebildet haben?

Auf dem Namen des indonesischen Arztes Dr. Latip reiten Wilson und Sullivan besonders hartnäckig herum. Und da die Engländer den Namen des Arztes englisch, also ‚Letaip‘ aussprechen, weiß und ahnt Rasner anfangs überhaupt nicht, von wem dieser Sullivan spricht.

Rasner hat diesen Dr. Latip bei ausgesprochenen Tropenerkrankungen herangezogen, vor allem beim Gangwayfieber, mit dem die deutschen Ärzte nichts anzufangen wußten. Latip hat die davon befallenen Männer meist in kürzester Zeit wieder auf die Beine gestellt. Und da es Rasner zu umständlich war, jede der sich mehrenden Behandlungen einzeln zu honorieren, fand er Dr. Latip für dessen Privatpraxis monatlich mit einer Pauschale ab.

„Geben Sie doch zu, daß dieser Dr. Latip Spion für Sie war.“

Wilson verhehlt seinen Unwillen nicht.

Er wird böse.

„Ihnen wird das Lachen noch vergehen.“

Sullivan ruft einen Namen. Ein Feldwebel postiert sich mit schußbereiter Maschinenpistole hinter dem deutschen Kapitänleutnant.

„Warum leugnen Sie?“ faucht Wilson.

„Ich leugne nicht, zum Donnerwetter. Das ist doch alles purer Nonsens, das mit den Agenten.“

„Ich werde Sie hängen lassen. Sagen Sie die Wahrheit.“

„Das ist und war die Wahrheit.“

„Wir werden sehen.“

*

Kapitänleutnant Hein Rasner sitzt auf der schmalen Drahtkoje seiner Zuchthauszelle. Er sieht einem Skorpion auf dem Betonboden zu seinen Füßen zu. Mit einem Stück vom weißen Kalkputz aus der bröckeligen Wand hat er um das gefährliche Tier einen Kreis gezogen. Diesen Kreis wird der Skorpion nicht überschreiten. In dieser scheinbaren Ausweglosigkeit wird er sich selbst umbringen. Schon hat er seinen Schwanz mit dem Giftstachel gehoben . . .

Rasners Gedanken wandern zurück. Er denkt an die letzte Szene der Begegnung mit dem Verhöroffizier Sullivan. „Ich muß Sie einsperren“, hatte der gesagt, als auch er auf dessen Frage nach dem Japaner Aruizumi nur mit den Schultern gezuckt hatte.

„Hier haben Sie noch fünfzig Zigaretten. Sie können rauchen im Zuchthaus. Sie bekommen einen komfortablen Raum. Sie erhalten auch Tageszeitungen. Gehen Sie jetzt."

Rasner ging, gefolgt von dem mit schußbereiter MP bewaffneten Feldwebel. Er sollte sich beim Zuchthausdirektor melden. Dessen Offiziere sitzen in der Messe des Nachbarcamps gerade beim Abendessen. Man kennt einander gut.

„Setzen Sie sich doch. Essen Sie mit uns", fordert ihn ein Fallschirmjäger-Hauptmann auf.

„Ne, ich bin nicht gekommen, mit Ihnen am Abendbrottisch zu sitzen. Ich soll dort sitzen."

Rasner zeigt durch das Fenster nach draußen. Zu dem düsteren Zuchthausbau hin.

„Erst essen, dann sehen wir weiter. Die spinnen."

Da unterbricht eine schneidende Stimme die Diskussion. „Ich spinne nicht, meine Herren." Die Stimme gehört dem Zuchthausdirektor, einem hageren Captain mit einem rostbraunen Schnauzer im Gesicht. Er steht in der Tür, die Reitpeitsche in der Hand und faucht Rasner an.

„Wie kommen Sie dazu, hier noch Abendbrot essen zu wollen. Sie wissen doch, wo Sie hingehören."

„Gewiß weiß ich das. Sie wissen es ja auch. Es steht ja in dem Brief drin, den ich Ihnen zu übergeben habe. Bitte tun Sie Ihre Pflicht."

Dann gibt ihm Rasner den Brief. Der Captain öffnet ihn gar nicht erst. Als er aber die Reitpeitsche hebt, tritt der breitschultrige Kapitänleutnant einen Schritt auf ihn zu. Die Hand mit der Peitsche sinkt schnell wieder herab. Die britischen Offiziere am Messetisch atmen hörbar auf.

Der Raum, den Sullivan versprochen hatte, ist alles andere als komfortabel. Das Bett nimmt den Hauptplatz ein. Es ist ein ‚Bett' aus Beton. Das Kopfkissen ist aus gleichem massiven Material. Beim Rundgang des wachhabenden britischen Offiziers beschwert sich Rasner. Er erhält als Antwort wenigstens ein Moskitonetz. Aber er kann es nicht aufhängen. Es gibt weder einen Haken noch Nägel in den Wänden dieser Zelle für Schwerstverbrecher. Moskito-Netze sind für ehemals hier eingelieferte farbige Mörder und andere Gewaltverbrecher nicht vorgesehen.

Zwei Tage später macht auch Sullivan eine Inspektion.

Rasner bekommt auf seine energischen Beschwerden hin schließlich den versprochenen ‚komfortablen' Raum: Eine große Zelle mit zwei normalen, wenn auch vergitterten Fenstern. Der Blick durch die Fenster geht auf den Zuchthaushof hinaus. Auf den Galgen. Deutsche Seeleute haben ihn mit Bordfleiß angepöhnt: Das Balkengerüst grau, die Plattform grün und die drei Falltüren schwarz.

Auf jede der Falltüren haben sie mit weißer Farbe drei Kreise malen müssen.

Das Bett ist ein richtiges Bett, aber diese Drahtgestellkoje scheint eher für Fakire, denn für normale Europäer geeignet. Die Drahtspitzen stehen nach oben. Ein technisches Versehen scheint das nicht zu sein, eher raffiniert ausgeklügelte Absicht. Man kann nicht länger als fünf Minuten auf dieser Koje ruhen. Der Tisch ist so klein, daß ein Mensch sich nicht darauf ausstrecken kann. Über den Betonfußboden rieselt Wasser. Unaufhörlich, pausenlos. Der eingebaute Lokus bietet sich ebenfalls nicht als Sitzgelegenheit von Dauer an. Die Brille fehlt, und der Porzellanrand ist so schmal und kantig, daß er schon nach wenigen Minuten schmerzt.

Seit drei Tagen ißt Rasner kein Mittagessen mehr. In seiner Bohnensuppe hatte er eine Operationsnadel und von Furunkeln abgerissene Pflaster gefunden. Der britische Stabsarzt macht sich einen Spaß daraus, um die Mittagszeit Heftpflaster und Verbandslappen aus dem Fenster zu werfen. Zielgerecht landeten sie in den Kesseln der unten im Freien zur Versorgung für die japanischen Gefangenen aufgefahrenen Feldküchen.

Der Krieg ist aus. Aber der Haß ist nicht erloschen. Er treibt die wildesten Blüten.

Der Zuchthausdirektor hat sich inzwischen umsonst angestrengt und erregt, Kapitänleutnant Rasner beizubringen, daß er ihn mit Sir anzureden habe.

Es bleibt beim:

Captain.

*

Rasner klopft mit dem rechten, schnürsenkellosen Schuh auf den Boden. Der Skorpion zittert leicht. Der Stachel ist jetzt

302

hoch erhoben. Aber die weiße Linie überschreitet das erregte Tier dennoch nicht. Hier in diesem Kreis wird es sterben, wenn Rasner nicht die Linien unterbricht . . .

So hoffnungslos wie des Skorpions Lage ist, mutet Rasner auch die eigene, in diesem mit verhafteten Japanern jetzt fast schon überfüllten Zuchthaus an.

Plötzlich schrickt er hoch: draußen sind wieder Stimmen und Befehle zu hören. Rasner tritt an das Fenster. Er weiß genau, was er zu sehen bekommt. Er wehrt sich dagegen, und er tut es doch, er wankt wieder an das Fenster. Wie die Tage zuvor nun schon ein- bis zweimal in der Woche, immer zur gleichen Stunde.

Was er sieht, läßt Kapitänleutnant Hein Rasner aber diesmal noch mehr erschauern. Auf dem Zuchthaushof stehen drei Japaner, Generäle. Auf die Rücken ihrer Uniformjacken sind große und weithin lesbare Nummern gemalt. Auch er, der deutsche Kapitänleutnant Rasner, trägt eine solche Nummer auf seinem Rücken, nur die Zahl ist wesentlich höher. Sie ist vierstellig.

Neben den Generälen entdeckt Rasner außer dem Zuchthausdirektor und den Henkern mit ihren Gehilfen auch den Major Wilson.

„Gon on", befiehlt dieser.

Das ist der Augenblick, auf den die Chinesen vor dem Zuchthaus gewartet haben . . .

Als auf dem Hof des Changi Jail die zum Tode verurteilten Japaner die sieben Stufen zum Galgen hinaufsteigen . . .

. . . als sie in den weißen Kreis eintreten, auf dessen Boden die gleiche Nummer aufgemalt worden ist, die sie auf ihren Rücken tragen . . .

. . . als die als Zuschauer erschienenen britischen Offiziere den Atem anhalten . . .

. . . als keiner der Gäste mehr eine Bewegung macht . . .

. . . als der deutsche Kapitänleutnant Rasner mit der zwar wesentlich höheren Nummer auf seiner Zuchthausjacke mit schweißnassen Händen vor seinen vergitterten Fenstern steht . . .

. . . sehen die Chinesen vor dem Zuchthaus ihre Stunde gekommen:

Sie takeln die Reifen von hier abgestellten britischen Wagen ab.

Die Todesnot der einen, die makabre Neugier der anderen, der verhaßten Weißen, wird zum Geschäft der Gelben. Auf Singapores ‚black market‘ werden die Reifen zurückzuerwerben sein.

Zu höchsten Preisen.

Als die heiseren Banzai-Rufe und die makabren Geräusche der gegen die Innenwände des Galgens krachenden Klappen verklungen sind, macht Kapitänleutnant Hein Rasner mit dem Daumennagel drei neue Striche in den Kalk der Zellenwand. Er zählt die Kerben gar nicht mehr. Es sind schon Kolonnen geworden.

Wann, ja wann wird er dran sein . . .?

Inzwischen schafft man die drei Toten hinter das Gebäude. Auf ihr Grab kommt ein Stab mit einem Schild, in das eine Nummer eingehauen ist. Die gleiche Nummer, die die Gehenkten auf dem Rücken ihrer Kleidung trugen. Während ein Shinto-Priester noch immer an der Zuchthausmauer kniet und seine Gebete murmelt, streuen farbige Soldaten im britischen Sold Kalk über das Grab der drei Generäle.

Das Essen, das Rasner vorgesetzt bekommt, wird immer schlechter. Der Saufraß ist einfach nicht mehr zu riechen. Der Kapitänleutnant gibt es auf zu protestieren. Er tritt kurzerhand in den Hungerstreik. Nach einigen Tagen ist er so schwach, daß er sich nur noch für ein paar Stunden auf den Beinen halten kann. Die übrige Zeit verbringt er auf der Koje. Sechzehn, achtzehn und zwanzig Stunden.

Keinem Zuchthausdirektor ist es angenehm, wenn ihm ein Gefangener vor dem Prozeß vor Hunger stirbt, einem britischen wird es sogar als Verbrechen angekreidet.

Rasners Protest verfehlt seine Wirkung nicht, er trägt dazu bei, seinen ‚Fall‘ noch einmal und gründlich im Schnellverfahren zu prüfen.

Eines Tages öffnet sich die Tür zu ungewohnter Zeit. Major Wilson und der Verhöroffizier Sullivan treten mit dem liebenswürdigsten Lächeln im Gesicht in die Zelle.

„Sie sind frei.“

„Versichern Sie mir, daß ich keine Rückschläge zu erwarten habe, sonst bleibe ich besser gleich hier.“

„Es war alles ein Irrtum, Sir.“

‚Sir‘ sagten die beiden. Es klingt wie ein Hohn. Dabei meinen

304

sie es ehrlich und ernst. Dieses Sir wiegt schwerer als eine Entschuldigung.

*

Monate später sitzt Korvettenkapitän Ehrhardt wieder hinter Gittern, nachdem man ihn nach der ersten Verhaftung wieder freigelassen hatte.

Es begann so harmlos wie bei Rasner. Eines Tages fuhr ein britischer Jeep mit einem Offizier vor Ehrhardts Haus vor. „Wir sind sehr an Ihren Aussagen interessiert, Captain. Wollen Sie bitte mit mir kommen?"

Natürlich wollte er. Was schon blieb ihm weiter übrig. Als er in den Wagen steigt und hört, was der Hauptmann als Ziel nennt, weiß er genug:

„To Captain Francis Office", lautet die Anweisung. ‚Captain Francis Office' ist das Stadtgefängnis von Singapore.

Unter den Deutschen an Land begreift keiner die Briten. Einer der alten Feldwebel nickt und sagt:

„Wenn ihn damals, als der Krieg noch tobte, die deutsche Gestapo abgeholt haben würde, das hätte ich begriffen . . ."

Damals, im Winter 1944, als in Old Germany die Ardennenoffensive rollte, weilte gerade der deutsche Militärattaché aus Bangkok bei Ehrhardt in Singapore. Der Korvettenkapitän hatte ihn, der über die diplomatischen Kanäle besser unterrichtet war, gebeten, über die Lage in der Heimat zu berichten. Und da sagte der Mann doch tatsächlich:

„Es steht gut, Ehrhardt. Es ist die gleiche Lage wie 1940, bevor der Frankreich-Feldzug begann. Wir haben jede Menge Truppen bereitgestellt. Wir werden die Briten und Amis in den Kanal zurückwerfen."

Ehrhardt hatte ihm die einzig mögliche und aus seiner Verbitterung über soviel Ignoranz und Kurzsichtigkeit heraus dazu noch drastische Antwort gegeben.

„Mit solchen Phantastereien brauchen Sie zumindest m i r nicht zu kommen. Soviel dummes Zeug verdauen auch meine Offiziere nicht."

Und nach einer Pause hatte er hinzugefügt:

„Das ist die gleiche Idiotie wie der Goebbelssche Traum vom Totalen Krieg. Im gleichen Augenblick, da der Herr Propaganda-Minister auch die Kassenfräuleins von der Staatsoper in die Rüstungsindustrie einspannt, läßt sich der rote Stalin fünf Millionen Chinesen in sein Land kommen. Meinethalben mögen es auch nur drei Millionen sein. Aber die können arbeiten. Und wie die arbeiten können, das wissen Sie doch genausogut wie ich. Und wir, wir wollen mit Frolleins aus der Staatsoper gegen an! Nein, mein Herr, da rastets bei mir aus! Wir haben als Seeleute einen ungefähren Überblick, wie viele Millionen Menschen, welche unermeßlichen Rohstoffquellen, welche hochqualifizierten rationalisierten und von keiner Bombe gefährdeten Rüstungsindustrien und wie viele von Tag zu Tag wachsende Tonnage für die Transporte wirklich gegen uns stehen. Wir geben uns keiner Illusion mehr hin. Was aber nicht bedeutet, daß wir nicht weiter unsere Pflicht nach besten Kräften tun. Und mit dem, was ich denke, werde ich auch nicht die Herzen meiner Männer belasten, im Gegenteil."

Der Militärattaché aus dem goldenen Bangkok hatte danach geschwiegen. Als er sich dann auch von der Schreibhilfe des Stützpunktes verabschiedete, flüsterte er dieser Dame aus der früheren Botschaft von Tokio zu: „In Deutschland würde dieser Korvettenkapitän keine 24 Stunden mehr leben. Aber er scheint Recht zu haben . . ."

„Nein", wehrte die Angesprochene mit dem blanken Parteiabzeichen auf ihrer blütenweißen Bluse ab. „Nein, es ist ganz anders als der Herr Kapitän es sehen. Wenn die Amis und Briten jetzt an den Rhein kommen, dann werden wir in der Heimat immer stärker . . . immer fester."

Ja, und nun haben die Briten diesen Marineoffizier, der sich über die wirkliche Lage nichts vormachte, erneut eingesperrt.

Jeden Tag wird der Korvettenkapitän verhört.

Mal sanft, mal etwas härter, dann wieder behutsam, wie mit Glacéhandschuhen angefaßt . . .

Die Engländer wollen den Ort der deutschen Funkstation in Afrika wissen und die Namen der Spionageabteilung, die diesen Geheimsender betrieben habe. Ehrhardt fällt es im Traume nicht ein, daß die Briten die Welle ‚Afrika drei' meinen, eine U-Bootschaltung, auf der die deutschen U-Boote im Südatlantik und Indischen Ozean verkehrten, eine genauso harmlose Sache wie es jene bei Rasner war. Aber ein nicht minder gefährliches Mißverständnis, wenn nur einer der maßgeblichen Engländer ihm ernsthaft einen Strick daraus drehen will ...

Apropos Strick ...

Schon die Indizien genügen ...

Auch im Stadtgefängnis von Singapore öffnen sich Tag für Tag die Klappen der Galgen.

Im Grunde genommen scheint der Captain Francis ein recht umgänglicher Gefängnisdirektor zu sein. Gleich in den ersten Tagen hat er die von seinem dienstbeflissenen Adjutanten mit zynischer Sorgfalt ausgesuchte Zelle ausgetauscht. Ehrhardts Zelle Nummer Eins war hauteng gewesen. Sie hatte eine Steinpritsche und einen Holzkeil als Kopfkissen als einziges Mobilar. Die neue Zelle ist weitaus geräumiger. Sie wird auch nicht mehr abgeschlossen, denn draußen sind weitere Türen, weitere Sicherungen, weitere Posten. Ehrhardt darf sogar im Zellenflur auf und ab laufen.

Vierzehneinhalb Schritte hin, vierzehneinhalb Schritte zurück. Auf der einen Seite blickt er in die große Halle mit den vielen Malariakranken, auf der anderen in eine andere mit Leichen.

Ein Moskitonetz wird dem deutschen Korvettenkapitän nicht bewilligt. Vielleicht haben sie nicht mal genug für sich selbst. Zu Myriaden tummeln sich die Fiebermücken vom Stamme der Anopheles im Saal der malariakranken Gefangenen. Sie saugen sich voll mit krankem Blut. Es sind dieselben geflügelten Quälgeister, die durch Ehrhardts vergitterte Fenster fliegen. Die Blutsauger stechen mit Vorliebe in der Dämmerung.

Und in der Nacht.

Was anfangs eine Erleichterung schien, könnte, bei Licht besehen, sogar eine nur noch raffiniertere Schikane des Direktors persönlich sein.

Aber der gebärdet sich wie ein echter, guter Freund. Hin und wieder lädt er den deutschen Korvettenkapitän in sein Büro zu einem Umtrunk ein. Bis des Direktors Adju diese ungebührliche und dazu noch streng verbotene ‚Fraternisierung‘ dem Hauptquartier Lord Louis Mountbattens meldet, Captain Francis eine Zigarre verpaßt bekommt und die abendliche Parties auf höheren Befehl eingestellt werden müssen.

Es ist die Stunde nach Mitternacht.

Ehrhardt hat sich auf seiner Koje ausgestreckt.

Der Magen revoltiert.

Das Essen ist seit Tagen wieder einmal saumäßig.

Tagsüber hat er sich bei der Runde im Hof Gras gerupft und gegessen, denn der stinkende Reis war einfach nicht zu genießen.

Erst spürt der Kapitän den feinen Luftzug. Dann erkennen seine an die Dunkelheit gewöhnten Augen eine schlanke Gestalt, die etwas unter dem Arm zu tragen scheint. Da spricht sie ihn auch schon leise an. „Hälloh ... hälloh, bist du wach ...? Ich bin's, Francis."

Ehrhardt glaubte erst zu träumen, aber es ist nackte Wahrheit. Der späte Besucher in seiner Zelle ist der Gefängnisdirektor in eigener Person. Er hat eine Kerze mitgebracht. Ihr flackerndes Licht geistert über die gekalkten Wände der Zelle, über die vom Leben in den Tropen ausgezehrten Züge des britischen Captains, die randvollen Bechergläser und die beiden Buddeln mit diesem chinesischen Schnaps.

„Wo hast du dieses Teufelszeug von Shanghai-Whisky bloß her? Der zerreißt ja selbst einem bayrischen Holzknecht die Krachledernen."

„Man hat so seine Beziehungen", grinst Francis. „Dieser Nansei-Whisky ist nur was für Kenner, nur was für richtige Männer."

„Na denn prost, Francis, welch eine Auszeichnung zu so später Stunde."

Schließlich aber sagt sich Ehrhardt, wenn du nun schon im Gefängnis wohl oder übel trinken mußt, dann wenigstens anständiges Zeug! Nach dem fünften Becher stößt er Francis an.

„Du, ich habe in meiner Wohnung an Land noch ein paar Buddeln echten Scotch und auch noch eine Flasche französischen Sekt."

„Fahren wir hin."

Und so geschieht das Kuriose. Der Gefangene und der Gefängnisdirektor brausen im Jeep mit militärischen Kennzeichen zu Ehrhardts Wohnung. Sie holen die Flaschen. Mehr aber passiert nicht in dieser Nacht.

„Morgen trinken wir, morgen", sagt Francis und blinzelt. „Jetzt bin ich müde."

Ehrhardt kann dies nur angenehm sein.

In der nächsten Nacht wartet er. Es ist ihm weniger am Trinken, als an der Abwechslung gelegen. Wer als völlig Unbescholtener plötzlich hinter Gitter gesteckt wird, der malt sich die sonderbarsten und harmlosesten Dinge als Sünde aus. Statt Francis klopft ein britischer Fallschirmjäger an die Tür. Er bringt Ehrhardt in des Herrn Direktors Büro.

„Denke bloß", eröffnet der Direktor mit finsterer Miene und Grabesstimme, „denke bloß, eine von Hitlers letzten V 2 hat meine Schwester in London getötet. Heute erst habe ich das erfahren. Nun kann ich nicht mehr mit dir trinken."

„Sorry", sagt Ehrhardt ungerührt, denn er ist von Francis einiges gewohnt. Und an die tote Schwester glaubt er sowieso nicht.

„Yes, sorry", kommt es traurig aus Francis' Mund. Hinterher weht eine ellenlange Fahne. Und sie riecht echt schottisch.

Plötzlich springt der Captain auf, stürzt in die Ecke. Er durchwühlt das Gepäck von Ehrhardt, das er sich auf sein Büro schicken ließ, statt es dem Korvettenkapitän auszuhändigen. Obenauf liegt ein Foto. Es zeigt die Kinder Ehrhardts. Captain Francis reißt das Bild an sich. Dumpf brütend sagt er auf einmal.

„Diese Kinder sind jetzt meine Kinder."

„Yes", gibt Ehrhardt zurück, denn mit Betrunkenen und Kindern soll man behutsam umgehen. Aber das, was der Brite da noch hinterher stammelt, versetzt ihn doch in Unruhe.

„Denn du wirst bald sterben", hatte Francis noch hinzugefügt. Und mit dem Rücken der rechten Hand wischt sich der Captain die feuchten Augen aus. Dann, völlig unvermittelt, läßt er den Deutschen in seine Zelle zurückbringen. Als der Posten gerade die Tür von Francis' Office schließt, sieht Ehrhardt noch, wie der Captain sein Gepäck durchwühlt.

Die Flasche Sekt, die trinken sie nie zusammen.

Die schenkt der Direktor seiner Frau. Er nimmt es auch mit anderen Dingen nicht genau. Er säuft wie ein Kanalarbeiter und stiehlt wie ein Rabe, darunter alles, was er an Wertsachen in Kapitän Ehrhardts Koffer findet ... die beiden Uhren, die goldenen Manschettenknöpfe ...

Doch das weiß Ehrhardt noch nicht, wenn er es auch ahnt.

Ehrhardts stiller Freund ist der chinesische Gefängnisarzt, der ihn zu den Visiten auf der oberen Etage abholt. Angeblich, weil er den Deutschen als Dolmetscher braucht, in Wirklichkeit will er ihm helfen, die grausige Wartezeit hinter Gittern zu verkürzen.

Ein paar Zellen weiter ist ein verbrecherischer Serbe eingeliefert worden. Er liegt todsterbenskrank an Malaria danieder. Das sieht auch Ehrhardt, daß dem Mann nicht mehr zu helfen ist.

Der chinesische Doktor findet trostreiche Worte ostasiatischer Weisheiten.

„Du hast Malaria", sagt er milde. „Du mußt sehr geduldig sein. Mein Großvater starb an Malaria. Mein Vater starb an Malaria. Du hast Malaria. Sei geduldig."

In der Zelle dreizehn liegt ein schwerkranker Pole, der stöhnt und windet sich vor Schmerzen. Doktor Wei Fu faltet die Hände und lächelt.

„Du mußt geduldig sein, meine Medizin wirkt nicht gleich. Vielleicht nach drei Wochen, vielleicht nach vier Wochen, vielleicht überhaupt nicht. Wenn du nicht geduldig bist, melde ich dich. Ich bin ein mächtiger Mann."

Nachher, als sie auf dem Flur allein sind, spricht Ehrhardt den kleinen, schmächtigen Doktor an.

„Wenn du ein so mächtiger Mann bist, dann wirst du auch für besseres Essen sorgen können. Dieser Fraß ist schandbar. Das hält kein Pferd auf die Dauer aus."

Wei Fu kneift die Augen ein wenig zusammen. Auf einmal lächelt er. Es strahlt förmlich aus ihm heraus, als er sagt: „Oh, ich weiß, was du willst. Du willst besseres Essen haben."

Dann dreht er sich um und geht.

Es bleibt alles beim alten.

*

„Du, was ich dir schon immer sagen wollte", nimmt Captain Francis auf der nächsten Mitternachtsparty in Ehrhardts Zelle das Gespräch wieder auf. „Alle, die hier eingesperrt worden sind, alle werden gehenkt. Alle."

Als Ehrhardt schweigt und sein Glas mit der rechten Hand umspannt, um seine Unruhe nicht zu zeigen, sagt der Captain weiter. „Damit du's weißt, ich war d e r Henker von London.

310

Ich habe mit Königlicher Erlaubnis schon 30 Menschen ins Jenseits befördert."

„Für einen Berufshenker ist das aber eine kümmerliche Zahl", meint Ehrhardt, der sich gefaßt hat. Deutlicher Spott schwingt im Ton seiner Worte mit.

„Was?" fährt Francis auf. „Es wird mir gar nichts ausmachen, dich morgen früh schon aufzuknüpfen. Ich warte ja darauf, jeden Tag, jede Stunde. Prost, mein Guter, auf dein Wohl."

„Prost", sagt Ehrhardt und trinkt. Vor seinen Augen geistert das Bild jener Szene vorüber, als Francis sein Gepäck durchwühlte. Wenn es stimmt, was der Direktor sagt, ja dann ist ihm einiges klar ...

„Du", stößt Francis den Korvettenkapitän an. „Du warst doch ein Seemann."

Als Ehrhardt nicht antwortet, sagt er weiter:

„Seeleute müssen doch Knoten kennen."

Ehrhardt nickt.

„Paß mal auf", fährt der Captain fort und hebt das Glas. Als die beiden ausgetrunken haben, sagt er:

„Einen Henkersknoten aber, den kennst du noch nicht? Oder?"

„Ne, den kenne ich nicht. Prost Francis, zeig ihn mir mal. Als Seemann kann man nicht genug davon kennen."

„Sieh her."

Captain Francis hat seinen Gürtel abgezogen und führt den Knoten vor.

„Sieben Rundtörns mußt du machen. Und das, das ist der Knoten hinterm Ohr."

„Hinterm Ohr", staunt Ehrhardt. Er ist jetzt ganz bei der Sache.

„Damit das Genick bricht", erklärt Francis mit tiefem Ernst. „Du wirst es schon merken. Es tut gar nicht weh."

*

Ehrhardts Entlassung erfolgt genau so unerwartet wie vordem die von Rasner. Erst über Dritte erfährt er die Gründe dieser Verhaftung:
den einen mit der U-Bootschaltung ‚Afrika drei',
und den anderen, mit dem echten Spion Ehrhardt, einem

Agenten, den es in Shanghai tatsächlich gegeben hat und der mal hier und mal dort, wahrscheinlich auch in Singapore, aufgetaucht war.

Korvettenkapitän Ehrhardt hatte, als er von dem Adjutanten in der Office abgefertigt wurde, auch nach seinen Privatsachen gefragt. Mehr nicht. Für den Adjutanten war das Grund genug, Captain Francis anzuzeigen. Von britischer Seite wird ein Gerichtsverfahren gegen Ehrhardts ‚alten Freund' eingeleitet.

In Singapore kleben große Zeitungsplakate an den Verkaufsständen:

„Deutscher Nazi-Offizier klagt englischen Armeehauptmann an."

„Das ist natürlich purer Unsinn. Aber die Presse will auch leben", tröstet Francis den deutschen Korvettenkapitän, als sich die beiden an Land wiedersehen. Dabei gibt der Captain dem Korvettenkapitän Ehrhardt eine Uhr zurück. „Ach, ich vergaß, sie dir zurückzugeben. Nahm sie an mich, in meinem Office. Man weiß ja nie, wer an die Sachen rangeht."

Ehrhardt nickt, nimmt die Uhr und steckt sie ein. Es ist die alte Klamotte. Von der flachen, goldenen, spricht Francis nicht, auch nicht über die Manschettenknöpfe.

Sonst aber verstehen sie sich ganz ausgezeichnet. Der bevorstehende Prozeß wird mit keiner Silbe erwähnt. Dieses mal nicht, auch bei anderen Treffen nicht, da sie sich bei kühlen Getränken über das Wetter, die Chinesen und die Haifische unterhalten.

Als der Prozeß ansteht, wird der deutsche Korvettenkapitän als Zeuge vernommen. Ob ihm etwas von seinen Sachen fehle, wird er gefragt.

„Es fehlt nichts", ist seine Antwort.

Wozu den Mann beschuldigen? Er ist eine Ausnahme unter den britischen Offizieren, in einigen Punkten eine unrühmliche, in anderen eine beinahe liebenswerte.

Er, Ehrhardt, will nach Hause. Nichts wie heim.

Captain Francis wird freigesprochen.

Im Sinne der korrekten britischen Rechtsprechung hat er es nicht verdient, auch nicht im Sinne des britischen Offizierkorps. ‚Solche unrühmlichen Ausnahmen auszumerzen, ist deren Sache', ist Ehrhardts Meinung.

Am Ende steht ein rundes Fest im Kreise sämtlicher britischer Gefängnisdirektoren, deren Vertreter und aller Wärter. Der Nansei und das japanische Bier fließen in Strömen. In dem Hemd, das Captain Francis trägt, ist ein Namenläppchen eingenäht.

In roter Seide steht da der Name ‚Ehrhardt‘ drauf.

Und den Anzug, den Francis seinem ‚Freund‘ aus seinem Kleiderschrank für die abendliche Party leihen wollte, der gehörte ursprünglich einmal einem der schon abtransportierten deutschen Zivilisten. Und das Hemd, das ihm Francis gab, gehörte seinem ehemaligen deutschen Dolmetscher.

Von diesem Fest schläft Korvettenkapitän Ehrhardt sich im Bett von Francis in dessen gepflegtem Bungalow aus. Der Captain selbst richtet sich ein höchst unbequemes Notlager auf dem Fußboden ein.

„Ein Gast ist mir immer heilig“, versichert er mit großer Geste.

Ehrhardt nimmt das Bett ohne Gewissensbisse an.

*

*Korvettenkapitän Ehrhardt war der letzte deutsche Soldat im Südostraum. Weil der Prozeß anstand, mußte er noch in Singapore bleiben.*

*Es ist keinem von den anderen deutschen Seeleuten, von den beiden Verhaftungen abgesehen, schlecht ergangen. Die Engländer haben sich großzügig und fair benommen. Die britische Navy hat sich der deutschen Spezialisten sogar für ihren Flottenstützpunkt in Selatar bedient. Die Männer haben nicht nur in den Docks, den Werkstätten, sondern auch auf den britischen Kriegsschiffen gearbeitet, andere hatten einen Job in der Stadt gefunden, im E-Werk, im Wasserwerk ... und ein LI besorgte sogar die technische Leitung einer Eisfabrik. So viele deutsche Seeleute gab es gar nicht, wie gebraucht, erbeten und angefordert wurden. Deutsche übernahmen sogar zwei Landungsboote für den Verkehr zwischen Java und Singapore, eines davon stand unter dem Befehl von Kapitänleutnant Rasner. Zwölf ehemalige U-Boot-Fahrer stellten die Besatzung, kein Engländer war an Bord, keiner kontrollierte die Deutschen. Auch zwei Schlepper und ein britisches Werkstattschiff fuhren unter dem Befehl von Steuermann d. R. K.-A. Thomsen von der versenkten B r a k e . Und da die britischen Behörden den in ihren Betrieben tätigen Deutschen zwar Verpflegung, aber kein Geld geben konnten, waren sie es, die ihnen den Tip gaben, sich in dieser Beziehung doch selbst zu*

313

*versorgen. Sie verwiesen auf das Arsenal... auf die Staatswerft.*
*Überall lagen riesige Mengen an Materialien aus ehemals briti-*
*scher und japanischer Zeit herum. Am Ende hatten die Germans*
*mehr Geld als die Engländer in den Taschen, denn was sie anfan-*
*gen, betreiben sie gründlich. Auf Drängen eines irischen Kapi-*
*täns, der von der Royal Navy als Verantwortlicher für die Hafen-*
*anlagen von Singapore bestellt wurde, übernahm Kapitänleut-*
*nant Rasner den einen Teil dieses riesigen Komplexes. Ein deut-*
*scher Seeoffizier... verantwortlicher Hafenkapitän in der briti-*
*schen ‚Löwenstadt'. Der Vertrag mit der zuständigen Stelle wurde*
*Rasner bereits vorgelegt. „Ich schrieb einen Feldpostbrief an*
*meine Frau", sagt er heute. „Sie solle in Deutschland alles ver-*
*kaufen; ich hätte in Singapore eine Lebensstellung bekommen.*

*Während die anderen Kameraden auf dem nach Europa fahren-*
*den Passagierdampfer E m p r e s s o f A u s t r a l i a eingeschifft*
*werden sollten, hatten sich zwanzig Mann gemeldet, um bei Ras-*
*ner zu bleiben. Außerdem sollte vorerst noch eine kleine andere*
*Gruppe unter Kapitänleutnant Grützmacher zurückbleiben, um*
*noch Arbeiten in der Werft zu Ende zu führen.*

*Dann aber erging plötzlich der Befehl, alle Deutschen, Korvet-*
*tenkapitän Ehrhardt wegen des noch ausstehenden Prozesses*
*ausgenommen, müßten Singapore mit der E m p r e s s o f A u-*
*s t r a l i a verlassen. Die tiefere Ursache für diesen Umschwung*
*war aber nicht bei den britischen Stellen zu suchen. Inzwischen*
*war es nämlich den Chinesen gelungen, die absolute Mehrheit in*
*der kommunalen Verwaltung von Singapore durchzusetzen, auf*
*demokratischem, also absolut legalem Wege. Eine der ersten Maß-*
*nahmen dieser Mehrheitsgruppe war, alle in städtischen Betrieben*
*noch tätigen Europäer zu entlassen. Obschon die Chinesen gerade*
*den Deutschen nichts vorzuwerfen hatten, mußten sie, um nicht*
*ihr Gesicht zu verlieren, als Beispiel, außer dem irischen Hafen-*
*kapitän auch den Kapitänleutnant Rasner und dessen Hilfsperso-*
*nal entlassen.*

*Fast gleichzeitig mit der Räumung Singapores von deutschen*
*Soldaten wurden auch die deutschen Seeleute in Batavia und*
*Soerabaja auf einem anderen Dampfer mit Kurs Europa einge-*
*schifft.*[44]

# SECHSTER TEIL

## 1.

## EIN VERMISSTER TAUCHT AUF:
## DER WI VON U-JEBSEN

*Ungeklärt blieb vorerst noch lange das Schicksal von U-Jebsen.
Die überlebenden Seeleute hatten ja keine Ahnung, weshalb ihr
Kommandant eine Stunde vor dem Einlaufen in Penang a l l e
Offiziere in die Messe befahl. Der damalige Kapitänleutnant
Oesten glaubte eine Antwort darauf zu haben: „Die haben Skat
gespielt, soweit ich Jebsen kenne."*

*Nein, es war anders, ganz anders. Was auch die Heimat nicht
wußte: einer dieser Offiziere überlebte im Boot das furchtbare
Ende: der damalige WI und Leutnant (Ing.) Horst Klatt. Welch
einem ungewöhnlichen Glücksumstand er seine Rettung, die seinen Angehörigen erst nach seiner Entlassung aus der Gefangenschaft bekannt wird, verdankt, hat er noch während der Zeit
seiner Gefangenschaft niedergeschrieben. Dabei befaßte er sich
auch mit dem Auslaufen seines Bootes . . .:*

„Es war am 4. 4. 44, 04.44 Uhr
in Kiel-Wik,
als der Fliegeralarm endlich vorüber war.

Man gönnte uns nicht einmal diese letzte Nacht.

07.00 Uhr trat die Besatzung vor dem Boot an. Der Flottillen-
chef verabschiedete uns, die wir auf des Kommandanten
Befehl danach auf Manöverstation eilten.

Auf dem Pier vor der *St. Louis* hatten sich viele Verwandte,
Freunde und Kameraden eingefunden. Das Stützpunktperso-
nal war angetreten, und eine Marinekapelle spielte Marschmusik. Wir wurden mit Blumen übersät.

Rührende Abschiedsszenen spielten sich ab.

Hier war es eine Mutter, dort eine Frau, die ohnmächtig zu-
sammensank, nachdem sich die Lippen zum vielleicht letzten
Kuß vereinten.

„Achterleinen los", das nächste Kommando. Die wachfreie Mannschaft stand an Oberdeck. Alle im grauen U-Bootkleid. In ihren Gesichtern zeigten sich harte Züge. Viele fuhren zum ersten Mal auf Feindfahrt. Alle bedrückte eine Ungewißheit. Niemand wußte, wohin es ging.

Wir ahnten es aber.

Als letzter sprang ich an Bord. Die Achterleinen waren bereits losgeworfen, und beide E-Maschinen liefen kleine Fahrt. Gegen alle Vorschrift und Praxis ließ der Kommandant die Dieselmotoren anfordern. Er wollte schnell aus dem Gesichtsfeld der Zurückbleibenden herauskommen.

Marschmusik, Rufe, Kommandos gingen im Motorengeräusch unter. Nur mit dem Glas vermochte man von der Brücke aus noch einzelne Personen zu erkennen.

Für das bloße Auge verschwanden die Gesichter in einem Meer winkender Taschentücher, Blumensträuße und Mützen.

Nach einer halben Stunde passierten wir das Marine-Ehrenmal.

Als letzten Gruß legten wir die Hand an unsere Mütze und gedachten derer, die im Ersten Weltkrieg auf den Meeren ihr junges Leben ließen.

Und was steht uns bevor?

Gut, daß es niemand weiß . . ."

\*

Horst Klatt schildert nun den Weitermarsch nach Norwegen, wo U 859 Christiansund-Süd anläuft, das inzwischen verbrauchte Treiböl und den Proviant ergänzt und dann mit dem für Japan bestimmten U 1224, einem IX C-Boot, das unter japanischer Besatzung überführt werden soll, zur eigentlichen Unternehmung ausläuft.[45] Lediglich der Navigationsoffizier und der Funkmeister für die Funkmeßgeräte sind auf U 1224 deutsche U-Bootfahrer.

Dieses Boot, das sei vorausgeschickt, ging bereits im Atlantik verloren. Am 13. Mai 1944 wurde es nordwestlich der Kap Verden von USS *Francis M. Robinson* versenkt.

Über den ersten Teil der Unternehmung von U 859 ist zwar manches Interessante, aber im Hinblick auf das zu klärende Endschicksal des Bootes nichts sonderlich Wesentliches zu sagen.

Allenfalls, daß die bedrückende Enge im Boot aus der Perspektive eines Technikers vielleicht besonders plastisch wirkt — und damit auch die zusätzlichen Belastungen deutlicher werden...

Horst Klatt notierte:

„Das Boot ist buchstäblich bis zur Decke mit Proviant, Reserveteilen und Munition vollgestopft. In den Mannschaftsräumen, dem Bug- und Heckraum sind die Kojen mit Reservetorpedos belegt. Die wachfreien Seeleute schlafen in allen Stellungen, wo sich nur ein freies Fleckchen zeigt. Grundsätzlich wird in Kleidung, in nördlichen Breiten im Lederzeug geschlafen. Und mit umgehängter Schwimmweste. Im Dieselmotorenraum sind die Flurplatten mit Kisten, die auf der Werft mit Durchbrüchen für die Bedienungsgestänge der Bodenventile angefertigt worden sind, ausgelegt worden. Nur im gebückten Zustand kann man zur Zentrale gelangen. Auch hier wird jeder freie Platz ausgenutzt. Im Funkraum hat der Funker kaum Platz. Stühle gibt es keine, Proviantkisten ersetzen sie. Auch der Offiziersraum ist mit Kisten ausgelegt. Hier dienen Eierkisten als Sitze. Die Offiziere haben hier nicht mehr Platz zur Verfügung, als in einem D-Zugabteil. Spindraum ist kaum vorhanden. Wer sich einen freien Raum von 40 x 40 x 60 cm vor dem Zugriff des ‚Proviantstaumeisters' für Privatzwecke erschleichen kann, der ist überglücklich. Die Kombüse ist sogar geräumig zu nennen, ein Mann, der Smutje, kann sich hier sogar einmal um seine eigene Achse drehen. Das will auf unserem Boot etwas heißen, denn er hatte eine wohlproportionierte Figur. Im OF-Raum und U-Raum herrscht die gleiche Enge wie in den übrigen Wohnräumen. Im Bug-Torpedoraum sieht man vor Torpedos keine Kojen mehr.

Wir haben den verständlichen Wunsch, recht bald Feindberührung zu bekommen. Jeder Aal, der ein Rohr verläßt, schafft Luft...

Mitte April 44 schlagen wir NW-Kurs ein. Wir steuern durch den berüchtigten Rosengarten zwischen Island und den Faröern. Auf seinem Grunde liegen viele Boote. Hier wünscht man sich starken Seegang, weil dieser eine Ortung durch Flugzeuge und Bewacher erschwert. Uns aber ist das Glück nicht hold. Trotz Nordlicht und Schneestürmen kommen wir über einen Seegang 5—6 nicht hinaus.

Das erste Alarmtauchen! Auf 90 m Tiefe wurde gehorcht, ob ein Schraubengeräusch auszumachen ist. Nichts ist zu hören. Nach einer Stunde tauchten wir wieder auf, um die Batterie aufzuladen. Nicht lange bleiben wir oben, denn nach einer dreiviertel Stunde werden wir wieder geortet. Diesmal ohne Alarmglocken. Die schrillen Töne machen die Besatzung nur nervös. Auf Sehrohrtiefe wird der Schnorchelluftmast aufgerichtet, die Batterien werden aufgeladen. Auf dem Schnorchelkopf ist ein Beobachtungsgerät angebracht. Der Funker stellt fest, daß selbst der Schnorchelkopf geortet wird. Trotzdem setzen wir die Schnorchelfahrt fort. Durch den Seegang schneidet der Schwimmer laufend unter. Die Motoren kommen gegen den hohen Abgasdruck nicht mehr an. Die Sicherheitsventile blasen die giftigen CO-Gase ins Boot ab. Mehrere Matrosen fallen um und können nur mit dem Sauerstoffgerät wieder zum Bewußtsein gebracht werden. Alle sind völlig schwarz im Gesicht.

Der Luftdruck im Boot fällt von 1000 auf 750 Millibar. Die Dieselmotoren saugen bei einem solchen Unterschneiden ihre Verbrennungsluft aus der Bootsluft heraus.

Am nächsten Tage passieren wir zwei Bewacherlinien, die mit S-Geräten das nasse Element abgrasen. Nerventötend sind die Ortungsgeräusche. Es hört sich an, als wenn Erbsen gegen den Druckkörper geworfen werden. Im Boot werden Gummimatten ausgelegt. Es darf nur geflüstert werden. Die E-Maschinen laufen Schleichfahrt. Die Tiefenruder werden von Hand bedient, da die Relais beim Stromwechsel starke Geräusche verursachen. Die Bewacher werfen in unregelmäßigen Abständen Schreck-Wasserbomben.

Wenn auch diese Wabos noch recht weit von uns entfernt detonieren, so verursachen sie einen mörderischen Krach. Sie haben, wenn auch keine vernichtende, so doch eine starke moralische Wirkung. Wir nutzen diese Detonationen, um mit AK-Fahrt die Position und die Tiefe zu wechseln.

Frühjahrsstürme brausen über den Nord-Atlantik. Mit vereistem Regenzeug kommt die Wache von der Brücke. Wegen des Schneesturms können die Gläser nicht benutzt werden. Es wird auf Sicht gefahren. Die Brückenwache schnallt sich an. An Oberdeck klappern Bleche und Rohre. Vom Turm lasse ich mich anseilen und betrete das Oberdeck, um mit einem Schlüssel die losgelösten Schrauben nachzuziehen.

Zweimal werde ich über Bord gespült. Die Leine zerrt mich wieder an Deck. Anderthalb Stunden dauert diese Reparatur. Sie ist aber so wichtig für das Boot und seine 68 Mann Besatzung.

Das Thermometer fällt auf vier Grad plus.

Alles friert an Bord.

Wir sind ja für die Tropen ausgerüstet worden, und jeder nahm sich persönlich nur etwas wollenes Zeug mit. Und die wenigsten haben Platz, es überhaupt zu verstauen.

Ende April drehen wir endlich auf südlichen Kurs."

In diesen Tagen hat U 859 seinen ersten Erfolg. Ein über eine Horchpeilung ausgemachter und aufgelaufener Frachter, von Kapitänleutnant Jebsen auf 6000 BRT geschätzt, wird aus einer Entfernung von 400 m mit einem Zweierfächer versenkt. Am 6. Juni passiert das Boot die Linie und erreicht ohne nennenswerte Vorkommnisse oder Behinderung den Südatlantik. In der Zeit vom 28. bis 30. Juni steht U 859 knapp zehn Seemeilen vor dem Hafen von Kapstadt...

Horst Klatt darüber:

„Durch das Sehrohr ist der Tafelberg gut auszumachen. Wir legen uns direkt vor die Hafeneinfahrt und warten auf dicke Brocken.

Nichts ereignet sich.

Die starke Strömung zieht uns in gefährliche Bereiche, in die Nähe von Fischerbooten.

Nachts tauchen wir auf.

Kapstadt kennt keine Verdunkelung.

Die Leuchtfeuer brennen.

Sturm und Seegang nehmen inzwischen immer mehr zu: Winterstürme.

Die Temperatur auf der Brücke beträgt 15 Grad Celsius. Vom Tafelberg her haben wir im FuMB Ortungen. Die Leute am Radar da drüben scheinen zu schlafen. Bei Seegang acht bis neun ist aber auch eine Ortung schwierig. Wir bleiben nachts oben und warten.

Einen... zwei... drei Tage.

Am 29. Juni erleben wir Seegang in Stärken zwischen neun und zehn.

80 Prozent der Besatzung ist seekrank...

Nach dieser Aktion läuft das Boot in Richtung ‚roaring forties' in den Indischen Ozean ab. Am 1. Juli wird die Passiermeldung gefunkt. Jebsen hofft, in der Nähe des Kriegshafens Port Elizabeth Ziele zu finden. Obwohl er sich dem Hafen bis auf 30 Seemeilen nähert, kommt kein Schiff in Sicht. Nur die Ortungen mehren sich, sie werden immer stärker. Wegen der starken Gegenströmung schafft das Boot, das mit 130 Grad und unter Wasser abläuft, nur ganze 40 Seemeilen als Tagesetmal.

Am 8. Juli läßt Jebsen auftauchen, um die Seeschäden nach dem Orkan zu kontrollieren. Es herrscht strahlender Sonnenschein. Kaum aufgetaucht, wird U 859 von einer Catalina angegriffen. Erst beim dritten Versuch des mit der Flak abgewehrten Gegners gelingt es Jebsen, sein Boot in die rettende Tiefe zu fahren, nachdem es ihm vorher glückte, alle gezielt geworfenen Bomben und Wabos auszumanövrieren. Ein Seemann von der Flak, der Matrosengefreite Boldt, ist bei dem Zweikampf zwischen Flugzeug und U-Boot gefallen; der IIWO, Leutnant zur See Lask, ist schwerverwundet. Seine Schädeldecke ist gebrochen; einige Granatsplitter sind bis ins Kleinhirn gedrungen. Stabsarzt Dr. von Gehlen verwandelt die O-Messe in einen Operationsraum.

Die Operation glückt.

Drei Stunden später ruht Lask in seiner Koje.

Hier aber muß er festgebunden werden.

Er phantasiert, er will immer wieder auf die Brücke."

U 859 läuft mit Schnorchelfahrt*) über 130 Stunden in 180 Grad unter Wasser ab. Bei jedem Auftauchen werden Radarortungen in großer Lautstärke gemessen. Mitte Juli operiert U-Jebsen zwischen Madagaskar und der Insel Réunion, und Anfang August sucht es im Raum vor Sansibar nach Zielen. Als auch hier kein Frachter zu sehen oder über das GHG zu orten ist, versucht Jebsen zwischen der Insel Sokotra und der Brüder-Insel in den Golf von Aden einzudringen. Dieses Vorhaben scheitert an der starken Gegenströmung. So muß das Boot denn die Insel Sokotra runden. Es muß den längeren Anmarschweg wählen, also mehr Treiböl verbrauchen. Hinterher legt es sich auf dem bekannten Schiffahrtsweg auf 90 Meter Wassertiefe auf den Grund.

---

\*) U 859 war das erste und blieb das einzige Schnorchel-U-Boot im Indik.

Der WI, Horst Klatt, berichtet:

„In der zweiten Nacht gehen die Leuchtfeuer von Kap Guardafui an. Ein Geleitzug ist im Anmarsch. In der Morgendämmerung des 6. August werden zwei Truppentransporter gesichtet. Sie werden von zwei Flugzeugen und vier Zerstörern und Korvetten gesichert. Wir stehen in ungünstiger Position und werden durch die starke Unterwasserströmung 14 Seemeilen unterhalb der afrikanischen Küste in 35 Meter Tiefe auf Grund gesetzt.*) In der Nacht sind wir dann in östlicher Richtung aus dem Golf herausgelaufen.“

Mitte August entdeckt U-Jebsen in Höhe des Neun-Grad-Kanals vier Stunden nach der Dämmerung einen Tanker. Obwohl das 12000 BRT**) große Schiff von zwei Korvetten gesichert ist, glückt ein Unterwasserangriff mit einem Dreierfächer. Danach taucht U-Jebsen auf und löst noch einen vierten Torpedo. Dieser Treffer im Vorschiff besiegelt das Schicksal des Tankers, der nun aufbrennt. Die Korvetten, die erst auf U-Jebsen zudrehten, laufen ab, als das U-Boot taucht. Aus Angst vor dem deutschen Wunderaal? Oder, um die Besatzungsmitglieder des Tankers zu bergen? Fast zur gleichen Stunde des nächsten Abends wird ein stark zackender Schnellläufer beobachtet. Obwohl er zeitweise außer Sicht kommt, glückt das Vorsetzmanöver noch kurz vor der Morgendämmerung. Das Boot taucht in guter Schußposition. Der Gegner, durch einen Zweierfächer aus 800 Meter Entfernung torpediert, sinkt in wenigen Minuten. Es gelingt ihm aber, noch vorher Notsignale und seine Position zu funken. Jebsen setzt sich daher mit großer Fahrt nach Osten ab. Zwei Tage später, quasi zur ‚Programmzeit‘, entdeckt der Ausguck wieder einen Schatten. Nach einer fünf Stunden andauernden Verfolgung wird der Schatten, ein ca. 8000 BRT großer Frachter, durch einen Dreierfächer versenkt. Auch in diesem Falle handelt es sich um einen besonders schnellen Einzelfahrer.

U-Jebsen operiert nun südlich der Gewässer von Ceylon bei den Andamanen und den Chagos-Inseln. Hier werden eines Tages — es ist Anfang September — besonders starke Schraubengeräusche von Turbinenschiffen festgestellt. Das Boot geht auf Sehrohrtiefe. In südlicher Richtung werden ein

---

*) Bemerkenswert sind immer wieder diese Feststellungen über ‚starke Unterwasserströmungen‘, die den deutschen U-Bootkommandanten offenkundig nicht bekannt gewesen sind.

**) lt. Aussage Klatt

Flugzeugträger, mehrere Kreuzer und Zerstörer, auf Südkurs liegend, beobachtet. Wegen der hohen Fahrt der Gegnerschiffe ist ein Vorsetzen unter Wasser unmöglich, und ein Auftauchen wäre einem Selbstmord gleichgekommen. Auf zwölf Seemeilen Entfernung einen Torpedotreffer anzubringen, schien Kapitänleutnant Jebsen mehr als eine Frage des Glücks.

Wie in den Monaten zuvor, operiert U 859 weiter nur während der Nacht für drei bis vier Stunden über Wasser. Tagsüber fährt es getaucht.

Als Kapitänleutnant Jebsen am 21. September auftauchen läßt, steht U 859 ungefähr 150 Seemeilen westlich der Nordspitze von Sumatra. Hier funkt der Kommandant die Einlaufmeldung für Penang.

Folgen wir nun der Schilderung von Horst Klatt im Wortlaut:

„Nach der Antwort vom Stützpunkt Penang sollen wir am 23. September am Aufnahmepunkt mit U 861, U-Oesten, zusammentreffen. Die Position dieses Treffpunktes liegt südlich von Pulo Butang. Beide Boote sollen im Schutz von Geleitfahrzeugen durch den minenfreien Weg durch die Malakkastraße geschleust werden. Penang weist darauf hin, auf eine deutsche Arado zu achten. Die Wassermaschine würde über dem Aufnahmepunkt kreisen.

Wie befohlen, stehen wir am 23. auf der bezeichneten Position. Weder U 861 noch die Geleitfahrzeuge kommen in Sicht. Nebel und Monsun-Regen behindern die Beobachtung. Schließlich läßt der Komandant erneut einen Funkspruch absetzen. Er lautet in lakonischer Kürze:

‚Geleitfahrzeuge verfehlt.'

Als Antwort erfahren wir über den Chef im Südostraum, U-Oesten könne erst einen Tag später auf dem Treffpunkt stehen, um aufgenommen und eingebracht zu werden. Wegen der hier besonders akuten U-Bootgefahr solle U 859 nicht weiter auf und ab stehen, sondern vielmehr mit unbedingt verstärkter Brückenwache einlaufen:

Also ohne Geleitschutz und allein.

Als Gefechtswache ziehen auf U 859 dreizehn Mann auf.

Als an Backbord nach einer Feindfahrt von 173 Tagen Land in Sicht kommt, scheint sogar die Sonne. Kapitänleutnant

Jebsen erlaubt seinen Männern im Turnus der Abwechslung eine ‚smoketime' auf der Brücke. Es herrscht Seegang in Stärken vier bis fünf. Später wird es nebelig und diesig. Die Stimmung an Bord ist gut, denn die vier Wimpel, die am Sehrohr für die versenkten 33 000 BRT wehen, bekunden einen guten Erfolg. Er liegt weit über dem Durchschnitt der Operationen der letzten Monsun-U-Boote.

Die Bärte müssen abgenommen werden, um gegnerischen Agenten im Südostraum keine Anhaltspunkte über die Dauer der Unternehmung zu geben. Für den Empfang in Penang wird bereits Tropenzeug ausgegeben.

Als U 859, das über 20 000 Seemeilen*) zurückgelegt hat und dennoch 17 Kubikmeter Treiböl in seinen Bunkern fährt, vor der Ansteuerungstonne von Penang steht, befiehlt Kapitänleutnant Jebsen alle Offiziere zur Einlaufbesprechung in die O-Messe. Während dieser Zeit übernimmt der IIIWO, der Obersteuermann, die Brückenwache. Das Echolot zeigt bereits Wassertiefen von weniger als 80 Metern an.

Im Offiziersraum sitzen der Kommandant, Kapitänleutnant Jan Jebsen, der LI, Kapitänleutnant (Ing.) Kiehn, der IWO, der vom Hilfskreuzer *Thor* kommende Oberleutnant zur See Schnitzler und der IIWO, Leutnant zur See Lask. Trotz gut überstandener Operation ist dieser aber noch nicht als WO einsatzfähig. Immerhin, das dürfte in diesem Zusammenhang interessieren, besserte sich sein Gesundheitszustand von einem Tag zum anderen. An der Besprechung nehmen ferner teil: der Bordarzt, Stabsarzt Dr. von Gehlen, und der Wachingenieur, Horst Klatt.

Kapitänleutnant Jebsen hatte gerade die Wacheinteilung für die Hafenliegezeit bestimmt, und er befaßt sich nun mit der problematischen Werftüberholung, als ich ihn um eine vorübergehende Abwesenheit bitten muß. Nur zögernd gibt er mir seine Genehmigung, gerade jetzt zum WC gehen zu dürfen. Ich sehe noch, wie er einen Blick mit Dr. von Gehlen wechselte, und ich möchte annehmen, daß er aus des Stabsarztes Miene heraus las, daß die tropischen Verhältnisse auch in dieser Beziehung Ausnahmen fordern.

Ich verlasse also die O-Messe, und ich ahne nicht, daß ich keinen Teilnehmer dieser Besprechung wiedersehen werde.

---

*) während der Dauer der Gesamtoperation lag der normale Fahrbereich bei 32 700 Sm. bei 12 Kn. Marschfahrt über Wasser.

Kaum habe ich im vorderen WC, im Unteroffiziersraum, die Tür abgeriegelt, da höre ich einen kurzen, metallisch klingenden Schlag. Gleichzeitig ist eine kaum fühlbare Erschütterung des mit 15 Knoten Marschfahrt in Richtung Penang dahinackernden Bootes zu spüren. Nur Bruchteile einer Sekunde später erdröhnt eine gewaltige Detonation.

Das ganze Boot wird buchstäblich angehoben, es macht einen regelrechten Sprung. Mit dem Kopf zuerst werde ich mit fürchterlicher Wucht gegen den Druckkörper geschleudert. Den Aufprall vermag ich aber noch zu mindern, instinktiv hatte ich beide Hände vor den Kopf gerissen.

Schreie gellen durch das Boot. Schrille Schreie und laute Rufe.

Das Licht ist aus.

Ich spüre, wie das Boot wegsackt . . . daß es absäuft . . . Je mehr es in die Tiefe fährt, um so stärker wird der Druck auf meinen Ohren.

Ich versuche, den Vorreiber vom WC-Schott zu öffnen. Aber durch die Treffereinwirkung klemmt er. Meine beiden Hände schmerzen. Durch den stoßähnlichen Aufprall am Druckkörper sind beide Gelenke verrenkt. Und dann fühle ich auch die wahnsinnigen Schmerzen am Kopf. Als ich mit der rechten Hand über die Haare und über das Gesicht streiche, spüre ich, daß ich blute. Am Kopf? Im Gesicht? Zum Nachdenken bleibt jetzt keine Zeit.

Es m u ß etwas geschehen. Ich muß raus aus dem WC-Schapp. Ich klopfe und schlage gegen die Tür.

Keiner kommt, um sie zu öffnen.

Wer an Bord noch lebt, wird mit sich selbst zu tun haben.

Im WC steht das Wasser bereits bis zur Tür-Rosette.

Ich rufe, rufe und rufe.

Meine Schreie brechen sich in dem engen Raum; im Boot aber scheinen sie in den anderen Geräuschen unterzugehen.

Schließlich versuche ich noch einmal mit einem Vierkantschlüssel, die Tür mit Gewalt zu öffnen. Der Ausbruch gelingt. Ich werde sofort vom Wasser erfaßt und in den Unteroffiziersraum gespült.

Im Scheine der Notbeleuchtung ist die verheerende Wirkung des Treffers zu erkennen: Kojen, Kojenzeug, Zigarettenschachteln und andere Dinge schwimmen zwischen leblosen Körpern auf öligem, ständig ansteigendem Wasser.

Ich versuche, über den OF-Raum durch die Kombüse und die Offiziersmesse in die Zentrale zu gelangen. Ein entsetzliches Bild springt mich auf diesem Wege an:

Im U-Raum erlebe ich einen Maschinenmaaten, der anscheinend seinen Verstand verloren hat. Der Mann versucht, in seinen kleinen Spind hineinzukriechen. Ich rede auf ihn ein, um ihn davon abzubringen...

Mit starrem Gesichtsausdruck gibt er mir zu verstehen, daß er mit seiner Frau zusammen sterben wolle. Ich muß ein paar Mal fragen, ehe ich begreife, was er meint...

Doch dann wird es mir klar:

Im Spind sind die Bilder von seiner Frau und seinen Kindern.

Als ich den Verzweifelten bei einem erneuten Versuch, in den Spind hineinzukriechen, mit aller Gewalt herauszerren will, greift er mich tätlich an.

Ich muß ihn abschütteln. Dann aber kann ich mich nicht mehr um ihn kümmern.

Ein anderer Maat hat seine Schlafmatratze unter dem Arm und schwimmt zum Bugraum hin, denn hierhin haben sich die Überlebenden gerettet. Er schafft es nicht. Plötzlich wird er besinnungslos. Er fällt in den U-Raum zurück.

Nun aber blockiert die Matratze des Unteroffiziers das Bugraumluk. Es läßt sich nicht mehr schließen, obwohl mehrere Seeleute es versuchen.

Für mich ist das ein Glück, stehe ich doch in diesem Augenblick noch zwischen dem OF-Raum und der Kombüse. Hier versuchen gerade zwei Mann das darüber befindliche Luk zu öffnen. Aber das Schwitzwasser und die Dämpfe vom Kochen haben offenbar einen so starken Rostansatz verursacht, daß sich das Handrad auch mit Gewalt nicht bewegen läßt.

Ein Blick in den Offizierraum:

Was ich sehen kann, ist ein grausiges Bild der Verwüstung.

Genau hier muß der Treffer erfolgt sein.

Eisenteile versperren den Durchgang zur Zentrale.

Nirgendwo ist noch eine Spur von Leben.

Gelbe Schwaden ziehen durch die Räume. An dem beißenden Geruch merke ich, daß es Chlorgase sind. Es wird also höchste, allerhöchste Zeit, in den letzten, noch sicheren Zufluchtsort, in den Bugraum zu schwimmen.

Ich arbeite mich in das Vorschiff zurück und tauche durch das vordere Torpedoluk in den Bugraum hinein. Er steht bereits zu 75 Prozent unter Wasser.

Kaum habe ich ihn betreten, dröhnt eine neue Detonation durch das Boot. Eine der beiden Batterien ist explodiert. Durch die Abluftleitungen dringen die giftigen, tödlichen Chlorgase jetzt auch bis zu uns hinein. Die Rosetten werden geschlossen. Wir sind 12 Mann, die sich nach hierhin gerettet haben. Sind wir zwölf, dreizehn oder nur elf? Genau vermag man das in und bei diesem Zustand nicht zu zählen. Wohl aber stelle ich fest, daß die meisten Männer und einige Maaten der seemännischen Freiwache angehören.

Weder ein Offizier, noch ein Feldwebel ist unter denen, die überlebten. Diese, daran ist kein Zweifel, löschte der Explosionsdruck der Torpedodetonation aus. Ich allein blieb also übrig. Mich verschonte die Druckwelle im WC.

Von den zwölf Mann im Bugraum verfügen nur sieben über einen Tauchretter. Sie haben ihn bereits umgelegt. Die anderen suchen. Sie tauchen, aber sie haben kein Glück. Weitere Tauchretter sind nicht zu finden. Die Unruhe und die Aufregung, namentlich unter den jüngeren Soldaten, werden nur noch größer.

Einige beten.

Andere weinen.

Wieder andere jammern leise vor sich hin.

Und ein paar von denen, die keinen Tauchretter haben, halten vaterländische Reden . . .

. . . bis die giftigen Chlorgase ihre Lungen zerfressen haben.

Wir hängen nun an den Deckenventilen. Noch immer steigt das Wasser weiter an.

Gleich wird auch das spärliche Licht der Batterie-Notbeleuchtung überspült sein. Ich versuche, die Leute zu beruhigen. Ich sage ihnen, daß wir uns retten können, wenn wir absolute Ruhe bewahren würden. Ich erkläre ihnen, das Wasser sei hier nur 40 Meter tief. Wenn das Boot vollends geflutet sei, würde sich das Luk ganz leicht öffnen lassen.

Ein Heizer schreit mich mit vor Angst klirrender Stimme an. Dies sei eine Lüge. Er wisse genau, das Wasser sei hier 80 Meter tief. Niemand könne hier noch aussteigen. Auch die Tauchretter würden uns nicht helfen.

Inzwischen haben zwei Maate versucht, das Luk zu öffnen.

Es klemmt. Wir brauchen einen harten Gegenstand. Ein Messer oder einen Meißel.

Weiter, immer weiter steigt der Wasserspiegel an. Am vorderen Tiefenmesser lese ich 15 Meter Wassertiefe ab. Also ist der Druckausgleich bis auf 0,8 atü ausgeglichen.

Das Luk geht aber noch immer nicht auf.

Ich weiß es:

Körperliche Arbeit bei einem Druck von über 6 atü ist fast unmöglich.

Wir sind schon viel zu lange bei diesem Druck im Boot eingesperrt. Wenn wir nicht gleich das Luk öffnen, wird es aus sein. Das weiß jeder. Aber keiner spricht es aus.

Ein Bootsmaat opfert sich. Er taucht in den Nebenraum zurück. Mit einem spitzen, harten Gegenstand kehrt er zurück. Was es war, weiß ich heute noch nicht.

Zusammen mit diesem Maaten verließen noch zwei andere Seeleute den Bugraum. Sie wollen versuchen, so sagten sie, durch das Trefferloch im Druckkörper ins Freie zu gelangen. Wir haben sie nie wieder gesehen.

Das Luk zu öffnen, glückt.

Einer der Maate gibt mir das Zeichen, daß das Luk nunmehr frei sei. Er fragt nach dem Druckausgleich. Mir bleibt nur wenig Zeit, den restlichen überlebenden Kameraden zu erläutern, wie sie sich verhalten sollen:

1. Mundstück des Tauchretters erst kurz vor dem Aussteigen in den Mund nehmen . . .
2. Tauchretter nur geringfügig mit Bootsluft und etwas Sauerstoff aufblasen . . .
3. Nicht krampfhaft auf das Mundstück beißen, immer Luft ablassen . . .
4. Versuchen, mit der Lutfblase auszusteigen . . .
5. Langsam aufsteigen, mit den Armen gegenrudern . . .

Im Bugraum ist das Wasser mittlerweile so hoch gestiegen, daß nur noch 30 bis 40 Zentimeter Luftraum unter der Decke zum Atmen verbleiben. Hier, dicht unter der Decke, klammern wir uns an irgendwelchen Ventilen fest. Keiner kennt die wirkliche Tiefe, in der das Boot liegt.

Ein Rauschen rumort durch das Boot.

Das stählerne Luk über uns flattert. Es schlägt wild und wütend auf und nieder. Brausend und zischend entweicht die komprimierte Luft aus dem Boot.

Wasser dringt nach.

Endlich ist der Druckausgleich hergestellt. Das Luk bleibt jetzt in geöffneter Stellung stehen. Es ist eingerastet.

Es wird hell um uns.

Einige der überlebenden Kameraden sind bereits mit der aus dem Boot entweichenden Luftblase aus dem stählernen Sarg herausgerissen worden.

In die Ungewißheit hinein ...

Die anderen steigen nach. Sie klettern ruhig und ohne Aufregung durch das kreisrunde Loch hindurch. Ich bin der letzte, der letzte Lebende auf dem Meeresgrund. In dem zerfetzten Boot ruhen nur noch meine toten Kameraden.

Ganz still ist es um mich.

Eine unheimliche, mich beruhigende Ruhe schwebt durch den Raum.

Über mir ist die helle Öffnung. Sie zeichnet sich als grünlichblauer Kreis über meinem Kopf ab, so scharf, wie mit einem Messer geritzt. Dann und wann steigen noch ein paar Blasen auf. Wie silbern glitzernde Perlen schweben sie nach oben ... durch den grün-blauen Teller hindurch ...

Langsam ziehe ich mich am Luk hoch. Ich achte darauf, daß sich mein Tauchretter nicht am Handrand verheddert, auch, daß er nicht etwa am Netzabweiser hängenbleibt.

Ich fühle, wie ich leichter werde, ich spüre den Auftrieb. Dann entschwinden meine Sinne.

Um mich herum ist nur noch ein untergründiges Rauschen. Plötzlich aber wird es ganz still. Ich glaube in einer anderen Welt zu sein. Die Augen zu öffnen, wage ich noch nicht.

Doch dann reißen mich Schreie in die Wirklichkeit zurück. Ich öffne die Augen: Um mich herum sind meterhohe Wellen. Ich schwimme auf meinem prall gefüllten Tauchretter. Das Mundstück an ihm hängt mit geöffnetem Ventil herunter. Ich muß es verloren haben, als ich für 20 Minuten das Bewußtsein verlor. Der Überdruck aus der Lunge konnte also entweichen.

Wenn mich eine See anhebt, entdecke ich einige der überlebenden Kameraden. Aber noch mehr Tote. Offenkundig sind diese Männer viel zu schnell an die Oberfläche geschossen. Blutiger Schaum bedeckt ihren Mund. Ihre Lungen sind zerrissen.

Die Schreie stammen von Verwundeten, die von zahlreichen Haifischen angegriffen werden.

Da sehe ich, dicht neben mir, meinen Aufklärer Paddy.

Er liegt auf einem Schlauchboot. Paddy war nicht mit uns im Bugraum. Also sind auch aus dem Heckraum welche herausgekommen.

Ein Trost in dieser Not.

Plötzlich wieder laute Rufe. Erst ist es einer, dann sind es ein paar, die immer wieder schreien.

‚Ein U-Boot ... ein U-Boot ... ein U-Boot!‘

Zuerst denke ich an Oesten. Dann aber erkenne ich an der Silhouette, daß es nur ein feindliches Boot sein kann. Es kommt näher. Ich sehe Besatzungsmitglieder an Deck. Sie fischen die ersten Überlebenden heraus. Mir fällt noch etwas auf, was sich unauslöschlich in meine Erinnerung eingegraben hat:

Eines der beiden Sehrohre ist ausgefahren. An seiner Spitze hat sich ein britischer Seemann festgekrallt ... Oder hat man ihn dort sogar festgebunden? Er hält Ausschau nach Überlebenden. Immer wieder weist sein Arm in diese oder in eine andere Richtung.

Sieben, acht oder neun Mann sind bereits gerettet worden. Jetzt dreht das Boot. Es kommt direkt auf mich zu. Bei der hohen Dünung werde ich um ein Haar von dem messerscharfen Bug getroffen. Eine Leine fliegt durch die Luft, ein Tau, das man mir zugeworfen hat. Ich packe den Tampen und werde an das Boot herangezogen. Es sind wohl viele Hände gewesen, die mich herausgezerrt haben, die mich über das Oberdeck schleiften und durch ein Luk in das Innere des U-Bootes hoben.

Unten im Boot zähle ich acht Gerettete.

Wir fallen uns in die Arme."

\*

Elf Jahre später weilt der Maschinenbau-Ingenieur Horst Klatt im Auftrage seiner Firma, für die er als Spezial-Sachbearbeiter fast die ganze Welt bereist, in Hongkong. Als es sich herumspricht, wer dieser Deutsche in diesem England noch verbliebenen Stützpunkt ist, wird Klatt vom ‚Admiral Hongkong' gebeten, sein Gast zu sein ...

„Wir wußten", so erklärt der hohe britische Offizier, der Gegner von ehedem, später bei Tee und Tabak, „daß Ihr Kommandant dem Stützpunkt Penang sein bevorstehendes Einlaufen gefunkt hatte, auch daß ein anderes U-Boot... das von dem Kapitänleutnant Oesten... zur gleichen Zeit vor der Malakka-Straße stand und ebenfalls Kurs auf den Stützpunkt hatte."

„Aber es ist doch erwiesen, daß es in keinem einzigen Falle gelang, Funksprüche aus dem deutschen Maschinenschlüssel M zu dechiffrieren."

„Das trifft schon zu. Wir waren über das Einlaufen von U 859 aber trotzdem informiert. Der Kommandant von HMS *Trenchant* mußte sich sehr beeilen, um nach unserer Kopplung noch rechtzeitig in die Malakka-Straße zu kommen. Und er hätte, hätte er nur noch einen Torpedo gehabt, auch das andere U-Boot versenkt..."

Klatt lächelt dünn und sagt:

„Hätte er... ja, diese ,Hätte's'... Solch eine Hoffnung ist wie das Versprechen der Pythia von Delphi. Wenn sie von Staatsmännern und Heerführern befragt wurde, den Schleier der Zukunft zu lüften. Am Ende stimmte immer, was sie verkündete."

Nun lächelt auch der Brite.

„Weil der Pythia Antwort so zweideutig ist...? So doppelzüngig wie manche Politik?"

„... Wie Ihre Politik von damals', wollte er wohl damit sagen...

Doch dann erhebt er sich und tritt nachdenklich langsam an das Fenster heran. Unvermittelt wendet er sich um. Sein Gesicht ist sehr ernst, als er Klatt fragt:

„Und Sie würden wieder U-Boot fahren? Sie würden wieder diese Strapazen auf sich nehmen, diese Angst, diese tödlichen Gefahren?"

„Gewiß, wenn es einer guten Sache und wie wir heute wissen, einer b e s s e r e n Sache dient...

der Freiheit der Person,

der Menschenwürde,

der Freiheit der Völker schlechthin."

„Ja, daß eine Sache gut gemeint war, daß sie eine gute Sache schien, machte sie noch lange nicht zu einer guten Sache."

Und nach einer Pause, langsamer, leiser:

„Wer aber weiß das vorher so genau."
Der britische Offizier nickt, als er das sagt. Seine Kopfbe-
wegung kann bedeuten, daß er seine Worte nur noch unter-
streicht. Er kann aber auch die blaugrünen Berge über dem
Hafen meinen, jene, hinter denen das andere China liegt. Ein
China, das sich an vieltausendjährige Weisheiten und Erkenntnisse anlehnt. Die Worte Ssun-Ds' des Älteren sind eine
von ihnen:

*„Der Krieg ist ein Weg der Täuschung! Sind die Kräfte des
Gegners einig, so zersetze sie! Wenn Du irgend etwas benutzt,
tue dem Feind gegenüber, als wenn Du es nicht benutzest."*

[1] Anlage 2 vom Protokoll 9. VII. 41 1./Skl Ib 1321/41

[2] Auf Madagaskar sollte nur ein U-Boot-Stützpunkt eingerichtet werden — eine Planung, die einmal nicht weiter betrieben wurde, weil Hitler glaubte, daß die Franzosen dazu ihre Zustimmung nicht geben würden, und die zum anderen dann auch von den Japanern zurückgestellt wurde.

[3] Vortrag in Berlin am 19. 9. 1944 vor Chef des Generalstabes des Heeres. Nishi war Gehilfe des japanischen Militärattachés in Berlin

[4] Nach britischen Unterlagen (Roskill) wurden im Indischen Ozean von Januar 1942 bis Januar 1943 versenkt: Januar 13 mit 46 062 BRT, Februar 18 mit 38 151 BRT, März 65 mit 68 539 BRT, April 31 mit 153 930 BRT, Mai 4 mit 22 049 BRT, Juni 18 mit 90 322 BRT, Juli 9 mit 47 012 BRT, August 1 mit 5 237 BRT, September 6 mit 30 052 BRT, Oktober 11 mit 63 552 BRT, November 23 mit 131 071 BRT, Dezember 6 mit 28 508 BRT, Januar 1943 0 mit 0 BRT.

[5] GHG = Gruppenhorchgerät

[6] Wenn man indessen die Möglichkeiten der Alliierten auf dem Gebiet solcherart Zusammenarbeit betrachtet, bedarf es keines weiteren Kommentars.

[7] Skl vom 13. 2. 1943; 497/43 gKdos. Chefsache Ziffer 3

[8] Unter dem deutschen Tarnnamen *Kirschblüte* hatte dieses Boot wertvolle Rohstoffe nach Europa gebracht. I 30 übernahm diese Güter nicht etwa im Hafen, sondern erst in See. Es war am 20. April 1942 aus Penang ausgelaufen. Nach einer Versorgung aus dem japanischen Hilfskreuzer *Qikoku Maru* am 25. April fand das Boot im Indischen Ozean als Aufklärungs-U-Boot der A-Gruppe des 8. U-Boot-Geschwaders Verwendung. Dieses Geschwader hatte den Auftrag, mit Klein-U-Booten einen Spezialangriff gegen die British Eastern Fleet zu führen. I 30 klärte mit seinem Bordflugzeug am 11. Mai über Aden, am 13. Mai über Djibouti, am 28. Mai über Sansibar und am 5. Juni über Durban auf, nachdem es am 21. Mai den Raum vor Daressalam durch Sehrohrbeobachtung aufgeklärt hatte. Mitte Juni wurde I 30 südöstlich von Madagaskar aus den Hilfskreuzern *Aikoku Maru* und *Kokoku Maru* versorgt. Am 24. Juni unternahm es einen Aufklärungsvorstoß nach Durban und wurde dann, von den Hilfskreuzern wieder versorgt, mit Rohstoffen für Deutschland beladen und als Trans-U-Boot nach Westfrankreich entlassen. Es traf am 4. August in Lorient ein. Von hier

ging es, nunmehr mit für Japan wichtigen Rohstoffen beladen, am 26. August wieder in See und kam am 11. Oktober wohlbehalten in Singapore an. Allerdings ging es wenige Tage später verloren. Auf dem Marsch nach Japan lief es am 13. Oktober auf eine britische Mine.

Noch während I 30 in See stand, lief der U-Kreuzer I 8 unter dem Kommando von Captain S. Uschino am 6. Juli aus Penang aus. Außer Rohstoffen hatte dieses Boot, das deutscherseits unter dem Tarnnamen *Flieder* fuhr, noch eine vollständige japanische U-Boot-Besatzung an Bord. Diese war für das deutsche IX C-Boot U 1224 bestimmt, auf dem diese Besatzung ausgebildet werden sollte, um später unter japanischer Flagge nach Japan zu fahren und um dort der japanischen U-Boot-Waffe die bei den Agru-Front-Übungen gewonnenen Erfahrungen über die deutschen Angriffstaktiken im Handelskrieg zu vermitteln. U-Kreuzer I 8 traf auf diesem Marsch am 21. August mit U 161 (Kapitänleutnant Achilles) zusammen. Es übernahm von diesem Boot ein Funkmeß-Beobachtungsgerät, gleichzeitig steigen ein Offizier und vier Funker als Bedienungspersonal über. Am 31. August brachte ein Minengeleit das Boot in den Hafen von Brest ein. Am 5. Oktober bereits ging I 8 mit einer Ladung, die vornehmlich aus Torpedomotoren, Flugzeugkanonen und Chronometern bestand, wieder in See. Unter starker Sicherung, wieder durch Torpedoboote und Minensucher, erreichte es den freien Atlantik, wurde aber Ende Oktober nach Abgabe einer Passiermeldung von amerikanischen Flugzeugen zwei Tage lang angegriffen und, auf 60 Meter Tiefe fahrend, durch Bomben leicht beschädigt. Mehrfach vom Gegner eingepeilt, erreichte I 8 ohne Zwischenfälle am 7. Dezember Singapore, von wo es unbehindert nach Japan weiterlief. Angeregt durch diesen zweiten Erfolg, schickten die Japaner, schon im eigenen Interesse, später noch weitere Boote nach Europa. Über deren Schicksal wird an anderer Stelle noch kurz berichtet werden.

[9] An sich war es Hitler, der in der Konferenz am 19. 11. 1942 den Bau von Transport-U-Booten wünschte, da er nach Übernahme von Island durch die Amerikaner den Gedanken einer plötzlichen Besetzung von Island und Schaffung einer Luftbasis dort wieder aufgenommen hatte. Skl Qu.A regte die Übergabe dieser Aufgabe an den Schiffahrtkommissar an, da diese Boote als Handels-U-Boote gebaut und als solche für Handelszwecke eingesetzt werden könnten (Blockadebrecher). Ob.d.M. sagte Prüfung der Frage zu.

[10] *Breiviken*, 2669 BRT großer norwegischer Frachtdampfer; *Michael Livanos*, 4774 BRT großer Frachtdampfer unter griechischer Flagge.

[11] Nomura wurde, allerdings nur für kurze Zeit, im Juli 1944, japanischer Marineminister.

Um ein Haar wäre U-Schneewind, statt in Japan einzulaufen, auf den Grund der Chinesischen See gesunken. Da auch bei der japanischen Führung oft die linke Hand nicht wußte, was die rechte tat — oder nicht wissen durfte, passierte es: Der zuständige Seebefehlshaber war völlig ahnungslos. Als U 511 sein Seegebiet durchfuhr, griffen japanische U-Bootjäger an. Granaten verschiedenster Kaliber zerplatzten um U-Schneewind herum. Die japanische Kriegsflagge, des Tennos Sonnenbanner, ignorierten die Angreifer. Sie schossen nur um so heftiger. Schließlich gelang es Nomura, über Morsesprüche in japanischer Sprache seine Landsleute zu überzeugen, daß dieses U-Boot kein als Japaner getarnter Amerikaner sei. Was Nomura zu sagen hatte, paßte in keinen Seemannsspind. Diplomaten sind auch Menschen.

[12] 1./Skl Ib 680/43

[13] Käp'n Kölschbach, Der Blockadebrecher mit der glücklichen Hand; Koehlers Verlagsgesellschaft, Herford 1958.

[14] Die Monsun-U-Boote waren nicht die einzigen Schiffe unter deutscher Flagge, die Penang als Zielhafen n i c h t erreichten. Am 17. Februar 1891 verließ die Geestemünder Bark *Ellen Rickmers* unter Kapitän Neelen den Hafen Newcastle in Neusüdwales. Sie hatte 2172 tons Kohle geladen und war für Penang bestimmt. Sie kam nie in Penang an. Niemand weiß etwas über ihr Schicksal. Sie war und bleibt verschollen. — Der Name Penangs scheint in der Schiffahrt mit einem bösen Omen behaftet: im März 1941 meldete Lloyd's die finnische Bark *Penang* als vermißt. Die *Penang* gehörte dem finnischen, inzwischen verstorbenen Segelschiffsreeder Erikson, vorher fuhr sie, in Deutschland erbaut, unter der Flagge der berühmten deutschen Segelschiffsreederei Laeisz, Hamburg (daher auch das P). Sie war der einzige Frachtsegler, der 1940 mit einer Ladung Weizen an Bord die Reise von Australien nach Europa angetreten hatte. Das Schicksal der *Penang* ist ungeklärt, Vermutungen, sie sei von einem U-Boot torpediert und dieses U-Boot sei unmittelbar danach selbst versenkt worden, so daß es nicht mehr zur Abgabe dieser Erfolgsmeldung kam, sind nicht bestätigt. Der Verfasser wäre dankbar, wenn einer der Leser dieses Schicksal klären helfen könnte ...

[15] Jochen Brennecke: Jäger — Gejagte, Deutsche U-Boote 1939 bis 1945, Kapitel 25: Deutsche U-Boote in asiatischen Gewässern, Koehlers Verlagsgesellschaft, Herford 1956, pg. 306 bis 314.

[16] Über die Geduld allein ließe sich in einem ‚Knigge für Asien' zur Regel machen, was Lily Abegg in der FAZ vom 22. Juli

1961 im Wirtschaftsblatt unter dem Titel ‚Knigge für Asien'
aus Tokio schreibt:

„Auch in Europa schätzen wir die Tugenden der Geduld, der
Selbstbeherrschung und der Achtung vor der Menschenwürde.
Doch in Asien wird diesen Tugenden eine weit höhere Bedeutung zugemessen. Die asiatischen Kulturvölker haben viele
Jahrhunderte auf engem Raum zusammengelebt, und daher ist
bei ihnen die Rücksichtnahme auf den Mitmenschen stärker
ausgebildet als bei uns. Die Anpassung an die Gemeinschaft,
nicht die individuelle Entfaltung steht an erster Stelle. Auch
religiöse Gründe haben verhindert, daß die Bedeutung des Ein-
zelmenschen in den Vordergrund geschoben wurde. In Asien
stellt man vielmehr seine eigene Person zurück. Man braust
nicht auf, sondern beherrscht sich, man drängt sich nicht vor,
sondern ist bescheiden. Da die Asiaten hieran gewöhnt sind, erklären sie jeden, der sich nicht daran hält, für primitiv und
unzivilisiert. Eines der obersten Gesetze heißt daher Geduld.
Bevor der Westen an die Tore pochte, waren die Asiaten eigentlich in jeder Beziehung geduldig, aber heutzutage können die
modern Gesinnten unter ihnen bei ihrer Arbeit, also sachlich
sozusagen, recht ungeduldig sein. Aber sie sind es nicht anderen
Menschen gegenüber. Ihr Festhalten an der Selbstbeherrschung
und an der Menschenwürde verhindert sie daran. Wenn sie ein
besonderes Interesse bei jemandem erwecken oder ihn zur Arbeit anspornen wollen, tun sie das auf eine indirekte, feine
Weise. Diese subtilere Art kann niemand lernen, der keine Ver-
anlagung dafür hat. Den Europäern, die es im allgemeinen
gewohnt sind, etwas spontan und ‚geradeheraus' zu sagen,
kann man daher nur raten: Seid geduldig und vorsichtig! Über
offen gezeigte Ungeduld lachen die Asiaten. Solches kommt
ihnen vor wie ein Hund, der den Mond anbellt. Manchmal
ärgern sie sich auch darüber, nämlich dann, wenn ihnen eine
heftige Bemerkung an den Kopf geworfen wird. Für sie kann
es einen ‚Gesichtsverlust' bedeuten, denn selbst, wenn sie sich
in einer gleichrangigen Stellung befinden, verbietet ihnen ihre
Erziehung, zurückzuschimpfen, also Gleiches mit Gleichem zu
vergelten. Ihre Reaktion besteht darin, daß sie dann absichtlich
langsam arbeiten oder so tun, als ob sie nichts begreifen. In
schlimmen Fällen brüten sie, ohne es sich anmerken zu lassen,
auf Rache.

Aus dieser Grundeinstellung folgt vieles. Zum Beispiel, sich
nicht zu wichtig nehmen und sich nicht laut benehmen; nicht
spontan schelten und schimpfen. Wer sich an die Tugenden der
Geduld, Selbstbeherrschung und Bescheidenheit nicht hält, besitzt nach asiatischer Auffassung keine Menschenwürde. Sie
setzt voraus, daß man nicht nur selbst würdig sein will, viel-

mehr das auch von den anderen erwartet. Infolgedessen muß man den anderen Menschen Achtung erweisen. Das hat im Prinzip mit sozialen Unterschieden nichts zu tun: ein jeder Mensch erheischt Hochachtung, die seiner Stellung gebührt, sei er nun Arbeiter, Beamter, Geschäftsmann, Bauer oder Handwerker..."

[17] Dieser Vergleich basiert weniger auf militärischen Tugenden, er ist vielmehr aus der dem ,Bushido' verwandten friderizianischen Pflichtauffassung zu verstehen. ,Bushido' heißt wörtlich übersetzt: Der ritterliche Weg. Dieser Weg fordert Gehorsam, Treue und bedingungslose Opferbereitschaft im Dienst des Kaisers, das heißt hier des Tenno und zugunsten des Staates.

Die ,Bushido'-Ethik wurde von modernen, orthodoxen Japanern auch dahingehend ausgelegt: „Des Westens Technik ist uns nützlich, seine Ideen aber verwirren unser Volk!"

[18] UIT ist die Abkürzung von Untersee-Italien-Transport.

[19] Da die Stützpunkte über keine ausreichenden Torpedoreserven verfügten, konnten diese Boote nur mit der Hälfte des Solls, also mit nur zwölf Torpedos ausgerüstet werden. Diese Torpedokalamität, wie auch die behelfsmäßige technische Ausrüstung der Stützpunkte, machte die Zuführung von Waffen (Ersatzrohre für die Zwozentimeter als Beispiel), Munition und sonstigem Kriegsgerät, das von japanischer Seite nicht gestellt werden konnte, zum Teil über Kampf-U-Boote notwendig. Ab Frühjahr 1944 wird sie regelrechten Transport-U-Booten der Typen IX D1, X, XIV und VII F sowie dem einen, noch in Westfrankreich liegenden ehemaligen italienischen U-Boot *Alpino Bagnolini*, jetzt UIT 22, übertragen.

[20] Wie schon angedeutet, haben die Engländer die vom Kommandanten der *Eritrea* überlassenen Details über Einsatz und Versorgung von U-Booten im Indischen Ozean sehr wohl und vor allem sehr schnell zu nutzen verstanden. Sie haben begonnen, nun auch für den Indischen Ozean den Überwachungsdienst weiter auszubauen.

Dazu ist grundsätzlich noch folgendes zu sagen:
Admiral Sommerville hat im September das Gros der Eastern Fleet vom mittelostafrikanischen Kilindini nach Colombo verlegt. Im Oktober wird diese Flotte, die nur noch über ein Großkampfschiff, das alte Schlachtschiff *Ramillies* (Schwesterschiff der von Prien versenkten ROYAL OAK) verfügt, durch den Geleitträger *Battler* verstärkt. Für den Geleitdienst stehen außer älteren Kreuzern und Hilfskreuzern noch vier moderne Einheiten zur Verfügung. Die drei Zerstörer-Flottillen, die Sommerville theoretisch kommandiert, bestehen nur noch aus 13 Schiffen. Sie sind ununterbrochen für Geleitzüge auf den Routen Kapstadt—Aden und anderen, die den Indik kreuzen,

im Dienst. Der Mangel an Fregatten, Sloops und Korvetten bindet noch immer die größeren Schiffe der Flotte für die Geleitzugdienste. Erst im Frühjahr 1944 treffen endlich weitere Geleitfahrzeuge ein, so daß die Zerstörer zur Flotte zurückkehren können. Vielleicht erklärt der Mangel an diesen Einheiten das Verhalten der Zerstörerkommandanten bei Begegnungen mit deutschen U-Booten im Indischen Ozean.

Die Engländer dürfen sich übrigens glücklich schätzen, daß die Japaner den Indischen Ozean mehr oder weniger als sekundären Kriegsschauplatz betrachten. An Verstärkungen sind aber inzwischen britische U-Boote aus dem Mittelmeer eingetroffen. Über ihre ersten Erfolge im Südostraum wird an anderer Stelle berichtet. Daß diese U-Boote wieder in Seegebieten operieren, die seit 1942 ausschließlich von den Japanern beherrscht werden, wirkt sich auf die Kampfmoral zwangsläufig nur günstig aus. Die Heranziehung weitreichender Flugzeuge wurde bereits dargestellt; daß nun auch auf den Malediven Radarstationen errichtet werden, verdient noch der Erwähnung.

Es ist in diesem Zusammenhang nicht uninteressant, daß der Oberkommandierende in Süd-Ostasien, Admiral Lord Mountbatten, Landungsunternehmen vorsah, die er dann aber mit Rücksicht auf die Planungen in Europa abschreiben mußte; mehr noch, er erhielt Befehl, 21 Landungsfahrzeuge nach Europa zu schicken. Das war mehr als die Hälfte seiner Landungsschiffe. Jedenfalls mußte Mountbatten alle offensiven Vorhaben im Indischen Ozean den Gesichtspunkten auf höchster Ebene unterordnen.

Erst folgende Ereignisse in Europa— und das erhellt, wie richtig die Überlegungen der Skl in Berlin waren, als sie die verbliebenen Großkampfschiffe in Norwegen stationierte — führen schließlich zu einer Verstärkung der Eastern Fleet im Indischen Ozean:

1. Die Kapitulation Italiens.
2. Die Versenkung der *Scharnhorst.*
3. Die schweren Schäden auf der *Tirpitz* bei dem Bombenangriff am 3. April 1944.

Nicht weniger als 146 Einheiten werden nun Admiral Sommerville zugewiesen, darunter die *Renown,* die *Queen Elizabeth* und die *Valiant,* die Träger *Illustrious* und später die *Victorious,* 14 Kreuzer, 24 Zerstörer, 54 Geleitfahrzeuge, 27 Minensucher, 17 U-Boote und fünf Depot- und Reparaturschiffe.

Ferner werden erwartet die Träger *Indomitable* und *Formidable* und der US-Träger *Saratoga,* der im Geleit von drei US-Zerstörern am 2. April in Ceylon eintrifft. Im März sind noch die beiden Geleitträger *Shaw* und *Begum* hinzugekommen; mit diesen weitere Flugzeuge mit besonders großer Reichweite.

Außerdem trifft noch das französische Schlachtschiff *Richelieu* ein.

Selbstverständlich zielen diese Verstärkungen nicht auf die U-Boot-Gefahren im Indik ab, wohl aber dient ein ziemlich großer Teil der Einheiten — vor allem die Träger und Hilfsflugzeugträger — dem Schutz der Geleitzüge und dem Kampf gegen die U-Boote im Indischen Ozean und, auf die britischen U-Boote bezogen, auch dem Kampf innerhalb der Gewässer vor den deutschen U-Bootstützpunkten. Dennoch, so scheint es uns, lassen sich die in der Schlacht im Atlantik gewonnenen Erfahrungen nicht auf den Indik übertragen, nämlich hier regelrechte U-Boot-‚Killer-Groups' aufzustellen und einzusetzen.

Zur Gesamtbeurteilung der Lage für die Operationen der deutschen U-Boote im Indik müssen aber auch noch die in Südafrika, Mauritius, Aden usw. stationierten Streitkräfte der Navy mit ihren Hilfsflugzeugträgern und der RAF berücksichtigt werden.

[21] Die *Brake* wurde zunächst durch Maschinen des Geleit-Trägers *Battler* gesichtet, während das V-Schiff gerade zwei U-Boote (also U 188 und U 532) beölte. Die Flugzeuge führten den bei dem britischen Verband stehenden Zerstörer *Roebuck* heran, der, wie es in britischen Dokumenten heißt, das Versorgungsschiff versenkte. Roskill dazu: „This success further curtailed U-Boot operations in the Indian Ocean, and the survivers were forced to return to Penang prematurely."

[22] Nach Kapitän zur See a. D. Vermehren ist UIT 25 im Februar 1944 Kurs Heimat aus Japan ausgelaufen, dann aber wegen Maschinenschadens umgekehrt.

[23] Es handelt sich dabei um:

1. U-Kreuzer I 34, unter Commander S. Irie. Das Boot, das den deutschen Tarnnamen *Tanne* führte, wurde am 15. 1. 43 dem 8. U-Bootgeschwader im Indischen Ozean zugeteilt und in Japan für eine Fahrt nach Europa ausgerüstet. Am 4. November traf das Boot in Singapore ein und nahm für Deutschland Kautschuk, Zinn, Wolfram und Chinin an Bord. Am 11. lief es von Singapore aus. Es wurde bereits am 12. November, einen Tag später, auf der Höhe von Penang in 05° 16 Nord, 100° 05 Ost durch das britische U-Boot *Taurus* torpediert und versenkt.

2. U-Kreuzer I 29, unter Lt. Commander T. Kinashi. Das Boot, dessen deutscher Deckname *Kiefer* lautete, war mehr vom Glück begünstigt. Es lief etwa am 18. November 1943 von Penang mit folgender Ladung aus: 49,11 t Zinn — 25,356 t Wolfram — 2,000 t Chinin — 2,000 t Opium — 85,818 t Kautschuk. Am 30. Dezember und 4. Januar ergänzte das U-Boot aus dem deut-

schen Versorgungsschiff *Bogota* zweimal Brennstoff. Am 10. März läuft I 29 in Bordeaux ein. Bereits am 16. April geht es im Geleit von T 27 und T 29 wieder in See und macht am 20. Juli 1944 in Singapore fest. Nach dem Auslaufen am 22. Juli wurde es am 26. Juli auf 20° 10 Nord, 121° 50 Ost durch das US-U-Boot *Sawfish* torpediert und versenkt.
3. U-Kreuzer I 52, Commander Uno. Unter dem Tarnnamen *Föhre* wurde das Boot nach seiner Ausbildungszeit am 10. März 44 dem 8. U-Bootgeschwader zugeteilt und in Japan für eine Transportfahrt nach Europa ausgerüstet.

Am 23. April 1944 verläßt es Singapore mit 102 t Wolfram — 120 t Zinn — 55 t Kautschuk — 9,8 t Molybdän — 3 t Chinin — 3 t Opium und 0,058 t Coffein.

Das für den 18. Juni mit U 530 im Atlantik vorgesehene Treffen kommt wegen Wetterlage nicht zustande. Ein neuer Treffpunkt wird für den 23. Juni befohlen, an dem I 52 von U 530 ein FuMB mit Bedienungspersonal übernimmt. Am 24. Juni wird das U-Boot von einem Flugzeug des amerikanischen Geleitträgers *Boge* geortet, der auf die am Vortage von I 52 für U 530 gesendeten Peilzeichen angesetzt worden ist. Während der Dunkelheit erfolgt ein überraschender Angriff auf das noch tauchende U-Boot, eine Geräuschboje wird geworfen, mit deren Hilfe ein Bomber einen erfolgreichen Angriff fliegt. Am folgenden Tage werden in 15° 16 Nord, 39° 35 West von Geleitfahrzeugen der amerikanischen Trägergruppe Trümmerteile eines U-Bootes, eine japanische Sandale und 65 Ballen Kautschuk aufgefischt. Damit darf die Versenkung des Bootes als sicher angenommen werden. Die von deutschen Stellen am 28. und 30. Juli aufgefangenen Funksprüche, mit denen I 52 sein Antreffen auf den Geleitaufnahmepunkt am 1. August ankündigt, sind vorläufig nicht zu klären.

[24] siehe „Der Fall Laconia", nachdem der BdU zum Schutze seiner Besatzungen und Boote jede Rettungs- und Hilfsaktion verboten hat, weil U-Boote bei einer solchen Aktion gebombt wurden.

[25] Es waren die tödlichen Monate nach Auftauchen des neuen Radars beim Gegner, die Monate Mai, Juni, Juli 1943.

[26] Das Boot war U 181, das durch einen Zufall zwischen Colombo und Sumatra auf U 196 traf.

[27] Aus Coquimbo/Chile am 18. Mai 1941, an Japan 27. Juni.

[28] Dauerproviant

[29] Die Verständigung erfolgte in Englisch, gemischt mit chinesischen Brocken, die Vogel beherrscht. Die Tatsache, daß Chinesen kein R sprechen können (sie sprechen es wie ein L), ist in den Dialogen nicht berücksichtigt worden.

[30] Das bezog sich natürlich nicht nur auf das Torpedo-Heizöl, das betraf vor allem auch das Schmieröl für die U-Boote.

[31] Außer den vorstehend genannten Fahrzeugen, wurden im Transportverkehr zwischen Formosa und anderen Gebieten noch weitere deutsche Frachter eingesetzt. Es handelte sich um Schiffe, die bei Kriegsausbruch nach Japan auswichen und die nicht als ,klassische Blockadebrecher' Verwendung fanden. Ein Teil dieser Schiffe, so zum Beispiel die *R. C. Rickmers* und die *Ursula Rickmers* wurden bei diesen Fahrten torpediert (die *R. C. Rickmers* am 10. Juni in japanischen, die *Ursula Rickmers* am 3. Mai in südchinesischen Gewässern).

[32] U 532 hatte nach einer Kollision in der Ostsee in Stettin Stahlschrauben bekommen, die in tropischen Gewässern stärker als Bronzeschrauben dem Einfluß der Korrosion ausgesetzt sind.

[33] Soweit sie ankamen und nicht mit der *Van Imhoff* umkamen. Dieser holländische Frachter, der als Internierten-Transporter Verwendung fand, wurde auf der Fahrt nach Bombay beim Verlassen der indonesischen Gewässer von japanischen Flugzeugen gebombt. Die holländische Besatzung verließ das Schiff in den Rettungsbooten, ohne sich um die internierten Deutschen zu kümmern. Diese, die man unter Deck in den Ladeluken hinter Stacheldraht eingesperrt hatte, überließ man ihrem Schicksal. Sie konnten sich zwar befreien, fanden aber keine intakten Rettungsboote mehr vor. Nur wenige überlebten, sie erreichten auf selbstgezimmerten Flößen und in einem wracken Arbeitsboot indonesische Inseln.

[34] Gelbe Flagge = Admiral, General; rote Flagge = Stabsoffiziere; blaue Flagge = Oberleutnante, Leutnante. Anweisung der Stützpunktleiter: „... bei Kraftwagen muß der Gruß rechtzeitig, aber in jedem Fall erwiesen werden."

[35] Meldung des Mil. Att. Tokio vom 13. 9. 1944 mit Nr. 2502 Cito Nr. 191, 3c: Schwerpunkt des USA-U-Booteinsatzes bei enger Zusammenarbeit mit in China basierten Luftwaffenteilen. Auswirkung so, daß Schiffsverbindung japanisches Mutterland — Südostraum zur Zeit nahezu unmöglich.

[36] Rekrutiert aus der Indischen Legion, ca. 30 000 Mann.

[37] S., besonders Hafen und Werften, wurde am 24. 2. 1945 von 130 in Indien gestarteten B 39 angegriffen.

[38] Siehe: Jochen Brennecke: DER FALL LACONIA, Ein hohes Lied der U-Boot-Waffe, Koehlers Verlagsgesellschaft, Jugenheim.

[39] Torpedo-Erprobungskommando = TEK, Junker war dessen Gruppenleiter vom November 1938 — August 1942.

[40] Nach Aussagen des heutigen Fregattenkapitäns Herwartz ist dieses plötzliche Absinken nicht, wie an anderer Stelle berichtet, auf die Explosion einer britischen Magnetmine im minenfreien Weg zurückzuführen. Das mit dem Heck schon tief im Wasser liegende Boot kippte ganz plötzlich, ruckartig, nach achtern weg.

[41] Die Spannungen innerhalb der Marine sind ungewöhnlich groß gewesen. So teilte der Wehrmachtattaché Tokio mit Nr. 019/44 gKdos vom 27. 2. 1944 u. a. mit: „... Heißumstritten ist Figur Minister Admiral ‚Shimada', der mir gegenüber von höheren Offizieren als ‚Laufjunge Tojos' bezeichnet wurde. Als Nachfolger werden Adm. ‚Okada', früherer Ministerpräsident, sowie Adm. ‚Suetsugu', früherer Flottenchef, genannt. Im Mar. Ministerium herrscht derartige Spannung, daß z. B. sogar Gewalttätigkeiten nicht ausgeschlossen."

[42] Die Kapitulation wurde bereits um Mitternacht des 14. August durch Mr. Attlee und Präsident Truman bekanntgegeben, dieweilen der 15. August als ‚VJ-Day' in die Geschichte einging. Am 16. August stellten alle japanischen Truppen das Feuer ein, und am 2. September wurde auf dem US-Schlachtschiff *Missouri* die Kapitulation unterzeichnet. Die ersten britischen und indischen Truppen in Singapore landen erst am 5. September, am 7. September wird die Marine-Basis von Singapore vom japanischen Flottenchef der Britischen Navy übergeben (zurückgegeben). Die Kapitulation von Niederländisch-Indien und Holländisch-Borneo wird am 8. September unterzeichnet, am gleichen Tage werden in Bougainville auch Nord-Guinea und die angrenzenden Inseln übergeben. Am 9. September kapituliert eine Million japanischer Truppen in China, die Unterzeichnung erfolgt in Nanking. Am 10. kapitulieren die Japaner in Nord-Borneo, am 11. auf Holländisch-Timor und erst am 12. September wird vor Admiral Lord Mountbatten die Kapitulation von Südostasien in Singapore unterzeichnet, am 13. folgen die japanischen Streitkräfte in Burma (Rangoon), die 18. Armee in Neu-Guinea und alle Truppen in ganz Malaya. Am 14. wird die Phosphat-Insel Nauru übergeben, am 16. kapitulieren die japanischen Streitkräfte in Hongkong vor Admiral Harcourt. Am 9. Oktober werden die Andamanen wieder von den Briten besetzt.

[43] Korvettenkapitän Ehrhardt war mit einer kleinen Gruppe von Seeleuten in Singapore zurückgeblieben, als die anderen nach Batu Bahat verlegten. In der Erwartung der japanischen Niederlage nahmen die Zurückgebliebenen einige Transaktionen vor. Sie tauschten vor allem das in den Schuppen lagernde Opium gegen pures Gold ein. Dieses Gold wurde auf Ehrhardts Befehl in diesen berühmten Grotten versteckt. Als dann die

Sieger, die Engländer, kamen, haben die Deutschen das Gold herausgeholt und einem Chinesen übergeben. Dieser Chinese richtete für die Deutschen ein Konto ein, von dem sie bis 1946, als sie nach Deutschland zurückgeschafft wurden, ihren Wehrsold in der Landeswährung ausgezahlt erhalten konnten. Darüber hinaus diente dieses Geheimkonto allen notwendigen Anschaffungen für die Männer, wie Schuhzeug, Kleidung usw. Während der Haftzeit von Korvettenkapitän Ehrhardt zeichnete Kapitän zur See Freiwald für dieses Geheimkonto verantwortlich. Dieser meldete das Konto später, nach seiner Rückkehr, der Regierung der Bundesrepublik, als sich in Deutschland die Verhältnisse nach den ersten Nachkriegsjahren und der Währungsreform normalisiert hatten. Wer die Korrektheit der Chinesen kennt, darf sicher sein, daß das Konto auch heute noch akkurat wie bei einer Großbank zu Buch steht.

[44] Da die Verhältnisse hier aber völlig anders als in Malaya und Singapore lagen, war es einigen Deutschen möglich, auf Java zurückzubleiben. Einer davon, der Maschinenobermaat Max Wycisk, ehemaliges Besatzungsmitglied von U 219, verblieb als marinetechnischer Berater bei den Streitkräften der Freiheitsarmee Sokarnos. Hier wurde er sogar in den Rang eines Konteradmirals eingestuft. Das mag unwahrscheinlich klingen, ist aber ebenfalls durch Dokumente zu belegen. Außerdem muß man wissen, daß die eingeborenen, fanatisch patriotischen Javaner alle Mischlinge aus Ehen zwischen Holländern und Javanern verdammten und verbannten. Da nun aber die Holländer während ihrer Kolonialherrenzeit viel für solche Mischlinge taten, d. h. die Kinder aus Ehen zwischen Holländern und Javanern auch auf höhere Schulen schickten, entblößte sich die Freiheitsregierung ausgerechnet des größten Teils der für eine Selbstverwaltung notwendigen gebildeten Kräfte. Aber das ist ein Kapitel, das mit so wenigen Worten schwerlich verständlich gemacht werden kann.

[45] Diese japanische Besatzung war als zusätzliche Besatzung mit I 8 von Penang, wo das Boot am 27. Juni 1943 auslief, nach Brest gekommen, wo es am 5. September eintraf.

[46] Hezlet war einer der bekanntesten englischen U-Boot-Kommandanten und einer der jüngsten Stabsoffiziere der englischen Flotte. Er war, zum Konteradmiral befördert, bis vor kurzer Zeit Chef der englischen U-Bootwaffe.

342

Von Jochen B r e n n e c k e erschienen bei uns außerdem folgende Bücher:

## Jäger - Gejagte
**Deutsche U-Boote 1939 bis 1945**
434 Seiten, 42 Bilder, Ganzleinen.

„... das informativste Werk über den deutschen U-Boot-Krieg ..."
Bücherei und Bildung

Aus dem Inhalt: Schlachtschiffe oder U-Boote? / Erfolge überzeugen Zweifler / Minenunternehmungen - stilles Heldentum / Operation Weserübung / Das U-Boot und seine ungeschriebenen Gesetze / Otto Kretschmer über das Ende von Günther Prien / Die Asse Mützelburg und Lüth / U-74 und die Bismarck-Tragödie / Der verratene Treffpunkt St. Antoa / U-81 versenkt ein Luftgeschwader / U-331 vernichtet das Schlachtschiff „Barham" / Die neuen britischen Abwehrtaktiken / Die U-Boote und das HK-Atlantis-Drama / Krieg mit USA. Dönitz: Angriff! 'ran! Versenken! / In der Karibik: 5000 Tonnen Dynamit gehen hoch / Noch unerfahrene Amerikaner / U-134: vom Eiskeller in den tropischen Backofen / Der Fall „Laconia" / Die Experimente des Ing. Hellmuth Walter und das OKM / Paukenschlag vor Kapstadt / Die U-Boote sterben usw.

## Schlachtschiff Bismarck
**Kampf und Untergang**
400 Seiten, 28 Fotos, 15 Gefechtsskizzen, 2 Karten, 1 Deck- und Seitenriß, Ganzleinen.

„... So ist eine ebenso erschöpfende wie abgerundete Arbeit entstanden, die in der Seekriegsliteratur über diese Probleme Beachtung verdient ..."
Leinen los

Aus dem Inhalt: Ein Wort zuvor / Die Vorbereitungen — seestrategische Lage 1941 — Grundkonzeption der Bismarck-Unternehmung — Flottenchef und Operationsbefehl / I. Phase - Auslaufen von Gotenhafen, Ankern im Grimstad-Fjord - Gegnermaßnahmen / II. Phase - Erreichen der Dänemark-Straße - Gegnermaßnahmen / III. Phase - Marsch auf Dänemark-Straße - Gegnermaßnahmen / IV. Phase - Islandgefecht - Versenkung der HOOD - Bedeutung der Hood - Treffer auf Bismarck / V. Phase - Der Marsch nach Süden bis zum Ruderausfall / VI. Phase - Der Endkampf / Die Begleitschiffe / Admiral Gunter Lütjens / Schlußbetrachtung / Diverse Anhänge zu den einzelnen Kapiteln.

## Eismeer - Atlantik - Ostsee
**Die Einsätze des Schweren Kreuzers „Admiral Hipper"**
Mit Geleitwort von Vizeadmiral a. D. Friedrich Ruge.
360 Seiten, 40 Bilder, 14 Karten, Ganzleinen.

„Die Bücher von Jochen Brennecke zu lesen, bedeutet, Seekriegsgeschichte im Detail zu studieren, auf eine fesselnde und mitreißende Art und Weise. Dies bewahrheitet sich auch bei der Lektüre seines neuen Werkes. Es hat das Schicksal des Schweren Kreuzers „Admiral Hipper" zum Thema ... Ein Buch für Männer, die von Schiffen fasziniert sind — spannend von der ersten bis zur letzten Seite."
Bremer Nachrichten

Aus dem Inhalt: Stapellauf, Indienststellung, Erprobung / Die Kirkwall-Unternehmung / Unternehmung Weserübung-Versenkung von HMS Glowworm / Drontheim-Handstreich / Unternehmen Jane / Narwik / Handelskrieg im Eismeer / „Seelöwe" / Gefecht mit HMS Berwick / Vernichtung des Convoy SLS 64 / Gefecht bei der Bäreninsel / Wilhelm-Gustloff-Tragödie / Ende in Kiel.

KOEHLERS VERLAGSGESELLSCHAFT · HERFORD

AUS UNSEREM MARINEBUCHPROGRAMM:

Jochen Brennecke

**Bolzen**

**Heiteres und Besinnliches aus Marine und Christlicher Seefahrt**

300 Seiten, 11 Abbildungen, Ganzleinen.

„Echter Humor macht dieses Werk lesens- und liebenswert, die daneben aufgezeigte bittere Tragik menschlichen Versagens wird dem Buch seine Bedeutung auf lange Sicht erhalten."

Deutsche Küstenschiffahrt

Aus dem Inhalt: 143 in sich abgeschlossene Berichte über kleinere und größere Pannen und Ereignisse aus dem Seefahrtsleben, teilweise humorvoll, teilweise voll erschütternder Dramatik.

C. E. T. Warren und James Benson

**Torpedoreiter und Kleinst-U-Boote im Einsatz**

Mit einem Geleitwort von Hellmuth Heye, Vizeadmiral a. D., seinerzeit „Admiral der Kleinkampfverbände der Marine".

223 Seiten, 19 Bilder, Ganzleinen.

„Die Autoren Warren, einer der ersten Männer, die eine ‚Chariot' fuhren, und Benson, der letzte Kommandant eines Kleinst-U-Bootes, berichten auf ungeheuer spannende Art und Weise über die Entwicklung und den Einsatz dieser Waffen."

Der Schweizer Soldat

Aus dem Inhalt: Geleitwort von Vizeadmiral a. D. Heye / Das erste Kleinst-U-Boot / Angriffsversuch auf die Tirpitz / Einsätze im Mittelmeer / Einsätze in Norwegen / Ungeheure Strapazen und Leistungen / Im fernen Osten / „Kleine Burschen mit großem Schneid" / Historischer Ablauf.

Theodor Krancke und Jochen Brennecke

**RRR - Das glückhafte Schiff**

**Kreuzerfahrten der „Admiral Scheer"**

Mit einem Vorwort von Großadmiral a. D. Dr. h. c. Erich Raeder.

3. Auflage, 360 Seiten, 55 Fotos, 3 Karten, Ganzleinen.

„Dies Buch, das mit vorzüglichen Bildern und anschaulichen Skizzen ausgestattet ist, gehört zweifellos zu den hervorragendsten Darstellungen aus dem Zweiten Weltkrieg. ... Ein wundervolles Buch!"

Marine-Rundschau

Aus dem Inhalt: Über den Einsatz im Kreuzerkrieg. Von Theodor Krancke / Vorbereitung und erstes Auslaufen / Durchbruch im Polarorkan / Angriff auf HX-84-Geleit / Ohne Werft und ohne Hafen / Treffen mit Hk „Thor" / Flottentreffen Punkt „Andalusien" / Doublette durch Kriegslist / Prisenkommandos / Marsch um's Kap der Guten Hoffnung / Vor Ostafrika / Rote-Kreuz-Kisten mit MG-Schlagbolzen / Konzentrische Einkreisung durch britische Seestreitkräfte / Unbemerkter Heimmarsch / Durchbruch in Sichtweite britischer Kreuzer.

KOEHLERS VERLAGSGESELLSCHAFT · HERFORD